Padrões Comportamentais

Chain of Responsibility (212): Evita o acoplamento do remetente de uma solicitação ao seu destinatário, dando a mais de um objeto a chance de tratar a solicitação. Encadeia os objetos receptores e passa a solicitação ao longo da cadeia até que um objeto a trate.

Command (222): Encapsula uma solicitação como um objeto, desta forma permitindo que você parametrize clientes com diferentes solicitações, enfileire ou registre (*log*) solicitações e suporte operações que podem ser desfeitas.

Interpreter (231): Dada uma linguagem, define uma representação para sua gramática juntamente com um interpretador que usa a representação para interpretar sentenças nesta linguagem.

Iterator (244): Fornece uma maneira de acessar seqüencialmente os elementos de um objeto agregado sem expor sua representação subjacente.

Mediator (257): Define um objeto que encapsula como um conjunto de objetos interage. O Mediator promove o acoplamento fraco ao evitar que os objetos se refiram explicitamente uns aos outros, permitindo que você varie suas interações independentemente.

Memento (266): Sem violar a encapsulação, captura e externaliza um estado interno de um objeto, de modo que o mesmo possa posteriormente ser restaurado para este estado.

Observer (274): Define uma dependência um-para-muitos entre objetos, de modo que, quando um objeto muda de estado, todos os seus dependentes são automaticamente notificados e atualizados.

State (284): Permite que um objeto altere seu comportamento quando seu estado interno muda. O objeto parecerá ter mudado sua classe.

Strategy (292): Define uma família de algoritmos, encapsular cada um deles e fazê-los intercambiáveis. O Strategy permite que o algoritmo varie independentemente dos clientes que o utilizam.

Template Method (301): Define o esqueleto de um algoritmo em uma operação, postergando a definição de alguns passos para subclasses. O Template Method permite que as subclasses redefinam certos passos de um algoritmo sem mudar sua estrutura.

Visitor (305): Representa uma operação a ser executada sobre os elementos da estrutura de um objeto. O Visitor permite que você defina uma nova operação sem mudar as classes dos elementos sobre os quais opera.

Padrões de Projeto

Aviso ao leitor

A partir desta reimpressão, utilizaremos a consagrada capa da edição original publicada pela Addison Wesley. Alertamos para o fato de que o conteúdo é o mesmo da edição publicada pela Bookman desde 2000, conteúdo esse que passou por uma cuidadosa revisão para chegar com esta nova apresentação ao mercado.

G193 Gamma, Erich
       Padrões de projeto: soluções reutilizáveis de software orientado a objetos / Erich Gamma, Richard Helm, Ralph Johnson e John Vlissides; trad. Luiz A. Meirelles Salgado. – Porto Alegre: Bookman, 2000

       ISBN 978-85-7307-610-3

       1. Engenharia de sistemas – Programação de computadores. I. Helm, Richard. II. Johnson, Ralph. III. Vlissides, John. IV. Título.

       CDU 681.3.02

Catalogação na publicação: Mônica Ballejo Canto – CBR 10/1023

ERICH GAMMA
RICHARD HELM
RALPH JOHNSON
JOHN VLISSIDES

Padrões de Projeto

Soluções reutilizáveis de software orientado a objetos

Tradução:
Luiz A. Meirelles Salgado

Consultoria, supervisão e revisão técnica desta edição:
Fabiano Borges Paulo, MSc
Consultor em Engenharia de Software

Reimpressão 2008

2000

Obra originalmente publicada sob o título
Design patterns – elements of reusable object-oriented software

© Addison Wesley Longman, Inc., 1995
Publicado conforme acordo com a Addison Wesley Longman, Inc.
ISBN 0 - 201- 63361- 2

Capa: Mario Röhnelt (com ilustração de M. C. Escher/Cordon Art/Holanda)

Preparação do original: *Rafael Corsetti*

Supervisão editorial: *Arysinha Jacques Affonso*

Editoração eletrônica: *Laser House*

Reservados todos os direitos de publicação, em língua portuguesa, à
ARTMED® EDITORA S.A.
(BOOKMAN® COMPANHIA EDITORA é uma divisão da ARTMED® EDITORA S.A.)
Av. Jerônimo de Ornelas, 670 - Santana
90040-340 Porto Alegre RS
Fone (51) 3027-7000 Fax (51) 3027-7070

É proibida a duplicação ou reprodução deste volume, no todo ou em parte, sob quaisquer formas ou por quaisquer meios (eletrônico, mecânico, gravação, fotocópia, distribuição na Web e outros), sem permissão expressa da Editora.

SÃO PAULO
Av. Angélica, 1091 - Higienópolis
01227-100 São Paulo SP
Fone (11) 3665-1100 Fax (11) 3667-1333

SAC 0800 703-3444

IMPRESSO NO BRASIL
PRINTED IN BRAZIL

Para Karin
—E.G.

Para Sylvie
—R.H.

Para Faith
—R.J

Para Dru Ann e Matthew
Josué 25:15b
—J.V.

Prefácio

Este livro não é uma introdução à tecnologia orientada a objetos ou ao projeto orientado a objetos. Já existem muitos livros bons sobre esses tópicos. Este livro pressupõe que o usuário seja razoavelmente fluente em pelo menos uma linguagem de programação orientada a objetos e tenha alguma experiência em projeto orientado a objetos. Definitivamente, não deve ser o tipo de usuário que recorre ao dicionário quando mencionamos "tipos" e "polimorfismo", ou "herança de interface" por oposição a "herança de implementação".

Por outro lado, este livro tampouco é um tratado técnico avançado. É um livro de padrões de projeto (*design patterns*) que descreve soluções simples para problemas específicos no projeto de software orientado a objetos. *Padrões de projeto* captura soluções que foram desenvolvidas e aperfeiçoadas ao longo do tempo. Daí os padrões de projeto não serem os projetos que as pessoas tendem a gerar inicialmente. Eles refletem modelagens e recodificações, nunca relatadas, resultado dos esforços dos desenvolvedores por maior reutilização e flexibilidade em seus sistemas de software. *Padrões de projeto* captura essas soluções em uma forma sucinta e facilmente aplicável.

Os padrões de projeto não exigem nenhum recurso incomum da linguagem, nem truques de programação surpreendentes para impressionar seus amigos e gerentes. Todos podem ser implementados em linguagens orientadas a objetos comuns, embora possam exigir um pouco mais de trabalho que soluções *ad hoc*. Porém, o esforço adicional invariavelmente traz dividendos na forma de maior flexibilidade.

Uma vez que você tenha compreendido os padrões de projeto e tenha exclamado "Ah!" (e não somente "Hum?") na sua experiência com eles, nunca mais pensará sobre projeto orientado a objetos da mesma maneira. Você terá percepções que tornarão seus projetos mais flexíveis, modulares, reutilizáveis e compreensíveis – o que, afinal, é a razão pela qual você está interessado na tecnologia orientada a objetos, certo?

Uma palavra de advertência e encorajamento: não se preocupe se não compreender este livro completamente na primeira leitura. Nós também não o compreendemos totalmente quando da sua primeira redação! Lembre que este não é um livro para ser lido uma vez e deixado numa prateleira. Esperamos que recorra a ele vezes seguidas para soluções de projeto e para inspiração.

Este livro teve uma longa gestação. Passou por quatro países, três casamentos de seus autores e o nascimento de dois descendentes dos mesmos. Muitas pessoas tiveram participação no seu desenvolvimento. Nossos agradecimentos especiais a Bruce Anderson, Kent Beck e André Weinand pela inspiração e por aconselhamento. Também agradecemos àqueles que revisaram as minutas do manuscrito: Roger Bielefeld, Grady Booch, Tom Cargill, Marshall Cline, Ralph Hyre, Brian Kernighan, Thomas Laliberty, Mark Loren, Arthur Riel, Doug Schmidt, Clovis Tondo, Steve Vinoski e Rebecca Wirfs-Brock. Somos gratos ainda à equipe da Addison-Wesley pela ajuda e paciência: Kate Habib, Tiffany Moore, Lisa Raffaele, Pradeepa Siva e John Wait. Agradecimentos especiais a Carl Kessler, Danny Sabbah e Mark Wegman da IBM Research pelo apoio incondicional a este trabalho.

Por último, mas certamente não menos importante, agradecemos a todos na Internet e outros lugares que apresentaram comentários sobre versões dos padrões, ofereceram encorajamento e reafirmaram que o que estávamos fazendo valia a pena. Estas pessoas incluem, mas não se limitam somente às mencionadas, Jon Avotins, Steve Berczuk, Julian Berdych, Mathias Bohlen, John Brant, Allan Clarke, Paul Chisholm, Jens Coldewey, Dave Collins, Jim Coplien, Don Dwiggins, Gabriele Elia, Doug Felt, Brian Foote, Denis Fortin, Ward Harold, Hermann Hueni, Nayeem Islam, Bikramjit Kalra, Paul Keefer, Thomas Kofler, Doug Lea, Dan LaLiberte, James Long, Ann Louise Luu, Pundi Madhavan, Brian Marick, Robert Martin, Dave McComb, Carl McConnell, Christine Mingins, Hanspeter Mössenböck, Eric Newton, Marianne Ozkan, Roxsan Payette, Larry Podmolik, George Radin, Sita Ramakrishnan, Russ Ramirez, Alexander Ran, Dirk Riehle, Bryan Rosenburg, Aamod Sane, Duri Schmidt, Robert Seidl, Xin Shu e Bill Walker.

Não consideramos esta coleção de padrões de projeto completa e estática; ela é mais um registro dos nossos pensamentos atuais sobre projetos. Comentários serão bem-vindos, sejam críticas dos nossos exemplos, das referências e dos usos conhecidos que esquecemos ou padrões que deveríamos ter incluído. Você pode nos escrever, aos cuidados da Addison-Wesley, ou enviar correio eletrônico para design-patterns@cs.uiuc.edu. Também pode obter cópias-fonte para o código nas seções de Exemplos de Códigos, enviando a mensagem "send design pattern source" para design-patterns-source@cs.uiuc.edu. E agora existe uma página da Web em http://st-www.cs.uiuc.edu/users/patterns/DPBook/DPBook.html para obter atualizações.

Mountain View, California	E.G.
Montreal, Quebec	R.H.
Urbana, Illinois	R.J.
Hawthorne, New York	J.V.

Apresentação

Todas as arquiteturas orientadas a objetos bem-estruturadas estão cheias de padrões. De fato, uma das maneiras de medir a qualidade de um sistema orientado a objetos é avaliar se os desenvolvedores tomaram bastante cuidado com as colaborações comuns entre seus objetos. Focalizar-se em tais mecanismos durante o desenvolvimento de um sistema pode levar a uma arquitetura menor, mais simples e muito mais compreensível do que aquelas produzidas quando estes padrões são ignorados.

A importância de padrões na criação de sistemas complexos foi há muito tempo reconhecida em outras disciplinas. Christopher Alexander e seus colegas foram, talvez, os primeiros a propor a idéia de usar uma linguagem de padrões em projetos de edificações e cidades. Suas idéias, e as contribuições de outros, agora assentaram raízes na comunidade de software orientado a objetos. Em resumo, o conceito do padrão de projeto aplicado a software fornece um meio de auxiliar os desenvolvedores a alavancar o conhecimento de outros arquitetos talentosos e experientes.

Neste livro, Erich Gamma, Richard Helm, Ralph Johnson e John Vlissides introduzem os princípios de padrões de projetos e fornecem um catálogo dos mesmos. Assim, este livro traz duas importantes contribuições. Primeiro, mostra o papel que padrões de projetos podem exercer na arquitetura de sistemas complexos. Segundo, fornece uma referência muito prática para um conjunto de padrões muito bem concebidos que o desenvolvedor atuante pode aplicar na criação de suas próprias aplicações.

Eu me sinto honrado por ter tido a oportunidade de trabalhar diretamente com alguns dos autores deste livro em projetos de arquitetura de sistemas. Aprendi muito com eles e penso que, ao ler este livro, você também aprenderá.

Grady Booch
Cientista-Chefe, Rational Software Corporation

Guia para os leitores

Este livro tem duas partes principais. A primeira parte (Capítulos 1 e 2) descreve o que são padrões de projeto e como estes ajudam a projetar software orientado a objetos. Ela inclui um estudo de caso de projeto que mostra como os padrões de projeto são aplicados na prática. A segunda parte (Capítulos 3, 4, e 5) é um catálogo dos padrões de projeto propriamente ditos.

O catálogo compõe a maior parte do livro. Seus capítulos dividem os padrões de projeto em três tipos: de criação, estruturais e comportamentais. Você pode usar o catálogo de várias maneiras. Pode lê-lo do início ao fim ou apenas examiná-lo superficialmente, de padrão em padrão. Uma outra abordagem é estudar inteiramente algum desses capítulos. Isso lhe ajudará a ver como padrões intimamente relacionados se distinguem uns dos outros.

Também se pode usar as referências entre os padrões como uma trajetória lógica através do catálogo. Essa abordagem lhe dará uma percepção sobre como os padrões se relacionam uns com os outros, como podem ser combinados e quais funcionam bem juntos. A figura 1.1 (página 27) ilustra essas referências graficamente.

Um outro modo de ler o catálogo é usar uma abordagem mais dirigida ao problema. Vá diretamente à seção 1.6 (página 27) para ler sobre alguns problemas comuns no projeto de software reutilizável orientado a objetos; então, leia os padrões que atacam esses problemas. Algumas pessoas lêem o catálogo de ponta a ponta primeiro e *então* usam uma abordagem direcionada ao problema para aplicar os padrões aos seus projetos.

Se você não é um projetista com experiência em software orientado a objetos, comece com os padrões mais simples e mais comuns:

- Abstract Factory (pág. 95)
- Adapter (140)

- Composite (160)
- Decorator (170)
- Factory Method (112)
- Observer (274)
- Strategy (292)
- Template Method (301)

É difícil achar um sistema orientado a objetos que não use pelo menos dois desses padrões, e grandes sistemas usam quase todos eles. Esse subconjunto lhe ajudará a compreender padrões de projeto em particular e, no geral, a compreender o bom projeto orientado a objetos.

Sumário

1 Introdução ... 17
1.1 O que é um padrão de projeto? ... 19
1.2 Padrões de projeto no MVC do Smalltalk ... 20
1.3 Descrevendo os padrões de projeto ... 22
1.4 O catálogo de padrões de projeto ... 24
1.5 Organizando o catálogo ... 25
1.6 Como os padrões solucionam problemas de projeto ... 27
1.7 Como selecionar um padrão de projeto ... 43
1.8 Como usar um padrão de projeto ... 44

2 Um estudo de caso: projetando um editor de documentos ... 47
2.1 Problemas de projeto ... 47
2.2 Estrutura do documento ... 49
2.3 Formatação ... 53
2.4 Adornando a interface do usuário ... 56
2.5 Suportando múltiplos estilos de interação (*look-and-feel*) ... 60
2.6 Suportando múltiplos sistemas de janelas ... 64
2.7 Operações do usuário ... 70
2.8 Verificação ortográfica e hifenização ... 75
2.9 Resumo ... 86

Catálogo de padrões de projeto

3 Padrões de criação ... 91
Abstract Factory ... 95
Builder ... 104
Factory Method ... 112

Prototype	121
Singleton	130
Discussão sobre padrões de criação	136

4 Padrões estruturais ... 139
Adapter	140
Bridge	151
Composite	160
Decorator	170
Façade	179
Flyweight	187
Proxy	198
Discussão sobre padrões estruturais	207

5 Padrões comportamentais ... 211
Chain of Responsibility	212
Command	222
Interpreter	231
Iterator	244
Mediator	257
Memento	266
Observer	274
State	284
Strategy	292
Template Method	301
Visitor	305
Discussão sobre padrões comportamentais	318

6 Conclusão ... 323
6.1 O que esperar do uso de padrões de projeto	323
6.2 Uma breve história	327
6.3 A comunidade envolvida com padrões	328
6.4 Um convite	330
6.5 Um pensamento final	330

A Glossário ... 331

B Guia para a notação ... 335
B.1 Diagrama de classe	335
B.2 Diagrama de objeto	336
B.3 Diagrama de interação	338

C Classes fundamentais (*foundation classes*) **341**
    C1 List (Lista) 341
    C2 Iterator (Iterador) 344
    C3 ListIterator (IteradordeLista) 344
    C4 Point (Ponto) 345
    C5 Rect (Retângulo) 346

Referências bibliográficas **347**

Índice 353

1
Introdução

Projetar software orientado a objetos é difícil, mas projetar software *reutilizável* orientado a objetos é ainda mais complicado. Você deve identificar objetos pertinentes, fatorá-los em classes no nível correto de granularidade, definir as interfaces das classes, as hierarquias de herança e estabelecer as relações-chave entre eles. O seu projeto deve ser específico para o problema a resolver, mas também genérico o suficiente para atender problemas e requisitos futuros. Também deseja evitar o reprojeto, ou pelo menos minimizá-lo. Os mais experientes projetistas de software orientado a objetos lhe dirão que um projeto reutilizável e flexível é difícil, senão impossível, de obter corretamente da primeira vez. Antes que um projeto esteja terminado, eles normalmente tentam reutilizá-lo várias vezes, modificando-o a cada vez.

Projetistas experientes realizam bons projetos, ao passo que novos projetistas são sobrecarregados pelas opções disponíveis, tendendo a recair em técnicas não-orientadas a objetos que já usavam antes. Leva um longo tempo para os novatos aprenderem o que é realmente um bom projeto orientado a objetos. Os projetistas experientes evidentemente sabem algo que os inexperientes não sabem. O que é?

Uma coisa que os melhores projetistas sabem que não devem fazer é resolver cada problema a partir de princípios elementares ou do zero. Em vez disso, eles reutilizam soluções que funcionaram no passado. Quando encontram uma boa solução, eles a utilizam repetidamente. Conseqüentemente, você encontrará padrões, de classes e de comunicação entre objetos, que reaparecem freqüentemente em muitos sistemas orientados a objetos. Esses padrões resolvem problemas específicos de projetos e tornam os projetos orientados a objetos mais flexíveis e, em última instância, reutilizáveis. Eles ajudam os projetistas a reutilizar projetos bem-sucedidos ao basear os novos projetos na experiência anterior. Um projetista que está familiarizado com tais padrões pode aplicá-los imediatamente a diferentes problemas de projeto, sem necessidade de redescobri-los.

Uma analogia nos ajudará a ilustrar este ponto. Os novelistas ou autores de roteiros (cinema, teatro, televisão) raramente projetam suas tramas do zero. Em vez disso, eles seguem padrões como "O herói tragicamente problemático" (Macbeth, Hamlet, etc.) ou "A Novela Romântica" (um sem-número de novelas de romances). Do mesmo modo, projetistas de software orientado a objetos seguem padrões como "represente estados como objetos" e "adorne objetos de maneira que possa facilmente acrescentar/remover características". Uma vez que você conhece o padrão, uma grande quantidade de decisões de projeto decorre automaticamente.

Todos sabemos o valor da experiência de projeto. Quantas vezes você já não passou pela experiência do *déja vu* durante um projeto – aquele sentimento de que já resolveu um problema parecido antes, embora não sabendo exatamente onde e como? Se pudesse lembrar os detalhes do problema anterior e de que forma o resolveu, então poderia reutilizar a experiência em lugar de redescobri-la. Contudo, nós não fazemos um bom trabalho ao registrar experiência em projeto de software para uso de outros.

A finalidade deste livro é registrar a experiência no projeto de software orientado a objetos sob a forma de padrões de projeto. Cada padrão de projeto sistematicamente nomeia, explica e avalia um aspecto de projeto importante e recorrente em sistemas orientados a objetos. O nosso objetivo é capturar a experiência de projeto de uma forma que as pessoas possam usá-la efetivamente. Com esta finalidade em vista, documentamos alguns dos mais importantes padrões de projeto e os apresentamos em um catálogo.

Os padrões de projeto tornam mais fácil reutilizar projetos e arquiteturas bem-sucedidas. Expressar técnicas testadas e aprovadas as torna mais acessíveis para os desenvolvedores de novos sistemas. Os padrões de projeto ajudam a escolher alternativas de projeto que tornam um sistema reutilizável e evitar alternativas que comprometam a reutilização. Os padrões de projeto podem melhorar a documentação e a manutenção de sistemas ao fornecer uma especificação explícita de interações de classes e objetos e o seu objetivo subjacente. Em suma, ajudam um projetista a obter mais rapidamente um projeto adequado.

Nenhum dos padrões de projeto descreve projetos novos ou não-testados. Incluimos somente projetos que foram aplicados mais de uma vez em diferentes sistemas. Muitos deles nunca foram documentados antes. São parte do folclore da comunidade de desempenho de software orientado a objetos ou elementos de sistemas orientados a objetos bem-sucedidos — em nenhum dos casos é fácil para projetistas novatos aprender as lições. Assim, embora esses projetos não sejam novos, nós os capturamos numa forma nova e acessível: como um catálogo de padrões, que tem um formato consistente.

Apesar do tamanho do livro, os padrões apresentados capturam somente uma fração do que um especialista pode conhecer. Não há nenhum padrão que lide com concorrência ou programação distribuída ou programação para tempo real. O livro não tem nenhum padrão específico para um domínio de aplicação. Não diz como construir interfaces para usuário, como escrever *device drivers*, ou como usar um banco de dados orientado a objetos. Cada uma dessas áreas tem seus próprios padrões, e valeria a pena alguém catalogá-los também.*

---

* N. de R. T: Atualmente, já existe literatura disponível sobre padrões para domínios específicos. Ver *Analysis Patterns* e *Enterprise Integration Patterns* ambos de Martin Fowler.

1.1 O que é um padrão de projeto?

Christopher Alexander afirma: "cada padrão descreve um problema no nosso ambiente e o cerne da sua solução, de tal forma que você possa usar essa solução mais de um milhão de vezes, sem nunca fazê-lo da mesma maneira " [AIS+77, pág. x]. Muito embora Alexander estivesse falando acerca de padrões em construções e cidades, o que ele diz é verdadeiro em relação aos padrões de projeto orientados a objeto. Nossas soluções são expressas em termos de objetos e interfaces em vez de paredes e portas, mas no cerne de ambos os tipos de padrões está a solução para um problema num determinado contexto.

Em geral, um padrão tem quatro elementos essenciais:

1. O **nome do padrão** é uma referência que podemos usar para descrever um problema de projeto, suas soluções e conseqüências em uma ou duas palavras. Dar nome a um padrão aumenta imediatamente o nosso vocabulário de projeto. Isso nos permite projetar em um nível mais alto de abstração. Ter um vocabulário para padrões permite-nos conversar sobre eles com nossos colegas, em nossa documentação e até com nós mesmos. O nome torna mais fácil pensar sobre projetos e a comunicá-los, bem como os custos e benefícios envolvidos, a outras pessoas. Encontrar bons nomes foi uma das partes mais difíceis do desenvolvimento do nosso catálogo.
2. O **problema** descreve em que situação aplicar o padrão. Ele explica o problema e seu contexto. Pode descrever problemas de projeto específicos, tais como representar algoritmos como objetos. Pode descrever estruturas de classe ou objeto sintomáticas de um projeto inflexível. Algumas vezes, o problema incluirá uma lista de condições que devem ser satisfeitas para que faça sentido aplicar o padrão.
3. A **solução** descreve os elementos que compõem o padrão de projeto, seus relacionamentos, suas responsabilidades e colaborações. A solução não descreve um projeto concreto ou uma implementação em particular porque um padrão é como um gabarito que pode ser aplicado em muitas situações diferentes. Em vez disso, o padrão fornece uma descrição abstrata de um problema de projeto e de como um arranjo geral de elementos (classes e objetos, no nosso caso) o resolve.
4. As **conseqüências** são os resultados e análises das vantagens e desvantagens (*trade-offs*) da aplicação do padrão. Embora as conseqüências sejam raramente mencionadas quando descrevemos decisões de projeto, elas são críticas para a avaliação de alternativas de projetos e para a compreensão dos custos e benefícios da aplicação do padrão.

   As conseqüências para o software freqüentemente envolvem balanceamento entre espaço e tempo. Elas também podem abordar aspectos sobre linguagens e implementação. Uma vez que a reutilização é freqüentemente um fator no projeto orientado a objetos, as conseqüências de um padrão incluem o seu impacto sobre a flexibilidade, a extensibilidade ou a portabilidade de um sistema. Relacionar essas conseqüências explicitamente ajuda a compreendê-las e avaliá-las.

O ponto de vista afeta a interpretação de alguém sobre o que é, ou não, um padrão. O padrão de uma pessoa pode ser um bloco de construção primário para outra. Neste livro concentramos-nos sobre os padrões que estão em um certo nível de abstração. Padrões de projeto não são projetos, como listas encadeadas e tabelas de acesso aleatório, que podem ser codificadas em classes e ser reutilizadas tais como estão. Tampouco são projetos complexos, de domínio específico, para uma aplicação inteira ou subsistema. Padrões de projeto, neste livro, são *descrições de objetos e classes comunicantes que precisam ser personalizadas para resolver um problema geral de projeto num contexto particular*.

Um padrão de projeto nomeia, abstrai e identifica os aspectos-chave de uma estrutura de projeto comum para torná-la útil para a criação de um projeto orientado a objetos reutilizável. O padrão de projeto identifica as classes e instâncias participantes, seus papéis, colaborações e a distribuição de responsabilidades. Cada padrão de projeto focaliza um problema ou tópico particular de projeto orientado a objetos. Ele descreve em que situação pode ser aplicado, se ele pode ser aplicado em função de outras restrições de projeto e as conseqüências, custos e benefícios de sua utilização. Uma vez que em algum momento devemos implementar nossos projetos, um padrão de projeto também fornece exemplos em código – nesse caso, C++ e, algumas vezes, Smalltalk – para ilustrar uma implementação.

Embora padrões de projeto descrevam projetos orientados a objeto, baseiam-se em soluções reais que foram implementadas nas principais linguagens de programação orientadas a objeto, como Smalltalk e C++, em vez de implementações em linguagens procedurais (Pascal, C, Ada) ou linguagens orientadas a objetos mais dinâmicas (CLOS, Dylan, Self). Nós escolhemos Smalltalk e C++ por razões práticas: a nossa experiência do dia a dia foi com estas linguagens e elas estão se tornando cada vez mais populares.*

A escolha da linguagem de programação é importante porque influencia o ponto de vista do projetista (usuário do pradrão): nossos padrões assumem recursos de linguagem do nível do Smalltalk/C++, e essa escolha determina o que pode, ou não, ser implementado facilmente. Se tivéssemos assumido o uso de linguagens procedurais, deveríamos ter incluído padrões de projetos como "Herança", "Encapsulamento" e "Polimorfismo". De maneira semelhante, alguns dos nossos padrões são suportados diretamente por linguagens orientadas a objetos menos comuns. Por exemplo, CLOS tem multimétodos que diminuem a necessidade de um padrão como Visitor (pág. 305). De fato, há bastante diferenças entre Smalltalk e C++, o que significa que alguns padrões podem ser expressos mais facilmente em uma linguagem que em outra. (Ver Iterator, 244, por exemplo).

1.2 Padrões de projeto no MVC de Smalltalk

A tríade de classes Modelo/Visão/Controlador (Model-View-Controller) (MVC, [KP88]) é usada para construir interfaces com o usuário em Smalltalk -80. Observar os padrões de projeto dentro do MVC ajudará a perceber o que queremos dizer com o termo "padrão".

A abordagem MVC é composta por três tipos de objetos. O Modelo é o objeto de aplicação, a Visão é a apresentação na tela e o Controlador é o que define a maneira como a interface do usuário reage às entradas do mesmo. Antes da MVC, os projetos de interface para o usuário tendiam a agrupar esses objetos. A MVC separa esses objetos para aumentar a flexibilidade e a reutilização.

---

* N. de R. T: Essa observação foi feita em 1995, quando, de fato, as linguagens C++ e Smalltalk ganharam grande reconhecimento.

A abordagem MVC separa Visão e Modelos pelo estabelecimento de um protocolo do tipo inserção/notificação (*subscribe/notify*) entre eles. Uma visão deve garantir que a sua aparência reflita o estado do modelo. Sempre que os dados do modelo mudam, o modelo notifica as visões que dependem dele. Em resposta, cada visão tem a oportunidade de atualizar-se. Esta abordagem permite ligar múltiplas visões a um modelo para fornecer diferentes apresentações. Da mesma forma, você também pode criar novas visões para um modelo sem ter de reescrevê-lo.

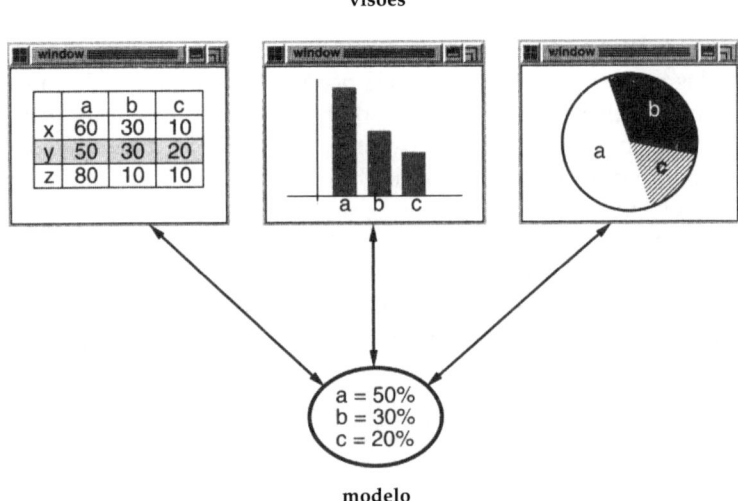

O seguinte diagrama mostra um modelo e três visões (por simplificação, deixamos de fora os controladores). O modelo contém alguns valores de dados, e as visões que definem uma planilha, um histograma, e um gráfico de pizza, apresentam esses dados de várias maneiras. Um modelo se comunica com suas visões quando seus valores mudam, e as visões se comunicam com o modelo para acessar esses valores.

Tomado no seu sentido direto, esse exemplo reflete um projeto que separa visões e modelos. No entanto, o projeto é aplicável a um problema mais geral: separar objetos de maneira que mudanças ocorridas em um possam afetar um número qualquer de outros objetos, sem exigir que o objeto alterado conheça detalhes dos outros. Esse projeto mais geral é descrito pelo padrão de projeto Observer (pág. 274).

Outra característica da MVC é que as visões podem ser encaixadas. Por exemplo, um painel de controle de botões pode ser implementado como uma visão complexa contendo visões encaixadas compostas de botões. A interface do usuário para um objeto "inspetor" pode consistir em visões encaixadas, que podem ser reutilizadas em um depurador (*debugger*). A abordagem MVC suporta visões encaixadas com a classe CompositeView, uma subclasse de View. Os objetos de CompositeView funcionam exatamente como objetos de View; uma visão composta pode ser usada em qualquer lugar que uma visão possa ser usada, mas ela também contém e administra visões encaixadas.

Novamente, poderíamos pensar nesse projeto como sendo um projeto que nos permite tratar uma visão composta tal como tratamos um dos seus componentes. Mas o projeto é aplicável a um problema mais geral, que ocorre sempre que queremos agrupar objetos e tratar o grupo como um objeto individual. Este projeto mais geral é descrito pelo padrão Composite (160). Ele permite criar uma hierarquia de classes na qual algumas subclasses definem objetos primitivos (por exemplo, Button) e outras classes definem objetos compostos (CompositeView), que agrupam os primitivos em objetos mais complexos.

A abordagem MVC também permite mudar a maneira como uma visão responde às entradas do usuário sem mudar sua apresentação visual. Por exemplo, você pode querer mudar a forma de como ela responde ao teclado ou fazer com que use um *menu pop-up* em lugar de teclas de comandos. A MVC encapsula o mecanismo de resposta em um objeto Controlador. Existe uma hierarquia de classes de Controllers, tornando fácil criar um novo controlador como uma variante de um existente.

Uma visão usa uma instância de uma subclasse de Controller para implementar uma estratégia particular de respostas; para implementar uma estratégia diferente, simplesmente substitua a instância por um tipo diferente de controlador. É possível mudar o controlador de uma visão em tempo de execução, para mudar a maneira como responde às entradas do usuário. Por exemplo, uma visão pode ser desabilitada de maneira que simplesmente não aceite entradas, fornecendo um controlador que ignora os eventos de entrada.

O relacionamento View-Controller é um exemplo do padrão Strategy (292). Um Strategy é um objeto que representa um algoritmo. Ele é útil quando você quer substituir o algoritmo tanto estática como dinamicamente, quando há muitas variantes do algoritmo, ou quando o algoritmo tem estruturas de dados complexas que você deseja encapsular.

A abordagem MVC usa outros padrões de projeto, tais como Factory Method (112), para especificar por falta (*by default*) a classe controladora para uma visão e Decorator (170), para acrescentar capacidade de rolagem (*scrolling*) a uma visão. Mas os principais relacionamentos na MVC são fornecidos pelos padrões Observer, Composite e Strategy.

1.3 Descrevendo os padrões de projeto

Como nós descrevemos padrões de projeto? As notações gráficas, embora sejam importantes e úteis, não são suficientes. Elas simplesmente capturam o produto final do processo de projeto como relacionamentos entre classes e objetos. Para reutilizar o projeto, nós também devemos registrar decisões, alternativas e análises de custos e benefícios que levaram a ele. Também são importantes exemplos concretos, porque ajudam a ver o projeto em ação.

Nós descrevemos padrões de projeto usando um formato consistente. Cada padrão é dividido em seções de acordo com o gabarito a seguir. O gabarito fornece uma estrutura uniforme às informações, tornando os padrões de projeto mais fáceis de aprender, comparar e usar.

Nome e classificação do padrão

O nome do padrão expressa a sua própria essência de forma sucinta. Um bom nome é vital, porque ele se tornará parte do seu vocabulário de projeto. A classificação do padrão reflete o esquema que introduziremos na Seção 1.5.

Intenção e objetivo

É uma curta declaração que responde às seguintes questões: o que faz o padrão de projeto? Quais os seus princípios e sua intenção? Que tópico ou problema particular de projeto ele trata?

Também conhecido como

Outros nomes bem conhecidos para o padrão, se existirem.

Motivação

Um cenário que ilustra um problema de projeto e como as estruturas de classes e objetos no padrão solucionam o problema. O cenário ajudará a compreender as descrições mais abstratas do padrão que vêm a seguir.

Aplicabilidade

Quais são as situações nas quais o padrão de projeto pode ser aplicado? Que exemplos de maus projetos ele pode tratar? Como você pode reconhecer essas situações?

Estrutura

Uma representação gráfica das classes do padrão usando uma notação baseada na Object Modeling Technique (OMT) [RBP+ 91]*. Nós também usamos diagramas de interação [JCJO92, Boo94] para ilustrar seqüências de solicitações e colaborações entre objetos. O Apêndice B descreve estas notações em detalhes.

Participantes

As classes e/ou objetos que participam do padrão de projeto e suas responsabilidades.

Colaborações

Como as classes participantes colaboram para executar suas responsabilidades.

Conseqüências

Como o padrão suporta a realização de seus objetivos? Quais são os seus custos e benefícios e os resultados da sua utilização? Que aspecto da estrutura de um sistema ele permite variar independentemente?

Implementação

Que armadilhas, sugestões ou técnicas você precisa conhecer quando da implementação do padrão? Existem considerações específicas de linguagem?

Exemplo de código

Fragmentos ou blocos de código que ilustram como você pode implementar o padrão em C++ ou Smalltalk.

Usos conhecidos

Exemplos do padrão encontrados em sistemas reais. Nós incluímos pelo menos dois exemplos de domínios diferentes.

---

* N. de R. T: Atualmente, os padrões já são descritos por praticantes em UML. Quando o livro foi escrito, OMT era uma das técnicas mais adotadas para a modelagem orientada a objetos.

Padrões relacionados

Que padrões de projeto estão intimamente relacionados com este? Quais são as diferenças importantes? Com quais outros padrões este deveria ser usado?

Os apêndices fornecem informação de apoio que ajudará a compreender os padrões e as discussões que os envolvem. O apêndice A é um glossário da terminologia que usamos. Já mencionamos que o apêndice B apresenta as várias notações usadas. Descreveremos também aspectos das notações, à medida que as introduzirmos nas próximas discussões. Finalmente, o apêndice C contém o código-fonte para as classes fundamentais (*foundation classes*) que usamos nos nossos exemplos de códigos.

1.4 O catálogo de padrões de projeto

O catálogo que começa na página 89 contém 23 padrões de projeto. Seus nomes e intenções são listados a seguir para dar uma visão geral. O número em parênteses após cada padrão indica a página onde ele é descrito (seguiremos esta convenção por todo o livro).

Abstract Factory (95): Fornece uma interface para criação de famílias de objetos relacionados ou dependentes sem especificar suas classes concretas.

Adapter (140): Converte a interface de uma classe em outra interface esperada pelos clientes. O Adapter permite que certas classes trabalhem em conjunto, pois de outra forma seria impossível por causa de suas interfaces incompatíveis.

Bridge (151): Separa uma abstração da sua implementação, de modo que as duas possam variar independentemente.

Builder (104): Separa a construção de um objeto complexo da sua representação, de modo que o mesmo processo de construção possa criar diferentes representações.

Chain of Responsibility (212): Evita o acoplamento do remetente de uma solicitação ao seu destinatário, dando a mais de um objeto a chance de tratar a solicitação. Encadeia os objetos receptores e passa a solicitação ao longo da cadeia até que um objeto a trate.

Command (222): Encapsula uma solicitação como um objeto, desta forma permitindo que você parametrize clientes com diferentes solicitações, enfileire ou registre (*log*) solicitações e suporte operações que podem ser desfeitas.

Composite (160): Compõe objetos em estrutura de árvore para representar hierarquias do tipo partes-todo. O Composite permite que os clientes tratem objetos individuais e composições de objetos de maneira uniforme.

Decorator (170): Atribui responsabilidades adicionais a um objeto dinamicamente. Os decorators fornecem uma alternativa flexível a subclasses para extensão da funcionalidade.

Façade (179): Fornece uma interface unificada para um conjunto de interfaces em um subsistema. O Façade define uma interface de nível mais alto que torna o subsistema mais fácil de usar.

Factory Method (112): Define uma interface para criar um objeto, mas deixa as subclasses decidirem qual classe a ser instanciada. O Factory Method permite a uma classe postergar (*defer*) a instanciação às subclasses.

Flyweight (187): Usa compartilhamento para suportar grandes quantidades de objetos, de granularidade fina, de maneira eficiente.

Interpreter (231): Dada uma linguagem, define uma representação para sua gramática juntamente com um interpretador que usa a representação para interpretar sentenças nessa linguagem.

Iterator (244): Fornece uma maneira de acessar seqüencialmente os elementos de uma agregação de objetos sem expor sua representação subjacente.

Mediator (257): Define um objeto que encapsula a forma como um conjunto de objetos interage. O Mediator promove o acoplamento fraco ao evitar que os objetos se refiram explicitamente uns aos outros, permitindo que você varie suas interações independentemente.

Memento (266): Sem violar o encapsulamento, captura e externaliza um estado interno de um objeto, de modo que o mesmo possa posteriormente ser restaurado para este estado.

Observer (274): Define uma dependência um-para-muitos entre objetos, de modo que, quando um objeto muda de estado, todos os seus dependentes são automaticamente notificados e atualizados.

Prototype (121): Especifica os tipos de objetos a serem criados usando uma instância prototípica e criar novos objetos copiando esse protótipo.

Proxy (198): Fornece um objeto representante (*surrogate*), ou um marcador de outro objeto, para controlar o acesso ao mesmo.

Singleton (130): Garante que uma classe tenha somente uma instância e fornece um ponto global de acesso para ela.

State (284): Permite que um objeto altere seu comportamento quando seu estado interno muda. O objeto parecerá ter mudado de classe.

Strategy (292): Define uma família de algoritmos, encapsula cada um deles e os torna intercambiáveis. O Strategy permite que o algoritmo varie independentemente dos clientes que o utilizam.

Template Method (301): Define o esqueleto de um algoritmo em uma operação, postergando a definição de alguns passos para subclasses. O Template Method permite que as subclasses redefinam certos passos de um algoritmo sem mudar sua estrutura.

Visitor (305): Representa uma operação a ser executada sobre os elementos da estrutura de um objeto. O Visitor permite que você defina uma nova operação sem mudar as classes dos elementos sobre os quais opera.

1.5 Organizando o catálogo

Os padrões de projeto variam na sua granularidade e no seu nível de abstração. Como existem muitos padrões de projeto, necessitamos de uma maneira de organizá-los. Esta seção classifica os padrões de projeto de maneira que possamos nos referir a famílias de padrões relacionados. A classificação ajuda a aprender os padrões mais rapidamente, bem como direcionar esforços na descoberta de novos.

Nós classificamos os padrões de projeto por dois critérios (Tabela 1.1). O primeiro critério, chamado **finalidade**, reflete o que um padrão faz. Os padrões podem ter finalidade de criação, estrutural ou comportamental. Os padrões de criação se preocupam com o processo de criação de objetos. Os padrões estruturais

Tabela 1.1 O espaço dos padrões de projeto

		Propósito		
		De criação	Estrutural	Comportamental
Escopo	Classe	Factory Method (112)	Adapter (class) (140)	Interpreter (231) Template Method (301)
	Objeto	Abstract Factory (95) Builder (104) Prototype (121) Singleton (130)	Adapter (object) (140) Bridge (151) Composite (160) Decorator (170) Façade (179) Flyweight (187) Proxy (198)	Chain of Responsibility (212) Command (222) Iterator (244) Mediator (257) Memento (266) Observer (274) State (284) Strategy (292) Visitor (305)

lidam com a composição de classes ou de objetos. Os padrões comportamentais caracterizam as maneiras pelas quais classes ou objetos interagem e distribuem responsabilidades.

O segundo critério, chamado **escopo**, especifica se o padrão se aplica primariamente a classes ou a objetos. Os padrões para classes lidam com os relacionamentos entre classes e suas subclasses. Esses relacionamentos são estabelecidos através do mecanismo de herança, assim eles são estáticos – fixados em tempo de compilação. Os padrões para objetos lidam com relacionamentos entre objetos que podem ser mudados em tempo de execução e são mais dinâmicos. Quase todos utilizam a herança em certa medida. Note que a maioria está no escopo de Objeto.

Os padrões de criação voltados para classes deixam alguma parte da criação de objetos para subclasses, enquanto que os padrões de criação voltados para objetos postergam esse processo para outro objeto. Os padrões estruturais voltados para classes utilizam a herança para compor classes, enquanto que os padrões estruturais voltados para objetos descrevem maneiras de montar objetos. Os padrões comportamentais voltados para classes usam a herança para descrever algoritmos e fluxo de controle, enquanto que os voltados para objetos descrevem como um grupo de objetos coopera para executar uma tarefa que um único objeto não pode executar sozinho.

Há outras maneiras de organizar os padrões. Alguns padrões são freqüentemente usados em conjunto. Por exemplo, o Composite é freqüentemente usado com o Iterator ou o Visitor. Alguns padrões são alternativos: o Prototype é freqüentemente uma alternativa para o Abstract Factory. Alguns padrões resultam em projetos semelhantes, embora tenham intenções diferentes. Por exemplo, os diagramas de estrutura de Composite e Decorator são semelhantes.

Uma outra maneira, ainda, de organizar padrões de projeto é de acordo com a forma com que eles mencionam outros padrões nas seções "Padrões Relacionados". A figura 1.1 ilustra estes relacionamentos graficamente.

Existem, claramente, muitas maneiras de organizar os padrões de projeto. Ter múltiplas maneiras de pensar a respeito deles aprofundará sua percepção sobre o que fazem, como se comparam e quando aplicá-los.

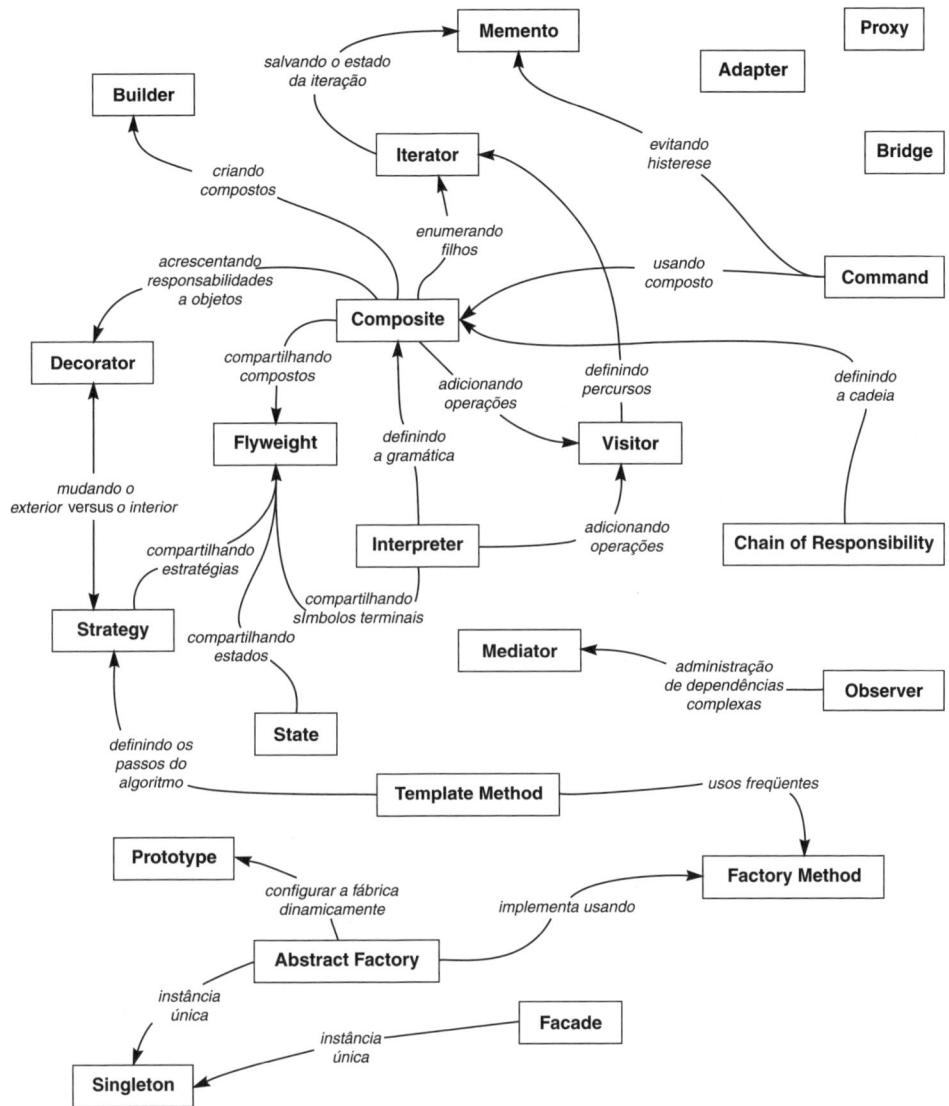

Figura 1.1 Relacionamentos entre padrões de projeto.

1.6 Como os padrões solucionam problemas de projeto

Os padrões de projeto solucionam muitos dos problemas que os projetistas enfrentam no dia a dia, e de muitas maneiras diferentes. Aqui apresentamos vários desses problemas e como os padrões de projeto os solucionam.

Procurando objetos apropriados

Programas orientados a objetos são feitos de objetos. Um **objeto** empacota tanto os dados quanto os procedimentos que operam sobre eles. Os procedimentos são tipicamente chamados de **métodos** ou **operações**. Um objeto executa uma operação quando ele recebe uma **solicitação** (ou **mensagem**) de um **cliente**.

As solicitações (*requests*) são a *única* maneira de conseguir que um objeto execute uma operação. As operações são a *única* maneira de mudar os dados internos de um objeto. Por causa destas restrições, diz-se que o estado interno de um objeto está **encapsulado**; ele não pode ser acessado diretamente e sua representação é invisível do exterior do objeto.

A parte difícil sobre projeto orientado a objetos é a decomposição de um sistema em objetos. A tarefa é difícil porque muitos fatores entram em jogo: encapsulamento, granularidade, dependência, flexibilidade, desempenho, evolução, reutilização, e assim por diante. Todos influenciam a decomposição, freqüentemente de formas conflitantes.

As metodologias de projeto orientado a objetos favorecem muitas abordagens diferentes. Você pode escrever uma descrição de um problema, separar os substantivos e verbos e criar as classes e operações correspondentes. Ou você pode se concentrar sobre as colaborações e responsabilidades no seu sistema. Ou ainda, poderá modelar o mundo real e, na fase de projeto, traduzir os objetos encontrados durante a análise. Sempre haverá desacordo sobre qual é a melhor abordagem.

Muitos objetos num projeto provêm do modelo de análise. Porém, projetos orientados a objetos freqüentemente acabam tendo classes que não têm contrapartida no mundo real. Algumas dessas são classes de baixo nível, como vetores. Outras estão em um nível muito mais alto. Por exemplo, o padrão Composite (160) introduz uma abstração para o tratamento uniforme de objetos que não têm uma contrapartida física. A modelagem estrita do mundo real conduz a um sistema que reflete as realidades atuais, mas não necessariamente as futuras. As abstrações que surgem durante um projeto são as chaves para torná-lo flexível.

Os padrões de projeto ajudam a identificar abstrações menos óbvias bem como os objetos que podem capturá-las. Por exemplo, objetos que representam um processo ou algoritmo não ocorrem na natureza, no entanto, eles são uma parte crucial de projetos flexíveis. O padrão Strategy (292) descreve como implementar famílias de algoritmos intercambiáveis. O padrão State (284) representa cada estado de uma entidade como um objeto. Esses objetos são raramente encontrados durante a análise, ou mesmo durante os estágios iniciais de um projeto; eles são descobertos mais tarde, durante o processo de tornar um projeto mais flexível e reutilizável.

Determinando a granularidade dos objetos

Os objetos podem variar tremendamente em tamanho e número. Podem representar qualquer coisa indo para baixo até o nível do hardware ou seguindo todo o caminho para cima até chegarmos a aplicações inteiras. Como decidimos o que deve ser um objeto?

Os padrões de projeto também tratam desse tópico. O padrão Façade (179) descreve como representar subsistemas completos como objetos, e o padrão Flyweight (187) descreve como suportar enormes quantidades de objetos nos níveis de granularidade mais finos. Outros padrões de projeto descrevem maneiras específicas de decompor um objeto em objetos menores. O Abstract Factory (95) e o Builder (104) fornecem objetos cujas únicas responsabilidades são criar outros objetos. O Visitor (305) e o Command (222) fornecem objetos cujas únicas responsabilidades são implementar uma solicitação em outro objeto ou grupo de objetos.

Especificando interfaces de objetos

Cada operação declarada por um objeto especifica o nome da operação, os objetos que ela aceita como parâmetros e o valor retornado por ela. Isso é conhecido como a **assinatura** da operação. O conjunto de todas as assinaturas definido pelas operações de um objeto é chamado de **interface** do objeto. A interface de um objeto caracteriza o conjunto completo de solicitações que lhe podem ser enviadas. Qualquer solicitação que corresponde a uma assinatura na interface do objeto pode ser enviada para o mesmo.

Um **tipo** é um nome usado para denotar uma interface específica. Quando dizemos que um objeto tem o tipo "Janela", significa que ele aceita todas as solicitações para as operações definidas na interface chamada "Janela". Um objeto pode ter muitos tipos, assim como objetos muito diferentes podem compartilhar um mesmo tipo. Parte da interface de um objeto pode ser caracterizada por um tipo, e outras partes por outros tipos. Dois objetos do mesmo tipo necessitam compartilhar somente partes de suas interfaces. As interfaces podem conter outras interfaces como subconjuntos. Dizemos que um tipo é um **subtipo** de outro se sua interface contém a interface do seu **supertipo**. Freqüentemente dizemos que um subtipo *herda* a interface do seu supertipo.

As interfaces são fundamentais em sistemas orientados a objetos. Os objetos são conhecidos somente através das suas interfaces. Não existe nenhuma maneira de saber algo sobre um objeto ou de pedir que faça algo sem intermédio de sua interface. A interface de um objeto nada diz sobre sua implementação – diferentes objetos estão livres para implementar as solicitações de diferentes maneiras. Isso significa que dois objetos que tenham implementações completamente diferentes podem ter interfaces idênticas.

Quando uma mensagem é enviada a um objeto, a operação específica que será executada depende de *ambos* – mensagem *e* objeto receptor. Diferentes objetos que suportam solicitações idênticas, podem ter diferentes implementações das operações que atendem a estas solicitações. A associação em tempo de execução de uma solicitação a um objeto e a uma das suas operações é conhecida como **ligação dinâmica** (*dynamic binding*).

O uso da ligação dinâmica significa que o envio de uma solicitação não o prenderá a uma implementação particular até o momento da execução. Conseqüentemente, você poderá escrever programas que esperam um objeto com uma interface em particular, sabendo que qualquer objeto que tenha a interface correta aceitará a solicitação. Além do mais, a ligação dinâmica permite substituir uns pelos outros objetos que tenham interfaces idênticas. Essa capacidade de substituição é conhecida como **polimorfismo** e é um conceito-chave em sistemas orientados a objetos. Ela permite a um objeto-cliente criar poucas hipóteses sobre outros objetos, exceto que eles suportam uma interface específica. O polimorfismo simplifica as definições dos clientes, desacopla objetos entre si e permite a eles variarem seus inter-relacionamentos em tempo de execução.

Os padrões de projeto ajudam a definir interfaces pela identificação de seus elementos-chave e pelos tipos de dados que são enviados através de uma interface. Um padrão de projeto também pode lhe dizer o que *não* colocar na interface. O padrão Memento (266) é um bom exemplo. Ele descreve como encapsular e salvar o estado interno de um objeto de modo que o objeto possa ser restaurado àquele estado mais tarde. O padrão estipula que objetos Memento devem definir duas interfaces: uma restrita, que permite aos clientes manterem e copiarem mementos, e uma privilegiada, que somente o objeto original pode usar para armazenar e recuperar estados no Memento.

Os padrões de projeto também especificam relacionamentos entre interfaces. Em particular, freqüentemente exigem que algumas classes tenham interfaces similares, ou colocam restrições sobre interfaces de algumas classes. Por exemplo, tanto Decorator (170) quanto Proxy (198) exigem que as interfaces de objetos Decorator como Proxy sejam idênticas aos objetos "decorados" e "representados". Em Visitor (305), a interface de Visitor deve refletir todas as classes de objetos que *visitors* (visitantes) podem visitar.

Especificando implementações de objetos

Até aqui dissemos pouco sobre como efetivamente definimos um objeto. Uma implementação de um objeto é definidada por sua **classe**. A classe especifica os dados internos do objeto e de sua representação e define as operações que o objeto pode executar.

Nossa anotação, baseada na OMT (e resumida no apêndice B), ilustra uma classe como um retângulo com o nome da classe em negrito. As operações aparecem em tipo normal abaixo do nome da classe. Quaisquer dados que a classe defina vêm em seguida às operações. O nome da classe é separado das operações por linhas, da mesma forma que as operações dos dados:

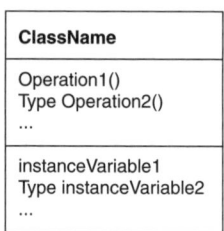

Tipos de Retorno e tipos de variáveis de instância são opcionais, uma vez que não assumimos uma linguagem de implementação estaticamente tipificada.

Os objetos são criados por **instanciação** de uma classe. Diz-se que o objeto é uma **instância** da classe. O processo de instanciar uma classe aloca memória para os dados internos do objeto (compostos de **variáveis de instância**) e associa as operações a estes dados. Muitas instâncias semelhantes de um objeto podem ser criadas pela instanciação de uma classe.

Uma flecha tracejada indica uma classe que instancia objetos de outra classe. A flecha aponta para a classe dos objetos instanciados.

Novas classes podem ser definidas em termos das classes existentes, usando-se **herança de classe**. Quando uma **subclasse** herda de uma **classe-mãe**, ela inclui as definições de todos os dados e operações que a classe-mãe define. Os objetos que são instâncias das subclasses conterão todos os dados definidos pela subclasse e suas classes-mãe, e eles serão capazes de executar todas as operações definidas por esta subclasse e seus "ancestrais". Nós indicamos o relacionamento de subclasse com uma linha vertical e um triângulo:

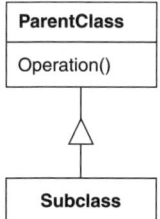

Uma **classe abstrata** é uma classe cuja finalidade principal é definir uma interface comum para suas subclasses. Uma classe abstrata postergará parte de, ou toda, sua implementação para operações definidas em subclasses; portanto, uma classe abstrata não pode ser instanciada. As operações que uma classe abstrata declara, mas não implementa, são chamadas de **operações abstratas**. As classes que não são abstratas são chamadas de **classes concretas.**

As subclasses podem refinar e redefinir comportamentos das suas classes ancestrais (mãe, avó, etc.). Mais especificamente, uma classe pode **redefinir** uma operação definida por sua classe-mãe. A redefinição dá às subclasses a oportunidade de tratar solicitações em lugar das suas classes ancestrais. A herança de classe permite definir classes simplesmente estendendo outras classes, tornando fácil definir famílias de objetos que têm funcionalidade relacionada.

Os nomes das classes abstratas aparecem em *itálico* para distingui-las das classes concretas. O tipo em *itálico* também é usado para denotar operações abstratas. Um diagrama pode incluir pseudocódigo para implementação de uma operação; neste caso, o código aparecerá em uma caixa com um canto dobrado, conectada por uma linha pontilhada à operação que ele implementa.

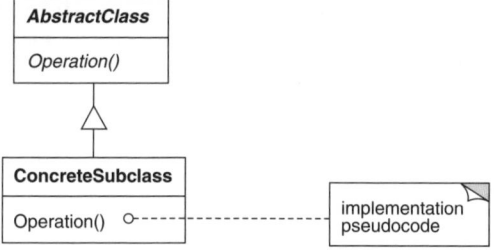

Uma **classe mixin** é aquela cuja intenção é oferecer uma interface ou funcionalidade opcional a outras classes. É semelhante a uma classe abstrata no aspecto de que não se destina a ser instanciada. As classes mixin exigem herança múltipla.

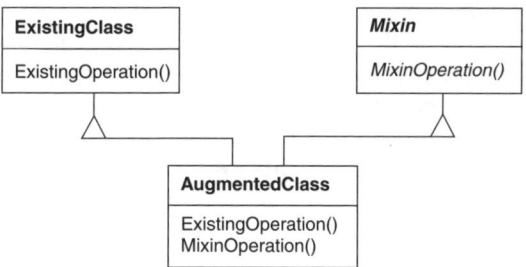

Herança de classe *versus* herança de interface

É importante compreender a diferença entre a *classe* de um objeto e seu *tipo*.

A classe de um objeto define como ele é implementado. A classe define o estado interno do objeto e a implementação de suas operações. Em contraste a isso, o tipo de um objeto se refere somente à sua interface – o conjunto de solicitações às quais ele pode responder. Um objeto pode ter muitos tipos, e objetos de diferentes classes podem ter o mesmo tipo.

Naturalmente, existe um forte relacionamento entre classe e tipo. Uma vez que uma classe define as operações que um objeto pode executar, ela também define o tipo do objeto. Quando dizemos que o objeto é uma instância de uma classe, queremos dizer que o objeto suporta a interface definida pela classe.

Linguagens como C++ e Eiffel utilizam classes para especificar tanto o tipo de um objeto como sua implementação. Os programas em Smalltalk não declaram os tipos de variáveis; conseqüentemente, o compilador não verifica se os tipos dos objetos atribuídos a uma variável são subtipos do tipo da variável. Enviar uma mensagem exige a verificação de que a classe do receptor implementa a mensagem, mas não exige a verificação de que o receptor seja uma instância de uma classe específica.

É também importante compreender a diferença entre herança de classe e herança de interface (ou subtipificação). A herança de classe define a implementação de um objeto em termos da implementação de outro objeto. Resumidamente, é um mecanismo para compartilhamento de código e de representação. Diferentemente disso, a herança de interface (ou subtipificação) descreve quando um objeto pode ser usado no lugar de outro.

É fácil confundir esses dois conceitos porque muitas linguagens não fazem uma distinção explícita. Em linguagens como C++ e Eiffel, herança significa tanto herança de interface como de implementação. A maneira-padrão de herdar uma interface em C++ é herdar publicamente de uma classe que tem apenas funções-membro virtuais. Herança pura de interface assemelha-se em C++ a herdar publicamente de classes abstratas puras. A herança pura de implementação, ou herança de classe, pode ser assemelhada com a herança privada. Em Smalltalk, herança significa somente herança de implementação. Você pode atribuir instâncias de qualquer classe a uma variável, contanto que essas instâncias apoiem a operação executada sobre o valor da variável.

Embora muitas linguagens de programação não apoiem a distinção entre herança de interface e de implementação, as pessoas fazem a distinção na prática. Os programadores Smalltalk usualmente pensam como se as subclasses fossem subtipos (embora existam algumas exceções bem conhecidas [Coo92]); programadores C++ manipulam objetos através de tipos definidos por classes abstratas.

Muitos dos padrões de projeto dependem desta distinção. Por exemplo, os objetos numa Chain of Responsibility (212) devem ter um tipo em comum, mas usualmente não compartilham uma implementação. No padrão Composite (160), o Component define uma interface comum, porém Composite freqüentemente define uma implementação em comum. O Command (222), o Observer (274), o State (284) e o Strategy (292) são freqüentemente implementados com classes abstratas que são puramente interfaces.

Programando para uma interface, não para uma implementação

A herança de classe é basicamente apenas um mecanismo para estender a funcionalidade de uma aplicação pela reutilização da funcionalidade das classes ancestrais. E permite definir rapidamente um novo tipo de objeto em termos de um existente. Ele permite obter novas implementações quase de graça, herdando a maior parte do que você necessita de classes existentes.

Contudo, a reutilização de implementação é somente metade da história. A habilidade da herança para definir famílias de objetos com interfaces *idênticas* (usualmente por herança de uma classe abstrata) também é importante. Por quê? Porque o polimorfismo depende dela.

Quando a herança é usada cuidadosamente (alguns dirão *apropriadamente*), todas as classes derivadas de uma classe abstrata compartilharão sua interface. Isto implica que uma subclasse meramente acrescenta ou substitui operações da classe-mãe, e não oculta operações dela. *Todas* as subclasses podem então responder a solicitações na interface da classe abstrata, tornando-se, todas, subtipos desta.

Existem dois benefícios na manipulação de objetos exclusivamente em termos da interface definida por classes abstratas:

1. Os clientes permanecem sem conhecimento dos tipos específicos dos objetos que eles usam, contanto que os objetos tenham aderência à interface que os clientes esperam;
2. Os clientes permanecem sem conhecimento das classes que implementam estes objetos. Os clientes somente têm conhecimento da (s) classe(s) abstrata(s) que define(m) a interface.

Isso reduz tão enormemente as dependências de implementação entre subsistemas que conduz ao seguinte princípio de projeto reutilizável orientado a objetos:

Programe para uma interface, não para uma implementação.

Não declare variáveis como instâncias de classes concretas específicas. Em vez disso, prenda-se somente a uma interface definida por uma classe abstrata. Você verá que isto é um tema comum aos padrões de projeto neste livro.

Naturalmente, você tem que instanciar classes concretas (isto é, especificar uma particular implementação) em algum lugar do seu sistema, e os padrões de criação permitem fazer exatamente isso (Abstract Factory (95), Builder (104), Factory Method (112), Prototype (121) e Singleton (130). Ao abstrair o processo de criação de objetos, estes padrões lhe dão diferentes maneiras de associar uma interface com sua implementação de forma transparente no momento da instanciação. Os padrões de criação asseguram que seu sistema esteja escrito em termos de interfaces, não de implementações.

Colocando os mecanismos de reutilização para funcionar

Muitas pessoas podem compreender conceitos como objetos, interfaces, classes e herança. O desafio reside em aplicá-los à construção de software flexível e reutilizável, e os padrões de projeto podem mostrar como fazê-lo.

Herança *versus* composição

As duas técnicas mais comuns para a reutilização de funcionalidade em sistemas orientados a objetos são herança de classe e **composição de objetos**. Como já explicamos, a herança de classe permite definir a implementação de uma classe em termos da implementação de outra. A reutilização por meio de subclasses é freqüentemente chamada de **reutilização de caixa branca** (ou aberta). O termo "caixa branca" se refere à visibilidade: com herança, os interiores das classes ancestrais são freqüentemente visíveis para as subclasses.

A composição de objetos é uma alternativa à herança de classe. Aqui, a nova funcionalidade é obtida pela montagem e/ou *composição* de objetos, para obter funcionalidades mais complexas. A composição de objetos requer que os objetos que estão sendo compostos tenham interfaces bem definidas. Esse estilo de reutilização é chamado **reutilização de caixa preta,** porque os detalhes internos dos objetos não são visíveis. Os objetos aparecem somente como "caixas pretas".

A herança e a composição têm, cada uma, vantagens e desvantagens. A herança de classes é definida estaticamente em tempo de compilação e é simples de usar, uma vez que é suportada diretamente pela linguagem de programação. A herança de classe também torna mais fácil modificar a implementação que está sendo reutilizada. Quando uma subclasse redefine algumas, mas não todas as operações, ela também pode afetar as operações que herda, assumindo-se que elas chamam as operações redefinidas.

Porém, a herança de classe tem também algumas desvantagens. Em primeiro lugar, você não pode mudar as implementações herdadas das classes ancestrais em tempo de execução, porque a herança é definida em tempo de compilação. Em segundo lugar, e geralmente isso é o pior, as classes ancestrais freqüentemente definem pelo menos parte da representação física das suas subclasses. Porque a herança expõe para uma subclasse os detalhes da implementação dos seus ancestrais, freqüentemente é dito que "a herança viola o encapsulamento" [Sny86]. A implementação de uma subclasse, dessa forma, torna-se tão amarrada à implementação da sua classe-mãe que qualquer mudança na implementação desta forçará uma mudança naquela.

As dependências de implementação podem causar problemas quando se está tentando reutilizar uma subclasse. Se algum aspecto da implementação herdada não for apropriado a novos domínios de problemas, a classe-mãe deve ser reescrita ou substituída por algo mais apropriado. Esta dependência limita a flexibilidade e, em última instância, a reusabilidade. Uma cura para isto é herdar somente de classes abstratas, uma vez que elas normalmente fornecem pouca ou nenhuma implementação.

A composição de objetos é definida dinamicamente em tempo de execução pela obtenção de referências a outros objetos através de um determinado objeto. A composição requer que os objetos respeitem as interfaces uns dos outros, o que por sua vez exige interfaces cuidadosamente projetadas, que não impeçam você de usar um objeto com muitos outros. Porém, existe um ganho. Como os objetos são acessados exclusivamente através de suas interfaces, nós não violamos o encapsulamento. Qualquer objeto pode ser substituído por outro em tempo de execução, contanto que tenha o mesmo tipo. Além do mais, como a implementação de um objeto será escrita em termos de interfaces de objetos, existirão substancialmente menos dependências de implementação.

A composição de objetos tem um outro efeito sobre o projeto de um sistema. Dar preferência à composição de objetos à herança de classes ajuda a manter cada classe encapsulada e focalizada em uma única tarefa. Suas classes e hierarquias de classes se manterão pequenas, com menor probabilidade de crescerem até se tornarem monstros intratáveis. Por outro lado, um projeto baseado na composição de objetos terá mais objetos (embora menos classes), e o comportamento do sistema dependerá de seus inter-relacionamentos ao invés de ser definido em uma classe.

Isto nos conduz ao nosso segundo princípio de projeto orientado a objetos:

Prefira a composição de objeto à herança de classe.

Idealmente, você não deveria ter que criar novos componentes para obter reutilização. Deveria ser capaz de conseguir toda a funcionalidade de que necessita simplesmente montando componentes existentes através da composição de objetos. Mas este raramente é o caso, porque o conjunto de componentes disponíveis nunca é exatamente rico o bastante na prática. A reutilização por herança torna mais fácil criar novos componentes que podem ser obtidos pela composição de componentes existentes. Assim, a herança e a composição de objetos trabalham juntas.

No entanto, nossa experiência mostra que os projetistas abusam da herança como uma técnica de reutilização, e que freqüentemente os projetos tornam-se mais reutilizáveis (e mais simples) ao preferir a composição de objetos. Você verá a composição de objetos aplicada repetidas vezes nos padrões de projeto.

Delegação

Delegação é uma maneira de tornar a composição tão poderosa para fins de reutilização quanto à herança [Lie86, JZ91]. Na delegação, *dois* objetos são envolvidos no tratamento de uma solicitação: um objeto receptor delega operações para o seu **delegado**; isto é análogo à postergação de solicitações enviadas às subclasses para as suas classes-mãe. Porém, com a herança, uma operação herdada pode sempre se referir ao objeto receptor através da variável membro `this`, em C++ e `self` em Smalltalk. Para obter o mesmo efeito com o uso de delegação, o receptor passa a si mesmo para o delegado para permitir à operação delegada referenciar o receptor.

Por exemplo, em vez de fazer da classe Window uma subclasse de Rectangle (porque janelas são retangulares), a classe Window deve reutilizar o comportamento de Rectangle, conservando uma variável de instância de Rectangle, e *delegando* o comportamento específico de Rectangle para ela. Em outras palavras, ao invés de uma Window *ser* um Rectangle ela *teria* um Rectangle. Agora, Window deve encaminhar as solicitações para sua instância Rectangle explicitamente, ao passo que antes ela teria herdado essas operações.

O seguinte diagrama ilustra a classe Window delegando sua operação área a uma instância de Rectangle.

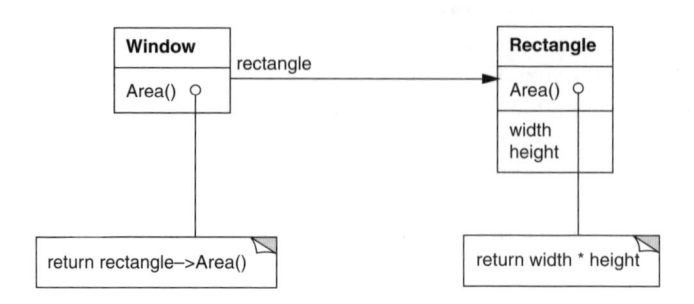

```
┌─────────────┐   rectangle    ┌─────────────┐
│   Window    │───────────────▶│  Rectangle  │
│  Area() ○   │                │  Area() ○   │
└──────┬──────┘                ├─────────────┤
       │                       │  width      │
       │                       │  height     │
       │                       └──────┬──────┘
       │                              │
┌──────┴──────────────────┐    ┌──────┴──────────────────┐
│ return rectangle->Area()│    │ return width * height   │
└─────────────────────────┘    └─────────────────────────┘
```

Uma flecha com uma linha cheia indica que um objeto de uma classe mantém uma referência para uma instância de outra classe. A referência tem um nome opcional, nesse caso, "rectangle".

A principal vantagem da delegação é que ela torna fácil compor comportamentos em tempo de execução e mudar a forma como são compostos. A nossa Window pode se tornar circular em tempo de execução, simplesmente pela substituição da sua instância Rectangle por uma instância de Circle, assumindo-se que Rectangle e Circle tenham o mesmo tipo.

A delegação tem uma desvantagem que ela compartilha com outras técnicas que tornam o software mais flexível através da composição de objetos: o software dinâmico, altamente parametrizado, é mais difícil de compreender do que o software mais estático. Há também ineficiências de tempo de execução, mas as ineficiências humanas são mais importantes a longo prazo . A delegação é uma boa escolha de projeto somente quando ela simplifica mais do que complica. Não é fácil estabelecer regras que lhe digam exatamente quando usar delegação, porque o quão efetiva ela será dependerá das condições do contexto e de quanta experiência você tem com o seu uso. A delegação funciona melhor quando é usada em formas altamente estilizadas – isto é, em padrões catalogados.

Diversos padrões de projeto usam delegação. Os padrões State (284), Strategy (292) e Visitor (305) dependem dela. No padrão State, um objeto delega solicitações para um objeto State que representa o seu estado atual. No padrão Strategy, um objeto delega uma solicitação específica para um objeto que representa uma estratégia para executar a solicitação. Um objeto terá somente um estado, mas ele pode ter muitas estratégias para diferentes solicitações. A finalidade de ambos os padrões é mudar o comportamento de um objeto pela mudança dos objetos para os quais ele delega solicitações. Em Visitor, a operação que é executada em cada elemento da estrutura de um objeto é sempre delegada para o objeto Visitor.

Outros padrões utilizam delegação menos intensamente. O Mediator (257) introduz um objeto para intermediar a comunicação entre outros objetos. Algumas vezes, o objeto Mediador simplesmente implementa operações passando-as adiante para outros objetos; outras vezes, ele passa junto uma referência para si próprio, e assim usa a delegação no seu sentido exato. O Chain of Responsibility (212) trata as solicitações passando-as para frente, de um objeto para o outro, ao longo de uma cadeia de objetos. Algumas vezes essa solicitação carrega consigo uma referência ao objeto original que recebeu a solicitação, e nesse caso o padrão está usando delegação. O Bridge (151) desacopla uma abstração de sua implementação. Se a abstração e uma particular implementação são muito parecidas, então a abstração pode simplesmente delegar operações para aquela implementação.

A delegação é um exemplo extremo da composição de objetos. Ela mostra que você pode sempre substituir a herança pela composição de objetos como um mecanismo para a reutilização de código.

Herança *versus* tipos parametrizados

Uma outra técnica (que não é estritamente orientada a objetos) para reutilização de funcionalidade é o uso de **tipos parametrizados**, também conhecido como **generics** (Ada, Eiffel) e **templates** (C++). Essa técnica permite definir um tipo sem especificar todos os outros tipos que ele usa. Os tipos não-especificados são fornecidos como parâmetros no ponto de utilização. Por exemplo, uma classe Lista pode ser parametrizada pelo tipo de elementos que contém. Para declarar uma lista de inteiros, você fornece o tipo "integer" como parâmetro para o tipo parametrizado Lista.

Para declarar uma lista de objetos String, você fornece o tipo "String" como parâmetro. A implementação da linguagem irá criar uma versão customizada do gabarito *(template)* da classe Lista para cada tipo de elemento.

Tipos parametrizados nos dão uma terceira maneira de efetuar a composição de comportamentos em sistemas orientados a objetos (além da herança de classe e da composição de objetos). Muitos projetos podem ser implementados usando qualquer uma dessas três técnicas. Para parametrizar uma rotina de classificação *(sort)* pelo sistema que ela usa para comparar elementos, nós poderíamos fazer a comparação

1. Uma operação implementada por subclasses (uma aplicação de Template Method, 301));
2. A responsabilidade de um objeto que é passado para uma rotina de classificação (Strategy, 292)); ou
3. Um argumento de um *template* de C++ ou um *generic* em Ada que especifica o nome da função a ser chamada para comparar os elementos.

Existem importantes diferenças entre estas técnicas. A composição de objetos permite mudar o comportamento que está sendo composto em tempo de execução, mas ela também requer endereçamento indireto e pode ser menos eficiente. A herança permite fornecer implementações por falta *(by default)* para operações e deixa subclasses redefini-las. Os tipos parametrizados permitem mudar os tipos que uma classe pode usar. Porém, nem a herança nem os tipos parametrizados podem mudar em tempo de execução. A melhor abordagem depende do projeto e das restrições de implementação.

Nenhum dos padrões deste livro trata de tipos parametrizados, embora os utilizemos em uma ocasião para customizar a implementação de um padrão em C++. Tipos parametrizados são totalmente desnecessários em uma linguagem como Smalltalk, que não tem verificação de tipo em tempo de compilação.

Relacionando estruturas de tempo de execução e de tempo de compilação

A estrutura em tempo de execução de um programa orientado a objetos freqüentemente apresenta pouca semelhança com sua estrutura de código. A estrutura de código é congelada em tempo de compilação; ela consiste de classes em relacionamento de herança fixos. A estrutura de tempo de execução de um programa consiste de redes em rápida mudança de objetos comunicantes. De fato, as duas estruturas são bastante independentes. Tentar entender uma a partir da outra é como tentar entender o dinamismo dos ecossistemas vivos a partir da taxonomia estática de plantas e animais, e vice-versa.

Considere a distinção entre **agregação** e **associação** (*acquaintance**) de objetos e como diferentemente elas se manifestam nos tempos de compilação e de execução. A agregação implica que um objeto possui, ou é responsável por, outro objeto. Geralmente dizemos que um objeto *tem* ou *é parte de* outro objeto. Agregação implica que um objeto agregado e seu proprietário têm idênticos tempos de vida.

Associação implica que um objeto meramente *tem conhecimento de* outro objeto. Algumas vezes, é chamada de relacionamento "usa". Objetos que se conhecem podem solicitar operações uns dos outros, mas eles não são responsáveis um pelo outro. A associação é um relacionamento mais fraco do que a agregação e sugere um acoplamento muito menor entre objetos.

Em nossos diagramas, uma flecha de linha cheia denota a associação. Uma flecha com um losango em sua base denota a agregação:

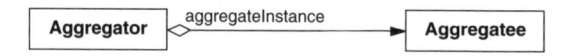

| Aggregator | ◇——aggregateInstance——▶ | Aggregatee |

É fácil de confundir agregação com associação, porque elas são freqüentemente implementadas da mesma forma. Em Smalltalk, todas as variáveis são referências para outros objetos. Não há distinção na linguagem de programação entre agregação e associação. Em C++, a agregação pode ser implementada pela definição de variáveis-membro, que são instâncias reais, porém, é mais comum defini-las como apontadores ou referências para instâncias. A associação também é implementada com apontadores e referências.

Em última instância, a associação e a agregação são determinadas mais pela intenção do que por mecanismos explícitos da linguagem. A distinção pode ser difícil de ver na estrutura de tempo de compilação, porém, é significativa. Os relacionamentos de agregação tendem a ser em menor número e mais permanentes que as associações. Em contraste, as associações são feitas e refeitas mais freqüentemente, algumas vezes existindo somente para a duração de uma operação. Também, as associações são mais dinâmicas, mais difíceis de distinguir no código-fonte.

Com tal disparidade existente entre as estruturas de um programa em tempo de execução e tempo de compilação, é claro que o código não revelará tudo acerca de como o sistema funcionará. A estrutura de um sistema em tempo de execução deve ser imposta mais pelo projetista do que pela linguagem. Os relacionamentos entre objetos e seus tipos devem ser projetados com grande cuidado porque eles determinam quão boa ou ruim é a estrutura em tempo de execução.

Muitos padrões de projeto (em particular aqueles que têm escopos de objeto) capturam explicitamente a distinção entre estruturas de tempo de compilação e tempo de execução. Composite (160) e Decorator (170) são especialmente úteis para a construção de estruturas complexas de tempo de execução. Observer (274) envolve estruturas de tempo de execução que são freqüentemente difíceis de compreender, a menos que você conheça o padrão. Chain of Responsibility (212) também resulta em padrões de comunicação que a herança não revela. Em geral, as estruturas de tempo de execução não estão claras no código, a menos que você compreenda os padrões.

---

* N. de T.: Conhecimento ou relacionamento social em inglês: aqui, a idéia é de conhecimento de um objeto por outro. O termo **associação** é utilizado no Brasil.

Projetando para mudanças

A chave para maximização da reutilização está na antecipação de novos requisitos e mudanças nos requisitos existentes e em projetar sistemas de modo que eles possam evoluir de acordo.

Para projetar o sistema de maneira que seja robusto face a tais mudanças, você deve levar em conta como o sistema pode necessitar mudar ao longo de sua vida. Um projeto que não leva em consideração a possibilidade de mudanças está sujeito ao risco de uma grande reformulação no futuro. Essas mudanças podem envolver redefinições e reimplementações de classes, modificação de clientes e retestagem do sistema. A reformulação afeta muitas partes de um sistema de software e, invariavelmente, mudanças não-antecipadas são caras.

Os padrões de projeto ajudam a evitar esses problemas ao garantirem que o sistema possa mudar segundo maneiras específicas. Cada padrão de projeto permite a algum aspecto da estrutura do sistema variar independentemente de outros aspectos, desta forma tornando um sistema mais robusto em relação a um tipo particular de mudança.

Aqui apresentamos algumas causas comuns de reformulação de projeto, junto com o(s) padrão(ões) que as tratam:

1. *Criando um objeto pela especificação explícita de uma classe.* Especificar um nome de uma classe quando você cria um objeto faz com que se comprometa com uma implementação em particular, em vez de se comprometer com uma determinada interface. Este compromisso pode complicar futuras mudanças. Para evitá-lo, crie objetos indiretamente.
   Padrões de projeto: Abstract Factory (95), Factory Method (112), Prototype (121).
2. *Dependência de operações específicas.* Quando você especifica uma operação em particular, se compromete com uma determinada maneira de atender a uma solicitação. Evitando solicitações codificadas inflexivelmente (*hard-coded*), você torna mais fácil mudar a maneira como uma solicitação é atendida, tanto em tempo de compilação como em tempo de execução.
   Padrões de projeto: Chain of Responsibility (212), Command (222).
3. *Dependência da plataforma de hardware e software.* As interfaces externas do sistema operacional e as interfaces de programação de aplicações (APIs) são diferentes para diferentes plataformas de hardware e software. O software que depende de uma plataforma específica será mais difícil de portar para outras plataformas. Pode ser até mesmo difícil mantê-lo atualizado na sua plataforma nativa. Portanto, é importante projetar o seu sistema para a limitar suas dependências de plataformas.
   Padrões de projeto: Abstract Factory (95), Bridge (151).
4. *Dependência de representações ou implementações de objetos.* Clientes que precisam saber como um objeto é representado, armazenado, localizado ou implementado podem necessitar ser alterados quando esse objeto muda. Ocultar essas informações dos clientes evita a propagação de mudanças em cadeia.
   Padrões de projeto: Abstract Factory (95), Bridge (151), Memento (266), Proxy (198);
5. *Dependências algorítmicas.* Os algoritmos são freqüentemente estendidos, otimizados e substituídos durante desenvolvimento e reutilização. Os objetos que dependem de algoritmos terão que mudar quando o algoritmo

mudar. Portanto os algoritmos que provavelmente mudarão deveriam ser isolados.
Padrões de projeto: Builder (104), Iterator (244), Strategy (292), Template Method (301), Visitor (305).

6. *Acoplamento forte.* Classes que são fortemente acopladas são difíceis de reutilizar isoladamente, uma vez que dependem umas das outras. O acoplamento forte leva a sistemas monolíticos, nos quais você não pode mudar ou remover uma classe sem compreender e mudar muitas outras classes.
O sistema torna-se uma massa densa difícil de aprender, portar e manter. Um acoplamento fraco aumenta a probabilidade de que uma classe possa ser usada por si mesma e de que um sistema possa ser aprendido, portado, modificado e estendido mais facilmente. Os padrões de projeto usam técnicas como acoplamento abstrato e projeto em camadas para obter sistemas fracamente acoplados.
Padrões de projeto: Abstract Factory (95), Bridge (151), Chain of Responsibility (212), Command (222), Façade (179), Mediator (257), Observer (274).

7. *Estendendo a funcionalidade pelo uso de subclasses.* Customizar ou adaptar um objeto através do uso de subclasses não costuma ser fácil. Cada classe nova tem um custo adicional (*overhead*) de inicialização, finalização etc. Definir uma subclasse exige uma compreensão profunda da classe-mãe. Por exemplo, redefinir uma operação pode exigir a redefinição de outra (em outro lugar do código). Uma operação redefinida pode ser necessária para chamar uma operação herdada. E o uso de subclasses pode levar a uma explosão de classes, porque você pode ter que introduzir muitas subclasses novas, até mesmo para uma extensão simples.
A composição de objetos, em geral, e a delegação, em particular, fornecem alternativas flexíveis à herança para a combinação de comportamentos. Novas funcionalidades podem ser acrescentadas a uma aplicação pela composição de objetos existentes de novas maneiras, em vez de definir novas subclasses a partir das classes existentes. Por outro lado, o uso intenso da composição de objetos pode tornar os projetos menos compreensíveis. Muitos padrões de projeto produzem arquiteturas (*designs*) nas quais você pode introduzir uma funcionalidade customizada simplesmente pela definição de uma subclasse e pela composição de suas instâncias com as existentes.
Padrões de projeto: Bridge (151), Chain of Responsibility (212), Composite (160), Decorator (170), Observer (274), Strategy (292).

8. *Incapacidade para alterar classes de modo conveniente.* Algumas vezes você tem que modificar uma classe que não pode ser convenientemente modificada. Talvez necessite do código-fonte e não disponha do mesmo (como pode ser o caso em se tratando de uma biblioteca comercial de classes). Ou, talvez, qualquer mudança possa requerer a modificação de muitas subclasses existentes. Padrões de projeto oferecem maneiras para modificações de classes em tais circunstâncias.
Padrões de projeto: Adapter (140), Decorator (170), Visitor (305).

Estes exemplos refletem a flexibilidade que os padrões de projeto podem ajudá-lo a incorporar ao seu software. Quão crucial é tal flexibilidade depende do tipo de software que você está construindo. Vamos dar uma olhada no papel que os padrões de projeto desempenham no desenvolvimento de três grandes classes de software: programas de aplicação, *toolkits* e *frameworks*.

Programas de aplicação

Se você está construindo um programa de aplicação tal como um editor de documentos ou uma planilha, então as prioridades mais altas são reutilizabilidade *interna*, facilidade de manutenção e de extensão. A reutilizabilidade interna garante que você não projete, nem implemente, mais do que necessita.

Os padrões de projeto que reduzem dependências podem aumentar a reusabilidade interna. O acoplamento mais fraco aumenta a probabilidade de que uma classe de objetos possa cooperar com várias outras. Por exemplo, quando você elimina dependências de operações específicas, pelo isolamento e encapsulamento de cada operação, torna mais fácil a reutilização de uma operação em contextos diferentes. A mesma coisa também pode acontecer quando você remove dependências algorítmicas e de representação.

Os padrões de projeto também tornam uma aplicação mais fácil de ser mantida quando são usados para limitar dependências de plataforma e dar uma estrutura de camadas a um sistema. Eles melhoram a facilidade de extensão ao mostrar como estender hierarquias de classes e explorar a composição de objetos. O acoplamento reduzido também melhora a facilidade de extensão. Estender uma classe isoladamente é mais fácil se a classe não depender de muitas outras classes.

Toolkits (Bibliotecas de classes)

Freqüentemente uma aplicação incorporará classes de uma ou mais bibliotecas de classes pré-definidas, chamadas **toolkits**. Um *toolkit* é um conjunto de classes relacionadas e reutilizáveis, projetadas para fornecer uma funcionalidade útil e de finalidade geral. Um exemplo de um *toolkit* é um conjunto de classes de coleções para listas, tabelas associativas, pilhas e outras coisas do tipo. A biblioteca I/O *stream* de C++ é um outro exemplo. Os *toolkits* não impõem um projeto específico à sua aplicação; simplesmente fornecem funcionalidades que podem auxiliar sua aplicação a executar o seu trabalho. Eles permitem a você, como implementador, evitar a recodificação de funcionalidades comuns. Os *toolkits* enfatizam *a reutilização de código*. Eles são o equivalente em orientação a objetos a bibliotecas de sub-rotinas.

O projeto de *toolkits* é consideravelmente mais difícil que o projeto de aplicações, porque os *toolkits* devem funcionar em muitas aplicações para serem úteis. Além do mais, o autor do *toolkit* não está numa posição que lhe permita saber quais serão essas aplicações ou suas necessidades especiais. Isso torna ainda mais importante evitar suposições e dependências que possam limitar a flexibilidade do *toolkit* e conseqüentemente sua aplicabilidade e sua efetividade.

Frameworks (Arcabouços de classes)

Um **framework** é um conjunto de classes cooperantes que constroem um projeto reutilizável para uma determinada categoria de software [Deu89,JF88]. Por exemplo, um *framework* pode ser orientado à construção de editores gráficos para diferentes domínios, tais como desenho artístico, composição musical e sistemas de CAD para mecânica [VL90,Joh92]. Um outro *framework* pode lhe ajudar a construir compiladores para diferentes linguagens de programação e diferentes processadores [JML92]. Um outro, ainda, pode ajudar a construir aplicações para modelagem financeira [BE93]. Você customiza um *framework* para uma aplicação específica através da criação de subclasses específicas para a aplicação, derivadas das classes abstratas do *framework*.

O *framework* dita a arquitetura da sua aplicação. Ele irá definir a estrutura geral, sua divisão em classes e objetos e em conseqüência as responsabilidades-chave das classes de objetos, como estas colaboram, e o fluxo de controle. Um *framework* predefine esses parâmetros de projeto, de maneira que você, projetista/implementador da aplicação, possa se concentrar nos aspectos específicos da sua aplicação.

Um *framework* captura as decisões de projeto que são comuns ao seu domínio de aplicação. Assim, *frameworks* enfatizam *reutilização de projetos* em relação à reutilização de código, embora um *framework*, geralmente, inclua subclasses concretas que você pode utilizar diretamente. A reutilização neste nível leva a uma inversão de controle entre a aplicação e o software sobre a qual ela está baseada. Quando você usa um *toolkit* (ou, pelos mesmos motivos, uma biblioteca convencional de sub-rotinas) escreve o corpo principal da aplicação e chama o código que quer reutilizar. Quando usa um *framework*, você reutiliza o corpo principal e escreve o código que *este* chama. Você terá que escrever operações com nomes e convenções de chamada já especificadas; porém isso reduz as decisões de projeto que você tem que tomar.

Como resultado, você pode não somente construir aplicações mais rapidamente, como também construí-las com estruturas similares. Elas são mais fáceis de manter e parecem mais consistentes para seus usuários. Por outro lado, você perde alguma liberdade criativa, uma vez que muitas decisões de projeto já terão sido tomadas por você.

Se as aplicações são difíceis de projetar, e os *toolkits* são ainda mais difíceis, os *frameworks*, então, são os mais difíceis entre todos. O projetista de um *framework* aposta que uma arquitetura funcionará para todas as aplicações do domínio. Qualquer mudança substancial no projeto do *framework* reduziria seus benefícios consideravelmente, uma vez que a principal contribuição de um *framework* para uma aplicação é a arquitetura que ele define. Portanto, é imperativo projetar o *framework* de maneira que ele seja tão flexível e extensível quanto possível.

Além disso, porque as aplicações são tão dependentes do *framework* para o seu projeto, elas são particularmente sensíveis a mudanças na interface do *framework*. À medida que um *framework* evolui, as aplicações têm que evoluir com ele. Isso torna o acoplamento fraco ainda mais importante; de outra maneira, mesmo pequenas mudanças no *framework* teriam grandes repercussões.

Os tópicos de projeto que acabamos de discutir são os mais críticos para o projeto de um *framework*. Um *framework* que os trata através do uso de padrões de projeto tem muito maior probabilidade de atingir altos níveis de reusabilidade de projeto e código, comparado com um que não usa padrões de projeto. *Frameworks* maduros comumente incorporam vários padrões de projeto. Os padrões ajudam a tornar a arquitetura do *framework* adequada a muitas aplicações diferentes, sem necessidade de reformulação.

Um benefício adicional é obtido quando o *framework* é documentado com os padrões de projeto que ele usa [BJ94]. Pessoas que conhecem os padrões obtêm rapidamente uma compreensão do *framework*. Mesmo pessoas que não os conhecem podem se beneficiar da estrutura que eles emprestam à sua documentação. A melhoria da documentação é importante para todos os tipos de software, mas é particularmente importante para *frameworks*. Os *frameworks* têm uma curva de aprendizado acentuada, que tem que ser percorrida antes que eles se tornem úteis. Embora os padrões de projeto não possam achatar a curva de aprendizado completamente, podem torná-la mais suave, ao fazer com que os elementos-chave do projeto do *framework* se tornem mais explícitos.

Como padrões e *frameworks* têm algumas similaridades, as pessoas freqüentemente se perguntam em que esses conceitos diferem. Eles são diferentes em três aspectos principais.

1. *Padrões de projeto são mais abstratos que* frameworks. Os *frameworks* podem ser materializados em código, mas somente *exemplos* de padrões podem ser materializados em código. Um ponto forte dos *frameworks* é que podem ser escritos em uma linguagem de programação, sendo não apenas estudados, mas executados e reutilizados diretamente. Em contraposição, os padrões de projeto deste livro têm que ser implementados cada vez que eles são usados. Os padrões de projeto também explicam as intenções, custos e benefícios (*trade-offs*) e conseqüências de um projeto.
2. *Padrões de projeto são elementos de arquitetura menores que* frameworks. Um *framework* típico contém vários padrões de projeto, mas a recíproca nunca é verdadeira.
3. *Padrões de projeto são menos especializados que* frameworks. Os *frameworks* sempre têm um particular domínio de aplicação. Um *framework* para um editor gráfico poderia ser usado na simulação de uma fábrica, mas ele não seria confundido com um *framework* para simulação. Em contraste, os padrões de projeto, neste catálogo, podem ser usados em quase qualquer tipo de aplicação. Embora padrões de projeto mais especializados que os nossos sejam possíveis (digamos, padrões para sistemas distribuídos ou programação concorrente), mesmo estes não ditariam a arquitetura de uma aplicação da maneira como um *framework* o faz.

Os *frameworks* estão se tornando cada vez mais comuns e importantes. Eles são a maneira pela qual os sistemas orientados a objetos conseguem a maior reutilização. Aplicações orientadas a objetos maiores terminarão por consistir-se de camadas de *frameworks* que cooperam uns com os outros. A maior parte do projeto e do código da aplicação virá dos *frameworks* que ela utiliza ou será influenciada por eles.

1.7 Como selecionar um padrão de projeto

Com mais de 20 padrões de projeto no catálogo para se escolher, pode ser difícil encontrar aquele que trata um problema de projeto particular, especialmente se o catálogo é novo e estranho para você. Aqui apresentamos diversas abordagens para encontrar o padrão de projeto correto para o seu problema:

- *Considere como padrões de projeto solucionam problemas de projeto.* A seção 1.6 discute como *padrões de projeto* ajudam a encontrar objetos apropriados, determinar as suas granularidades, especificar interfaces e várias outras formas pelas quais padrões de projeto solucionam problemas de projeto. A consulta a essas discussões pode ajudá-lo a guiar sua busca pelo padrão correto;
- *Examine as seções Intenção.* A seção 1.4 (página 24) lista as seções de Intenção de todos os padrões do catálogo. Leia toda a seção Intenção de cada padrão para encontrar um ou mais padrões que pareçam relevantes para o seu problema. Você pode usar o esquema de classificação apresentado na Tabela 1.1 (página 26) para focalizar sua busca;

- *Estude como os padrões se interrelacionam.* A figura 1.1 (página 26) mostra graficamente relacionamentos entre os padrões de projetos. O estudo desses relacionamentos pode ajudar a direcioná-lo para o padrão, ou grupo de padrões, adequado;
- *Estude padrões de finalidades semelhantes.* O catálogo (página 89) tem três capítulos: um para padrões de criação, outro para padrões estruturais, e um terceiro para padrões comportamentais. Cada capítulo começa com comentários introdutórios sobre os padrões e conclui com uma seção que os compara e contrasta. Esta seção dará uma visão sobre as semelhanças e diferenças de padrões com propósitos similares;
- *Examine uma causa de reformulação de projeto.* Veja as causas de reformulação, começando na página 41, para ver se o seu problema envolve uma ou mais delas. Então olhe os padrões que lhe ajudam a evitar essas causas;
- *Considere o que deveria ser variável no seu projeto.* Esta abordagem é o oposto de se focalizar nas causas de reformulação. Ao invés de considerar o que pode *forçar* uma mudança em um projeto, considere o que você quer ser *capaz de* mudar sem reprojetar. O foco, aqui, é posto sobre o *encapsulamento do conceito que varia*, um tema de muitos padrões de projeto. A Tabela 1.2 lista o(s) aspecto(s) do projeto que os padrões de projeto lhe permitem variar independentemente. Dessa forma, eles podem ser mudados sem necessidade de reformulação de projeto.

1.8 Como usar um padrão de projeto

Uma vez que tenha escolhido um padrão de projeto, como você o utiliza? Apresentamos aqui uma abordagem passo a passo para aplicar um padrão de projeto efetivamente:

1. *Leia o padrão por inteiro uma vez, para obter sua visão geral.* Preste atenção em particular às seções Aplicabilidade e Conseqüências, para assegurar-se de que o padrão é correto para o seu problema;
2. *Volte e estude as seções Estrutura, Participantes e Colaborações.* Assegure-se de que compreende as classes e objetos no padrão e como se relacionam entre si;
3. *Olhe a seção Exemplo de Código, para ver um exemplo concreto do padrão codificado.* O estudo do código ajuda a aprender como implementar o padrão;
4. *Escolha nomes para os participantes do padrão que tenham sentido no contexto da aplicação.* Os nomes para os participantes dos padrões de projeto são, geralmente, muito abstratos para aparecerem diretamente numa aplicação. No entanto, é útil incorporar o nome do participante no nome que aparecerá na aplicação. Isso ajudará a tornar o padrão mais explícito na implementação. Por exemplo, se você usa o padrão Strategy para um algoritmo de composição de textos, então poderá ter classes como Simple Layout Strategy ou TeXLayoutStrategy;
5. *Defina as classes.* Declare suas interfaces, estabeleça os seus relacionamentos de herança e defina as variáveis de instância que representam dados e referências a objetos. Identifique as classes existentes na sua aplicação que serão afetadas pelo padrão e modifique-as de acordo;

Tabela 1.2 Aspectos do projeto que o uso de padrões permite variar

Propósito	Padrão	Aspecto(s) que pode(m) variar
De Criação	Abstract Factory (95)	famílias de objetos-produto
	Builder (104)	como um objeto composto é criado
	Factory Method (112)	subclasse de objeto que é instanciada
	Prototype (121)	classe de objeto que é instanciada
	Singleton (130)	a única instância de uma classe
Estruturais	Adapter (140)	interface para um objeto
	Bridge (151)	implementação de um objeto
	Composite (160)	estrutura e composição de um objeto
	Decorator (170)	responsabilidade de um objeto sem usar subclasses
	Façade (179)	interface para um subsistema
	Flyweight (187)	custos de armazenamento de objetos
	Proxy (198)	como um objeto é acessado; sua localização
Comportamentais	Chain of Responsibility (212)	objeto que pode atender a uma solicitação
	Command (222)	quando e como uma solicitação é atendida
	Interpreter (231)	gramática e interpretação de uma linguagem
	Iterator (244)	como os elementos de um agregado são acessados, percorridos
	Mediator (257)	como e quais objetos interagem uns com os outros
	Memento (266)	que informação privada é armazenada fora de um objeto e quando
	Observer (274)	número de objetos que dependem de um outro objeto; como os objetos dependentes se mantêm atualizados
	State (284)	estados de um objeto
	Strategy (292)	um algoritmo
	Template Method (301)	passos de um algoritmo
	Visitor (305)	operações que podem ser aplicadas a (um) objeto(s) sem mudar sua(s) classe(s)

6. *Defina nomes específicos da aplicação para as operações no padrão*. Aqui novamente, os nomes em geral dependem da aplicação. Use as responsabilidades e colaborações associadas com cada operação como guia. Seja consistente, também, nas suas convenções de nomenclatura. Por exemplo, você pode usar consistentemente o prefixo "Criar-" para denotar um método fábrica (factory method);
7. *Implemente as operações para suportar as responsabilidades e colaborações presentes no padrão*. A seção de Implementação oferece sugestões para guiá-lo na implementação. Os exemplos na seção Exemplo de Código também podem ajudar.

Estas são apenas diretrizes para iniciá-lo nesta técnica. Ao longo do tempo você desenvolverá sua própria maneira de trabalhar com padrões de projeto.

Nenhuma discussão sobre como usar padrões de projeto estaria completa sem algumas palavras sobre como *não* usá-los. Os padrões de projeto não devem ser aplicados indiscriminadamente. Freqüentemente eles obtêm flexibilidade e variabilidade pela introdução de níveis adicionais de endereçamento indireto, e isso pode complicar um projeto e/ou custar algo em termos de desempenho. Um padrão de projeto deverá apenas ser aplicado quando a flexibilidade que ele oferece é realmente necessária. As seções Conseqüências são muito úteis quando avaliamos os custos e benefícios de um padrão.

2

Um estudo de caso: projetando um editor de documentos

Este capítulo apresenta um estudo de caso do projeto de um editor de documentos chamado **Lexi** [1], que apresenta característica de um editor do tipo "O-que-você-vê-é-o-que-você-obtém"(ou "WYSIWYG")*. Nós veremos como os padrões de projeto capturam soluções para os problemas de projeto do Lexi e aplicações semelhantes. No fim deste capítulo, você terá adquirido experiência com oito padrões, aprendendo-os através do exemplo.

A figura 2.1 ilustra a interface para usuário do Lexi. Uma representação WYSIWYG do documento ocupa a grande área retangular no centro. O documento pode misturar textos e gráficos livremente, em vários estilos de formatação. Circundando o documento, estão os menus *pull-down* usuais e as barras de rolagem, mais uma coleção de ícones de página, para saltar para uma página específica no documento.

2.1 Problemas de projeto

Nós examinaremos sete problemas no projeto do Lexi:

1. *Estrutura do documento*. A escolha da representação interna para o documento afeta quase todos os aspectos do projeto do Lexi. Toda a edição, formatação, exibição e análise de texto exigirá percorrer a representação. A maneira como organizamos essa informação terá impacto sobre o projeto do resto da aplicação;
2. *Formatação*. Como é que o Lexi efetivamente arranja textos e gráficos em linhas e colunas? Que objetos são responsáveis pela execução de diferentes procedimentos de formatação? Como estes procedimentos interagem com a representação interna do documento?

---

* N. de R. T: Do inglês *What you see is what you get*.

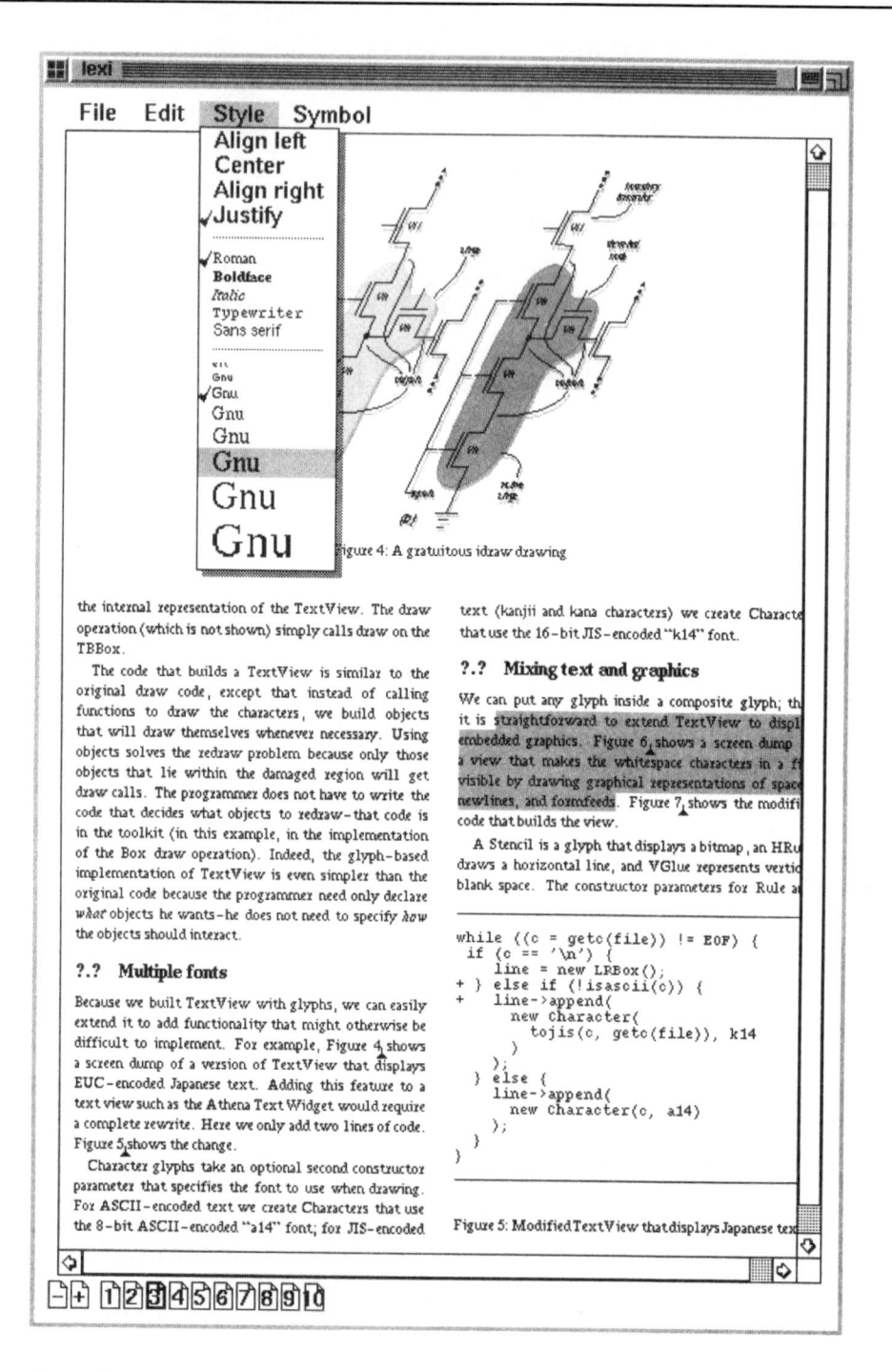

Figura 2.1 A interface de usuário de Lexi.

3. *Adornando a interface de usuário.* A interface de usuário do Lexi inclui barras de rolagem, bordas e sombreamentos que adornam a interface de documentos WYSIWYG. Tais adornos provavelmente mudarão, à medida que a interface para o usuário do Lexi evoluir. Daí a importância de poder acrescentar e remover adornos facilmente, sem afetar o resto da aplicação;
4. *Suportando múltiplos padrões de interação (look-and-feel).* O Lexi deve adaptar-se facilmente a diferentes padrões de interação, tais como o Motif e o Presentation Manager (PM), sem maiores modificações;
5. *Suportando múltiplos sistemas de janelas.* Diferentes padrões de interação são usualmente implementados em diferentes sistemas de janelas. O projeto do Lexi deve ser tão independente quanto possível do sistema de janelas;
6. *Operações do usuário.* Os usuários controlam Lexi através de várias interfaces de usuário, incluindo botões e menus *pull-down*. A funcionalidade por trás dessas interfaces está espalhada por todos dos objetos na aplicação. O desafio aqui é fornecer um mecanismo uniforme tanto para o acesso desta funcionalidade espalhada como para poder desfazer seus efeitos;
7. *Verificação ortográfica e hifenização.* Como o Lexi suporta operações analíticas tais como a verificação de palavras grafadas incorretamente e determinação de pontos de hifenização? Como podemos minimizar o número de classes que temos de modificar para acrescentar uma nova operação analítica?

Nós discutimos esses problemas de projetos nas seções que se seguem. Cada problema tem um conjunto associado de objetivos, mais restrições sobre como podemos atingir estes objetivos. Explicamos os objetivos e restrições em detalhe, antes de propor uma solução específica. O problema e sua solução ilustrarão um ou mais padrões de projeto. A discussão de cada problema culminará em uma breve introdução aos padrões relevantes.

2.2 Estrutura do documento

Um documento é, em última instância, somente um conjunto de elementos gráficos básicos, tais como caracteres, linhas, polígonos e outras formas. Estes elementos capturam o conteúdo total de informação do documento. E, no entanto, o autor de um documento freqüentemente vê estes elementos não em termos gráficos, mas sim em termos da estrutura física do documento – linhas, colunas, figuras, tabelas e outras subestruturas.[2] Por sua vez, estas subestruturas têm subestruturas próprias, e assim por diante.

A interface para o usuário do Lexi deve permitir aos usuários manipular essas subestruturas diretamente. Por exemplo, um usuário deve ser capaz de tratar um diagrama como uma unidade, ao invés de uma coleção de elementos gráficos primitivos individuais. O usuário deve ser capaz de referenciar uma tabela como um todo, e não como uma massa de texto e de gráficos não-estruturada. Isso ajuda a tornar a interface simples e intuitiva. Para dar à implementação de Lexi qualidades similares, escolheremos uma representação interna que corresponde à estrutura física do documento.

Em particular, a representação interna deve suportar o seguinte:

- manter a estrutura física do documento, isto é, o arranjo de textos e gráficos, em linhas, colunas, tabelas, etc;
- gerar e apresentar o documento visualmente;
- mapear posições no *display* a elementos na representação interna. Isto permite ao Lexi determinar a que o usuário está se referindo quando ele aponta para algo na representação visual.

Além desses objetivos há algumas restrições. Primeiro, devemos tratar texto e gráficos de maneira uniforme. A interface da aplicação permite ao usuário embutir texto dentro dos gráficos livremente, e vice-versa. Devemos evitar tratar gráficos como um caso especial de texto ou texto como um caso especial de gráficos; caso contrário, acabaremos tendo mecanismos redundantes para formatação e manipulação. Um conjunto de mecanismos deve ser suficiente tanto para textos como para gráficos.

Segundo, nossa implementação não deverá ter que distinguir entre elementos simples e grupos de elementos na representação interna. Lexi deve ser capaz de tratar elementos simples e complexos uniformemente, desta maneira permitindo a criação de documentos arbitrariamente complexos. Por exemplo, o décimo elemento na linha cinco da coluna dois poderia ser um caráter ou um diagrama intricado com muitos subelementos. Tendo em vista que este elemento pode desenhar a si mesmo e especificar suas dimensões, sua complexidade não tem implicação sobre como e onde ele deve aparecer na página.

Entretanto, opondo-se à segunda restrição, há a necessidade de analisar o texto para coisas como erros de ortografia e potenciais pontos de hifenização. Freqüentemente ignoramos se o elemento de uma linha é um objeto simples ou complexo, mas algumas vezes uma análise depende dos objetos que estão sendo analisados. Não faz sentido, por exemplo, verificar a ortografia de um polígono ou procurar fazer sua hifenização. O projeto da representação interna deve levar em conta essa e outras restrições potencialmente conflitantes.

Composição recursiva

Uma forma comum de representar informações hierarquicamente estruturadas é através do uso de uma técnica chamada **composição recursiva,** a qual permite a construção de elementos progressivamente mais complexos a partir de elementos mais simples. A composição recursiva nos dá uma maneira de compor um documento a partir de elementos gráficos simples. Como primeiro passo, nós podemos colocar em quadros um conjunto de caracteres e gráficos da esquerda para a direita, formando uma linha no documento. Então múltiplas linhas poderão ser arranjadas para formar uma coluna, múltiplas colunas poderão formar uma página, e assim por diante (ver figura 2.2).

Podemos representar esta estrutura física dedicando um objeto a cada elemento importante. Isso inclui não somente os elementos visíveis, como caracteres e gráficos, mas também os elementos invisíveis, estruturais – as linhas e as colunas. O resultado é a estrutura de objeto mostrada na figura 2.3.

Ao utilizar um objeto para cada caractere e elemento gráfico no documento promovemos a flexibilidade nos níveis de detalhe mais finos do projeto do Lexi. Podemos tratar textos e gráficos uniformemente com respeito à maneira como eles são desenhados, formatados e embutidos uns nos outros. Podemos estender o Lexi para suportar novos conjuntos de caracteres sem afetar outras funcionalidades. A estrutura de objeto do Lexi imita a estrutura física do documento.

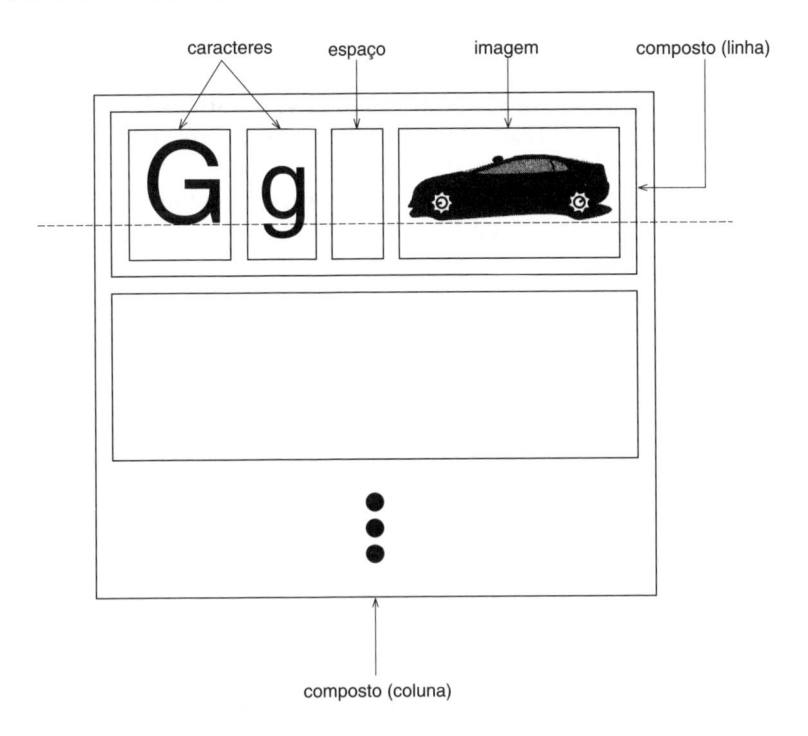

Figura 2.2 Composição recursiva de texto e gráficos.

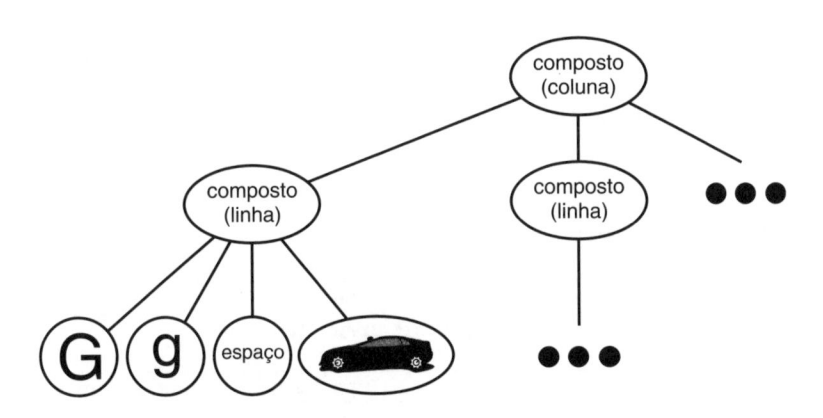

Figura 2.3 Estrutura de objetos para a composição recursiva de textos e de gráficos.

Essa abordagem tem duas importantes implicações. A primeira é óbvia: os objetos necessitam de classes correspondentes. A segunda implicação, que pode ser menos óbvia, é que essas classes devem ter interfaces compatíveis, porque queremos tratar os objetos uniformemente. A maneira de tornar interfaces compatíveis em uma linguagem como C++ é relacionar as classes através da herança.

Glyphs

Definiremos uma classe abstrata de nome **Glyph** para todos os objetos que podem aparecer na estrutura de um documento[3]. Suas subclasses definem tanto elementos gráficos primitivos (como caracteres e imagens) quanto elementos estruturais (como linhas e colunas). A figura 2.4 ilustra uma parte representativa da hierarquia da classe Glyph, e a tabela 2.1 apresenta a interface básica de glyph em mais detalhes usando a notação C++. [4]

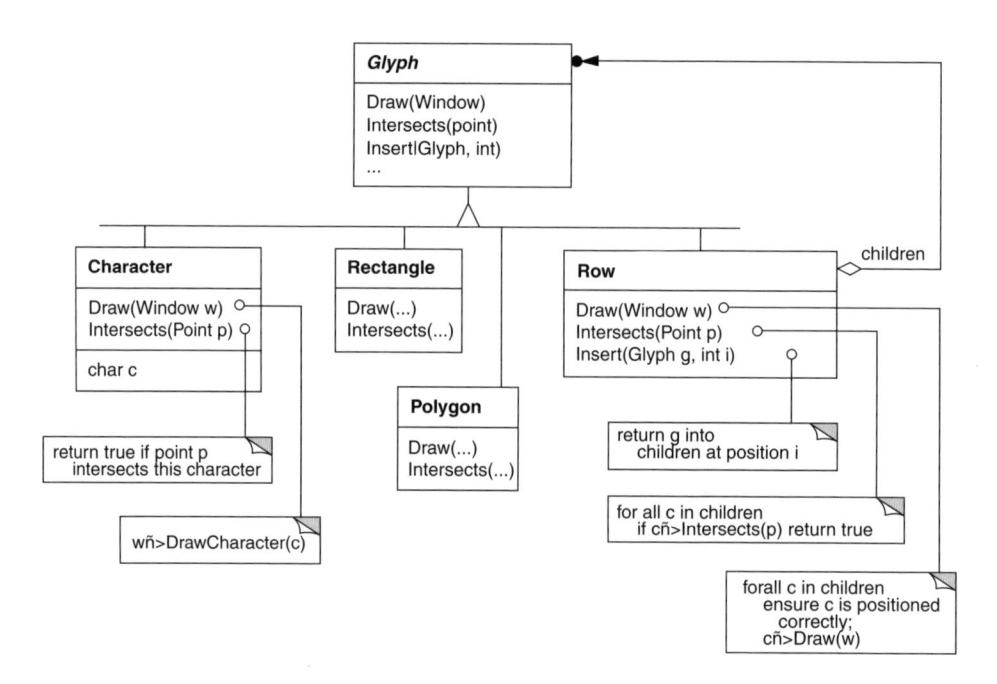

Figura 2.4 Hierarquia parcial da classe Glyph.

Tabela 2.1 Interface básica de glyph (ou glifo)

Responsabilidade	Operações
aparência	`virtual void Draw (Window*)` `virtual void Bounds (Rect&)`
detecção de acerto	`virtual bool Intersects (const Point&)`

estrutura	`virtual void Insert (Glyph*, int)`
	`virtual void Remove (Glyph*)`
	`virtual Glyph* Child(int)`
	`virtual Glyph* Parent ()`

Os glyphs têm três responsabilidades básicas. Eles sabem: (1) como desenhar a si próprios; (2) que espaço ocuparão; (3) quais são seus filhos e seus pais.

As subclasses glyph redefinem a operação `Draw` para representarem a si próprios em uma janela. É passada para eles uma referência para um objeto `Window` na chamada para `Draw`. A classe **Window** define operações gráficas para a representação de texto e formas básicas em uma janela na tela. Uma subclasse **Rectangle** (retângulo) de Glyph pode redefinir `Draw` como segue:

```
void Rectangle::Draw (Window* w) {
    w->DrawRect(_x0, _y0, _x1, _y1);
}
```

Em que `_x0,_y0,_x1,_y1` são dados-membro de `Rectangle` que definem duas arestas opostas do retângulo. `DrawRect` é a operação de Window que faz com que o retângulo apareça na tela.

Um glifo (*glyph*) freqüentemente necessita saber quanto espaço um glifo filho ocupa, por exemplo, para arranjar a ele e a outros glifos em uma linha de maneira que nenhum se sobreponha (conforme mostrado na figura 2.2). A operação `Bounds` retorna à área retangular que o glifo ocupa. Ela retorna os cantos opostos do menor retângulo que contém o glifo. As subclasses de Glyph redefinem esta operação para retornar à área retangular na qual elas desenham.

A operação `Intersects` indica se um ponto especificado intercepta o glifo. Sempre que o usuário clica sobre algum lugar do documento, o Lexi chama essa operação para determinar qual glifo ou estrutura de glifo está sob o *mouse*. A classe Rectangle redefine essa operação para computar a interseção do retângulo e o ponto dado.

Como glifos podem ter descendentes, necessitamos de uma interface comum para acrescentar, remover e acessar esses descendentes. Por exemplo, os descendentes de um Row são os glifos que ela arruma em uma linha. A operação `Insert` insere um glifo na posição especificada por um índice inteiro.[5] A operação `Remove` remove um glifo especificado, se ele for de fato um descendente.

A operação `Child` retorna o descendente (se houver) na posição especificada pelo índice dado. Glifos com Row, que podem ter descendentes, devem usar `Child` internamente, ao invés de acessar a estrutura de dados do descendente diretamente. Desta maneira, você não tem que modificar operações como `Draw` para iterar através dos descendentes quando muda a estrutura de dados de um vetor para uma lista encadeada. Similarmente, `Parent` fornece uma interface padrão para os pais do glifo, se houver. Os glifos em Lexi armazenam uma referência para os seus ancestrais, e suas operações `Parent` simplesmente retornam essa referência.

O padrão Composite

A composição recursiva é boa não somente para documentos. Podemos usá-la para representar qualquer estrutura hierárquica potencialmente complexa. O padrão Composite (160) captura a essência da composição recursiva em termos orientados a objetos. Esta é uma boa ocasião para examinar esse padrão e estudá-lo, referindo-se a este cenário quando necessário.

2.3 Formatação

Nós estabelecemos uma forma para *representar* a estrutura física do documento. Em seguida, necessitamos imaginar como construir uma estrutura física que corresponda a um documento adequadamente formatado. A representação e a formatação são distintas. A habilidade de capturar a estrutura física de um documento não nos diz como chegar a uma determinada estrutura. Essa responsabilidade fica principalmente para o Lexi. Ele deve quebrar texto em linhas, linhas em colunas, e assim por diante, levando em conta os objetivos do usuário em nível conceitual mais alto. Por exemplo, o usuário pode querer variar larguras de margens, indentações, e tabulações; espaço simples ou duplo; e provavelmente muitas outras restrições de formatação.[6] O algoritmo de formatação do Lexi deve levar tudo isso em conta.

A propósito, restringiremos o significado do termo "formatação" ao processo de quebrar uma coleção de glifos em linhas. De fato, usaremos os termos "formatação" e "quebrar em linhas" com o mesmo significado. As técnicas que discutiremos se aplicam igualmente a quebrar linhas em colunas e a quebrar colunas em páginas.

Tabela 2.2 Compositor básico de interface

Responsabilidade	Operações
o que formatar	`void SetComposition (Composition*)`
quando formatar	`virtual void Compose ()`

Encapsulando o algoritmo de formatação

O processo de formatação, com todas as suas restrições e detalhes, não é fácil de automatizar. Existem muitas abordagens para o problema, e muitas pessoas apresentaram uma variedade de algoritmos de formatação com diferentes pontos fortes e fracos. Como o Lexi é um editor WYSIWYG, um compromisso importante a ser considerado é o equilíbrio entre a qualidade da formatação e a sua velocidade. Geralmente, queremos um bom tempo de resposta do editor sem sacrificar a aparência do documento. Esse compromisso está sujeito a muitos fatores, os quais nem todos podem ser avaliados em tempo de compilação. Por exemplo, o usuário pode tolerar um tempo de resposta ligeiramente mais lento em troca de uma melhor formatação. Esse compromisso pode tornar um algoritmo de formatação totalmente diferente e mais apropriado que o atualmente escolhido. Outra análise custo-benefício mais voltada à implementação confronta velocidade de formatação e consumo da memória: é possível diminuir o tempo de formatação mantendo mais informação em memória (*caching*).

Como os algoritmos de formatação tendem a ser complexos, é também desejável mantê-los bem confinados ou – melhor ainda – completamente independentes da estrutura do documento. Idealmente, nós deveríamos poder acrescentar um novo tipo de subclasse de Glyph sem nos preocuparmos com o algoritmo de formatação. Reciprocamente, a adição de um novo algoritmo de formatação não deveria exigir a modificação dos glifos existentes.

Essas características sugerem que devemos projetar o Lexi de maneira a ser fácil mudar o algoritmo de formatação pelo menos em tempo de compilação, senão também em tempo de execução. Podemos isolar o algoritmo e torná-lo ao mesmo tempo facilmente substituível, encapsulando-o em um objeto. Mais especificamente, definiremos uma hierarquia de classes separada para objetos que encapsulam algoritmos de formatação. A raiz da hierarquia definirá uma interface que suporta uma grande variedade de algoritmos de formatação, e cada subclasse implementará a interface para executar um determinado algoritmo. Então poderemos introduzir uma subclasse Glifo que estruturará seus descendentes automaticamente, usando um determinado objeto-algoritmo.

Compositor e Composition

Definiremos uma classe **Compositor** para objetos que podem encapsular um algoritmo de formatação. A interface (tabela 2.2) possibilitará ao compositor saber *quais* glifos formatar e *quando* efetuar a formatação. Os glifos que ele formata são os descendentes de uma subclasse especial de Glypho chamada **Composition**. Uma Composition obtém uma instância de uma subclasse Compositor (especializada em um algoritmo específico de quebra de linhas) quando ela é criada e diz ao Compositor para executar a operação `Compose` sobre os seus glifos, quando necessário; por exemplo, quando o usuário muda um documento. A figura 2.5 ilustra os relacionamentos entre as classes Composition e Compositor.

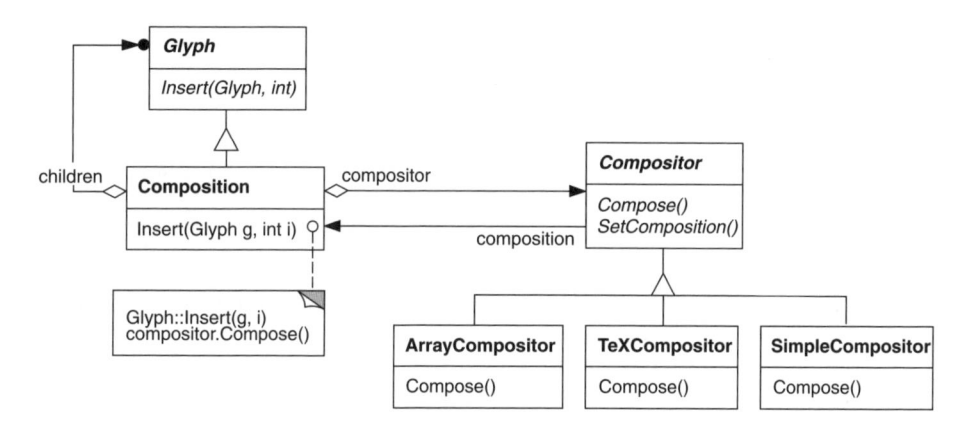

Figura 2.5 Relacionamentos entre as classes Composition e Compositor.

Um objeto Composition não-formatado contém somente os glifos visíveis que compõem o conteúdo básico do documento. Ele não contém glifos que determinam a estrutura física do documento, tais como Row e Column. A composição está neste estado logo após ter sido criada e inicializada, com os glifos que ela deve formatar. Quando a composição necessita de uma formatação, ela chama a operação `Compose` do seu compositor. O Compositor, por sua vez, itera pelos descendentes da composição, e insere novos glifos de Row e Column de acordo com o seu algoritmo de quebra de linha.[7] A figura 2.6 mostra a estrutura do objeto resultante. Os glifos que o compositor criou e inseriu na estrutura do objeto aparecem com fundos cinza na figura.

Cada subclasse Compositor pode implementar um algoritmo diferente de quebra de linha. Por exemplo, um SimpleCompositor pode fazer um passo rápido, sem se preocupar com tais aspectos esotéricos como a "cor" do documento. Uma boa coloração significa ter uma distribuição uniforme de texto e espaços em branco. Um TeXCompositor implementaria o algoritmo T_EX completo [Knu84], o qual leva em conta coisas como cor, em troca de tempos de formatação mais longos.

A separação das classes Compositor-Composition garante uma forte separação entre o código que suporta a estrutura física do documento e o código para diferentes algoritmos de formatação. Nós podemos acrescentar novas subclasses Compositor sem tocar as classes glyph, e vice-versa. De fato, podemos trocar o algoritmo de quebra de linhas acrescentando uma única operação `SetCompositor` à interface básica de glifos de Composition.

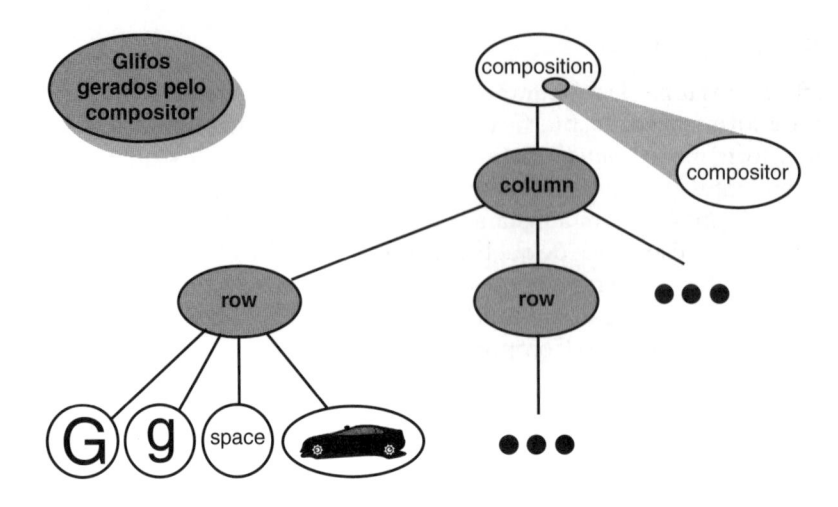

Figura 2.6 Estrutura de objetos refletindo quebra de linha dirigida por Compositor.

O padrão Strategy

O encapsulamento de um algoritmo em um objeto é a intenção do padrão Strategy (292). Os participantes-chave no padrão são os objetos Strategy (que encapsulam diferentes algoritmos) e o contexto no qual eles operam. Os objetos Compositor são estratégias, eles encapsulam diferentes algoritmos de formatação. Um objeto Composition é o contexto para uma estratégia Compositor.

A chave para aplicação do padrão Strategy é projetar, para a estratégia e seu contexto, interfaces genéricas o bastante para suportar uma variedade de algoritmos. Você não deve ter que mudar a interface da estratégia ou do contexto para suportar um novo algoritmo. No nosso exemplo, o suporte da interface básica de Glyph para acesso a descendentes, sua inserção e remoção, é geral o bastante para permitir às subclasses Compositor mudar a estrutura física do documento, independentemente do algoritmo que elas utilizem para fazê-lo. Da mesma forma, a interface de Compositor fornece aos objetos Composition tudo que eles necessitam para iniciar a formatação.

2.4 Adornando a interface do usuário

Consideraremos dois adornos na interface de usuário do Lexi. O primeiro acrescenta uma borda em volta da área de edição de texto para demarcar a página de texto. O segundo acrescenta barras de rolamento que permitem ao usuário ver diferentes partes da página. Para tornar fácil o acréscimo e remoção desses adornos (especialmente em tempo de execução), não devemos usar a herança para acrescentá-los à interface do usuário. Obteremos o máximo de flexibilidade se outros objetos da interface do usuário nem mesmo souberem que os adornos estão lá. Isso nos permitirá acrescentar e remover os adornos sem mudar outras classes.

Fecho transparente

Do ponto de vista da programação, adornar a interface do usuário envolve estender código existente. O uso da herança para fazer tal extensão impede de arranjar os adornos em tempo de execução, mas um problema igualmente sério é a explosão do número de classes que pode resultar de uma solução baseada na herança.

Poderíamos acrescentar uma borda a Composition, criando subclasses suas para obter uma classe BorderedComposition. Ou poderíamos acrescentar uma interface para rolamento da mesma forma, para obter uma subclasse Scrollable Composition. Se quisermos ter tanto barras de rolamentos como uma borda, podemos produzir uma subclasse BorderedScrollableComposition, e assim por diante. Isso levado ao extremo, fará com que acabemos tendo uma classe para cada possível combinação de adornos, uma solução que se tornará rapidamente intratável quando a variedade de adornos cresce.

A composição de objetos oferece um mecanismo potencialmente mais tratável e de extensão flexível . Mas que objetos nós compomos? Uma vez que sabemos que estamos adornando um glifo existente, poderíamos tornar o adorno em si um objeto (digamos, uma instância da classe **Border**). Isto nos dá dois candidatos para a composição, o glifo e a borda. O próximo passo é decidir quem compõe quem. Poderíamos ter a borda contendo o glifo, o que faz sentido uma vez que a borda envolverá o glifo na tela. Ou poderíamos fazer o oposto – colocar a borda no glifo – mas, então, teremos que fazer modificações à correspondente subclasse de Glyph para torná-la ciente da borda. Nossa primeira escolha, compor o glifo dentro da borda, mantém o código de desenho da borda inteiramente na classe Border, deixando as outras classes inalteradas.

Com o que a classe Border se parece? O fato de bordas terem uma aparência, sugere que elas na realidade poderiam ser glifos; isto é, Border deveria ser uma subclasse de Glyph. Mas há uma razão mais forte para fazer isto: os clientes não deveriam se preocupar se os glifos têm bordas ou não. Eles deveriam tratar glifos de maneira uniforme. Quando os clientes pedem a um glifo simples, sem bordas, para desenhar a si próprio, ele deve fazer isso sem acrescentar adornos. Se aquele glifo está composto numa borda, os clientes não deveriam ter que tratar a borda contendo o glifo de forma diferente; eles simplesmente pedem para ele desenhar a si próprio, da mesma maneira que fizeram anteriormente com o glifo simples. Isto implica que a interface Border corresponde à interface de Glyph. Tornamos Border uma subclasse de Glyph para garantir este relacionamento.

Tudo isto nos leva ao conceito de **fecho transparente**, que combina as noções de: (1) composições de descendente-único (ou single-**component** composition) e (2) interfaces compatíveis. Geralmente, os clientes não conseguem dizer se estão tratando com o componente ou com o seu **fecho** (isto é, o pai do descendente), especialmente se o fecho simplesmente delega todas as suas operações para seu componente. Mas o fecho também pode *aumentar* o comportamento do componente, executando trabalho ele mesmo antes e/ou após delegar uma operação. Mas, efetivamente, o fecho também pode acrescentar estados ao componente. Nós veremos como em seguida.

Monoglyph

Podemos aplicar o conceito de fecho transparente a todos os glifos que adornam outros glifos. Para tornar este conceito concreto, definiremos uma subclasse de Glyph chamada **MonoGlyph** para servir como uma classe abstrata para "glifos de adorno", como por exemplo Border (ver figura 2.7). MonoGlyph armazena uma referência para um componente e encaminha-lhe todas as solicitações.

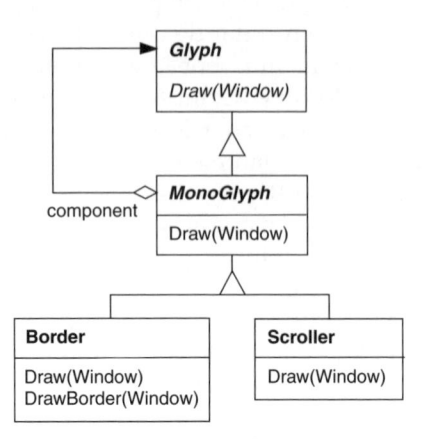

```
            ┌──────────────┐
            │    Glyph     │
            ├──────────────┤
            │ Draw(Window) │
            └──────────────┘
                    △
                    │
                    │
         component  │
         ◇──────────┤
            ┌──────────────┐
            │  MonoGlyph   │
            ├──────────────┤
            │ Draw(Window) │
            └──────────────┘
                    △
              ┌─────┴─────┐
    ┌─────────────────┐  ┌──────────────┐
    │     Border      │  │   Scroller   │
    ├─────────────────┤  ├──────────────┤
    │ Draw(Window)    │  │ Draw(Window) │
    │ DrawBorder(Win) │  └──────────────┘
    └─────────────────┘
```

Figura 2.7 Relacionamentos de classe de MonoGlyph.

Isso torna MonoGlyph, por omissão (*by default*), totalmente transparente para os clientes. Por exemplo, MonoGlyph implementa a operação Draw como segue:

```
void MonoGlyph::Draw (Window* w) {
    _component->Draw(w);
}
```

As subclasses de MonoGlyph reimplementam pelo menos uma destas operações passadas para frente. Border::Draw, por exemplo, primeiro invoca a operação da classe-mãe MonoGlyph: Draw no componente, para deixar o componente fazer a sua parte – isto é, desenhar qualquer coisa, exceto a borda. Então Border: Draw desenha a borda chamando uma operação privada de nome DrawBorder, os detalhes da qual nós omitiremos:

```
void Border::Draw (Window* w) {
    MonoGlyph::Draw(w);
    DrawBorder(w);
}
```

Repare como Border::Draw efetivamente *estende* a operação da classe-mãe para desenhar a borda. Isso contrasta com meramente *substituir* a operação da classe-mãe, o que omitiria a chamada para MonoGlyph: Draw.

Uma outra subclasse de MonoGlyph aparece na figura 2.7. O **Scroller** é um MonoGlyph que desenha seu componente em diferentes localizações, baseado nas posições de duas barras de rolamento, que acrescenta como adornos. Quando Scroller desenha seu componente, pede ao sistema gráfico para podá-lo de maneira que se mantenha dentro dos seus limites. Podar partes do componente que foram roladas para fora de vista impede que elas apareçam na tela.

Agora temos todas as peças de que necessitamos para acrescentar uma borda e uma interface de rolagem à área de edição de texto do Lexi. Comporemos a instância existente de Composition em uma instância de Scroller para acrescentar a interface de rolagem e comporemos essa instância de Scroller numa instância de Border. A estrutura do objeto resultante aparece na figura 2.8.

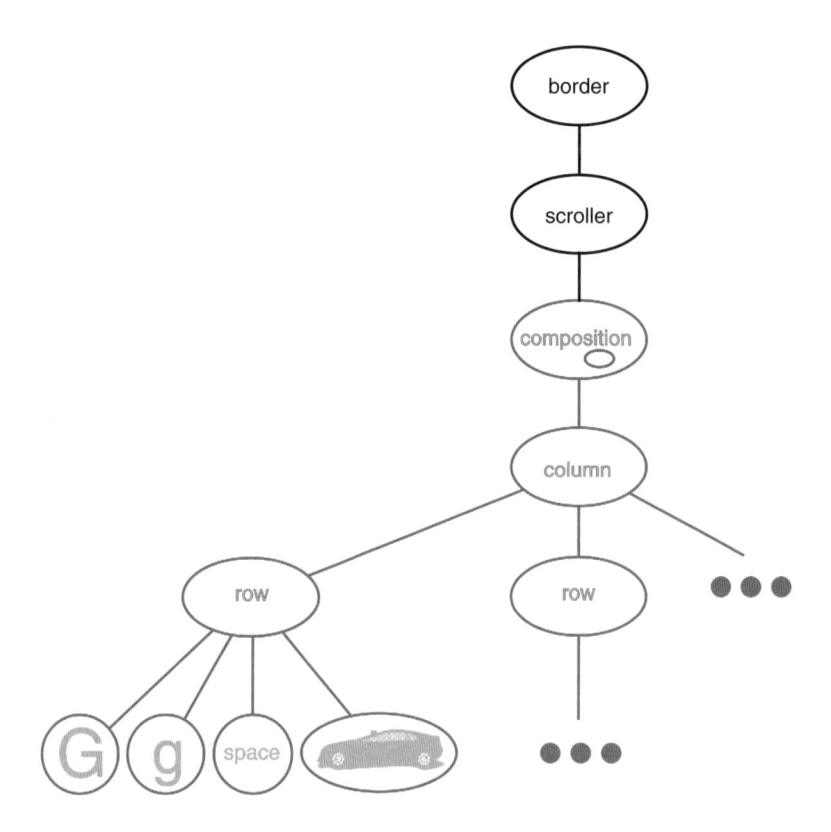

Figura 2.8 Estrutura de objeto adornado.

Note que podemos inverter a ordem da composição, colocando a composição com bordas na instância de Scroller. Nesse caso, a borda será rolada junto com o texto, o que pode ou não ser desejável. O ponto importante aqui é que o fecho transparente torna fácil experimentar diferentes alternativas e mantém os clientes livres de código de adorno.

Note também que a borda compõe um glifo, não dois ou mais. Isso é diferente das composições que definimos até aqui, nas quais os objetos-pais podiam ter um número arbitrário de descendentes. Aqui, colocando uma borda em volta de algo implica que esse "algo" é singular. Nós poderíamos atribuir um significado ao adorno de mais de um objeto por vez, mas então teríamos que misturar muitos tipos de composições com a noção de adorno: adorno de linha, adorno de coluna, e assim por diante. Isso não nos ajudaria, uma vez que já temos classes para esses tipos de composições. Assim, é melhor usar classes existentes para a composição e acrescentar novas classes para adornar o resultado. Mantendo o adorno independente de outros tipos de composição tanto simplifica as classes de adorno como reduz o seu número. Isso também nos evita a replicação da funcionalidade de composições existentes.

O padrão Decorator

O padrão Decorator (170) captura relacionamentos de classe e objeto que suportam adornos através de fecho transparente. O termo "adorno", na realidade, tem um significado mais amplo do que aquele que consideramos até aqui. No padrão Decorator, adorno se refere a qualquer coisa que acrescenta responsabilidades a um objeto. Podemos pensar, por exemplo, em adornar uma árvore sintática abstrata com ações semânticas, um autômato de estados finitos com novas transições, ou uma rede de objetos persistentes com rótulos de atributos. O Decorator generaliza a abordagem que usamos no Lexi para torná-la mais amplamente aplicável.

2.5 Suportando múltiplos estilos de interação

A obtenção de portabilidade para diferentes plataformas de hardware e software é um dos maiores problemas no projeto de sistemas. Redirecionar o Lexi para uma nova plataforma não deveria exigir uma revisão geral, pois, então, não valeria a pena o redirecionamento. Deveríamos tornar a portabilidade tão fácil quanto possível.

Um obstáculo à portabilidade é a diversidade de padrões de interação, que tem por objetivo impor uniformidade entre aplicações. Esses padrões definem diretrizes sobre como as aplicações apresentam-se e reagem ao usuário. Embora os padrões existentes não sejam tão diferentes uns dos outros, as pessoas certamente não confundirão um com o outro – as aplicações em Motif não parecem com, e não reagem exatamente como, seus equivalentes em outras plataformas, e vice-versa. Uma aplicação que roda em mais de uma plataforma deveria seguir o guia de estilo da interação do usuário de cada plataforma.

Nossos objetivos de projeto são de tornar o Lexi aderente a múltiplos estilos de interação e tornar fácil acrescentar suporte a novos padrões à medida que eles (invariavelmente) surgirem.

Queremos também que o nosso projeto suporte a última palavra em flexibilidade: mudar o estilo de interação do Lexi em tempo de execução.

Abstraindo a criação de objetos

Tudo o que vemos e com o que interagimos na interface de usuário do Lexi é um glifo composto de outros glifos invisíveis como Row e Column. Os glifos invisíveis compõem os visíveis, como botão e caractere, e os dispõem na tela de maneira apropriada. Os guias de estilo têm muito a dizer sobre interação (*look-and-feel*) dos assim chamados *"widgets"**, outro termo para glifos visíveis, como botões, barras de rolamento e menus que funcionam como elementos de controle em uma interface de usuário. Os *widgets* podem usar glifos mais simples, como caracteres, círculos, retângulos e polígonos para apresentar dados.

Assumiremos que temos dois conjuntos de classes de glifos *widgets* com os quais podemos implementar múltiplos padrões de interação:

1. Um conjunto de subclasses abstratas de Glyph para cada categoria de glifos *widgets*. Por exemplo, uma classe abstrata ScrollBar aumentará a interface básica de glifos para acrescentar operações gerais de rolagem; Buttom é uma classe abstrata que acrescenta operações orientadas para botões, e assim por diante.

---

* N. de R.T: *Widget* é uma expressão cunhada, e diz-se que vem da junção de WINDOW GADGET, designando elementos de sistemas de interface de usário.

2. Um conjunto de subclasses concretas para cada subclasse abstrata que implementa diferentes padrões de interação. Por exemplo, ScrollBar pode ter como subclasses MotifScrollBar e PMScrollBar que implementam barras de rolamento no estilo do Motif e do Presentation Manager, respectivamente.

Lexi deve distinguir entre glifos widgets para diferentes estilos de padrões de interação. Por exemplo, quando Lexi necessita colocar um botão na sua interface, ele deve instanciar uma subclasse de Glyph para o estilo correto de botão. (MotifButton, PMButton, MacButton, etc.).

Está claro que a implementação do Lexi não pode fazer isso diretamente, digamos, usando uma chamada para um constructor em C++. Isso seria codificar de forma rígida (*hard-code*) o botão de um estilo particular, tornando impossível de selecionar o estilo em tempo de execução. Teríamos, também, que registrar, acompanhar e mudar cada uma dessas chamadas para um construtor para poder portar o Lexi para uma outra plataforma. E botões são somente uma das variedades de *widgets* na interface do usuário do Lexi. Encher o nosso código com chamadas para construtor, uma para cada conjunto de classes específicas de um estilo de interação, leva-nos a um pesadelo de manutenção – esqueça somente uma e você pode acabar com um menu de Motif no meio da sua aplicação Mac.

O Lexi necessita uma maneira de determinar o padrão de interação para o qual está sendo direcionado, de forma a poder criar os *widgets* apropriados. Não somente devemos evitar fazer chamadas explícitas para um constructor como também devemos ser capazes de substituir um conjunto inteiro de *widgets* facilmente. Podemos conseguir as duas coisas *abstraindo o processo de criação de objetos*. Um exemplo ilustrará o que queremos dizer.

Classes-fábrica e Classes-produto

Normalmente, podemos criar uma instância de um glifo de uma barra de rolamento Motif com o seguinte código C++:

```
ScrollBar* sb = new MotifScrollBar;
```

Este é o tipo de código a ser evitado se você quiser minimizar as dependências de padrões de interação do Lexi. Mas suponha que inicializemos *sb*, como segue:

```
ScrollBar* sb = guiFactory->CreateScrollBar();
```

em que `guiFactory` é uma instância de uma classe **MotifFactory**. A operação `CreateScrollBar` retorna uma nova instância da subclasse ScrollBar apropriada para o estilo de interação desejado, neste caso Motif. Tanto quanto interessa aos clientes, o efeito é o mesmo que chamar diretamente o constructor de MotifScrollBar. Mas há uma diferença crucial: não existe mais nada no código que menciona Motif por nome. O objeto `guiFactory` abstrai o processo de criação não somente de barras de rolamento Motif, mas de barras de rolamento para *qualquer* padrão de interação. E `guiFactory` não está limitado a produzir somente barras de rolamento. Ela pode criar uma gama completa de glifos *widget*, incluindo barras de rolamento, botões, campos de entrada, menus, e assim por diante.

Tudo isso é possível porque MotifFactory é uma subclasse de **GUIFactory**, uma classe abstrata que define uma interface geral para criação de glifos *widget*. Ela inclui operações como `CreateScrollBar` e `CreateButton` para instanciar diferentes tipos de glifos *widget*. As subclasses de GUIFactory implementam essas operações para retornar glifos, tais como MotifScrollBar e PMButtom, que implementam estilos específicos de interação. A figura 2.9 mostra a hierarquia de classe resultante para objetos `guiFactory`. Dizemos que fábricas (ou *factories*) criam objetos-**produto**. Além do mais, os produtos que uma fábrica produz estão relacionados uns aos outros; neste caso, os produtos são todos *widgets* para o mesmo padrão de apresentação e resposta. A figura 2.10 mostra algumas das classes-produto necessárias para fazer fábricas funcionarem para glifos *widget*.

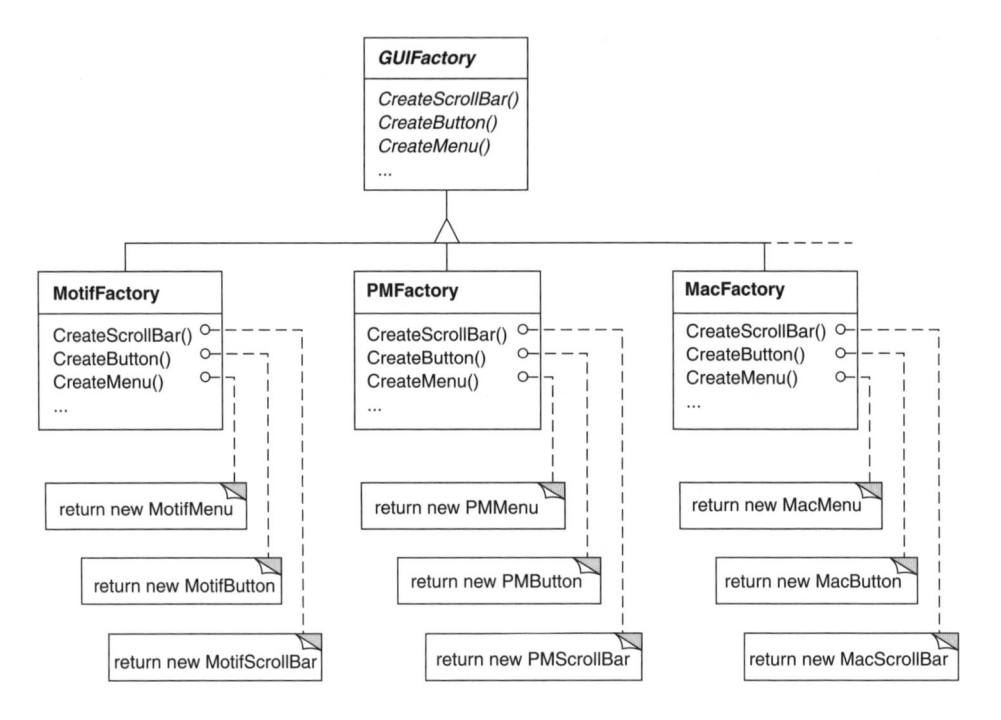

Figura 2.9 Hierarquia de classe de GUIFactory.

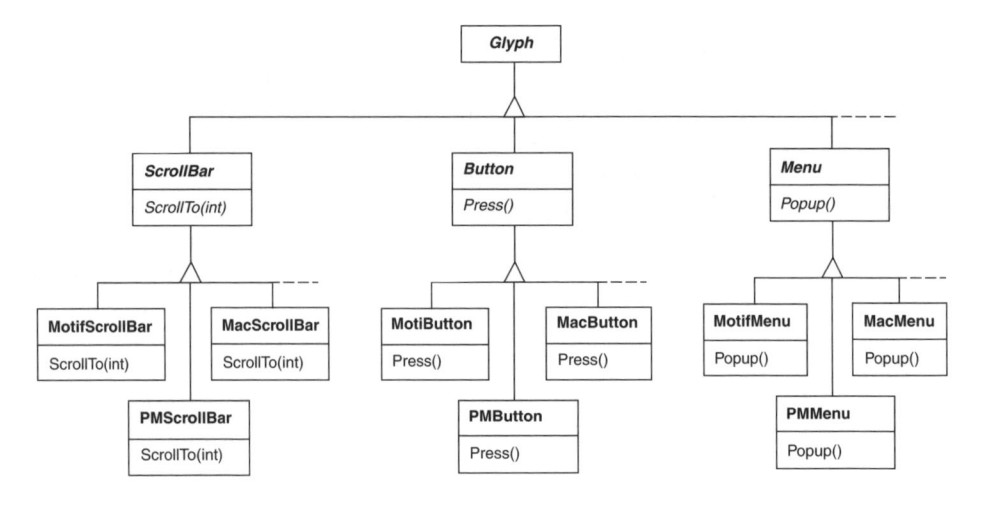

Figura 2.10 Classes-produto abstratas e subclasses concretas.

A última questão que temos que responder é de onde veio a instância de GUIFactory? A resposta é: de qualquer lugar que seja conveniente. A variável guiFactory poderia ser uma variável global, um membro estático de uma classe bem conhecida, ou mesmo uma variável local se toda a interface do usuário for criada dentro de uma classe ou função. Existe mesmo um padrão de projeto, Singleton (130), para administrar objetos bem conhecidos, únicos do seu tipo, como este. Entretanto, o importante a fazer é inicializar a guiFactory em um ponto do programa *antes que* ela seja usada alguma vez para criar widgets, mas *depois que* estiver claro qual é o estilo de interação desejado.

Se estilo de interação é conhecido em tempo de compilação, então a guiFactory pode ser inicializada como uma simples atribuição de uma nova instância do tipo fábrica no começo do programa:

```
GUIFactory* guiFactory = new MotifFactory;
```

Se o usuário pode especificar o estilo de interação como um nome de um *string* em tempo de ativação, (ou tempo de *startup*), então o código para criar a fábrica pode ser

```
GUIFactory* guiFactory;
const char* styleName = getenv("LOOK_AND_FEEL");
    // usuário ou ambiente fornece esse valor no início da execução

if (strcmp(styleName, "Motif") == 0) {
    guiFactory = new MotifFactory;

} else if (strcmp(styleName, "Presentation_Manager") == 0) {
    guiFactory = new PMFactory;

} else {
    guiFactory = new DefaultGUIFactory;
}
```

Há maneiras mais sofisticadas de selecionar a fábrica em tempo de execução. Por exemplo, você pode manter um registro que mapeia *strings* a objetos-fábrica. Isso permite registrar instâncias de novas subclasses-fábricas sem modificar o código existente, como a abordagem precedente exige. Também não é preciso "linkeditar" todas as fábricas específicas para cada plataforma à aplicação. Isso é importante porque não é possível "linkeditar" uma MotifFactory em uma plataforma que não suporta o Motif.

Mas o ponto importante aqui é que uma vez configurada a aplicação com objeto-fábrica correto, seu estilo de interação é estabelecido a partir de então. Se mudarmos de idéia, podemos reinicializar a guiFactory como uma fábrica para estilo de interação diferente e, então, reconstruir a interface. Independente de como e quando decidimos inicializar a guiFactory, sabemos que uma vez que o fizermos, a aplicação pode criar o estilo de interação apropriado sem modificação.

O padrão Abstract Factory

Fábricas e produtos são os participantes-chave no padrão Abstract Factory (95). Esse padrão captura o processo de criar famílias de objetos-produto relacionados sem instanciar classes diretamente. Ele é mais apropriado quando o número e tipos gerais de objetos-produto mantêm-se constantes, e existem diferenças entre famílias específicas de produtos. Escolhemos entre as famílias instanciando uma certa fábrica concreta e depois disso a usamos consistentemente para criar produtos. Podemos também trocar famílias inteiras de produtos substituindo a fábrica concreta por uma instância de uma fábrica diferente. A ênfase dos padrões Abstract Factory em *famílias* de produtos os distingue de outros padrões de criação que envolvem somente um tipo de objeto-produto.

2.6 Suportando múltiplos sistemas de janelas

O estilo de interação é somente um dos muitos tópicos referentes à portabilidade. Um outro tópico é o ambiente de janelas no qual o Lexi é executado. O sistema de janelas de uma plataforma cria a ilusão de múltiplas janelas superpostas em um *display* bitmapeado. Ele administra o espaço da tela para as janelas e direciona as entradas para as mesmas, provenientes do teclado e do mouse. Hoje existem vários sistemas de janelas importantes e grandemente incompatíveis (por exemplo: Macintosh, Presentation Manager, Windows, X). Gostaríamos que o Lexi pudesse ser executado em tantos deles quanto possível, exatamente pelas mesmas razões que nós suportamos múltiplos estilos de interação.

Podemos usar um Abstract Factory?

À primeira vista, isso pode parecer uma outra oportunidade para aplicar o padrão Abstract Factory, mas as restrições sobre a portabilidade para sistemas de janela diferem significativamente daquelas para a independência de estilos de interação.

Ao aplicar o padrão Abstract Factory, assumimos que iremos definir as classes concretas de glifos widgets para cada estilo de interação. Isso significa que poderíamos derivar cada produto concreto para um padrão particular (por exemplo: MotifScrollBar e MacScrollBar) de uma classe-produto abstrata (por exemplo, ScrollBar). Mas suponha que já temos diversas hierarquias de classes de fornecedores diferentes, uma para cada estilo de interação. Naturalmente, é altamente improvável que estas hierarquias sejam compatíveis em todos os aspectos. Logo, nós não teremos uma classe abstrata comum de produto para cada tipo de widget (ScrollBar, Buttom, Menu, etc.) – e o padrão Abstract Factory não funcionará sem essas classes cruciais. Temos que fazer com que as diferentes hierarquias de widgets tenham aderência a um conjunto comum de interfaces abstratas de produtos. Somente então poderemos declarar as operações `Create`. . . adequadamente na interface da nossa fábrica abstrata.

Havíamos resolvido este problema para widgets através do desenvolvimento de nossas próprias classes abstratas e concretas de produto. Agora estamos frente a um problema semelhante ao tentar fazer o Lexi funcionar nos sistemas de janelas existentes: isto é, diferentes sistemas de janelas têm interfaces de programação incompatíveis. Desta vez, as coisas são um pouco mais difíceis porque não podemos nos dar ao luxo de implementar nosso próprio sistema de janela não-padronizado (pessoal e particular).

Mas existe uma salvação. Do mesmo modo que estilos de interação, as interfaces de sistemas de janelas não são radicalmente diferentes umas das outras, porque todos os sistemas de janela fazem em geral a mesma coisa. Necessitamos de um conjunto uniforme de abstrações de janelas que nos permita usar as diferentes implementações dos sistemas de janelas e introduzir cada uma delas debaixo de uma interface comum.

Encapsulando dependências de implementação

Na seção 2.2, introduzimos uma classe Window para exibir um glifo, ou estrutura de glifo, no *display*. Não especificamos o sistema de janelas com o qual esse objeto funcionava, porque a verdade é que ele não provém de nenhum sistema de janelas em particular. A classe Window encapsula as coisas que as janelas tendem a fazer em todos os sistemas de janelas:

- elas fornecem operações para desenhar formas geométricas básicas;
- podem minimizar e maximizar a si mesmas;
- podem redimensionar a si mesmas;
- Podem (re)desenhar seus conteúdos conforme a necessidade, por exemplo, quando são maximizadas, ou quando uma parte sobreposta e obscurecida do seu espaço na tela torna-se visível.

A classe Window deve abranger a funcionalidade das janelas de diferentes sistemas de janelas. Vamos considerar duas filosofias opostas:

1. *Interseção de funcionalidade.* A interface da classe Window fornece somente funcionalidade que é comum a *todos* sistemas de janelas. O problema com esta abordagem é que a nossa interface de Window acaba sendo somente tão poderosa quanto o sistema de janelas menos capaz. Não podemos tirar proveito de recursos mais avançados, mesmo que a maioria (mas não todos) dos sistemas de janela os suportem.
2. *União de funcionalidade.* Criar uma interface que incorpora as capacidades de *todos* os sistemas existentes. O problema aqui é que a interface resultante pode ser bem grande e incoerente. Além disso, teremos que alterá-la (e o Lexi, que depende dela) toda vez que um fornecedor revisar a interface do seu sistema de janelas.

Nenhum dos extremos é uma solução viável; assim, o nosso projeto ficará mais ou menos entre ambos. A classe Window fornecerá uma interface conveniente que suporte a maioria dos recursos populares para janelas. Como o Lexi tratará com essa classe diretamente, a classe Window também deverá suportar as coisas de que o Lexi tem conhecimento, ou seja, glifos. Isso significa que a interface de Window deve incluir um conjunto básico de operações gráficas que permitem aos glifos desenharem-se a si próprios na janela. A tabela 2.3 dá uma amostra das operações na interface da classe Window.

Window é uma classe abstrata. As subclasses concretas de Window suportarão os diferentes tipos de janelas com as quais os usuários lidam. Por exemplo, janelas de aplicação, ícones e diálogos de aviso são todos janelas, mas têm comportamentos um pouco diferentes. Assim, podemos definir subclasses como ApplicationWindow, IconWindow e DialogWindow para capturar essas diferenças. A hierarquia de classe resultante fornece a aplicações como Lexi uma abstração de janelas uniforme e intuitiva, que não depende de um sistema de janelas de um fornecedor em particular:

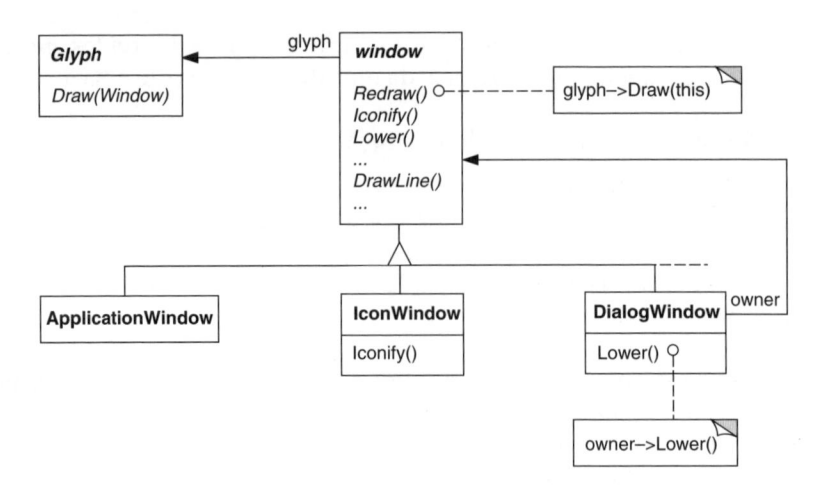

```
         Glyph          glyph     window
      Draw(Window)                Redraw() ○------- glyph->Draw(this)
                                  Iconify()
                                  Lower()
                                  ...
                                  DrawLine()
                                  ...

    ApplicationWindow       IconWindow      DialogWindow    owner
                            Iconify()       Lower() ○

                                                    owner->Lower()
```

Tabela 2.3 Interface da classe Window

Responsabilidade	Operações
Administração de janelas	`virtual void Redraw ()`
	`virtual void Raise ()`
	`virtual void Lower ()`
	`virtual void Iconify ()`
	`virtual void Deiconify ()`
	...
Gráficos	`virtual void DrawLine (...)`
	`virtual void DrawRect (...)`
	`virtual void DrawPolygon (...)`
	`virtual void DrawText (...)`
	...

Agora que definimos uma interface de janelas para o Lexi usar, de onde vêm as janelas reais, específicas para as plataformas? Se não estamos implementando nosso próprio sistema de janelas, então em algum ponto a nossa abstração de janelas deve ser implementada em termos do que é oferecido pelo sistema de janelas ao qual se destina. Assim, onde vai existir esta implementação?

Uma abordagem seria implementar múltiplas versões da classe Window e suas subclasses, uma versão para cada plataforma com janelas. Teríamos que escolher a versão a ser usada quando construíssemos o Lexi para uma dada plataforma. Mas imagine as dores de cabeça que teríamos para manter o controle de múltiplas classes, todas de nome "Window", mas cada uma implementada em um sistema de janelas diferente. Como alternativa, poderíamos criar subclasses específicas da implementação de cada classe na hierarquia de Window – e acabar tendo um outro problema de explosão de subclasses, como o que tivemos ao tentar acrescentar adornos. Ambas alternativas têm ainda um outro ponto negativo: nenhuma nos dá a flexibilidade de mudar o sistema de janelas que nós usamos depois que compilamos o programa. Assim, também teremos que manter à disposição vários executáveis diferentes.

Nenhuma alternativa é muito atraente, mas o que mais podemos fazer? A mesma coisa que fizemos para a formatação e o adorno, ou seja, *encapsular o conceito que varia*. O que varia nesse caso é a implementação do sistema de janelas. Se encapsulamos a funcionalidade de um sistema de janelas em um objeto, então podemos implementar nossa classe Window e suas subclasses em termos da interface daquele objeto. Além do mais, se aquela interface pode atender a todos os sistemas de janelas em que estamos interessados, então não teremos que mudar Window ou algumas das suas subclasses para suportar diferentes sistemas de janela. Podemos configurar objetos-janela dos sistemas de janelas que queremos, simplesmente passando a eles o objeto de encapsulamento do sistemas de janela apropriado. Podemos até mesmo configurar a janela em tempo de execução.

Window e WindowImp

Definiremos uma hierarquia de classes separada, chamada **WindowImp,** na qual podemos ocultar as implementações de diferentes sistemas de janelas. **WindowImp** é uma classe abstrata para objetos que encapsulam o código dependente dos sistemas de janelas. Para o Lexi funcionar em um sistema particular de janelas, configuramos cada objeto-janela como uma instância de uma subclasse de WindowImp para aquele sistema. O seguinte diagrama mostra o relacionamento entre as hierarquias de Window e WindowImp:

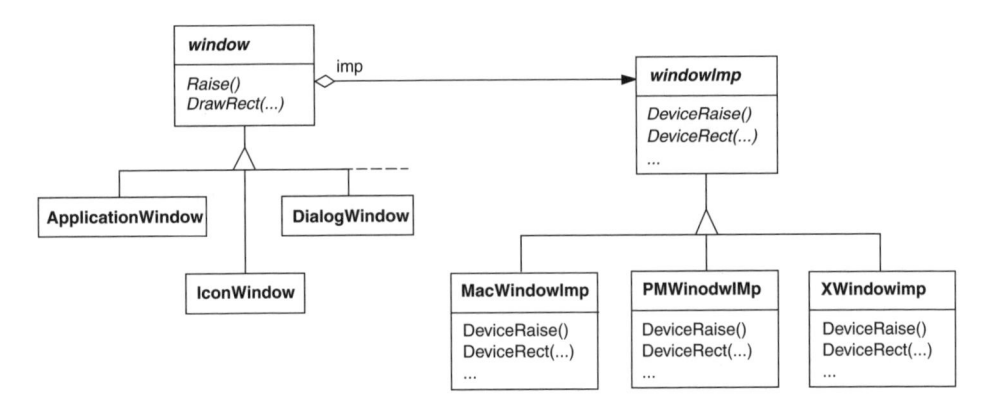

Ao ocultar as implementações em classes WindowImp, evitamos poluir as classes de Window com dependências de sistemas de janelas, o que mantém a hierarquia de classe de Window comparativamente pequena e estável. Quando necessário, podemos facilmente estender a hierarquia da implementação para suportar novos sistemas de janelas

Subclasses de WindowImp

As subclasses de WindowImp convertem solicitações em operações específicas para o sistema de janelas. Considere o exemplo que usamos na seção 2.2. Definimos `Rectangle::Draw` em termos da operação de `DrawRect` na instância de Window:

```
void Rectangle::Draw (Window* w) {
    w->DrawRect(_x0, _y0, _x1, _y1);
}
```

A implementação *default* de `DrawRect` usa a operação abstrata para desenhar retângulos declarada por WindowImp:

```
void Window::DrawRect (
    Coord x0, Coord y0, Coord x1, Coord y1
) {
    _imp->DeviceRect(x0, y0, x1, y1);
}
```

em que _imp é uma variável membro de Window que armazena a WindowImp com a qual a Window é configurada. A implementação de Window é definida pela instância da subclasse de WindowImp que é apontada por _imp. Para uma XWindowImp (isto é, uma subclasse WindowImp para um sistema de janelas X, a implementação de DeviceRect poderia se parecer com o código abaixo.

```
void XWindowImp::DeviceRect (
    Coord x0, Coord y0, Coord x1, Coord y1
) {
    int x = round(min(x0, x1));
    int y = round(min(y0, y1));
    int w = round(abs(x0 - x1));
    int h = round(abs(y0 - y1));
    XDrawRectangle(_dpy, _winid, _gc, x, y, w, h);
}
```

DeviceRect é definida desta forma por que XDrawRectangle (a interface X para desenhar um retângulo) define um retângulo em termos do seu canto esquerdo inferior, sua largura e sua altura. DeviceRect deve computar estes valores a partir daqueles fornecidos. Primeiro, ele verifica qual o canto esquerdo inferior (uma vez que (x0, y0) pode ser um dos quatro cantos do retângulo), e então calcula a largura e a altura.

A PMWindowImp (uma subclasse de WindowImp para o Presentation Manager) definiria DeviceRect de forma diferente:

```
void PMWindowImp::DeviceRect (
    Coord x0, Coord y0, Coord x1, Coord y1
) {
    Coord left = min(x0, x1);
    Coord right = max(x0, x1);
    Coord bottom = min(y0, y1);
    Coord top = max(y0, y1);

    PPOINTL point[4];

    point[0].x = left;    point[0].y = top;
    point[1].x = right;   point[1].y = top;
    point[2].x = right;   point[2].y = bottom;
    point[3].x = left;    point[3].y = bottom;

    if (
        (GpiBeginPath(_hps, 1L) == false) ||
        (GpiSetCurrentPosition(_hps, &point[3]) == false) ||
        (GpiPolyLine(_hps, 4L, point) == GPI_ERROR) ||
        (GpiEndPath(_hps) == false)
    ) {
        // reporta ocorrência de erro

    } else {
        GpiStrokePath(_hps, 1L, 0L);
    }
}
```

Por que essa implementação é tão diferente da versão X? Bem, PM não tem explicitamente uma operação para desenhar retângulos como X tem. Ao invés disso, PM tem uma interface mais geral para especificar vértices de formas multisegmentadas (chamadas de **path**) e para delinear ou preencher a área que elas fecham.

Obviamente, a implementação de `DeviceRect` de PM é bem diferente daquela de X, mas isso não importa. WindowImp esconde as variações nas interfaces dos sistemas de janelas atrás de uma interface potencialmente grande, porém estável. Isso permite aos codificadores da subclasse Window se concentrarem na abstração de janela e não nos detalhes de um sistema de janelas. Isso também permite-nos acrescentar suporte para novos sistemas de janelas sem afetar as classes de Window.

Configurando Windows com WindowImps

Um tópico-chave que não tratamos é como uma janela fica configurada com a subclasse adequada de WindowImp. Dito de outra maneira, quando é que _imp é iniciado e quem sabe qual o sistema de janelas (e, conseqüentemente, qual subclasse de WindowImp) está em uso? A janela necessitará de algum tipo de WindowImp antes que possa fazer algo de interesse.

Existem várias possibilidades, mas nos concentraremos em uma que usa o padrão Abstract Factory (95). Podemos definir uma classe Abstract Factory, chamada WindowSystemFactory, que fornece uma interface para a criação de diferentes tipos de objetos de implementação dependentes do sistema de janelas:

```
class WindowSystemFactory {
public:
    virtual WindowImp* CreateWindowImp() = 0;
    virtual ColorImp* CreateColorImp() = 0;
    virtual FontImp* CreateFontImp() = 0;

    // uma operação "Create..." para cada recurso.
};
```

Agora podemos definir uma fábrica concreta para cada sistema de janelas:

```
class PMWindowSystemFactory : public WindowSystemFactory {
    virtual WindowImp* CreateWindowImp()
        { return new PMWindowImp; }
    // ...
};

class XWindowSystemFactory : public WindowSystemFactory {
    virtual WindowImp* CreateWindowImp()
        { return new XWindowImp; }
    // ...
};
```

O construtor para a classe-base Window pode usar a interface da `WindowSystemFactory` para iniciar o membro `_imp` com a WindowImp correta para o sistema de janelas:

```
Window::Window () {
    _imp = windowSystemFactory->CreateWindowImp();
}
```

A variável `windowSystemFactory` é uma instância bem conhecida de uma subclasse de WindowSystemFactory, aparentada com a bem conhecida variável `guiFactory` que define a apresentação e a resposta. A variável `windowSystemFactory` pode ser iniciada da mesma maneira.

O padrão Bridge

A classe WindowImp define uma interface para os recursos comuns dos sistemas de janela, mas seu projeto é orientado por restrições diversas daquelas que se aplicam à interface de Window. Os programadores de aplicação não lidarão com a interface de WindowImp diretamente, mas somente com objetos Window. Desse modo, a interface de WindowImp não precisa corresponder à visão do mundo do programador da aplicação, como era nossa preocupação no projeto da hierarquia e interface da classe Window. A interface de WindowImp pode refletir de maneira mais próxima o que os sistemas de janela fornecem na realidade, com defeitos e tudo mais. Ela pode ser orientada ou para uma abordagem de interseção ou para uma união de funcionalidade, qualquer uma que se adapte melhor ao sistema de janelas-alvo (isto é, aquele sob o qual, e com cujos recursos, a aplicação rodará).

O que é importante perceber é que a interface de Window cuida do programador de aplicações, enquanto que o WindowImp cuida dos sistemas de janelas. Separar a funcionalidade de janelas em hierarquias Window e WindowImp permite-nos implementar e especializar essas interfaces independentemente. Os objetos dessas hierarquias cooperam para permitir que o Lexi funcione, sem modificações, em múltiplos sistemas de janelas.

A relação entre Window e WindowImp é um exemplo do padrão Bridge (151). A intenção por trás do Bridge é permitir às hierarquias de classes separadas trabalharem em conjunto, mesmo quando elas evoluem independentemente. Nossos critérios de projetos levaram-nos a criar duas hierarquias de classes separadas, uma que suporta a noção lógica de janelas, e outra para capturar diferentes implementações de janelas. O padrão Bridge permite-nos manter e melhorar as nossas abstrações lógicas dos conceitos de janelas sem tocar no código dependente do sistema que as implementa, e vice-versa.

2.7 Operações do usuário

Uma porção da funcionalidade do Lexi está disponível através da representação WYSIWYG do documento. Você entra e deleta texto, move o ponto de inserção e seleciona blocos de texto apontando, clicando e digitando diretamente no documento. Outra parte da funcionalidade é acessada indiretamente através das operações do usuário nos menus *pull-down*, botões e atalhos de teclado de Lexi. A funcionalidade inclui operações para:

- criar um novo documento;
- abrir, salvar e imprimir um documento existente;
- cortar texto selecionado do documento e colar o mesmo de volta no documento;
- mudar a fonte tipográfica e o estilo de um texto selecionado;
- mudar a formatação do texto, tal como seu alinhamento e sua justificação;
- sair da aplicação;
- e assim por diante.

O Lexi fornece diferentes interfaces de usuários para essas operações. Mas não queremos associar uma operação de usuário com uma interface de usuário em particular, porque podemos vir a desejar múltiplas interfaces de usuário para a mesma operação (por exemplo, você pode virar a página usando tanto um botão de página quanto uma operação de menu). Poderemos, também querer mudar a interface no futuro.

Além do mais, essas operações estão implementadas em muitas classes diferentes. Nós, como implementadores, queremos acessar a sua funcionalidade sem criar uma porção de dependências entre a implementação e as classes de interface do usuário. Caso contrário, acabaremos com uma implementação fortemente acoplada, mais difícil de compreender, estender e manter.

Para complicar ainda mais, queremos que o Lexi suporte as operações desfazer e refazer [8] para a maior parte da, *mas não para toda* sua funcionalidade. Especificamente, queremos ser capazes de desfazer operações de modificação de documentos como deletar, com a qual um usuário pode destruir muitos dados acidentalmente. Mas não devemos tentar desfazer uma operação como salvar um desenho ou sair da aplicação. Essas operações não devem ter efeito sobre o processo de desfazer. Também não queremos um limite arbitrário sobre o número de níveis de operações de desfazer e refazer.

Está claro que o suporte às operações do usuário permeia a aplicação. O desafio é encontrar um mecanismo, simples e extensível, que satisfaça todas estas necessidades.

Encapsulando uma solicitação

A partir da nossa perspectiva como projetistas, um menu *pull-down* é somente outro tipo de glifo que contém outros glifos. O que distingue menus *pull-down* de outros glifos que têm descendentes é que a maior parte dos glifos dos menus executa alguma ação em resposta a um clique.

Vamos assumir que esses glifos que realizam trabalho são instâncias de uma subclasse de Glyph, chamada **MenuItem** e que eles fazem o seu trabalho em resposta a uma solicitação de um cliente.[9] Executar a solicitação pode envolver uma operação sobre um objeto, ou muitas operações sobre muitos objetos, ou algo entre esses extremos.

Poderíamos definir uma subclasse de MenuItem para cada operação do usuário, e, então, codificar de forma rígida cada subclasse para executar a solicitação. Mas isso não é realmente correto; não necessitamos uma subclasse de MenuItem mais do que necessitaríamos de uma subclasse para cada *string* de texto em um menu *pull-down*. Além do mais, essa abordagem acopla a solicitação a uma interface de usuário em particular, tornando difícil atender a solicitação através de uma interface de usuário diferente.

Para ilustrar isso, suponha que você poderia avançar para a última página do documento, tanto por um MenuItem no menu *pull-down*, *quanto* apertando um ícone de página na base da interface do Lexi (o que pode ser mais conveniente para documentos curtos). Se associarmos a solicitação a um MenuItem através do uso de herança, então deveremos fazer o mesmo para o ícone de página e qualquer outro tipo de widget que possa emitir uma solicitação desse tipo. Isso pode dar origem a um número de classes aproximado ao produto do número de tipos de widgets pelo número de solicitações.

O que está faltando é um mecanismo que nos permita parametrizar itens de menus com a solicitação que devem atender. Deste modo, evitamos uma proliferação de subclasses e permitimos uma maior flexibilidade em tempo de execução. Poderíamos parametrizar MenuItem como uma função a ser chamada, mas isso não é uma solução completa pelo menos por três razões:

1. Não trata do problema de desfazer/refazer;
2. É difícil associar um estado com uma função. Por exemplo, uma função que muda a fonte tipográfica necessita saber *qual* a fonte;
3. As funções são difíceis de estender, e é difícil reutilizar partes delas.

Essas razões sugerem que deveríamos parametrizar MenuItem com um *objeto*, não como uma função. Então poderemos usar a herança para estender e reutilizar a implementação da solicitação. Desta forma, também temos um espaço para armazenar estados e implementar a funcionalidade de desfazer/refazer. Aqui temos um outro exemplo de encapsulamento do conceito que varia, neste caso, uma solicitação. Encapsularemos cada solicitação em um objeto **command**.

A classe Command e suas subclasses

Primeiro, definimos uma classe abstrata **Command** para fornecer uma interface que emita uma solicitação. A interface básica consiste de uma única operação abstrata chamada "Execute". Subclasses de Command implementam Execute de várias maneiras para atender diferentes solicitações. Algumas subclasses podem delegar parte do, ou todo, trabalho para outros objetos. Outras subclasses poderão atender completamente à solicitação por si mesmas (ver figura 2.11). Contudo, para o solicitante, um objeto Command é um objeto Command – sendo tratado uniformemente.

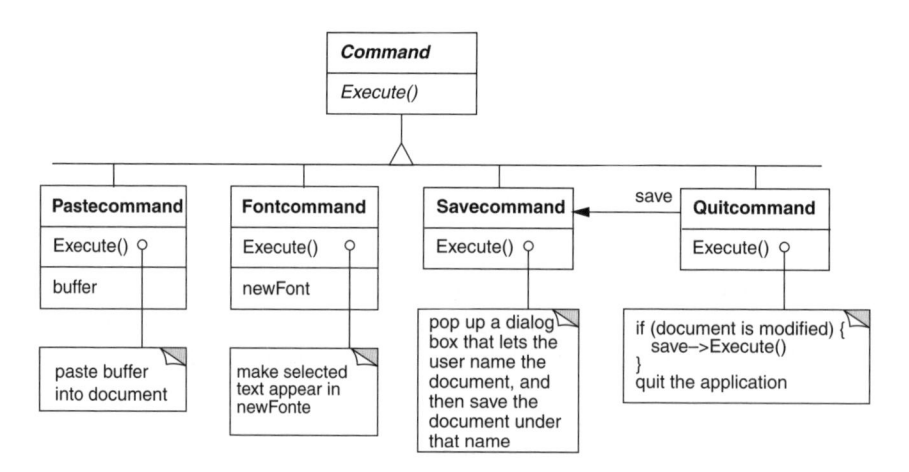

Figura 2.11 Hierarquia parcial da classe Command.

Agora MenuItem pode armazenar um objeto Command que encapsula uma solicitação (Figura 2.12). Damos a cada objeto de um item de menu uma instância da subclasse de Command que é adequada para aquele item, da mesma forma como

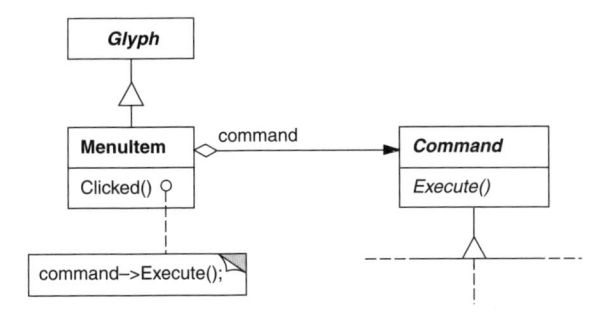

Figura 2.12 Relacionamento MenuItem-Command.

especificamos o texto que deve aparecer no item do menu. Sempre que o usuário escolhe um determinado item de menu, o MenuItem simplesmente chama Execute no seu objeto Command para executar a solicitação. Note que botões e outros widgets podem usar *commands* da mesma maneira que itens de menu o fazem.

Desfazendo ações

Desfazer/refazer (ações) é uma capacidade importante em aplicações interativas. Para os comandos desfazer e refazer, acrescentaremos uma operação "Unexecute" à interface de Command. Unexecute reverte os efeitos de uma operação Execute precedente, usando para isso todas as informações que tenham sido armazenadas por Execute. Por exemplo: no caso de um FontCommand, a operação Execute armazenará a extensão de texto afetada pela mudança da fonte tipográfica junto com as fontes originais. A operação Unexecute de FontCommand irá restaurar a extensão de texto mudada para suas fontes originais.

Algumas vezes, a capacidade de desfazer ações deve ser determinada em tempo de execução. Uma solicitação para mudar a fonte de uma seleção não faz nada se o texto já aparece naquela fonte. Suponha que o usuário selecione algum texto e, então, solicite uma mudança espúria de fonte. Qual seria o resultado de uma solicitação para desfazer subseqüente? Deveria uma mudança sem sentido fazer com que a solicitação de refazer faça algo igualmente sem sentido? Provavelmente não. Se o usuário repete a mudança espúria de fonte várias vezes, não deveria ter que executar exatamente o mesmo número de operações desfazer para voltar para a última operação com sentido. Se o efeito líquido da execução de um comando resulta em nada, então não há necessidade para uma correspondente solicitação de desfazer.

Assim, para determinar se um comando pode ser desfeito, acrescentamos uma operação abstrata, "Reversible", à interface de Command. Reversible retorna um valor boleano. Subclasses podem redefinir essa operação para retornar *true* ou *false*, com base em critérios de tempo de execução.

Histórico dos comandos

O passo final para suportar um nível arbitrário de operações de desfazer e refazer é definido em uma **história de comandos**, ou uma lista de comandos que foram executados (ou desfeitos). Conceitualmente, a história dos comandos se parece com isto:

```
O—O—O—O      |
   ← comandos passados
              presente
```

Cada círculo representa um objeto Command. Neste caso, o usuário emitiu quatro comandos. O comando mais à esquerda foi emitido primeiro, seguido pelo segundo mais à esquerda, e assim por diante, até o comando emitido mais recentemente, que está mais à direita. A linha marcada (presente) mantém a informação do comando mais recentemente executado (e desfeito). Para desfazer o último comando, nós simplesmente chamamos Unexecute no comando mais recente.

```
O—O—O—|O
           ↖ Unexecute()
       presente
```

Após desfazer o comando, nós movemos a linha "presente" um comando para a esquerda. Se o usuário escolhe desfazer novamente, o próximo comando mais recentemente emitido será desfeito da mesma forma, e nós ficaremos no estado ilustrado abaixo.

```
O—O—|O—O
  ← passado | futuro →
       presente
```

Você pode ver que pela simples repetição desse procedimento, obtivemos múltiplos níveis de desfazer. O número de níveis é limitado somente pelo comprimento da história de comandos.

Para refazer um comando que acabou de ser desfeito, fazemos a mesma coisa ao contrário. Comandos à direita da linha presente são comandos que podem ser refeitos no futuro. Para refazer o último comando desfeito, chamamos Execute no comando à direita da linha do presente:

```
O—O—O|—O
         ↖ Execute()
      presente
```

Agora, então, avançamos à linha do presente, de modo que uma ação de desfazer subsequente chamará desfazer no comando seguinte no futuro.

```
    ←— passado │ futuro —→
            presente
```

Naturalmente, se a operação subseqüente não é uma outra operação de refazer, mas sim de desfazer, então o comando à esquerda da linha do presente será desfeito. Assim, o usuário pode efetivamente ir para frente e para trás no tempo, conforme necessário, para recuperar-se de erros.

O padrão Command

Os comandos do Lexi são uma aplicação do padrão Command (222), o qual descreve como encapsular uma solicitação. O padrão Command prescreve uma interface uniforme para emissão de solicitações que permite que você configure clientes para tratar de diferentes solicitações. A interface protege os clientes da implementação da solicitação. Um comando pode delegar toda, parte, ou nada da implementação de uma solicitação para outros objetos. Isso é perfeito para aplicações como Lexi, que devem fornecer acesso centralizado a funcionalidades espalhadas por toda a aplicação. O padrão também discute mecanismos de desfazer e refazer, construídos sobre a interface básica de Command.

2.8 Verificação ortográfica e hifenização

O último problema de projeto envolve a análise do texto, especificamente a verificação de erros de ortografia e a introdução de pontos de hifenização onde necessários, para uma boa formatação. Aqui, as restrições são similares àquelas que tínhamos para o problema de projeto da formatação na seção 2.3. Da mesma forma que o caso das estratégias para quebras de linhas, há mais de uma maneira de efetuar a verificação ortográfica e computar os pontos de hifenização. Assim, aqui também queremos suportar múltiplos algoritmos. Um conjunto de algoritmos diversos pode fornecer uma escolha de compromissos de espaço/tempo/qualidade. Deveríamos, também, tornar fácil a adição de novos algoritmos.

Também queremos evitar implementar essa funcionalidade na estrutura do documento. Agora esse objetivo é mais importante do que foi no caso da formatação, porque a verificação ortográfica e a hifenização são somente dois de muitos tipos potenciais de análises que podemos desejar que o Lexi suporte. Inevitavelmente, desejaremos expandir com o tempo as habilidades analíticas do Lexi. Poderíamos acrescentar busca, contagem de palavras, um recurso de cálculo para adicionar valores em tabelas, verificação gramatical, e assim por diante. Porém, não queremos mudar a classe glyph e todas as suas subclasses cada vez que introduzirmos novas funcionalidades dessa natureza.

Há, na realidade, duas peças neste quebra-cabeça: (1) acessar a informação a ser analisada, a qual podemos ter espalhado pelos glifos na estrutura do documento, e (2) efetuar a análise. Nós examinaremos estas duas peças separadamente.

Acessando informações espalhadas

Muitos tipos de análise requerem o exame do texto caractere por caractere. O texto que necessitamos analisar está espalhado através de uma estrutura hierárquica de objetos glifo. Para examinar o texto em uma estrutura, nós necessitamos de um mecanismo de acesso que tenha conhecimento sobre as estruturas de dados nas quais os objetos estão armazenados. Alguns glifos podem armazenar seus descendentes em listas ligadas, outros podem usar vetores (*arrays*), e outros, ainda, podem usar estruturas de dados mais esotéricas. Nosso mecanismo de acesso deve ser capaz de tratar todas estas possibilidades.

Uma complicação adicional é que diferentes tipos de análises acessam a informação de diferentes maneiras. A *maioria* das análises fará o percurso do texto do início ao fim. Porém, algumas fazem o oposto – por exemplo, uma busca invertida necessita progredir através do texto para trás, ao invés de para frente. A análise e cálculo de expressões algébricas poderiam exigir um percurso a partir do centro.

Assim, nosso mecanismo de acesso deve acomodar diferentes estruturas de dados, e também devemos poder suportar diferentes tipos de percurso, tais como prefixado, pós-fixado e central.

Encapsulando acessos e percursos

Até agora nossa interface de glifo tem usado um índice do tipo inteiro para permitir aos clientes se referirem a descendentes. Embora isto possa ser razoável para classes glifo que armazenam seus descendentes em um vetor, pode ser ineficiente para glifos que utilizam uma lista ligada. Um importante papel da abstração glifo é ocultar a estrutura de dados na qual os descendentes estão armazenados. Dessa forma, podemos mudar a estrutura de dados que uma classe glifo usa sem afetar outras classes.

Portanto, somente o glifo pode saber a estrutura de dados que ele usa. Um corolário disto é que a interface do glifo não deveria ser direcionada para uma ou outra estrutura de dados. Por exemplo, ela não deveria ser mais adequada para vetores do que para listas ligadas, como é o caso atualmente. Podemos, ao mesmo tempo, solucionar esse problema e suportar diferentes tipos de percurso. Podemos prover capacidades múltiplas para acesso e percurso diretamente nas classes glifo e fornecer uma maneira de escolher entre elas: talvez fornecendo uma constante de enumeração como parâmetro. As classes passariam esse parâmetro umas para as outras durante um percurso para assegurar que todas elas estão fazendo o mesmo tipo de percurso. Elas têm que passar umas para as outras quaisquer informações que elas tenham acumulado durante o percurso.

Podemos acrescentar as seguintes operações abstratas à interface de glyph para suportar esta abordagem:

```
void First(Traversal kind)
void Next()
bool IsDone()
Glyph* GetCurrent()
void Insert(Glyph*)
```

As operações `First`, `Next` e `IsDone` controlam o percurso. A `First` inicia o percurso. Ela obtém um tipo de percurso como um parâmetro do tipo `Traversal` (percurso), uma constante enumerada com valores tais como CHILDREN (para somente os descendentes imediatos do glifo), PREORDER (para fazer o percurso de toda a estrutura em pré-ordem), POSTORDER e INORDER. Next avança para o próximo glifo no percurso, e IsDone retorna, se o percurso acabou ou não. A GetCurrent substitui a operação Child; ela acessa o glifo atual no percurso. Insert substitui a antiga operação; ela insere o glifo fornecido na posição corrente.

Uma análise usaria o seguinte código C++ para efetuar um percurso em pré-ordem de uma estrutura de glifos com raiz em g:

```
Glyph* g;

for (g->First(PREORDER); !g->IsDone(); g->Next()) {
    Glyph* current = g->GetCurrent();

    // realiza alguma análise
}
```

Note que retiramos o índice de tipo inteiro da interface dos glifos. Não há mais nada que direcione a interface para um tipo de coleção ou para outro. Poupamos, também, aos clientes de terem que implementar, eles mesmos, tipos comuns de percursos.

Mas esta abordagem ainda tem problemas. Pelo menos em um aspecto: ela não pode suportar novos percursos sem estender o conjunto de valores enumerados ou acrescentar novas operações. Digamos que queremos ter uma variação de percurso em pré-ordem que automaticamente ignora glifos que não sejam texto. Nesse caso teríamos que mudar a enumeração de Traversal, para incluir algo como TEXTUAL_PREORDER.

Gostaríamos de evitar ter que mudar declarações existentes. Colocar o mecanismo de percurso inteiramente na hierarquia de classes de Glyph torna difícil a modificação ou a extensão, sem a mudança de muitas classes. É também difícil de reutilizar o mecanismo para fazer o percurso de outros tipos de estruturas de objeto. Além disso, não podemos ter mais do que um percurso em andamento em uma estrutura.

Novamente, a melhor solução é encapsular o conceito que varia, neste caso, os mecanismos de acesso e percurso. Podemos introduzir uma classe de objetos chamada **iterators,** cuja única finalidade é definir diferentes conjuntos destes mecanismos. Podemos usar a herança para permitir-nos acessar diferentes estruturas de dados de maneira uniforme, bem como suportar novos tipos de percursos. E não teremos que mudar interfaces de glifos ou afetar implementações existentes dos mesmos para fazê-lo.

Classes e subclasses de Iterator

Usaremos uma classe abstrata chamada **Iterator** para definir uma interface geral para acesso e percurso. Subclasses concretas como **ArrayIterator** e **ListIterator** implementam a interface para fornecer acesso para vetores (*arrays*) e listas, enquanto que **PreorderIterator, PostorderIterator,** e outras semelhantes, implementam diferentes percursos sobre estruturas específicas. Cada subclasse de Iterator tem uma referência para a estrutura na qual ela faz o percurso. As instâncias de subclasses são inicializadas com esta referência quando elas são criadas. A figura 2.13 ilustra a classe Iterator juntamente com várias subclasses. Note que acrescentamos uma operação abstrata CreateIterator à interface da classe Glyph para suportar iteradores.

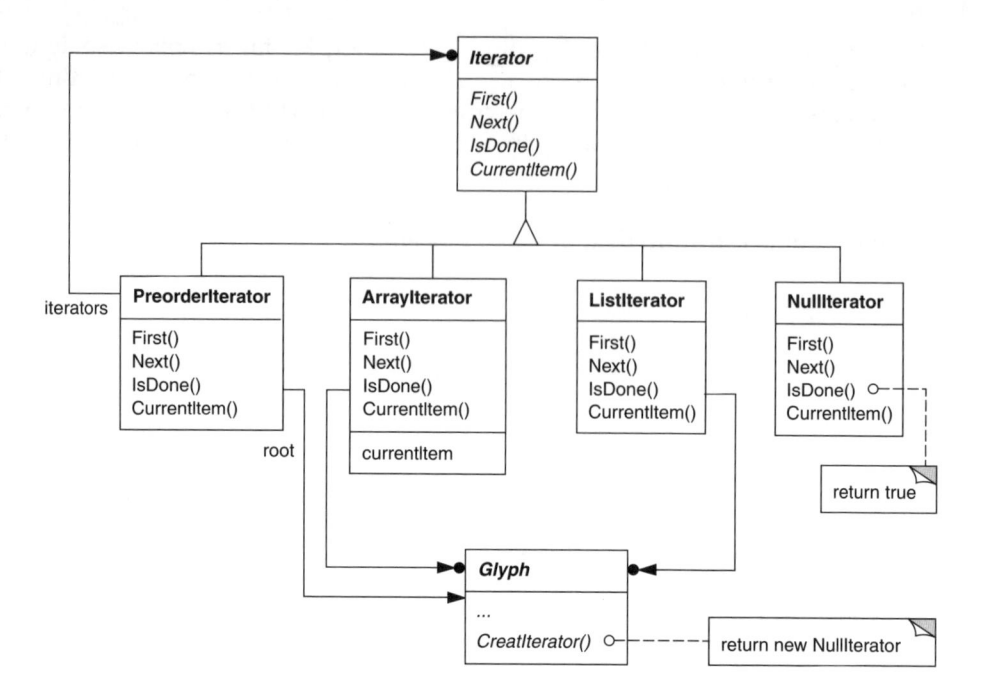

Figura 2.13 A classe Iterator e suas subclasses.

A interface de Iterator fornece as operações First, Next e IsDone para controlar o percurso. A classe ListIterator implementa a First para apontar para o primeiro elemento na lista, e a Next avança o iterador para o próximo item da lista. A `IsDone` retorna, se o apontador da lista aponta, ou não, para além do último elemento na mesma. A CurrentItem desreferencia o Iterator para retornar o glifo para o qual ele aponta. Uma classe `ArrayIterator` faria coisas semelhantes, mas sobre um vetor (*array*) de glifos.

Agora podemos acessar os descendentes de uma estrutura de glifos sem saber sua representação:

```
Glyph* g;
Iterator<Glyph*>* i = g->CreateIterator();

for (i->First(); !i->IsDone(); i->Next()) {
    Glyph* child = i->CurrentItem();

    // faz alguma coisa com o item-filho corrente
}
```

CreateIterator retorna por omissão uma instância de NullIterator. Um NullIterator é um iterador degenerado para glifos que não têm descendentes, isto é, glifos-folha. A operação IsDone de NullIterator sempre retorna o valor verdadeiro (*true*).

Uma subclasse de glifo que não tem descendentes substituirá CreateIterator para retornar uma instância de uma subclasse diferente de Iterator. *Qual* a subclasse depende da estrutura que armazena os descendentes. Se a subclasse Linha (*Row*) de Glyph armazena seus descendentes em uma lista `_children`, então sua operação CreateIterator iria se parecer com este código:

```
Iterator<Glyph*>* Row::CreateIterator () {
    return new ListIterator<Glyph*>(_children);
}
```

Iteradores para percursos prefixados e centrais implementam seus percursos em termos de iteradores específicos para o glifo. Os iteradores para estes percursos são fornecidos pelo glifo-raiz da estrutura na qual eles fazem o percurso. Eles chamam CreateIterator nos glifos da estrutura, recorrendo a uma pilha para armazenar (desta forma, acompanhando para usar no momento apropriado) os iteradores resultantes.

Por exemplo, a classe PreorderIterator obtém o iterador do glifo-raiz, inicializa-o para apontar para o seu primeiro elemento, e então, coloca-o no topo da pilha:

```
void PreorderIterator::First () {
    Iterator<Glyph*>* i = _root->CreateIterator();

    if (i) {
        i->First();
        _iterators.RemoveAll();
        _iterators.Push(i);
    }
}
```

A classe CurrentItem simplesmente chamaria CurrentItem no iterador que está no topo da pilha:

```
Glyph* PreorderIterator::CurrentItem () const {
    return
        _iterators.Size() > 0 ?
        _iterators.Top()->CurrentItem() : 0;
}
```

A operação Next obtém o iterador do topo da pilha e pede ao seu item corrente para criar um iterador, em uma tentativa de descer pela estrutura de glifo o mais longe possível (afinal de contas, trata-se de um percurso em pré-ordem). Next aponta o iterador para o primeiro item no percurso e coloca-o no topo da pilha. Então Next testa o último iterador; se a operação isDone retorna verdadeiro (*true*), então terminamos de percorrer a subárvore corrente (ou folha) no percurso. Nesse caso, Next remove o iterador do topo da pilha e repete esse processo até que encontre o próximo percurso incompleto, se houver; se não houver, então acabamos de percorrer a estrutura toda.

```
void PreorderIterator::Next () {
    Iterator<Glyph*>* i =
        _iterators.Top()->CurrentItem()->CreateIterator();

    i->First();
    _iterators.Push(i);

    while (
        _iterators.Size() > 0 && _iterators.Top()->IsDone()
    ) {
        delete _iterators.Pop();
        _iterators.Top()->Next();
    }
}
```

Note como a hierarquia da classe Iterator permite-nos acrescentar novos tipos de percursos sem modificar as classes glifo – simplesmente acrescentamos subclasses a Iterator e acrescentamos um novo percurso do modo como fizemos com PreorderIterator. As subclasses de Glyph usam a mesma interface para dar para os clientes acesso aos seus descendentes, sem revelar a estrutura de dados subjacente que usam para armazená-los. Porque os iteradores armazenam sua própria cópia do estado de um percurso, nós podemos efetuar múltiplos percursos simultaneamente, mesmo sobre a mesma estrutura. Embora nossos percursos tenham sido feitos sobre estruturas de glifos neste exemplo, não há razão pela qual não possamos parametrizar uma classe como PreorderIterator. Nós usaríamos *templates* para fazer isso em C++. Dessa forma, podemos reutilizar toda a "maquinaria" em PreorderIterator para percorrer outras estruturas.

O padrão Iterator

O padrão Iterator (244) captura essas técnicas para o suporte ao acesso e percurso de estruturas de objetos. É aplicável não somente a estruturas compostas, mas também a coleções. Ele abstrai o algoritmo de percurso e isola os clientes da estrutura interna dos objetos que eles percorrem.

O padrão Iterator ilustra, uma vez mais, como o encapsulamento do conceito que varia ajuda-nos a obter flexibilidade e reutilizabilidade. Mesmo assim, o problema da iteração é surpreendentemente profundo, e o padrão Iterator cobre muito mais nuances e soluções de compromissos do que consideramos aqui.

Percursos versus ações de percurso

Agora que temos uma maneira de percorrer a estrutura de glifo, necessitamos verificar a ortografia e fazer a hifenização. As duas análises envolvem acumulação de informações durante o percurso.

Em primeiro lugar, temos que decidir onde colocar a responsabilidade da análise. Poderíamos colocá-la nas classes Iterator, desta forma tornando a análise uma parte integral do percurso. Mas, ganhamos mais flexibilidade e potencialidade de reutilização se distinguirmos entre o percurso e as ações executadas durante o mesmo. Isso se deve ao fato de que análises diferentes freqüentemente requerem o mesmo tipo de percurso. Daí podermos reutilizar o mesmo conjunto de iteradores para diferentes análises. Por exemplo, o percurso em pré-ordem é comum a muitas análises, incluindo a verificação ortográfica, a hifenização, uma pesquisa para frente a partir de um ponto (por exemplo, de uma palavra) e a contagem de palavras.

Assim, a análise e o percurso deveriam ser separados. Onde mais poderíamos colocar a responsabilidade da análise? Sabemos que existem muitos tipos de análise que poderíamos vir a querer fazer. Cada análise faria coisas diferentes, em diferentes pontos do percurso. Alguns glifos são mais significativos do que outros, dependendo do tipo de análise. Se estivermos verificando a ortografia ou fazendo hifenização, desejaremos considerar glifos de caracteres e não glifos como linhas e imagens em *bitmaps*. Se estivermos fazendo separações de cores, desejaremos considerar os glifos visíveis, e não os invisíveis. Inevitavelmente, análises diferentes analisarão glifos diferentes.

Uma determinada análise deve ser capaz de distinguir diferentes tipos de glifos. Uma abordagem óbvia seria colocar a capacidade analítica nas próprias classes glifo. Para cada análise, poderíamos acrescentar uma ou mais operações abstratas à classe

Glyph e ter subclasses, implementando-as de acordo com o papel que elas exercem na análise.

Mas o problema com esta abordagem é que teremos que mudar cada classe de glifo sempre que acrescentarmos um novo tipo de análise. Podemos simplificar esse problema em alguns casos: se somente poucas classes participam da análise, ou se a maioria das classes faz análise do mesmo modo, então podemos fazer uma implementação por omissão para a operação abstrata na classe Glyph. Esta operação cobriria o caso comum. Assim, limitaríamos as mudanças somente à classe Glyph e àquelas subclasses que se desviam da norma.

Mas ainda que uma implementação por omissão reduza o número de mudanças, permanece um problema incidioso: a interface de Glyph se expande com a adição de cada nova capacidade analítica. Com o passar do tempo, as operações analíticas começarão a obscurecer a interface básica de Glyph. Acabará se tornando difícil ver que a finalidade principal de um glifo é definir e estruturar objetos que tenham aparência e forma – essa interface ficará perdida no meio do ruído.

Encapsulando a análise

Segundo todas as indicações, necessitaremos encapsular a análise em um objeto separado, de maneira bastante semelhante ao que já fizemos muitas vezes anteriormente. Poderíamos por a "maquinaria" para uma determinada análise na sua própria classe. Poderíamos usar uma instância desta classe em conjunto com um iterador apropriado. O iterador "carregaria" a instância de cada glifo da estrutura. Então, o objeto da análise poderia executar uma parte desta em cada ponto do percurso. O analisador (*analyzer*) acumula a informação de interesse (neste caso, os caracteres) à medida que o percurso avança:

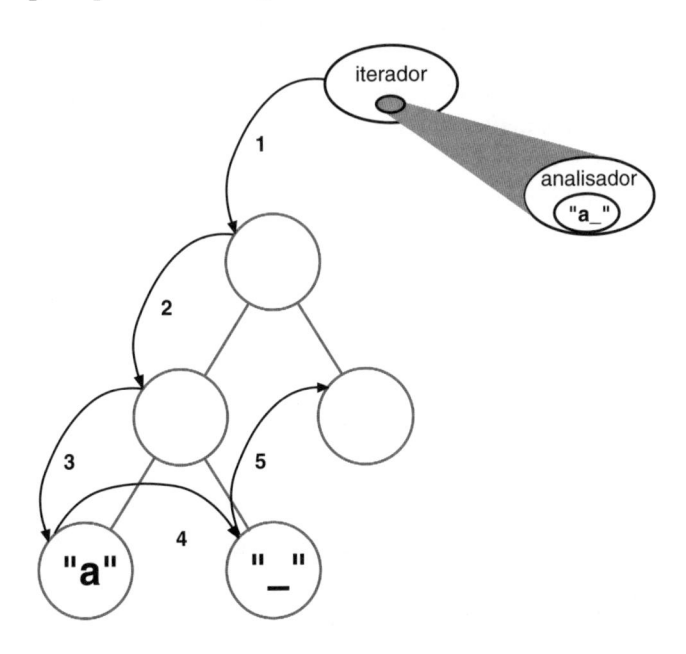

A questão com essa abordagem é como o objeto-análise distingue diferentes tipos de glifos sem recorrer a testes de tipo ou *downcasts* (C++). Não queremos que uma classe `SpellingChecker` inclua (pseudo) código como

```
void SpellingChecker::Check (Glyph* glyph) {
    Character* c;
    Row* r;
    Image* i;

    if (c = dynamic_cast<Character*>(glyph)) {
        // analisa o caractere

    } else if (r = dynamic_cast<Row*>(glyph)) {
        // prepara-se para analisar os filhos de r

    } else if (i = dynamic_cast<Image*>(glyph)) {
        // não faz nada
    }
}
```

Esse código é muito feio. Ele depende de recursos bastante esotéricos, como *casts* que garantam segurança quanto ao tipo (*type-safe casts*). Ele também é difícil de entender. Teremos que lembrar de mudar o corpo dessa função sempre que mudarmos a hierarquia de classes de Glyph. De fato, esse é o tipo de código que as linguagens orientadas a objeto pretendiam eliminar.

Queremos evitar tal solução pela força bruta, mas como? Vamos considerar o que acontece quando acrescentamos as seguintes operações abstratas à classe Glyph:

```
void CheckMe(SpellingChecker&)
```

Definimos `CheckMe` em toda a subclasse de Glyph, como segue:

```
void GlyphSubclass::CheckMe (SpellingChecker& checker) {
    checker.CheckGlyphSubclass(this);
}
```

em que `GlyphSubclass` seria substituída pelo nome da subclasse do glifo. Note que quando `CheckMe` é chamada, a subclasse de Glyph é conhecida – afinal de contas, estamos em uma de suas operações. Por sua vez, a interface da classe `SpellingChecker` inclui uma operação como `CheckGlyphSubclass` para cada subclasse de Glyph[10]:

```
class SpellingChecker {
public:
    SpellingChecker();

    virtual void CheckCharacter(Character*);
    virtual void CheckRow(Row*);
    virtual void CheckImage(Image*);

    // e assim por diante ...

    List<char*>& GetMisspellings();

protected:
    virtual bool IsMisspelled(const char*);

private:
    char _currentWord[MAX_WORD_SIZE];
    List<char*> _misspellings;
};
```

A operação de verificação de `SpellingChecker` para glifos `Character` deve ser parecida com isto:

```
void SpellingChecker::CheckCharacter (Character* c) {
    const char ch = c->GetCharCode();

    if (isalpha(ch)) {
        // acrescenta caractere alfabético a _currentWord

    } else {
        // alcançamos um caractere não-alfabético

        if (IsMisspelled(_currentWord)) {
            // acrescenta _currentWord a _misspellings
            _misspellings.Append(strdup(_currentWord));
        }

        _currentWord[0] = '\0';
            // reinicia _currentWord para verificar a próxima palavra
    }
}
```

Note que definimos uma operação especial `GetCharCode` somente na classe `Character`. O verificador ortográfico pode lidar com operações específicas de subclasses sem recorrer a testes de tipo, ou *casts* – ele permite-nos tratar objetos de maneira especial.

`CheckCharacter` acumula caracteres alfabéticos no buffer `_currentWord`. Quando encontra um caractere não-alfabético, como um underscore, ele usa a operação `IsMisspelled` para verificar a grafia da palavra em `_currentWord`.[11] Se a palavra está grafada de forma incorreta, então `CheckCharacter` acrescenta a palavra à lista de palavras grafadas incorretamente. Ele deve limpar então o buffer `_currentWord` para prepará-lo para a próxima palavra. Quando o percurso terminou, você pode recuperar a lista de palavras grafadas incorretamente com a operação `GetMisspellings`.

Agora podemos percorrer a estrutura de glifo, chamando `CheckMe` para cada glifo com o verificador ortográfico como argumento. Isso efetivamente identifica cada glifo para o SpellingChecker e alerta o verificador para efetuar o próximo incremento na verificação ortográfica.

```
SpellingChecker spellingChecker;
Composition* c;

// ...

Glyph* g;
PreorderIterator i(c);
for (i.First(); !i.IsDone(); i.Next()) {
    g = i.CurrentItem();
    g->CheckMe(spellingChecker);
}
```

O seguinte diagrama de interação ilustra como glifos `Character` e o objeto `SpellingChecker` trabalham em conjunto:

```
                aCharacter ("a")    anotherCharacter ("_")    aSpellingChecker

CheckMe(aSpellingChecker)
                         CheckCharacter(this)

                                              GetCharacter()


CheckMe(aSpellingChecker)
                                              CheckCharacter(this)      Verifica
                                                                        palavras
                                                                        completas
                                              GetCharacter()
```

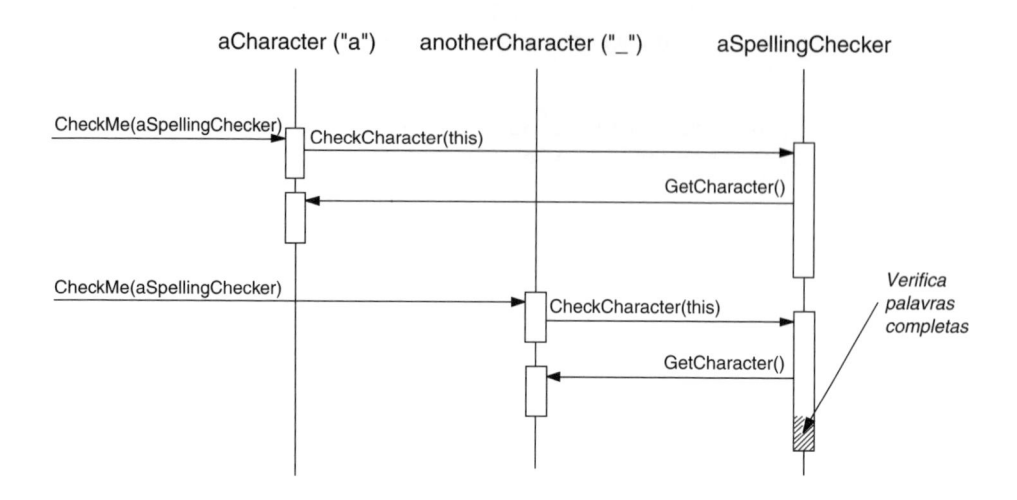

Essa abordagem funciona para encontrar erros de ortografia, mas como ela nos ajuda a suportar múltiplos tipos de análise? Parece que teremos que acrescentar uma operação como `CheckMe (SpellingChecker&)` a Glyph e suas subclasses sempre que acrescentarmos um novo tipo de análise. Isso é verdade se insistirmos em ter uma classe *independente* para cada análise. Mas não há razão pela qual não possamos dar a *todas* classes de análise a mesma interface. Essa solução nos permite usá-las polimorficamente. Isto significa que podemos substituir operações específicas da análise, tais como `CheckMe (SpellingChecker&)`, por uma operação independente da análise, uma operação que aceita um parâmetro mais geral.

A classe Visitor e suas subclasses

Usaremos o termo **visitor** (visitante), para referirmo-nos genericamente às classes de objetos que "visitam" outros objetos durante um percurso e fazem algo apropriado.[12] Neste caso podemos definir uma classe Visitor que define uma interface abstrata para visitar glifos em uma estrutura.

```
class Visitor {
public:
    virtual void VisitCharacter(Character*) { }
    virtual void VisitRow(Row*) { }
    virtual void VisitImage(Image*) { }

    // ... assim por diante
};
```

As subclasses concretas de `Visitor` executam diferentes análises. Por exemplo, poderíamos ter uma subclasse `SpellingCheckingVisitor` para verificação ortográfica, e uma subclasse `HyphenationVisitor` para hifenização. `SpellingCheckingVisitor` seria implementada exatamente como nós implementamos `SpellingChecker` anteriormente, exceto que os nomes das operações refletiriam a interface mais geral de Visitor. Por exemplo, `CheckCharacter` seria chamada de `VisitCharacter`.

Uma vez que `CheckMe` não é apropriado para visitantes que não verificam nada, nós lhe daremos um nome mais geral: `Accept`. Seu argumento também deveria mudar para aceitar um `Visitor&`, refletindo o fato de que ele pode aceitar qualquer visitante. Agora, acrescentar uma nova análise exige somente definir uma nova subclasse de `Visitor` – não temos que mexer em nenhuma das classes glifo. Suportaremos todas as análises futuras pelo acréscimo desta nova operação a `Glyph` e suas subclasses.

Já vimos como funciona a verificação ortográfica. Usamos uma abordagem similar em `HyphenationVisitor` para acumular texto. Mas, uma vez que a operação `VisitCharacter` de `HyphenationVisitor` montou uma palavra inteira, ela funciona de um modo um pouco diferente. Ao invés de examinar a palavra para ver se há erros de ortografia, aplicando um algoritmo de hifenização para determinar pontos de hifenização, se existirem. Então, a cada ponto de hifenização insere um glifo **discricionário** na composição. Glifos discricionários são instâncias de `Discretionary`, uma sublcasse de `Glyph`.

Um glifo discricionário tem uma entre duas possíveis aparências, dependendo se é ou não o último caráter de uma linha. Se ele for o último caráter, então o discricionário se parece com um hífen; se ele não estiver no final de uma linha, então o discricionário não tem qualquer aparência. O discricionário verifica o seu pai (um objeto Linha) para ver se é o último descendente. O discricionário faz essa verificação sempre que é chamado para desenhar a si próprio, ou calcular os seus limites (fronteiras). A estratégia de formatação trata discricionários da mesma maneira que espaços em branco: tornando-os candidatos a terminar uma linha. O diagrama seguinte mostra como um discricionário embutido pode se apresentar.

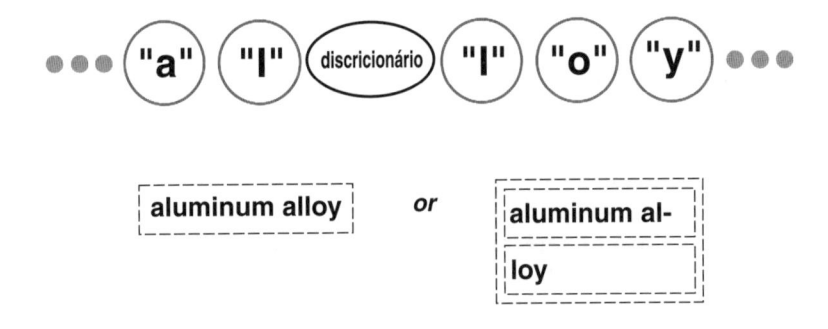

O padrão Visitor

O que descrevemos aqui é uma aplicação do padrão Visitor (305). A classe Visitor e suas subclasses, descritas anteriormente, são participantes-chave no padrão. O padrão Visitor captura a técnica que usamos para permitir um número qualquer de análises de estruturas de glifos sem ter que mudar as classes glifos. Uma outra característica agradável dos visitantes é que podem ser aplicados não apenas a estruturas compostas, como nossas estruturas de glifos, mas a *qualquer* estrutura de objeto. Isso inclui conjuntos, listas e até mesmo grafos direcionados acíclicos. Além disso, as classes que um visitante pode visitar não necessitam estar relacionadas umas com as outras, através de uma classe-mãe em comum. Isso significa que visitantes podem trabalhar através de diferentes hierarquias de classes.

Uma importante pergunta a ser feita antes de aplicar o padrão Visitor é: quais hierarquias de classes mudam mais freqüentemente? O padrão é mais adequado quando você quer ser capaz de fazer uma variedade de coisas diferentes com objetos que tenham uma estrutura de classe estável. A adição de um novo tipo de visitante não requer mudanças a essa estrutura de classe, o que é especialmente importante quando a estrutura de classe é grande. Mas sempre que você acrescente uma subclasse à estrutura terá também que atualizar todas as suas interfaces visitor para incluir uma operação Visit... àquela subclasse. No nosso exemplo, isso significa acrescentar uma subclasse de Glyph chamada Foo, o que exigirá mudar Visitor e todas as suas subclasses para incluir uma operação VisitFoo. Mas, determinadas as nossas restrições de projeto, é muito mais provável que tenhamos que acrescentar um novo tipo de análise ao Lexi do que um novo tipo de Glyph. Assim, o padrão Visitor é bem adequado para as nossas necessidades.

2.9 Resumo

Nós aplicamos oito *padrões* diferentes ao projeto do Lexi:

1. Composite (160) para representar a estrutura física do documento.
2. Strategy (292) para permitir diferentes algoritmos de formatação.
3. Decorator (170) para adornar a interface do usuário.
4. Abstract Factory (95) para suportar múltiplos padrões de interação.
5. Bridge (151) para permitir múltiplas plataformas de sistemas de janela.
6. Command (222) para desfazer operações do usuário.
7. Iterator (244) para acessar e percorrer estruturas de objetos.
8. Visitor (305) para permitir um número qualquer de capacidades analíticas sem complicar a implementação da estrutura do documento.

Nenhum desses tópicos do projeto está limitado a aplicações de edição de documentos como Lexi. De fato, diversas aplicações não-triviais terão a oportunidade de usar muitos desses padrões, talvez, porém, para fazerem coisas diferentes. Uma aplicação de análise financeira poderia usar Composite para definir portfólios de investimento compostos de subportfólios e contas de diferentes tipos. Um compilador poderia usar o padrão Strategy para permitir diferentes esquemas de alocação de registradores para diferentes "máquinas-alvo". Aplicações como uma interface gráfica para usuário provavelmente aplicarão pelo menos Decorator e Command, tal como fizemos aqui.

Embora tenhamos coberto diversos problemas importantes no projeto do Lexi, existem muitos outros que não discutimos. Porém, este livro descreve mais do que apenas os oito padrões que nós usamos aqui. Assim, à medida que você estudar os padrões restantes, pense como poderia usar cada um deles no projeto do Lexi. Ou, melhor ainda, pense como usá-los nos seus próprios projetos!

Notas

[1] O projeto do Lexi está baseado no Doc, uma aplicação de edição de textos desenvolvida por Calder [CL92]

[2] Autores freqüentemente vêem um documento em termos, também, da sua estrutura *lógica*, isto é, em termos de sentenças, parágrafos, seções, subseções e capítulos. Para manter este exemplo simples, nossa representação interna não armazenará a informação sobre a estrutura lógica explicitamente. Mas a solução de projeto que descrevemos funciona igualmente bem para representação de tal informação.

³ Calder foi o primeiro a usar o termo "glyph" neste contexto [CL90]. Muitos editores de documentos contemporâneos não usam objetos para todos os caracteres, possivelmente por razões de eficiência. Calder demonstrou que essa abordagem é viável em sua tese [Cal 93]. Nossos glyphs são menos sofisticados que os seus, no sentido de que iremos nos restringir a hierarquias estritas ou puras por razões de simplicidade. Os glyphs, ou glifos, de Calder podem ser compartilhados para reduzir os custos de armazenamento, desta maneira formando estruturas de gráficos direcionados acíclicos. Nós podemos aplicar o padrão Flyweight (187) para obter o mesmo efeito, mas deixaremos isso como um exercício para o leitor.

⁴ A interface que descrevemos aqui é intencionalmente mínima para manter a discussão simples. Uma interface completa incluiria operações para administrar atributos gráficos, tais como cor, fontes tipográficas e transformações de coordenadas, mais operações para uma administração mais sofisticada dos objetos-filho.

⁵ Um índice do tipo inteiro provavelmente não é a melhor maneira de especificar os descendentes de um glifo, dependendo da estrutura de dados utilizada. Se ele armazena seus descendentes numa lista ligada, então um apontador para a lista seria mais eficiente. Veremos uma melhor solução para o problema de indexação na Seção 2.8, quando discutiremos a análise do documento.

⁶ O usuário terá até mesmo mais a dizer sobre a estrutura *lógica* do documento – as sentenças, parágrafos, seções, capítulo e assim por diante. Em comparação, a estrutura *física* é menos interessante. Muitas pessoas não se preocupam com onde ocorrem as quebras de linha em um parágrafo, desde que o parágrafo seja formatado adequadamente. O mesmo vale para formatação de colunas e páginas. Assim, os usuários acabam especificando somente restrições de alto nível sobre a estrutura física, deixando para o Lexi o trabalho duro de satisfazê-las.

⁷ O compositor deve obter os códigos de caracteres de glifos Character, de forma a poder computar as quebras de linha. Na Seção 2.8 veremos como obter essa informação polimorficamente, sem acrescentar uma operação específica para caracteres à interface de Glyph.

⁸ Isto é, refazer uma operação que acabou de ser desfeita.

⁹ Conceitualmente, o cliente é usuário do Lexi, mas, na realidade, é outro objeto (tal como um despachador de eventos) que administra as entradas do usuário.

¹⁰ Poderíamos usar o *overloading* de funções para dar a cada uma dessas funções-membro o mesmo nome, uma vez que os seus parâmetros já as diferenciam. Aqui demos a elas nomes diferentes para enfatizar suas diferenças, especialmente quando elas são chamadas.

¹¹ IsMisspelled implementa o algoritmo de verificação ortográfica, o qual não detalharemos aqui porque o tornamos independente do projeto do Lexi. Podemos suportar diferentes algoritmos através da introdução de subclasses SpellingChecker; alternativamente, podemos aplicar o padrão Strategy (292) (como fizemos para a formatação, na Seção 2.3) para suportar diferentes algoritmos de verificação ortográfica.

¹² "Visitar" é um termo ligeiramente mais genérico para "analisar". Ele antecipa a terminologia que usaremos no padrão de projeto que vamos introduzir agora.

Catálogo de padrões de projeto

3
Padrões de criação

Os padrões de criação abstraem o processo de instanciação. Eles ajudam a tornar um sistema independente de como seus objetos são criados, compostos e representados. Um padrão de criação de classe usa a herança para variar a classe que é instanciada, enquanto que um um padrão de criação de objeto delegará a instanciação para outro objeto.

Os padrões de criação se tornam importantes à medida que os sistemas evoluem no sentido de depender mais da composição de objetos do que da herança de classes. Quando isso acontece, a ênfase se desloca da codificação rígida de um conjunto fixo de comportamentos para a definição de um conjunto menor de comportamentos fundamentais, os quais podem ser compostos em qualquer número para definir comportamentos mais complexos. Assim, criar objetos com comportamentos particulares exige mais do que simplesmente instanciar uma classe.

Há dois temas recorrentes nesses padrões. Primeiro, todos encapsulam conhecimento sobre quais classes concretas são usadas pelo sistema. Segundo, ocultam o modo como as instâncias destas classes são criadas e compostas. Tudo o que o sistema sabe no geral sobre os objetos é que suas classes são definidas por classes abstratas. Conseqüentemente, os padrões de criação dão muita flexibilidade ao *que, como* e *quando* é criado e a *quem* cria. Eles permitem configurar um sistema com "objetos-produto" que variam amplamente em estrutura e funcionalidade. A configuração pode ser estática (isto é, especificada em tempo de compilação) ou dinâmica (em tempo de execução).

Algumas vezes, os padrões de criação competem entre si. Por exemplo, há casos em que tanto Prototype (121) como Abstract Factory (95) podem ser usados proveitosamente. Em outras ocasiões, eles são complementares: Builder (104) pode usar um dos outros padrões para implementar quais componentes são construídos. Prototype (121) pode usar Singleton (130) na sua implementação.

Uma vez que os padrões de criação são intimamente relacionados, estudaremos os cinco em conjunto para destacar suas semelhanças e diferenças. Também usaremos um exemplo comum – a construção de um labirinto (*maze,* em inglês) para um jogo de computador – para ilustrar suas implementações. O labirinto e o jogo variarão ligeiramente de padrão para padrão. Algumas vezes, o jogo será simplesmente encontrar a saída do labirinto; nesse caso, o jogador provavelmente terá apenas uma visão local do labirinto. Algumas vezes, labirintos contêm problemas para resolver e perigos para superar, e estes jogos podem fornecer um mapa (*map*) da parte do labirinto que não foi explorada.

Ignoraremos muitos detalhes do que pode estar num labirinto e se um jogo de labirinto tem um único ou vários jogadores. Em vez disso, focalizaremos apenas em como os labirintos são criados. Definimos um labirinto como um conjunto de salas (*rooms*). Uma sala conhece os seus vizinhos; possíveis vizinhos são uma outra sala, uma parede (*wall*), ou uma porta (*door*) para uma outra sala.

As classes `Room`, `Door` e `Wall` definem os componentes do labirinto usados em todos os nossos exemplos. Definimos somente partes dessas classes que são importantes para criar um labirinto. Ignoraremos jogadores, operações para exibir informações e vagar pelo labirinto e outras funcionalidades importantes que não são relevantes para a construção do labirinto.

O diagrama a seguir mostra os relacionamentos entre estas classes:

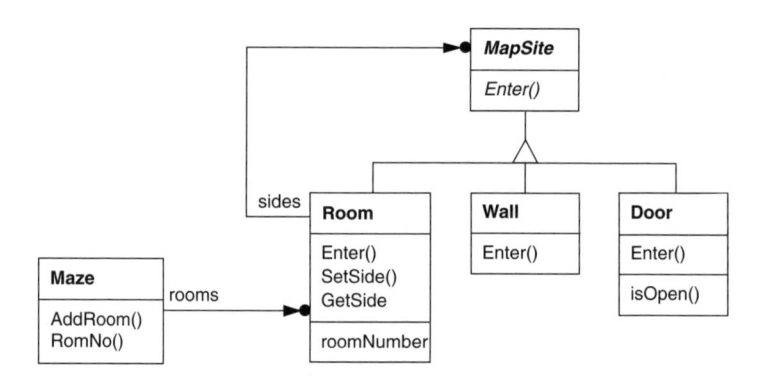

Cada sala tem quatro lados (*sides*), nós usamos uma enumeração `Direction` nas implementações em C++ para especificar os lados norte, sul, leste e oeste de uma sala:

```
enum Direction {North, South, East, West};
```

As implementações em Smalltalk usam símbolos correspondentes para representar estas direções.

A classe `MapSite` (lugar no mapa) é a classe abstrata comum para todos os componentes de um labirinto. Para simplificar o exemplo, `MapSite` define somente uma operação, `Enter`. O seu significado depende do local em que você está entrando. Se você entra numa sala, então sua localização muda. Se tenta entrar em uma porta, então acontece uma de duas coisas: se a porta estiver aberta, você vai para a próxima sala; se a porta estiver fechada, machuca o seu nariz.

```
class MapSite {
public:
    virtual void Enter() = 0;
};
```

`Enter` fornece uma base simples para operações mais sofisticadas do jogo. Por exemplo, se você está numa sala e diz: "Vá para leste", o jogo simplesmente determina qual `MapSite` está imediatamente ao leste e então chama `Enter` para entrar neste local. A operação `Enter` específica da subclasse determinará se a sua localização mudou ou se você machucou o nariz. Num jogo real, `Enter` poderia aceitar como argumento o objeto que representa um jogador que está se deslocando pelo labirinto.

`Room` é a subclasse concreta de `MapSite` que define os relacionamentos-chave entre os componentes do labirinto. Ela mantém referências para outros objetos de `MapSite` e armazena o número de uma sala. Esses números identificarão as salas no labirinto.

```cpp
class Room : public MapSite {
public:
    Room(int roomNo);

    MapSite* GetSide(Direction) const;
    void SetSide(Direction, MapSite*);

    virtual void Enter();

private:
    MapSite* _sides[4];
    int _roomNumber;
};
```

As seguintes classes representam a parede ou a porta que existe em cada lado de uma sala.

```cpp
class Wall : public MapSite {
public:
    Wall();

    virtual void Enter();
};

class Door : public MapSite {
public:
    Door(Room* = 0, Room* = 0);

    virtual void Enter();
    Room* OtherSideFrom(Room*);

private:
    Room* _room1;
    Room* _room2;
    bool _isOpen;
};
```

Necessitamos saber mais do que apenas as partes de um labirinto. Também definiremos uma classe `Maze` para representar uma coleção de salas. `Maze` também pode achar uma sala específica, dado um número de sala, usando sua operação `RoomNo`.

```
class Maze {
public:
    Maze();

    void AddRoom(Room*);
    Room* RoomNo(int) const;
private:
    // ...
};
```

`RoomNo` poderia fazer uma inspeção (*look-up*) usando uma busca linear, uma tabela de randomização (*hash table*), ou simplesmente um vetor (*array*). Mas não vamos nos preocupar com tais detalhes aqui. Em vez disso, vamos nos concentrar em como especificar os componentes de um objeto labirinto.

Outra classe que definimos é a `MazeGame`, que cria o labirinto. Uma maneira simplista de criar um labirinto é através de uma série de operações que acrescentam componentes a um labirinto e então os interconectam. Por exemplo, a seguinte função-membro (C++) criará um labirinto que consiste de duas salas com uma porta entre elas.

```
Maze* MazeGame::CreateMaze () {
    Maze* aMaze = new Maze;
    Room* r1 = new Room(1);
    Room* r2 = new Room(2);
    Door* theDoor = new Door(r1, r2);

    aMaze->AddRoom(r1);
    aMaze->AddRoom(r2);

    r1->SetSide(North, new Wall);
    r1->SetSide(East, theDoor);
    r1->SetSide(South, new Wall);
    r1->SetSide(West, new Wall);

    r2->SetSide(North, new Wall);
    r2->SetSide(East, new Wall);
    r2->SetSide(South, new Wall);
    r2->SetSide(West, theDoor);

    return aMaze;
}
```

Esta função é bem complicada, considerando que tudo o que faz é criar um labirinto com duas salas. Há maneiras óbvias de torná-la mais simples. Por exemplo, o construtor (C++) de `Room`, poderia iniciar os lados com paredes. Porém, isto só move o código para um outro lugar. O problema real desta função-membro não é o seu tamanho, mas sim sua *inflexibilidade*. Ela codifica de maneira rígida o *layout* do labirinto. Mudar o *layout* significa mudar esta função-membro, seja redefinindo-a (*overriding*) – o que significa reimplementar tudo – ou através da mudança de partes do labirinto – o que está sujeito a erros e não promove a reutilização.

Os padrões de criação mostram como tornar esse projeto mais *flexível* e não necessariamente menor. Em particular, eles facilitarão mudar as classes que definem os componentes de um labirinto.

Suponha que se quisesse reutilizar o *layout* de um labirinto existente para um novo jogo contendo labirintos encantados (entre várias possibilidades imagináveis). O jogo do labirinto encantado tem novos tipos de componentes, tais como `DoorNeedingSpell`, uma porta que só pode ser fechada e aberta subseqüentemente com uma palavra mágica; e `EnchantedRoom`, uma sala que pode ter itens não-convencionais nela, como chaves ou palavras mágicas. Como pode você mudar `CreateMaze` facilmente, de maneira que ele crie labirintos com essas novas classes de objetos?

Neste caso, a maior barreira para a mudança está na codificação rígida (*hard-coding*) das classes que são instanciadas. Os padrões de criação fornecem diferentes maneiras para remover referências explícitas a classes concretas de código necessário para criá-las:

- Se `CreateMaze` chama funções virtuais em vez de chamadas a construtores para criar as salas, as paredes e as portas de que necessita, então você pode mudar as classes que são instanciadas criando uma subclasse de `MazeGame` e redefinindo aquelas funções virtuais. Esta abordagem é um exemplo do padrão Factory Method (112).
- Se um objeto é passado como um parâmetro para o `CreateMaze` utilizar na criação de salas, paredes e portas, então você pode mudar as classes de salas, paredes e portas passando um parâmetro diferente. Isso é um exemplo do padrão Abstract Factory (95).
- Se passamos um objeto para `CreateMaze` que pode criar um novo labirinto em sua totalidade, usando operações para acrescentar salas, portas e paredes ao labirinto que ele constrói, então você pode usar a herança para mudar partes do labirinto ou a maneira como o mesmo é construído. Isso é um exemplo do padrão Builder (104).
- Se `CreateMaze` é parametrizado por vários objetos-protótipo de sala, porta e parede, os quais copia e acrescenta ao labirinto, então você muda a composição do labirinto substituindo esses objetos-protótipo por outros diferentes. Isso é um exemplo do padrão Prototype (121).

O último padrão de criação, Singleton (130), pode garantir que haja somente um labirinto por jogo e que todos os objetos do jogo tenham pronto acesso a ele – sem recorrer a variáveis ou funções globais. O Singleton também facilita estender ou substituir o labirinto sem mexer no código existente.

ABSTRACT FACTORY   criação de objetos

Intenção

Fornecer uma interface para criação de famílias de objetos relacionados ou dependentes sem especificar suas classes concretas.

Também conhecido como

Kit

Motivação

Considere um *toolkit* para construção de interfaces de usuários que suporte múltiplos estilos de interação (*look-and-feel*) tais como o Motif e o Presentation Manager. Diferentes estilos de interação definem diferentes apresentações e comportamento para os widgets de uma interface de usuário, tais como barras de rolamento, janelas e botões. Para ser portátil entre vários estilos de aparência, uma aplicação não deve codificar rigidamente seus *widgets* para um determinado padrão. Instanciando classes específicas de estilo de interação para os *widgets* pela aplicação toda, torna difícil mudar o estilo no futuro.

Podemos resolver esse problema definindo uma classe abstrata WidgetFactory que declara uma interface para criação de cada tipo básico de *widget*. Existe também uma classe abstrata para cada tipo de *widget*, e subclasses concretas implementam os widgets para interação. A interface de WidgetFactory tem uma operação que retorna um novo objeto *widget* para cada classe abstrata de *widget*. Os clientes chamam estas operações para obter instâncias de *widget*, mas não têm conhecimento das classes concretas que estão usando. Desta forma, os clientes ficam independentes do padrão de interação usado no momento.

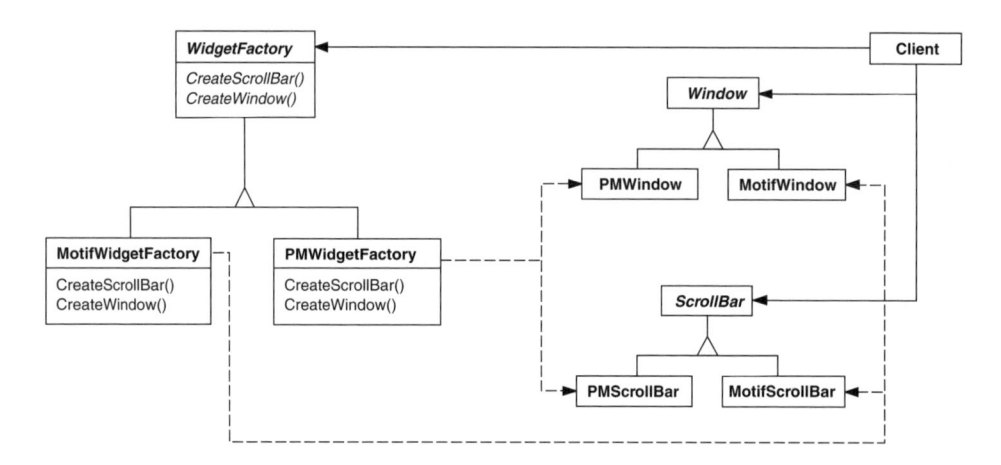

Existe uma subclasse concreta de WidgetFactory para cada estilo de interação. Cada subclasse implementa as operações para criar o *widget* apropriado para aquele estilo de interação. Por exemplo, a operação CreateScrollBar aplicada à MotifWidgetFactory instancia e retorna uma barra de rolamento de acordo com o Motif, enquanto que a correspondente operação aplicada à PMWidgetFactory retorna uma barra de rolamento para o Presentation Manager. Os clientes criam widgets exclusivamente através da interface de WidgetFactory e não tem conhecimento das classes que implementam os widgets para um padrão em particular. Em outras palavras, os clientes têm somente que se comprometer com uma interface definida por uma classe abstrata, não uma determinada classe concreta. Uma

WidgetFactory também implementa e garante as dependências entre as classes concretas de widgets. Uma barra de rolamento Motif deveria ser usada com um botão Motif e um editor de textos Motif, e essa restrição é garantida automaticamente como conseqüência de usar uma MotifWidgetFactory.

Aplicabilidade

Use o padrão Abstract Factory quando:

- um sistema deve ser independente de como seus produtos são criados, compostos ou representados;
- um sistema deve ser configurado como um produto de uma família de múltiplos produtos;
- uma família de objetos-produto for projetada para ser usada em conjunto, e você necessita garantir esta restrição;
- você quer fornecer uma biblioteca de classes de produtos e quer revelar somente suas interfaces, não suas implementações.

Estrutura

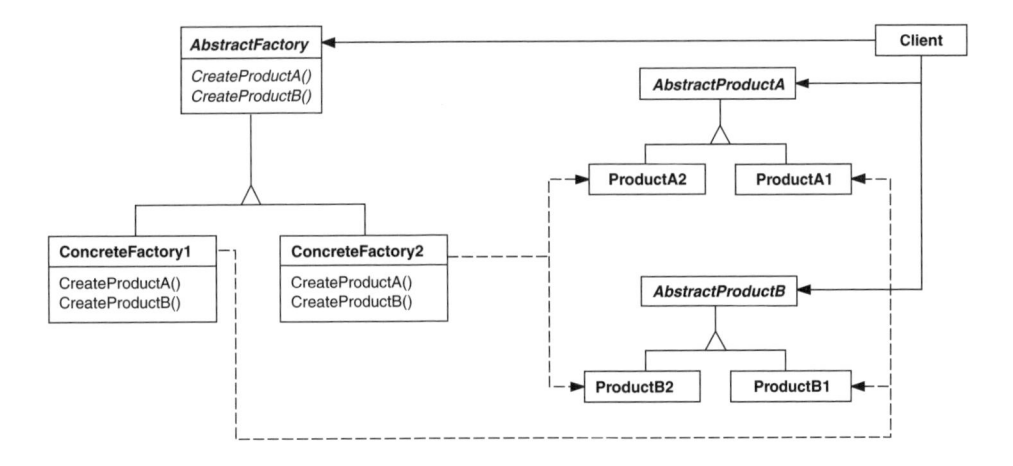

Participantes

- **AbstractFactory** (WidgetFactory)
  - declara uma interface para operações que criam objetos-produto abstratos.
- **Concrete Factory** (MotifWidgetFactory, PMWidgetFactory)
  - implementa as operações que criam objetos-produto concretos.
- **AbstractProduct** (Window, ScrollBar)
  - declara uma interface para um tipo de objeto-produto
- **ConcreteProduct** (MotifWindow, MotifScrollBar)
  - define um objeto-produto a ser criado pela correspondente fábrica concreta.
  - implementa a interface de Abstract Product.
- **Client**

- usa somente interfaces declaradas pelas classes Abstract Factory e Abstract Product.

Colaborações

- Normalmente uma única instância de uma classe ConcreteFactory é criada em tempo de execução. Essa fábrica concreta cria objetos-produto que têm uma implementação particular. Para criar diferentes objetos-produto, os clientes deveriam usar uma fábrica concreta diferente.
- AbstractFactory adia a criação dos objetos-produto para as suas subclasses ConcreteFactory.

Conseqüências

O padrão Abstract Factory tem os seguintes benefícios e desvantagens:

1. *Ele isola as classes concretas.* O padrão Abstract Factory ajuda a controlar as classes de objetos criadas por uma aplicação. Uma vez que a fábrica encapsula a responsabilidade e o processo de criar objetos-produto, isola os clientes das classes de implementação. Os clientes manipulam as instâncias através das suas interfaces abstratas. Nomes de classes-produto ficam isolados na implementação da fábrica concreta; eles não aparecem no código do cliente.
2. *Ele torna fácil a troca de famílias de produtos.* A classe de uma fábrica concreta aparece apenas uma vez numa aplicação – isto é, quando é instanciada. Isso torna fácil mudar a fábrica concreta que uma aplicação usa. Ela pode usar diferentes configurações de produtos simplesmente trocando a fábrica concreta. Uma vez que a fábrica abstrata cria uma família completa de produtos, toda família de produtos muda de uma só vez. No nosso exemplo de interface de usuário, podemos mudar de widgets do Motif para widgets do Presentation Manager simplesmente trocando os correspondentes objetos-fábrica e recriando a interface.
3. *Ela promove a harmonia entre produtos.* Quando objetos-produto numa família são projetados para trabalharem juntos, é importante que uma aplicação use objetos de somente uma família de cada vez. AbstractFactory torna fácil assegurar isso.
4. *É difícil de suportar novos tipos de produtos.* Estender fábricas abstratas para produzir novos tipos de Produtos não é fácil. Isso se deve ao fato de que a interface de AbstractFactory fixa o conjunto de produtos que podem ser criados. Suportar novos tipos de produto exige estender a interface da fábrica, o que envolve mudar a classe AbstractFactory e todas as suas subclasses. Discutimos uma solução para este problema na seção de Implementação.

Implementação

A seguir apresentamos algumas técnicas úteis para implementar o padrão Abstract Factory.

1. *Fábricas como singletons.* Uma aplicação necessita somente de uma instância de uma Concrete Factory por família de produto. Assim, ela é normalmente melhor implementada como um Singleton (130).

2. *Criando os produtos*. AbstractFactory somente declara uma interface para criação de produtos. Fica a cargo das subclasses de ConcreteProducts criá-los efetivamente. A maneira mais comum de fazer isso é definir um método-fábrica (ver Factory Method (112) para cada produto. Uma fábrica concreta especificará seus produtos redefinindo (*overriding*) o método-fábrica para cada um. Embora esta implementação seja simples, exige uma nova subclasse de uma fábrica concreta para cada família de produtos, ainda que as famílias de produto tenham somente diferenças pequenas.

Se muitas famílias de produtos são possíveis, a fábrica concreta pode ser implementada usando o padrão Prototype (121). A fábrica concreta é iniciada com uma instância prototípica de cada produto da família e cria um novo produto clonando o seu protótipo. A abordagem baseada no Prototype elimina a necessidade de uma nova classe de fábrica concreta para cada nova família de produtos.

Aqui apresentamos uma maneira de implementar em Smalltalk uma fábrica baseada no Prototype. A fábrica concreta armazena os protótipos a serem clonados em um dicionário chamado `partCatalog`. O método `make:` lê o protótipo e faz sua clonagem:

```
make: partName
    ^ (partCatalog at: partName) copy
```

A fábrica concreta tem um método para adicionar partes ao catálogo.

```
addPart: partTemplate named: partName
    partCatalog at: partName put: partTemplate
```

Protótipos são acrescentados à fábrica, identificando-os com um símbolo:

```
aFactory addPart: aPrototype named: #ACMEWidget
```

Uma variação da abordagem baseada no Prototype é possível em linguagens que tratam classes como objetos de primeira classe (por exemplo, Smalltalk e Objective C).

Você pode pensar sobre uma classe nessas linguagens como sendo uma fábrica degenerada que cria somente um tipo de produto. Pode armazenar *classes* dentro de uma fábrica concreta que cria os vários produtos concretos em variáveis, de maneira bastante semelhante a protótipos. Essas classes criam novas instâncias em nome da fábrica concreta. Define-se uma nova fábrica iniciando uma fábrica concreta com *classes de produtos* ao invés de usar subclasses. Esta abordagem aproveita as características da linguagem, ao passo que a abordagem pura baseada em protótipos é independente de linguagens.

Como a fábrica baseada em protótipos em Smalltalk que acabamos de discutir, a versão baseada em classes terá uma única variável de instância `partCatalog`, que é um dicionário cuja chave é o nome da parte. Em vez de armazenar protótipos para serem clonados, `partCatalog` armazena as classes dos produtos. O método `make:` agora se parece com o seguinte:

```
make: partName
    ^ (partCatalog at: partName) new
```

3. *Definindo fábricas extensíveis*. AbstractFactory normalmente define uma operação diferente para cada tipo de produto que pode produzir. Os tipos de produtos estão codificados nas assinaturas das operações. O acréscimo de um novo tipo de produto exige a mudança da interface de AbstractFactory e de todas as classes que dependem dela.

Um projeto mais flexível, mas menos seguro, é acrescentar um parâmetro às operações que criam objetos. Este parâmetro especifica o tipo de objeto a ser criado. Ele poderia ser um identificador de classe, um inteiro, um *string* ou qualquer outra coisa que identifica o tipo de produto. De fato, com esta abordagem, AbstractFactory somente necessita uma única operação "Make" com um parâmetro indicando um tipo de objeto a ser criado. Esta é a técnica usada em Prototype e nas fábricas abstratas baseadas em classe, discutidas anteriormente.

Essa variação é mais fácil de usar numa linguagem com tipos dinamicamente definidos como Smalltalk, do que numa linguagem com tipos estaticamente definidos como C++. Você pode usá-la em C++ somente quando todos os objetos têm a mesma classe abstrata de base ou quando os objetos-produto podem ser seguramente forçados a serem do tipo correto pelo cliente que os solicitou. A seção de implementação de Factory Method (115) mostra como implementar tais operações parametrizadas em C++.

Mas mesmo quando não é necessário forçar o tipo correto, permanece um problema inerente: todos os produtos são retornados ao cliente com a *mesma* interface abstrata conforme especificado pelo tipo de retorno. O cliente não será capaz de diferenciar ou fazer hipóteses seguras sobre a classe de um produto. Se os clientes necessitam excetuar operações específicas às subclasses, elas não serão acessíveis através da interface abstrata. Embora o cliente possa executar um *downcast* (por exemplo, com `dynamic_cast` em C++), isso não é sempre viável ou seguro porque o *downcast* pode falhar. Este é o clássico compromisso para se obter uma interface altamente flexível e extensível.

Exemplo de código

Aplicaremos o padrão Abstract Factory para criar os labirintos que discutimos no começo deste capítulo.

A classe `MazeFactory` pode criar componentes de labirintos. Ela constrói salas, paredes e portas entre salas. Pode ser usada por um programa que lê plantas de labirintos de um arquivo e constrói o correspondente labirinto. Ou pode ser usada por um programa que constrói labirintos aleatoriamente. Os programas que constróem labirintos recebem `MazeFactory` como argumento, de maneira que o programador pode especificar as classes de salas, paredes e portas a serem construídas.

```
class MazeFactory {
public:
    MazeFactory();

    virtual Maze* MakeMaze() const
        { return new Maze; }
    virtual Wall* MakeWall() const
        { return new Wall; }
    virtual Room* MakeRoom(int n) const
        { return new Room(n); }
    virtual Door* MakeDoor(Room* r1, Room* r2) const
        { return new Door(r1, r2); }
};
```

Lembre que a função-membro `CreateMaze` (94) constrói um pequeno labirinto consistindo em duas salas com uma porta entre elas. `CreateMaze` codifica de maneira rígida os nomes das classes, tornando difícil criar labirintos com componentes diferentes.

Aqui apresentamos uma versão de `CreateMaze` que corrige essa falha aceitando uma `MazeFactory` como um parâmetro:

```
Maze* MazeGame::CreateMaze (MazeFactory& factory) {
    Maze* aMaze = factory.MakeMaze();
    Room* r1 = factory.MakeRoom(1);
    Room* r2 = factory.MakeRoom(2);
    Door* aDoor = factory.MakeDoor(r1, r2);

    aMaze->AddRoom(r1);
    aMaze->AddRoom(r2);

    r1->SetSide(North, factory.MakeWall());
    r1->SetSide(East, aDoor);
    r1->SetSide(South, factory.MakeWall());
    r1->SetSide(West, factory.MakeWall());
    r2->SetSide(North, factory.MakeWall());
    r2->SetSide(East, factory.MakeWall());
    r2->SetSide(South, factory.MakeWall());
    r2->SetSide(West, aDoor);

    return aMaze;
}
```

Podemos criar `EnchantedMazeFactory`, uma fábrica para labirintos encantados, introduzindo subclasses de `MazeFactory`. `EnchantedMazeFactory` redefinirá diferentes funções-membro e retornará diferentes subclasses de `Room`, `Wall`, etc.

```
class EnchantedMazeFactory : public MazeFactory {
public:
    EnchantedMazeFactory();

    virtual Room* MakeRoom(int n) const
        { return new EnchantedRoom(n, CastSpell()); }

    virtual Door* MakeDoor(Room* r1, Room* r2) const
        { return new DoorNeedingSpell(r1, r2); }

protected:
    Spell* CastSpell() const;
};
```

Suponha agora que queiramos construir um jogo de labirinto no qual uma sala pode ter uma bomba colocada nela. Se a bomba detona, ela danificará as paredes (no mínimo). Podemos construir uma subclasse de `Room` para registrar se uma sala tem uma bomba nela e se a bomba explodiu. Também necessitaremos de uma subclasse de `Wall` para manter o registro do dano feito à parede. Chamaremos estas classes de `RoomWithABomb` e `BombedWall`.

A última classe que definiremos é `BombedMazeFactory`, uma subclasse de `MazeFactory` que assegura que as paredes são da classe BombedWall e as salas são da classe `RoomWithABomb`. `BombedMazeFactory` somente necessita redefinir duas funções:

```
Wall* BombedMazeFactory::MakeWall () const {
    return new BombedWall;
}

Room* BombedMazeFactory::MakeRoom(int n) const {
    return new RoomWithABomb(n);
}
```

Para construir um simples labirinto que pode conter bombas, simplesmente chamamos `CreateMaze` com uma `BombedMazeFactory`.

```
MazeGame game;
BombedMazeFactory factory;

game.CreateMaze(factory);
```

`CreateMaze` pode receber uma instância de `EnchantedMazeFactory` da mesma maneira para construir labirintos encantados.

Note que a `MazeFactory` é apenas uma coleção de métodos de fábricas. Essa é a maneira mais comum de implementar o padrão Abstract Factory. Note também que `MazeFactory` não é uma classe abstrata; assim, ela funciona tanto como AbstractFactory quanto como ConcreteFactory. Esta é uma outra implementação comum para aplicações simples do padrão Abstract Factory. Porque a `MazeFactory` é uma classe concreta que consiste inteiramente de métodos de fábricas, é fácil criar uma nova `MazeFactory` criando uma subclasse e redefinindo as operações que necessitam ser mudadas.

`CreateMaze` usou a operação `SetSide` sobre as salas para especificar os seus lados. Se ela cria salas com uma `BombedMazeFactory`, então o labirinto será constituído de objetos `RoomWithABomb`, com lados `BombedWall`. Se `RoomWithABomb` tivesse que acessar um membro específico de uma subclasse de `BombedWall`, então ele teria que fazer um *cast* para uma referência a suas paredes de `Wall*` para `BombedWall*`. Este *downcasting* é seguro na medida que o argumento é de fato uma `BombedWall`, o que é certamente verdadeiro se as paredes são construídas exclusivamente com uma `BombedMazeFactory`.

Linguagens com tipos dinâmicos, tais como Smalltalk, naturalmente não exigem *downcasting*, mas elas podem produzir erros em tempo de execução se encontrarem `Wall` quando estão esperando uma *subclasse* de `Wall`. A utilização do padrão Abstract Factory para construir paredes ajuda a evitar esses erros em tempo de execução ao garantir que somente certos tipos de paredes podem ser criados.

Consideremos uma versão Smalltalk de `MazeFactory`, uma versão com uma única operação *make* que aceita um tipo de objeto a ser criado como um parâmetro. Além disso, a fábrica concreta armazena as classes dos produtos que cria.

Primeiro, escreveremos uma versão equivalente de `CreateMaze` em Smalltalk:

```
createMaze: aFactory
    | room1 room2 aDoor |
    room1 := (aFactory make: #room) number: 1.
    room2 := (aFactory make: #room) number: 2.
    aDoor := (aFactory make: #door) from: room1 to: room2.
    room1 atSide: #north put: (aFactory make: #wall).
    room1 atSide: #east put: aDoor.
    room1 atSide: #south put: (aFactory make: #wall).
    room1 atSide: #west put: (aFactory make: #wall).
    room2 atSide: #north put: (aFactory make: #wall).
    room2 atSide: #east put: (aFactory make: #wall).
    room2 atSide: #south put: (aFactory make: #wall).
    room2 atSide: #west put: aDoor.
    ^ Maze new addRoom: room1; addRoom: room2; yourself
```

Como discutimos na seção de Implementação, `Maze Factory` necessita somente de uma variável de instância `partCatalog` para produzir um dicionário cuja chave é a classe do componente. Lembre-se também de como implementamos o método `make`:

```
make: partName
    ^ (partCatalog at: partName) new
```

Agora podemos criar uma `MazeFactory` e usá-la para implementar `createMaze`. Criaremos a fábrica usando um método `createMazeFactory` da classe `MazeGame`.

```
createMazeFactory
    ^ (MazeFactory new
        addPart: Wall named: #wall;
        addPart: Room named: #room;
        addPart: Door named: #door;
        yourself)
```

Uma `BombedMazeFactory` ou uma `EnchantedMazeFactory` é criada associando-se diversas classes com as chaves. Por exemplo, uma `EnchantedMazeFactory` poderia ser criada da seguinte maneira:

```
createMazeFactory
    ^ (MazeFactory new
        addPart: Wall named: #wall;
        addPart: EnchantedRoom named: #room;
        addPart: DoorNeedingSpell named: #door;
        yourself)
```

Usos conhecidos

InterViews usa o sufixo "Kit" [Lin92] para denotar classes AbstractFactory. Ela define fábricas abstratas WidgetKit e DialogKit para geração de objetos específicos da interface de usuário para interação. InterViews também inclui LayoutKit, que gera diferentes objetos por composição dependendo do *layout* desejado. Por exemplo, um *layout* que é conceitualmente horizontal pode exigir diferentes objetos compostos, dependendo da orientação do documento (retrato ou paisagem).

ET++ [WGM88] usa o padrão Abstract Factory para obter portabilidade entre diferentes sistemas de janelas (X Windows e SunView, por exemplo). A classe abstrata base WindowSystem define a interface para criar objetos que representam recursos do sistema de janelas (MakeWindow, MakeFont, MakeColor, por exemplo). As subclasses concretas implementam as interfaces para um sistema de janelas específico. Em tempo de execução, ET++ cria uma instância de uma subclasse concreta WindowSystem que cria objetos concretos para os recursos do sistema.

Padrões relacionados

As classes AbstractFactory são freqüentemente implementadas com métodos-fábrica (Factory Method (112), mas elas também podem ser implementadas usando Prototype (121).

Uma fábrica concreta é freqüentemente um singleton (Singleton (130).

| BUILDER | criação de objetos |

Intenção

Separar a construção de um objeto complexo da sua representação de modo que o mesmo processo de construção possa criar diferentes representações.

Motivação

Um leitor de um documento em RTF (Rich Text Format) deveria ser capaz de converter RTF em muitos formatos de texto. O leitor poderia converter documentos RTF em texto ASCII comum ou widget de texto, que possa ser editado interativamente. O problema, contudo, é que o número de conversões possíveis é aberto. Por isso, deve ser fácil acrescentar uma nova conversão sem modificar o leitor.

Uma solução é configurar a classe RTFReader com um objeto TextConverter que converte RTF para uma outra representação de textos. À medida que o RTFReader analisa o documento RTF, ele usa o objeto TextConverter para efetuar a conversão. Sempre que o RTFReader reconhece um símbolo RTF (texto simples, ou uma palavra de controle do RTF), ele emite uma solicitação para o TextConverter para converter esse símbolo. Os objetos TextConverter são responsáveis tanto por efetuar a conversão dos dados como pela representação do símbolo num formato particular.

As subclasses de TextConverter se especializam em diferentes conversões e formatos. Por exemplo, um ASCIIConverter ignora solicitações para converter qualquer coisa, exceto texto simples. Por outro lado, um TeXConverter implementará operações para todas as solicitações visando produzir uma representação T_EX que capture toda a informação estilística do texto. Um TextWidgetConverter produzirá um objeto para uma interface de usuário complexa que permite ao usuário ver e editar o texto.

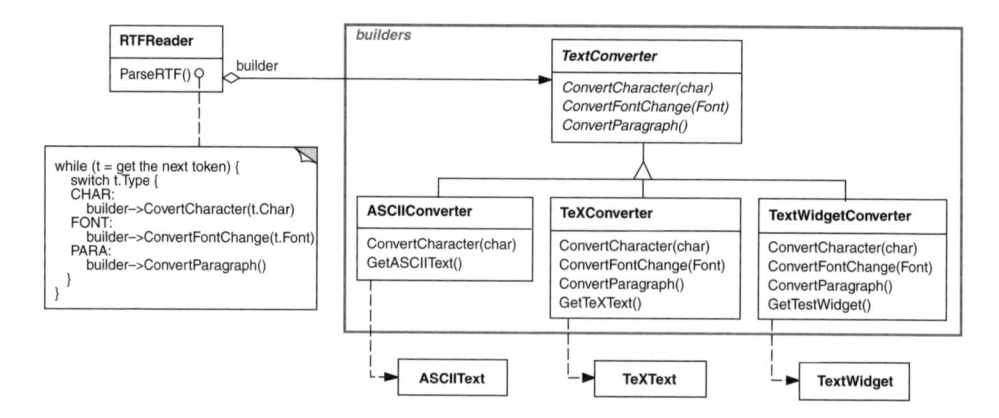

Cada tipo de classe conversora implementa o mecanismo para criação e montagem de um objeto complexo, colocando-o atrás de uma interface abstrata. O conversor é separado do leitor, que é responsável pela análise de um documento RTF.

O padrão Builder captura todos estes relacionamentos. Cada classe conversora é chamada um **builder** no padrão, e o leitor é chamado de **director**. Aplicado a este exemplo, o Builder separa o algoritmo para interpretar um formato de texto (isto é, o analisador de documentos RTF) de como um formato convertido é criado e representado. Isso nos permite reutilizar o algoritmo de análise (*parsing*) do RTFReader para criar diferentes representações de texto a partir de documentos RTF – simplesmente configure o RTFReader com diferentes subclasses de TextConverter.

Aplicabilidade

Use o padrão Builder quando:

- o algoritmo para criação de um objeto complexo deve ser independente das partes que compõem o objeto e de como elas são montadas.
- o processo de construção deve permitir diferentes representações para o objeto que é construído.

Estrutura

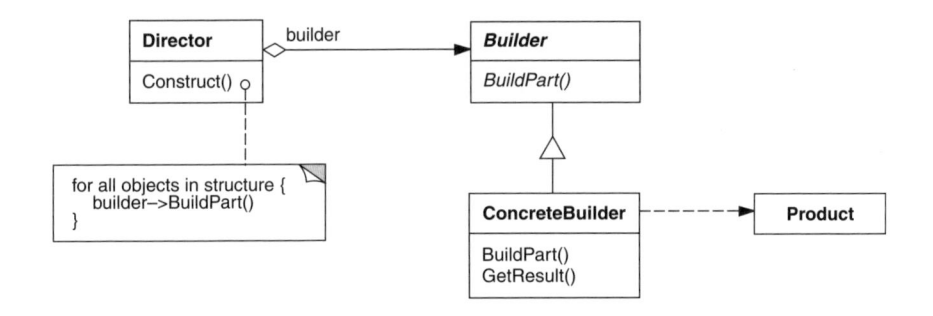

Participantes

- **Builder**(TextConverter)
  - especifica uma interface abstrata para criação de partes de um objeto-produto.
- **ConcreteBuilder** (ASCIIConverter, TeXConverter, TextWidgetConverter)
  - constrói e monta partes do produto pela implementação da interface de Builder;
  - define e mantém a representação que cria;
  - fornece uma interface para recuperação do produto (por exemplo, GetASCIIText, GetTextWidget).
- **Director** (RTFReader)
  - constrói um objeto usando a interface de Builder.
- **Product** (ASCIIText, TeXText, TextWidget).
  - representa o objeto complexo em construção. ConcreteBuilder constrói a representação interna do produto e define o processo pelo qual ele é montado;
  - inclui classes que definem as partes constituintes, inclusive as interfaces para a montagem das partes no resultado final.

Colaborações

- O cliente cria o objeto Director e o configura com o objeto Builder desejado.
- Director notifica o construtor sempre que uma parte do produto deve ser construída.
- Builder trata solicitações do diretor e acrescenta partes ao produto.
- O cliente recupera o produto do construtor.

O seguinte diagrama de interação ilustra como Builder e Director cooperam com um cliente.

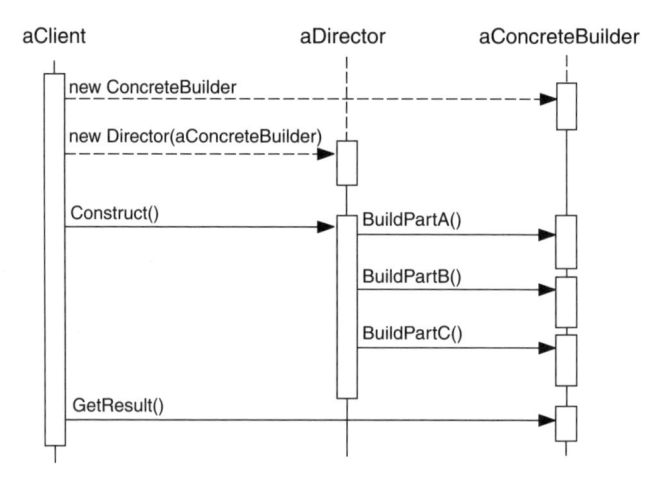

```
aClient              aDirector           aConcreteBuilder
   |                    |                    |
   | new ConcreteBuilder|                    |
   |------------------------------------->   |
   |                    |                    |
   | new Director(aConcreteBuilder)          |
   |------------------->|                    |
   |                    |                    |
   | Construct()        |                    |
   |------------------->| BuildPartA()       |
   |                    |------------------->|
   |                    | BuildPartB()       |
   |                    |------------------->|
   |                    | BuildPartC()       |
   |                    |------------------->|
   | GetResult()        |                    |
   |------------------------------------->   |
```

Conseqüências

A seguir são apresentadas as conseqüências-chave da utilização do padrão Builder:

1. *Permite variar a representação interna de um produto.* O objeto Builder fornece ao diretor uma interface abstrata para a construção do produto. A interface permite ao construtor ocultar a representação e a estrutura interna do produto. Ela também oculta como o produto é montado. Já que o produto é construído através de uma interface abstrata, tudo o que você tem que fazer para mudar sua representação interna é definir um novo tipo de construtor.
2. *Isola o código para construção e representação.* O padrão Builder melhora a modularidade pelo encapsulamento da forma como um objeto complexo é construído e representado. Os clientes nada necessitam saber sobre as classes que definem a estrutura interna do produto; tais classes não aparecem na interface de Builder. Cada ConcreteBuilder contém todo o código para criar e montar um tipo de produto específico. O código é escrito somente uma vez; então, diferentes Directors podem reutilizá-lo para construir variantes de Product com o mesmo conjunto de partes. No exemplo anterior do RTF, nós poderíamos definir o leitor para um formato diferente do RTF, digamos um SGMLReader, e usado os mesmos TextConverters para gerar representações ASCIIText, TeXText, e TexWidget de documentos SGML.

3. *Oferece um controle mais fino sobre o processo de construção.* Ao contrário de padrões de criação que constroem produtos de uma só vez, o Builder constrói o produto passo a passo sob o controle do diretor. Somente quando o produto está terminado o diretor o recupera do construtor. Daí a interface de Builder refletir o processo de construção do produto mais explicitamente do que outros padrões de criação. Isso dá um controle mais fino sobre o processo de construção e, conseqüentemente, da estrutura interna do produto resultante.

Implementação

Existe uma classe abstrata Builder que define uma operação para cada componente que um diretor lhe pedir para criar. As operações não fazem nada por omissão. Uma classe ConcreteBuilder redefine as operações para os componentes que ela está interessada em criar.

Aqui apresentamos outros tópicos de implementação a serem considerados:

1. *Interface de montagem e construção.* Os Builders constroem os seus produtos de uma forma gradual. Portanto, a interface da classe Builder deve ser geral o bastante para permitir a construção de produtos para todos os tipos de construtores concretos.

   Um tópico-chave de projeto diz respeito ao modelo para o processo de construção e montagem. Um modelo onde os resultados das solicitações de construção são simplesmente acrescentados ao produto é normalmente suficiente. No exemplo do RTF, o construtor converte e acrescenta o próximo símbolo ao texto que converteu até aqui. Mas às vezes você pode necessitar acesso a partes do produto construídas anteriormente. No exemplo do labirinto que nós apresentamos no código de exemplo, a interface *MazeBuilder* permite acrescentar uma porta entre salas existentes. Estruturas de árvores, tais como árvores de derivação, que são construídas de baixo para cima (*bottom-up*), são um outro exemplo. Nesse caso, o construtor retornaria nós-filhos para o diretor, que então os passaria de volta ao construtor para construir os nós-pais.

2. *Por que não classes abstratas para produtos?* Nos casos comuns, os produtos produzidos pelos construtores concretos diferem tão grandemente na sua representação que há pouco a ganhar ao dar a diferentes produtos uma classe-pai comum. No exemplo do RTF, os objetos ASCIIText e TextWidget têm pouca probabilidade de ter uma interface comum, e tampouco necessitam de uma. Uma vez que o cliente em geral configura o diretor com o construtor concreto apropriado, o cliente está em posição de saber quais subclasses concretas de Builder estão em uso e pode tratar os seus produtos de acordo.

3. *Métodos vazios como a omissão em Builder.* Em C++, os métodos de construção são intencionalmente não-declarados como funções-membro. Em vez disso, eles são definidos como métodos vazios, permitindo aos clientes redefinirem somente as operações em que estão interessados.

Exemplo de código

Definiremos uma variante da função-membro (C++) `CreateMaze` (página 94) que aceita como argumento um construtor (*builder*) da classe `MazeBuilder`.

A classe `MazeBuilder` define a seguinte interface para a construção de labirintos:

```
class MazeBuilder {
public:
    virtual void BuildMaze() { }
    virtual void BuildRoom(int room) { }
    virtual void BuildDoor(int roomFrom, int roomTo) { }

    virtual Maze* GetMaze() { return 0; }
protected:
    MazeBuilder();
};
```

Essa interface pode criar três coisas: (1) o labirinto, (2) salas, cada uma com um número de sala, e (3) portas entre salas numeradas. A operação `GetMaze` retorna o labirinto para o cliente. As subclasses de `MazeBuilder` redefinirão essa operação para retornar o labirinto que construíram.

Todas as operações de construção de labirinto de `MazeBuilder`, por omissão, nada fazem. Elas não são declaradas virtuais puras para permitir às classes derivadas redefinir somente aqueles métodos nos quais estiverem interessadas.

Dada a interface `MazeBuilder`, podemos criar a função membro `CreateMaze`, de forma a aceitar este construtor (*builder*) como um parâmetro.

```
class StandardMazeBuilder : public MazeBuilder {
public:
    StandardMazeBuilder();

    virtual void BuildMaze();
    virtual void BuildRoom(int);
    virtual void BuildDoor(int, int);

    virtual Maze* GetMaze();
private:
    Direction CommonWall(Room*, Room*);
    Maze* _currentMaze;
};
```

Compare esta versão de `CreateMaze` com a original. Observe como o builder oculta a representação interna do labirinto – isto é, as classes que definem salas, portas e paredes – e como estas partes são montadas para completar o labirinto final. Alguém poderia supor que existem classes para representar salas e portas, mas não há sinal de uma classe para paredes. Isto torna mais fácil mudar a forma pela qual um labirinto é representado, uma vez que nenhum dos clientes de `MazeBuilder` tem que ser modificado.

Como os outros padrões de criação, o padrão Builder encapsula como os objetos são criados, neste caso através da interface definida por `MazeBuilder`. Isso significa que podemos reutilizar `MazeBuilder` para construir diferentes tipos de labirintos. A operação `CreateComplexMaze` nos dá um exemplo:

```
Maze* MazeGame::CreateComplexMaze (MazeBuilder& builder) {
    builder.BuildRoom(1);
    // ...
    builder.BuildRoom(1001);

    return builder.GetMaze();
}
```

Note que `MazeBuilder`, ele próprio, não cria labirintos; sua finalidade principal é somente definir uma interface para criar labirintos. Ele define implementações vazias primariamente por conveniência. Subclasses de `MazeBuilder` fazem o trabalho real.

A subclasse `StandardMazeBuilder` é uma implementação que constrói labirintos simples. Ela mantém o controle do labirinto que está construindo através da variável _currentMaze.

```
class StandardMazeBuilder : public MazeBuilder {
public:
    StandardMazeBuilder();

    virtual void BuildMaze();
    virtual void BuildRoom(int);
    virtual void BuildDoor(int, int);

    virtual Maze* GetMaze();
private:
    Direction CommonWall(Room*, Room*);
    Maze* _currentMaze;
};
```

A `CommonWall` é uma operação utilitária que determina a direção da parede comum entre duas salas.

O constructor (C++) `StandardMazeBuilder` simplesmente inicia _currentMaze.

```
StandardMazeBuilder::StandardMazeBuilder () {
    _currentMaze = 0;
}
```

A operação `BuildMaze` instancia um `Maze` (labirinto) que outras operações montarão e que, em algum momento, retornarão para o cliente (com `GetMaze`).

```
void StandardMazeBuilder::BuildMaze () {
    _currentMaze = new Maze;
}

Maze* StandardMazeBuilder::GetMaze () {
    return _currentMaze;
}
```

A operação `BuildRoom` cria uma sala e constrói as paredes em volta dela:

```
void StandardMazeBuilder::BuildRoom (int n) {
    if (!_currentMaze->RoomNo(n)) {
        Room* room = new Room(n);
        _currentMaze->AddRoom(room);
```

```
            room->SetSide(North, new Wall);
            room->SetSide(South, new Wall);
            room->SetSide(East, new Wall);
            room->SetSide(West, new Wall);
        }
    }
```

Para construir uma porta entre duas salas, `StandardMazeBuilder` procura ambas as salas no labirinto e encontra a parede adjacente:

```
    void StandardMazeBuilder::BuildDoor (int n1, int n2) {
        Room* r1 = _currentMaze->RoomNo(n1);
        Room* r2 = _currentMaze->RoomNo(n2);
        Door* d = new Door(r1, r2);

        r1->SetSide(CommonWall(r1,r2), d);
        r2->SetSide(CommonWall(r2,r1), d);
    }
```

Os clientes agora podem usar `CreateMaze` em conjunto com `StandardMazeBuilder` para criar um labirinto:

```
    Maze* maze;
    MazeGame game;
    StandardMazeBuilder builder;

    game.CreateMaze(builder);
    maze = builder.GetMaze();
```

Poderíamos ter posto todas as operações de `StandardMazeBuilder` em `Maze` e deixado cada `Maze` construir a si próprio. Porém, ao tornar `Maze` menor é mais fácil compreendê-lo e modificá-lo, e `StandardMazeBuilder` é fácil de separar de `Maze`. Ainda mais importante, separar os dois permite ter uma variedade de `MazeBuilders`, cada um usando diferentes classes para salas, paredes e portas.

Um `MazeBuilder` mais exótico é `CountingMazeBuilder`. Esse construtor não cria nenhum labirinto, ele apenas conta os diferentes tipos de componentes que teriam sido criados.

```
    class CountingMazeBuilder : public MazeBuilder {
    public:
        CountingMazeBuilder();

        virtual void BuildMaze();
        virtual void BuildRoom(int);
        virtual void BuildDoor(int, int);
        virtual void AddWall(int, Direction);

        void GetCounts(int&, int&) const;
    private:
        int _doors;
        int _rooms;
    };
```

O construtor inicia os contadores e as operações de `MazeBuilder` redefinidas os incrementam adequadamente.

```
CountingMazeBuilder::CountingMazeBuilder () {
    _rooms = _doors = 0;
}

void CountingMazeBuilder::BuildRoom (int) {
    _rooms++;
}

void CountingMazeBuilder::BuildDoor (int, int) {
    _doors++;
}

void CountingMazeBuilder::GetCounts (
    int& rooms, int& doors
) const {
    rooms = _rooms;
    doors = _doors;
}
```

Aqui apresentamos como um cliente pode usar um `CountingMazeBuilder`:

```
int rooms, doors;
MazeGame game;
CountingMazeBuilder builder;

game.CreateMaze(builder);
builder.GetCounts(rooms, doors);

cout << "The maze has "
     << rooms << " rooms and "
     << doors << " doors" << endl;
```

Usos conhecidos

O conversor de RTF é de ET++ [WGM88]. O seu bloco construtor de texto usa um builder para processar texto armazenado no formato RTF.

Builder é um padrão comum em Smalltalk-80 [Par90]:

- A classe Parser no subsistema compilador é um Director que aceita um objeto ProgramNodeBuilder como um argumento. Um objeto Parser notifica seu objeto ProgramNodeBuilder cada vez que reconhece uma construção sintática. Quando o analisador (*parser*) termina, pede ao construtor a árvore de derivação (*parse tree*) que construiu, retornando-a para o cliente.
- O ClassBuilder é um builder que Classes usam para criar subclasses por elas mesmas. Neste caso, Class é tanto Director como Producto.
- O ByteCodeStream é um construtor que cria um método compilado como um vetor de *bytes* (*byte array*). ByteCodeStream é um uso não-padronizado do padrão Builder porque o objeto complexo que ele constrói é codificado como um vetor de *bytes* e não como um objeto Smalltalk normal. Mas a interface de ByteCodeStream é típica de um construtor (*builder,*) e seria fácil substituir ByteCodeStream por uma classe diferente que representasse programas como um objeto composto.

O *framework* Service Configurator do Adaptive Communications Environment usa um builder para construir componentes de serviços de rede que são "linkeditados" a um servidor em tempo de execução [SS94]. Os componentes são descritos com uma linguagem de configuração que é analisada por um analisador LALR(1). As ações semânticas do analisador executam operações sobre o construtor que acrescenta informações ao componente de serviço. Neste caso, o analisador é o Director.

Padrões relacionados

Abstract Factory (95) é semelhante a Builder no sentido de que também pode construir objetos complexos. A diferença principal é que o padrão Builder focaliza a construção de um objeto complexo passo a passo. A ênfase do Abstract Factory é sobre famílias de objetos-produto (simples ou complexos). O Builder retorna o produto como um passo final, mas no caso do padrão Abstract Factory o produto é retornado imediatamente.

Um Composite (160) é o que freqüentemente o builder constrói.

FACTORY METHOD   criação de classes

Intenção

Definir uma interface para criar um objeto, mas deixar as subclasses decidirem que classe instanciar. O Factory Method permite adiar a instanciação para subclasses.

Também conhecido como

Virtual Constructor

Motivação

Os *frameworks* usam classes abstratas para definir e manter relacionamentos entre objetos. Um *framework* é freqüentemente responsável também pela criação desses objetos.

Considere um *framework* para aplicações que podem apresentar múltiplos documentos para o usuário. Duas abstrações-chave nesse *framework* são as classes Application (aplicação) e Document (documento). As duas classes são abstratas, e os clientes devem prover subclasses para realizar suas implementações específicas para a aplicação. Por exemplo, para criar uma aplicação de desenho, definimos as classes DrawingApplication e DrawingDocument. A classe Application é responsável pela administração de Documents e irá criá-los conforme exigido – quando o usuário seleciona Open (abrir) ou New (novo), por exemplo, num menu.

Uma vez que a subclasse Document a ser instanciada é própria da aplicação específica, a classe Application não pode prever a subclasse de Document a ser instanciada – a classe Application somente sabe *quando* um documento deve ser criado, e não *que tipo* de Document criar. Isso cria um dilema: o *framework* deve instanciar classes, mas ele somente tem conhecimento de classes abstratas, as quais não pode instanciar.

O padrão Factory Method oferece uma solução. Ele encapsula o conhecimento sobre a subclasse de Document que deve ser criada e move este conhecimento para fora do *framework*.

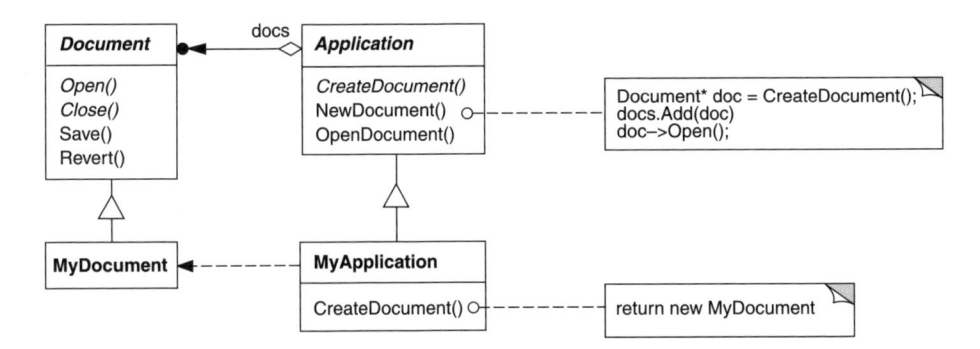

```
                              docs
   Document  ●─────────────◇ Application
   ─────────                 ─────────────
   Open()                    CreateDocument()         Document* doc = CreateDocument();
   Close()                   NewDocument()  o─ ─ ─ ─ ─ docs.Add(doc)
   Save()                    OpenDocument()           doc->Open();
   Revert()
       △                         △
       │                         │
   MyDocument ◀ ─ ─ ─ ─ ─ ─ MyApplication
                            ─────────────
                            CreateDocument() o─ ─ ─ ─ ─ return new MyDocument
```

As subclasses de Application redefinem uma operação abstrata CreateDocument em Application para retornar a subclasse apropriada de Document. Uma vez que uma subclasse de Application é instanciada, pode então instanciar Documents específicos da aplicação sem conhecer suas classes. Chamamos CreateDocument um **factory method** porque ele é responsável pela "manufatura" de um objeto.

Aplicabilidade

Use o padrão Factory Method quando:

- uma classe não pode antecipar a classe de objetos que deve criam;
- uma classe quer que suas subclasses especifiquem os objetos que criam;
- classes delegam responsabilidade para uma dentre várias subclasses auxiliares, e você quer localizar o conhecimento de qual subclasse auxiliar que é a delegada.

Estrutura

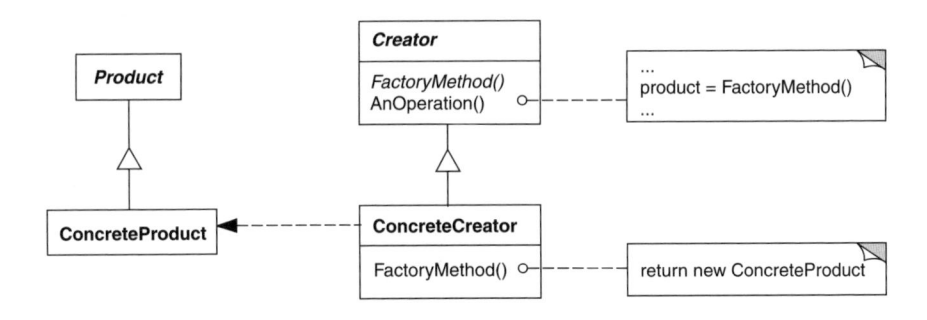

```
                              Creator
                              ───────────────
   Product                    FactoryMethod()      ...
   ───────                    AnOperation()  o─ ─ ─ product = FactoryMethod()
                                                   ...
       △                         △
       │                         │
   ConcreteProduct ◀ ─ ─ ─  ConcreteCreator
                            ───────────────
                            FactoryMethod() o─ ─ ─ return new ConcreteProduct
```

Participantes

- **Product** (Document)
  - define a interface de objetos que o método fábrica cria.
- **ConcreteProduct** (MyDocument)
  - implementa a interface de Product.
- **Creator** (Application)
  - Declara o método fábrica, o qual retorna um objeto do tipo Product. Creator pode também definir uma implementação por omissão do método factory que retorna por omissão um objeto ConcreteProduct.

- Pode chamar o método factory para criar um objeto Product.
- **ConcreteCreator** (MyApplication)
  - Redefine o método-fábrica para retornar a uma instância de um ConcreteProduct.

Colaborações

- Creator depende das suas subclasses para definir o método fábrica de maneira que retorne uma instância do ConcreteProduct apropriado.

Conseqüências

Os Factory Methods eliminam a necessidade de anexar classes específicas das aplicações no código. O código lida somente com a interface de Product; portanto, ele pode trabalhar com quaisquer classes ConcreteProduct definidas pelo usuário.

Uma desvantagem em potencial dos métodos-fábrica é que os clientes podem ter que fornecer subclasses da classe Creator somente para criar um objeto ConcreteProduct em particular. Usar subclasses é bom quando o cliente tem que fornecer subclasses a Creator de qualquer maneira, caso contrário, o cliente deve lidar com outro ponto de evolução.

Apresentamos aqui duas conseqüências adicionais do Factory Method:

1. *Fornece ganchos para subclasses.* Criar objetos dentro de uma classe com um método fábrica é sempre mais flexível do que criar um objeto diretamente. Factory Method dá às subclasses um gancho para fornecer uma versão estendida de um objeto.
   No exemplo de Documentos, a classe Document poderia definir um método-fábrica chamado CreateFileDialog que cria um objeto *file dialog* por omissão para abrir um documento existente. Uma subclasse de Document pode definir um *file dialog* específico da aplicação redefinindo este método fábrica. Neste caso, o método fábrica não é abstrato, mas fornece uma implementação por omissão razoável.
2. *Conecta hierarquias de classe paralelas.* Nos exemplos que consideramos até aqui o método-fábrica é somente chamado por Creators. Mas isto não precisa ser obrigatoriamente assim; os clientes podem achar os métodos-fábrica úteis, especialmente no caso de hierarquias de classe paralelas.
   Hierarquias de classe paralelas ocorrem quando uma classe delega alguma das suas responsabilidades para uma classe separada. Considere, por exemplo, figuras que podem ser manipuladas interativamente; ou seja, podem ser esticadas, movidas ou giradas usando o *mouse*. Implementar tais interações não é sempre fácil. Isso freqüentemente requer armazenar e atualizar informação que registra o estado da manipulação num certo momento. Este estado é necessário somente durante a manipulação; portanto, não necessita ser mantido no objeto-figura. Além do mais, diferentes figuras se comportam de modo diferente quando são manipuladas pelo usuário. Por exemplo, esticar uma linha pode ter o efeito de mover um dos extremos, enquanto que esticar um texto pode mudar o seu espaçamento de linhas.

Com essas restrições, é melhor usar um objeto Manipulator separado, que implementa a interação e mantém o registro de qualquer estado específico da manipulação que for necessário. Diferentes figuras utilizarão diferentes subclasses Manipulator para tratar interações específicas. A hierarquia de classes Manipulator resultante é paralela (ao menos parcialmente) à hierarquia de classes de Figure:

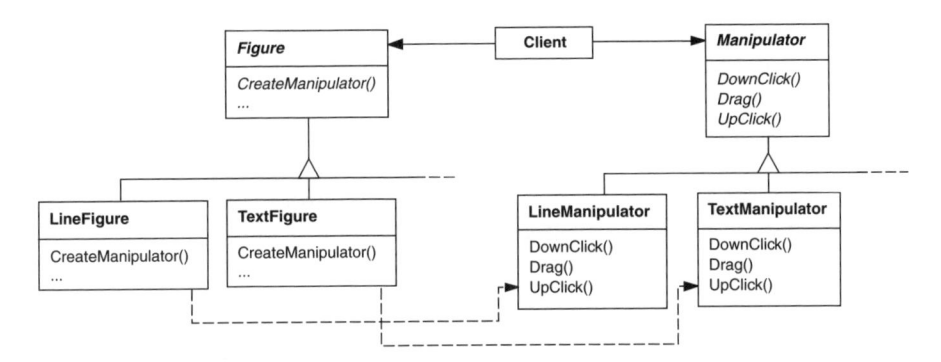

```
Figure                    Client              Manipulator
CreateManipulator()                           DownClick()
...                                           Drag()
                                              UpClick()

LineFigure      TextFigure         LineManipulator    TextManipulator
CreateManipulator()  CreateManipulator()   DownClick()       DownClick()
...             ...                        Drag()            Drag()
                                           UpClick()         UpClick()
```

A classe Figure fornece um método fábrica CreateManipulator que permite aos clientes criar o correspondente Manipulator de uma Figure. As subclasses de Figure substituem esse método para retornar uma instância da subclasse Manipulator correta para elas. Como alternativa, a classe Figure pode implementar CreateManipulator para retornar por omissão uma instância de manipulator, e as subclasses de Figure podem simplesmente herdar essa instância por omissão. As classes Figure que fizerem assim não necessitarão de uma subclasse correspondente de Manipulator – por isso dizemos que as hierarquias são somente parcialmente paralelas.

Note como o método-fábrica define a conexão entre as duas hierarquias de classes. Nele se localiza o conhecimento de quais classes trabalham juntas.

Implementação

Considere os seguintes tópicos ao aplicar o padrão Factory Method:

1. *Duas variedades principais*. As duas principais variações do padrão Factory Method são: (1) o caso em que a classe Creator é uma classe abstrata e não fornece uma implementação para o método-fábrica que ela declara, e (2) o caso quando o Creator é uma classe concreta e fornece uma implementação por omissão para o método-fábrica. Também é possível ter uma classe abstrata que define uma implementação por omissão, mas isto é menos comum.

   O primeiro caso *exige* subclasses para definir uma implementação porque não existe uma omissão razoável, assim contornando o dilema de ter que instanciar classes imprevisíveis. No segundo caso, o ConcretCreator usa o método fábrica principalmente por razões de flexibilidade. Está seguindo uma regra que diz: "criar objetos numa operação separada de modo que subclasses possam redefinir a maneira como eles são criados". Essa regra garante que projetistas de subclasses, caso necessário, possam mudar a classe de objetos que a classe ancestral instancia.

2. *Métodos-fábrica parametrizados*. Uma outra variante do padrão permite ao método-fábrica criar *múltiplos* tipos de produtos. O método-fábrica recebe um parâmetro que identifica o objeto a ser criado.

Todos os objetos que o método-fábrica cria compartilharão a interface de Product. No exemplo de Document, Application pode suportar diferentes tipos de Documents. Você passa a Create Document um parâmetro extra para especificar o tipo de documento a ser criado.

O *framework* de edição gráfica Unidraw [VL90] usa esta abordagem para reconstruir objetos salvos em disco. Unidraw define uma classe `Creator` com método-fábrica `Create` que aceita um identificador de classe como argumento. O identificador de classe especifica a classe a ser instanciada. Quando Unidraw salva um objeto em disco, primeiro grava o identificador da classe, e então suas variáveis de instância. Quando reconstrói o objeto de disco, primeiro lê o identificador de classe.

Depois que o identificador de classe é lido, o *framework* chama `Create`, passando o identificador como o parâmetro. `Create` procura o constructor para a classe correspondente, utilizando-o para instanciar o objeto. Por último, `Create` chama a operação `Read` do objeto, a qual lê a informação restante do disco e inicia as variáveis de instância do objeto.

Um método-fábrica parametrizado tem a seguinte forma geral, onde `MyProduct` e `YourProduct` são subclasses de `Product`:

```
class Creator {
public:
    virtual Product* Create(ProductId);
};

Product* Creator::Create (ProductId id) {
    if (id == MINE)  return new MyProduct;
    if (id == YOURS) return new YourProduct;
    // repete para os produtos restantes

    return 0;
}
```

Redefinir um método fábrica parametrizado permite, fácil e seletivamente, estender ou mudar os produtos que um Creator produz. Você pode introduzir novos identificadores para novos tipos de produtos, ou pode associar identificadores existentes com diferentes produtos.

Por exemplo, uma subclasse `MyCreator` poderia trocar `MyProduct` por `YourProduct` e suportar uma nova subclasse `TheirProduct`:

```
Product* MyCreator::Create (ProductId id) {
    if (id == YOURS)  return new MyProduct;
    if (id == MINE)   return new YourProduct;
        // nota: YOURS e MINE foram trocados propositadamente

    if (id == THEIRS) return new TheirProduct;

    return Creator::Create(id); // chamado se todos os demais falham
}
```

Note que a última coisa que essa operação faz é chamar `Create` na classe-mãe. Isso porque `MyCreator::Create` trata somente `YOURS`, `MINE` e `THEIRS` de modo diferente da classe-mãe.

Ela não está interessada em outras classes. Daí dizermos que `MyCreator` *estende* os tipos de produtos criados e adia a responsabilidade da criação de todos, exceto uns poucos produtos, para sua superclasse.

3. *Variantes e tópicos específicos das linguagens.* Diferentes linguagens levam a outras variantes interessantes, bem como a cuidados especiais.

   Os programas em Smalltalk freqüentemente usam um método que retorna a classe do objeto a ser instanciado. Um método-fábrica Creator pode usar esse valor para criar um produto, e um ConcreteCreator pode armazenar ou mesmo computar esse valor. O resultado é uma associação ainda mais tardia para o tipo de ConcreteProduct a ser instanciado.

   Uma versão Smalltalk do exemplo de Document pode definir um método `documentClass` em `Application`. O método `documentClass` retorna a classe apropriada de `Document` para instanciar documentos. A implementação de `documentClass` em `MyApplication` retorna a classe `MyDocument`. Assim, na classe `Application` nós temos

```
clientMethod
    document := self documentClass new.

documentClass
    self subclassResponsibility
```

Na classe `MyApplication` temos

```
documentClass
    ^ MyDocument
```

que retorna a classe `MyDocument` a ser instanciada para `Application`.

Uma abordagem ainda mais flexível próxima dos métodos-fábrica parametrizados é armazenar a classe a ser criada como uma variável de classe de `Application`. Desse modo, você não tem que introduzir subclasses de `Application` para variar o produto.

Os métodos-fábrica em C++ são sempre funções virtuais e, freqüentemente, virtuais puras. Somente seja cuidadoso para não chamar métodos-fábrica no construtor de Creator – o método-fábrica em ConcreteCreator ainda não estará disponível.

Você pode evitar esse problema sendo cuidadoso, acessando produtos exclusivamente através de operações de acesso que criam o produto sob demanda. Em vez de criar o produto concreto no constructor, o constructor meramente o inicia como 0 (zero). O *accessor* retorna o produto. Mas primeiro ele verifica a existência do produto, e quando não existe o *accessor* o cria. Essa técnica é algumas vezes chamada de **inicialização tardia** (*lazy inicialization*). O código a seguir mostra uma implementação típica:

```
class Creator {
public:
    Product* GetProduct();
protected:
    virtual Product* CreateProduct();
private:
    Product* _product;
};

Product* Creator::GetProduct () {
    if (_product == 0) {
        _product = CreateProduct();
    }
    return _product;
}
```

4. *Utilizando* templates *para evitar o uso de subclasses*. Como já mencionamos, outro problema potencial com métodos-fábrica é que podem forçá-lo a introduzir subclasses somente para criar os objetos-produto apropriados. Uma outra maneira de contornar isto em C++ é fornecer uma subclasse *template* de Creator que é parametrizada pela classe Product:

```cpp
class Creator {
public:
    virtual Product* CreateProduct() = 0;
};

template <class TheProduct>
class StandardCreator: public Creator {
public:
    virtual Product* CreateProduct();
};

template <class TheProduct>
Product* StandardCreator<TheProduct>::CreateProduct () {
    return new TheProduct;
}
```

Com esse *template*, o cliente fornece somente a classe-produto – não são necessárias subclasses de Creator.

```cpp
class MyProduct : public Product {
public:
    MyProduct();
    // ...
};

StandardCreator<MyProduct> myCreator;
```

5. *Convenções de nomenclatura*. É uma boa prática o uso de convenções de nomenclatura que tornam claro que você está usando métodos-fábrica. Por exemplo, o *framework* de aplicações MacApp para o Macintosh [APP89] sempre declara a operação abstrata que define o método fábrica como `Class* DoMakeClass` (), onde `Class` é a classe-produto.

Exemplo de código

A função `CreateMaze` (pág. 94) constrói e retorna um labirinto. Um problema com esta função é que codifica de maneira rígida as classes de labirinto, salas, portas e paredes. Nós introduziremos o método-fábrica para permitir às subclasses escolherem estes componentes.

Primeiramente, definiremos o método-fábrica em `MazeGame` para criar os objetos-labirinto, sala, parede e porta:

```cpp
class MazeGame {
public:
    Maze* CreateMaze();

// métodos-fábrica

    virtual Maze* MakeMaze() const
        { return new Maze; }
    virtual Room* MakeRoom(int n) const
        { return new Room(n); }
```

```
        virtual Wall* MakeWall() const
            { return new Wall; }
        virtual Door* MakeDoor(Room* r1, Room* r2) const
            { return new Door(r1, r2); }
    };
```

Cada método-fábrica retorna um componente de labirinto de um certo tipo. `MazeGame` fornece implementações por omissão que retornam os tipos mais simples de labirinto, salas, portas e paredes.

Agora podemos reescrever `CreateMaze` para usar esses métodos fábrica:

```
Maze* MazeGame::CreateMaze () {
    Maze* aMaze = MakeMaze();

    Room* r1 = MakeRoom(1);
    Room* r2 = MakeRoom(2);
    Door* theDoor = MakeDoor(r1, r2);

    aMaze->AddRoom(r1);
    aMaze->AddRoom(r2);

    r1->SetSide(North, MakeWall());
    r1->SetSide(East, theDoor);
    r1->SetSide(South, MakeWall());
    r1->SetSide(West, MakeWall());

    r2->SetSide(North, MakeWall());
    r2->SetSide(East, MakeWall());
    r2->SetSide(South, MakeWall());
    r2->SetSide(West, theDoor);
    return aMaze;
}
```

Diferentes jogos podem introduzir subclasses de `MazeGame` para especializar partes do labirinto. As subclasses de `MazeGame` podem redefinir alguns ou todos os métodos-fábrica para especificar variações em produtos. Por exemplo, um `BombedMazeGame` pode redefinir os produtos `Room` e `Wall` para retornar variedades com bombas:

```
class BombedMazeGame : public MazeGame {
public:
    BombedMazeGame();

    virtual Wall* MakeWall() const
        { return new BombedWall; }

    virtual Room* MakeRoom(int n) const
        { return new RoomWithABomb(n); }
};
```

Uma variante `EnchantedMazeGame` poderia ser definida desta forma:

```
class EnchantedMazeGame : public MazeGame {
public:
    EnchantedMazeGame();

    virtual Room* MakeRoom(int n) const
        { return new EnchantedRoom(n, CastSpell()); }

    virtual Door* MakeDoor(Room* r1, Room* r2) const
        { return new DoorNeedingSpell(r1, r2); }
protected:
    Spell* CastSpell() const;
};
```

Usos conhecidos

Os métodos-fábrica permeiam *toolkits* e *frameworks*. O exemplo precedente de documentos é um uso típico no MacApp e ET++ [WGM88]. O exemplo do manipulador vem do Unidraw.

A classe View no *framework* Model/View/Controller/Smalltalk-80 tem um método defaultController que cria um controlador, e isso pode parecer ser o método-fábrica [Par90]. Mas subclasses de View especificam a classe no seu controlador por omissão através da definição de defaultControllerClass, que retorna a classe da qual defaultController cria instâncias. Assim, defaultControllerClass é o verdadeiro método fábrica, isto é, o método que as subclasses deveriam redefinir.

Um exemplo mais esotérico no Smalltalk-80 é o método-fábrica parserClass definido por Behavior (uma superclasse de todos os objetos que representam classes). Isto permite a uma classe usar um parser (analisador) customizado para seu código-fonte. Por exemplo, um cliente pode definir uma classe SQLParser para analisar o código-fonte de uma classe com comandos SQL embutidos. A Classe Behavior implementa parserClass retornando a classe Parser padrão do Smalltalk. A classe que inclui comandos SQL embutidos redefine este método (como um método de classe) e retorna a classe SQLParser.

O sistema ORB Orbix da IONA Technologies [ION94] usa Factory Method para gerar um tipo apropriado de proxy (ver Proxy (198)) quando um objeto solicita uma referência para um objeto remoto. O Factory Method torna fácil substituir o proxy-padrão por um outro que, por exemplo, use *caching* do lado do cliente.

Padrões relacionados

Abstract Factory (95) é freqüentemente implementado utilizado o padrão Factory Method. O exemplo na relação de Motivação no padrão Abstract Factory também ilustra o padrão Factory Method.

Factory Methods são usualmente chamados dentro de Template Methods (301). No exemplo do documento acima, NewDocument é um *template method*.

Prototypes (121) não exigem subclassificação de Creator. Contudo, freqüentemente necessitam uma operação Initialize na classe Product. A Creator usa Initialize para iniciar o objeto. O Factory Method não exige uma operação desse tipo.

PROTOTYPE   criação de objetos

Intenção

Especificar os tipos de objetos a serem criados usando uma instância-protótipo e criar novos objetos pela cópia desse protótipo.

Motivação

Você poderia construir um editor para partituras musicais customizando um *framework* geral para editores gráficos, acrescentando novos objetos que representam notas, pausas e pentagramas. O editor do *framework* pode ter uma paleta de ferramentas para acrescentar esses objetos de música à partitura. A paleta também incluiria ferramentas para selecionar, mover e manipular objetos de música de outra forma. O usuário clicaria na ferramenta de uma semínima para adicionar semínimas à partitura. Ou poderia usar a ferramenta de movimentação para mover uma nota para cima ou para baixo nas linhas de pauta, desta forma alterando seu registro sonoro.

Vamos considerar que o *framework* forneça uma classe abstrata Graphic para componentes gráficos, como notas e pentagramas. Além disso, fornece uma classe abstrata Tool para definir ferramentas como aquelas da paleta. O *framework* também predefine uma subclasse GraphicTool para ferramentas que criam instâncias de objetos gráficos e os adicionam ao documento.

Mas GraphicTool apresenta um problema para o projetista do *framework*. As classes para notas e pentagramas são específicas da nossa aplicação, mas a classe GraphicTool pertence ao *framework*. GraphicTool não sabe como criar instâncias das nossas classes musicais para acrescentá-las à partitura. Poderíamos introduzir subclasses de GraphicTool para cada tipo de objeto musical, mas isso produziria muitas subclasses diferentes somente no tipo de objeto musical que elas instanciam. Sabemos que composição de objetos é uma alternativa flexível para o uso de subclasses. A questão, porém, é, como pode um *framework* usá-la para parametrizar instâncias de GraphicTool pela *Classe* de Graphic que se espera que elas criem?

A solução é fazer GraphicTool criar um novo Graphic copiando ou "clonando" uma instância de uma subclasse de Graphic. Chamamos esta instância de **protótipo** (*prototype*). A GraphicTool é parametrizada pelo protótipo que ela deveria clonar e acrescentar ao documento. Se todas as subclasses de Graphic suportam uma operação Clone, então GraphicTool pode clonar qualquer tipo de Graphic.

Assim, em nosso editor musical, cada ferramenta para criar um objeto musical é uma instância de GraphicTool que é iniciada com um protótipo diferente. Cada instância de GraphicTool produzirá um objeto musical clonando o seu protótipo e acrescentando o clone à partitura.

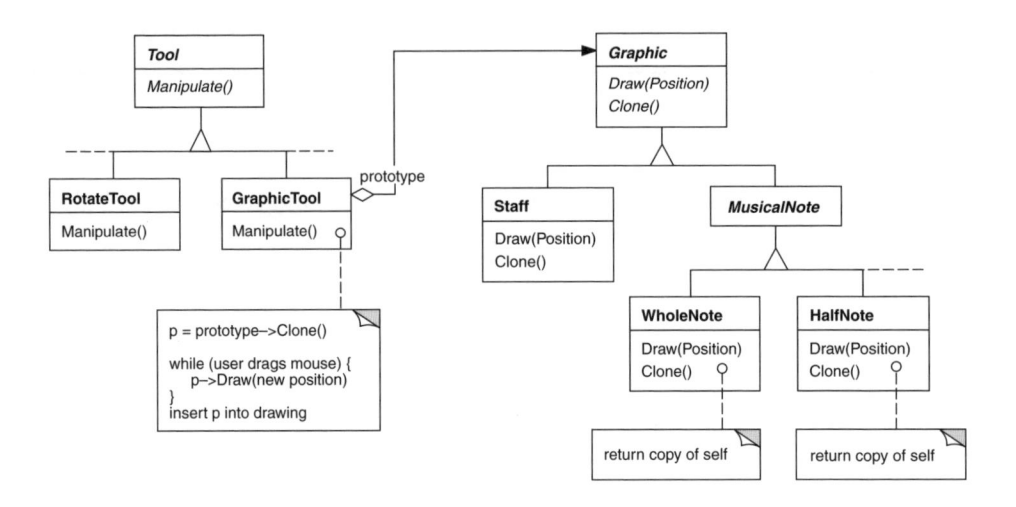

```
┌──────────────┐
│     Tool     │
│ Manipulate() │
└──────────────┘
        △
   ─────┴─────                prototype
   │         │       ┌──────────────┐
┌────────┐ ┌──────────┐◇─────│   Graphic    │
│RotateTool│ │GraphicTool│    │Draw(Position)│
│Manipulate()│ │Manipulate()│  │   Clone()    │
└────────┘ └──────────┘       └──────────────┘
                                     △
                              ───────┴───────
                              │             │
                         ┌────────┐   ┌───────────┐
                         │ Staff  │   │MusicalNote│
                         │Draw(Position)│ └───────────┘
                         │Clone() │         △
                         └────────┘    ─────┴─────
                                       │         │
                                  ┌─────────┐ ┌─────────┐
                                  │WholeNote│ │HalfNote │
                                  │Draw(Position)│Draw(Position)│
                                  │Clone()  │ │Clone()  │
                                  └─────────┘ └─────────┘
```

```
p = prototype->Clone()
while (user drags mouse) {
    p->Draw(new position)
}
insert p into drawing
```

return copy of self   return copy of self

Podemos usar o padrão Prototype para reduzir o número de classes ainda mais. Temos classes separadas para breves e semibreves, mas isto é provavelmente desnecessário. Ao invés disso, poderiam ser instâncias da mesma classe iniciada com diferentes bitmaps e durações. Uma ferramenta para criação de notas do tipo breve torna-se somente uma GraphicTool cujo protótipo é uma MusicalNote iniciada como uma breve. Isso pode reduzir o número de classes no sistema dramaticamente. Isso também torna mais fácil acrescentar um novo tipo de nota ao editor musical.

Aplicabilidade

Use o padrão Prototype quando um sistema tiver que ser independente de como os seus produtos são criados, compostos e representados; e

- quando as classes a instanciar forem especificadas em tempo de execução, por exemplo, por carga dinâmica; *ou*
- para evitar a construção de uma hierarquia de classes de fábricas paralela à hierarquia de classes de produto; *ou*
- quando as instâncias de uma classe puderem ter uma dentre poucas combinações diferentes de estados. Pode ser mais conveniente instalar um número correspondente de protótipos e cloná-los, ao invés de instanciar a classe manualmente, cada vez com um estado apropriado.

Estrutura

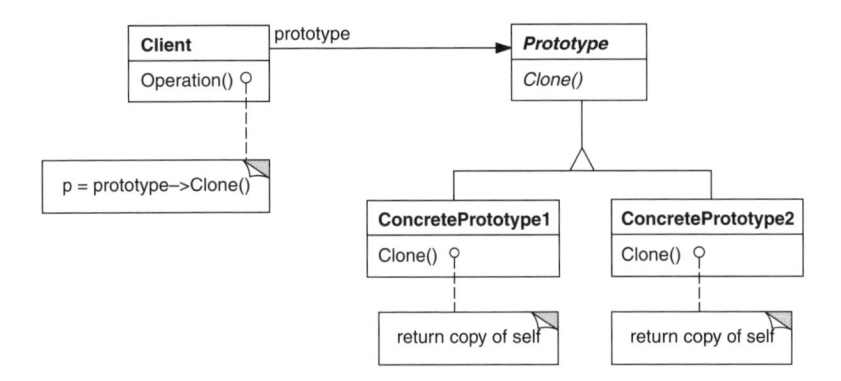

```
┌─────────────┐  prototype   ┌─────────────┐
│   Client    │─────────────▶│  Prototype  │
├─────────────┤              ├─────────────┤
│ Operation() │○┐            │   Clone()   │
└─────────────┘ ┆            └─────────────┘
                ┆                   △
┌──────────────────────┐            │
│ p = prototype->Clone()│    ┌──────┴──────┐
└──────────────────────┘    │             │
                   ┌─────────────────┐ ┌─────────────────┐
                   │ConcretePrototype1│ │ConcretePrototype2│
                   ├─────────────────┤ ├─────────────────┤
                   │    Clone()    ○┐│ │    Clone()    ○┐│
                   └─────────────────┘ └─────────────────┘
                            ┆                   ┆
                   ┌─────────────────┐ ┌─────────────────┐
                   │ return copy of self│ │ return copy of self│
                   └─────────────────┘ └─────────────────┘
```

Participantes

- **Prototype** (Graphic)
  - declara uma interface para clonar a si próprio.
- **ConcretePrototype** (Staff, Whole Nota, Half Note)
  - implementa uma operação para clonar a si próprio.
- **Client** (GraphicTool)
  - cria um novo objeto solicitando a um protótipo que clone a si próprio.

Colaborações

- Um cliente solicita a um protótipo que este clone a si próprio.

Conseqüências

Prototype tem muitas das mesmas conseqüências que Abstract Factory (95) e Builder (104) têm: ele oculta as classes de produtos concretas do cliente, desta forma reduzindo o número de nomes que os clientes necessitam saber. Além disso, esses padrões permitem a um cliente trabalhar com classes específicas de uma aplicação sem necessidade de modificação.

Os benefícios adicionais do padrão Prototype estão relacionados abaixo.

1. *Acrescenta e remove produtos em tempo de execução.* Prototype permite incorporar uma nova classe concreta de produto a um sistema, simplesmente registrando uma instância protótipo com o cliente. Isso é um pouco mais flexível do que outros padrões de criação, porque o cliente pode instalar e remover protótipos em tempo de execução.
2. *Especifica novos objetos pela variação de valores.* Sistemas altamente dinâmicos permitem definir novos comportamentos através da composição de objetos – por exemplo, pela especificação de valores para as variáveis de um objeto – e não pela definição de novas classes.
    Você efetivamente define novos tipos de objetos pela instanciação das classes existentes e registrando as instâncias como protótipos dos objetos-clientes. Um cliente pode exibir um novo comportamento através da delegação de responsabilidades para o protótipo.

Esse tipo de projeto permite aos usuários definir novas "classes" sem ter que programar. De fato, clonar um protótipo é semelhante a instanciar uma classe. O padrão Prototype pode reduzir grandemente o número de classes que um sistema necessita. No nosso editor musical, uma classe GraphicTool pode criar uma variedade ilimitada de objetos musicais.

3. *Especifica novos objetos pela variação da estrutura.* Muitas aplicações constróem objetos com partes e subpartes. Por exemplo, editores para o projeto de circuitos que constroem circuitos a partir de subcircuitos.[1] Por questões de conveniência, tais aplicações freqüentemente permitem instanciar estruturas complexas, definidas pelo usuário, para, por exemplo, usar um subcircuito específico repetidas vezes.

   O padrão Prototype também suporta isso. Simplesmente adicionamos esse subcircuito como um protótipo à paleta dos elementos de circuitos disponíveis. Contanto que o objeto-circuito composto implemente um clone por replicação (*deep copy*), circuitos com diferentes estruturas podem ser protótipos.

4. *Reduz o número de subclasses.* O Factory Method (112) freqüentemente produz uma hierarquia de classes Creator paralela à hierarquia de classes do produto. O padrão Prototype permite clonar um protótipo em vez de pedir a um método fábrica para construir um novo objeto. Daí não necessitar-se de nenhuma hierarquia de classes Creator. Esse benefício se aplica primariamente a linguagens como C++, que não tratam as classes como objetos de primeira classe. As linguagens que assim o fazem, como Smalltalk e Objective C, obtêm menos benefícios, uma vez que sempre se usa um objeto-classe como um criador. Objetos-classe já funcionam como protótipos nessas linguagens.

5. *Configura dinamicamente uma aplicação com classes.* Alguns ambientes de tempo de execução permitem carregar classes dinamicamente numa aplicação. O padrão Prototype é a chave para a exploração de tais possibilidades numa linguagem como C++.

   Uma aplicação que quer criar instâncias de uma classe dinamicamente carregada não será capaz de referenciar o seu constructor estaticamente. Em vez disso, o ambiente de tempo de execução cria uma instância de cada classe automaticamente, quando carregada, e registra a instância junto a um gerenciador de protótipo (ver a seção Implementação). Então, a aplicação pode solicitar ao gerenciador de protótipos instâncias de classes recém-carregadas, classes essas que originalmente não estavam "linkadas" ao programa. O *framework* de aplicações da ET++ [WGM88] tem um sistema de tempo de execução que usa este esquema.

O principal ponto fraco do padrão Prototype é que cada subclasse de Prototype deve implementar a operação Clone, o que pode ser difícil. Por exemplo, acrescentar Clone é difícil quando as classes consideradas já existem. A implementação de Clone pode ser complicada quando uma estrutura interna dessas classes inclui objetos que não suportam operação de cópia ou têm referências circulares.

Implementação

Prototype é particularmente útil com linguagens estáticas como C++, na qual as classes não são objetos, e pouca ou nenhuma informação sobre tipos está disponível em tempo de execução. Ele é menos importante em linguagens como Smalltalk ou Objective C, que fornecem o equivalente a um protótipo (ou seja, um objeto-classe) para criação de instâncias de cada classe. Este padrão está incorporado em linguagens baseadas em protótipos como a Self [US87], na qual toda a criação de objetos se dá pela clonagem de um protótipo.

Ao implementar protótipos levam-se em consideração os seguintes aspectos:

1. *Usar um gerenciador de protótipos.* Quando o número de protótipos num sistema não é fixo (ou seja, eles podem ser criados e destruídos dinamicamente), é importante manter um sistema de registro dos protótipos disponíveis. Os clientes não vão gerenciar os protótipos, mas farão sua armazenagem e recuperação pelo sistema de registro. Um cliente solicitará um protótipo ao sistema de registro antes de cloná-lo. Nós chamamos esse sistema de registro de **gerenciador de protótipos.**

   Um gerenciador de protótipos é uma memória associativa que retorna o protótipo correspondente a uma chave fornecida. Ele tem operações para registrar um protótipo com uma chave e para removê-lo do registro. Os clientes podem mudar ou mesmo pesquisar o registro em tempo de execução. Isso permite aos clientes estenderem e fazerem um inventário do sistema sem necessidade de escrever linhas de código.

2. *Implementar a operação Clone.* A parte mais difícil do padrão Prototype é a implementação correta da operação Clone. Ela é particularmente difícil quando as estruturas de objetos contêm referências circulares.

   A maioria das linguagens fornece algum suporte para clonagem de objetos. Por exemplo, Smalltalk fornece uma implementação de *copy* que é herdada por todas as subclasses de Object. C++ fornece um constructor *copy*. Mas estes recursos não resolvem o problema *shallow copy versus deep copy* (cópia por referência *versus* cópia por replicação) [GR83]. Ou seja, clonar objetos significa clonar suas variáveis de instância, ou o clone e o original simplesmente compartilham as variáveis?

   Uma *shallow copy* é simples e, na maior parte das vezes, suficiente, e é o que o Smalltalk fornece por omissão. O constructor de cópias por omissão em C++ faz uma cópia membro a membro, o que significa que os apontadores serão compartilhados entre a cópia e o original. Porém, clonar protótipos com estruturas complexas normalmente exige uma cópia por replicação (*deep copy*), porque o clone e o original devem ser independentes. Portanto, você deve garantir que os componentes do clone são clones dos componentes do protótipo. A clonagem força a decidir o que, se for o caso, será compartilhado.

   Se os objetos no sistema fornecem operações de Salvar e Carregar, então você pode usá-las para fornecer uma implementação por omissão de Clone simplesmente salvando o objeto e carregando-o de volta imediatamente. A operação Salvar salva o objeto num *buffer* de memória, e a operação Carregar cria uma cópia por reconstrução do objeto a partir do *buffer*.

3. *Iniciar clones.* Enquanto alguns clientes ficam perfeitamente contentes com o clone tal como ele é, outros desejarão iniciar alguns ou todos os seus estados internos com valores de sua escolha.

   Você geralmente não pode passar esses valores para operação Clone porque o seu número variará entre as classes de protótipo. Alguns protótipos podem necessitar de múltiplos parâmetros de inicialização; outros não necessitarão de nenhum. Passar parâmetros para a operação Clone impede uma interface uniforme de clonagem.

Pode ser que suas classes-protótipo já definam operações para (re)estabelecer estados-chave. Caso isso aconteça, os clientes podem usar essas operações imediatamente após a clonagem. Se isso não acontecer, então você pode ter que introduzir uma operação Initialize (ver a seção de Exemplo de Código) que recebe parâmetros de inicialização como argumentos e estabelece o estado interno do clone de acordo. Cuidado com as operações clone que usam replicação (*deep copying*) – as cópias podem ter que ser deletadas (ou explicitamente, ou dentro de Initialize) antes de você reinicializá-las.

Exemplo de código

Definiremos uma subclasse MazePrototypeFactory da classe MazeFactory (página 100). MazePrototypeFactory será iniciada com protótipos dos objetos que criará, de maneira que não tenhamos que criar subclasses somente para mudar as classes de paredes ou salas que ela cria.

A MazePrototypeFactory aumenta a interface de Maze Factory com um constructor que aceita os protótipos como argumentos:

```
class MazePrototypeFactory : public MazeFactory {
public:
    MazePrototypeFactory(Maze*, Wall*, Room*, Door*);

    virtual Maze* MakeMaze() const;
    virtual Room* MakeRoom(int) const;
    virtual Wall* MakeWall() const;
    virtual Door* MakeDoor(Room*, Room*) const;

private:
    Maze*  _prototypeMaze;
    Room*  _prototypeRoom;
    Wall*  _prototypeWall;
    Door*  _prototypeDoor;
};
```

O novo constructor simplesmente inicia seus protótipos:

```
MazePrototypeFactory::MazePrototypeFactory (
    Maze* m, Wall* w, Room* r, Door* d
) {
    _prototypeMaze = m;
    _prototypeWall = w;
    _prototypeRoom = r;
    _prototypeDoor = d;
}
```

As funções-membro para a criação de paredes, salas e portas são semelhantes: cada uma clona um protótipo e então o inicia. Aqui estão as definições de MakeWall e MakeDoor:

```
Wall* MazePrototypeFactory::MakeWall () const {
    return _prototypeWall->Clone();
}

Door* MazePrototypeFactory::MakeDoor (Room* r1, Room *r2) const {
    Door* door = _prototypeDoor->Clone();
    door->Initialize(r1, r2);
    return door;
}
```

Podemos usar `MazePrototypeFactory` para criar um labirinto-protótipo (ou um labirinto por omissão) simplesmente iniciando-o com protótipos dos componentes básicos de labirinto:

```
MazeGame game;
MazePrototypeFactory simpleMazeFactory(
    new Maze, new Wall, new Room, new Door
);

Maze* maze = game.CreateMaze(simpleMazeFactory);
```

Para mudar o tipo de labirinto, iniciamos `MazePrototypeFactory` com um conjunto diferente de protótipos. A seguinte chamada cria um labirinto com uma `BombedDoor` e um `RoomWithABomb`:

```
MazePrototypeFactory bombedMazeFactory(
    new Maze, new BombedWall,
    new RoomWithABomb, new Door
);
```

Um objeto que pode ser usado como um protótipo, tal como uma instância de `Wall`, deve suportar a operação `Clone`. Ele também deve ter um constructor de cópias para fazer a clonagem. Também pode necessitar de uma operação separada para a reinicialização do estado interno. Acrescentaremos a operação `Initialize` à `Door` para permitir aos clientes inicializarem as salas do clone.

Compare a seguinte definição de `Door` com da página 93.

```
MazePrototypeFactory bombedMazeFactory(
    new Maze, new BombedWall,
    new RoomWithABomb, new Door
);

    virtual void Enter();
    Room* OtherSideFrom(Room*);
private:
    Room* _room1;
    Room* _room2;
};

Door::Door (const Door& other) {
    _room1 = other._room1;
    _room2 = other._room2;
}

void Door::Initialize (Room* r1, Room* r2) {
    _room1 = r1;
    _room2 = r2;
}
```

```
Door* Door::Clone () const {
    return new Door(*this);
}
```

A subclasse `BombedWall` deve redefinir `Clone` e implementar um constructor de cópias correspondente.

```
class BombedWall : public Wall {
public:
    BombedWall();
    BombedWall(const BombedWall&);

    virtual Wall* Clone() const;
    bool HasBomb();
private:
    bool _bomb;
};

BombedWall::BombedWall (const BombedWall& other) : Wall(other) {
    _bomb = other._bomb;
}

Wall* BombedWall::Clone () const {
    return new BombedWall(*this);
}
```

Embora `BombedWall::Clone` retorne um `Wall*`, sua implementação retorna um ponteiro para uma nova instância de uma subclasse, qual seja, um `BombedWall*`. Definimos `Clone` desta maneira na classe-base para nos assegurarmos de que os clientes que clonam o protótipo não tenham que conhecer suas subclasses concretas. Clientes nunca deveriam precisar fazer um *downcast* do valor de retorno de `Clone` para o tipo desejado.

Em Smalltalk, você pode reutilizar o método-padrão `copy` herdado de `Object` para clonar qualquer `MapSite`. Você pode usar `MazeFactory` para produzir os protótipos de que necessita; por exemplo, pode criar uma sala fornecendo o nome `#room`.

A `MazeFactory` (fábrica de labirintos) tem um dicionário que mapeia nomes aos protótipos. Seu método `make:` se parece com o seguinte:

```
make: partName
    ^ (partCatalog at: partName) copy
```

Tendo métodos apropriados para inicia a `MazeFactory` com protótipos, você poderia criar um labirinto simples com o seguinte código:

```
CreateMaze
    on: (MazeFactory new
        with: Door new named: #door;
        with: Wall new named: #wall;
        with: Room new named: #room;
        yourself)
```

onde a definição do método de classe `on:` para `CreateMaze` seria

```
on: aFactory
    | room1 room2 |
    room1 := (aFactory make: #room) location: 1@1.
    room2 := (aFactory make: #room) location: 2@1.
    door  := (aFactory make: #door) from: room1 to: room2.

    room1
        atSide: #north put: (aFactory make: #wall);
        atSide: #east  put: door;
        atSide: #south put: (aFactory make: #wall);
        atSide: #west  put: (aFactory make: #wall).
    room2
        atSide: #north put: (aFactory make: #wall);
        atSide: #east  put: (aFactory make: #wall);
        atSide: #south put: (aFactory make: #wall);
        atSide: #west  put: door.
    ^ Maze new
        addRoom: room1;
        addRoom: room2;
        yourself
```

Usos conhecidos

Talvez o primeiro exemplo do padrão Prototype se encontre no sistema Sketchpad de Ivan Sutherland [Sut63]. A primeira aplicação amplamente conhecida do padrão numa linguagem orientada a objeto foi em ThingLab, na qual os usuários poderiam formar um objeto composto e então promovê-lo a um protótipo pela sua instalação numa biblioteca de objetos reutilizáveis [Bor81]. Goldberg e Robson mencionam protótipos como um padrão [GR83], mas Coplien [Cop92] fornece uma descrição muito mais completa. Ele descreve idiomas relacionados ao padrão prototype para C++ e dá muitos exemplos e variações.

O Etgdb é um depurador (*debugger*) de *front-end*, baseado em ET++, que fornece uma interface de apontar e clicar para diferentes depuradores orientados a linhas. Cada depurador tem uma subclasse DebuggerAdaptor correspondente. Por exemplo, GdbAdaptor adapta o etgdb à sintaxe dos comandos do gdb de GNU, enquanto que SunDbxAdaptor adapta o etgdb ao depurador da Sun. O Etgdb não tem um conjunto de classes DebuggerAdaptor codificadas rigidamente nele próprio. Em vez disso, lê o nome do adaptor a ser usado de uma variável fornecida pelo ambiente, procura um protótipo com o nome especificado em uma tabela global e, então, clona o protótipo. Novos depuradores podem ser acrescentados ao etgdb ligando-o ao DebuggerAdaptor que funciona para um depurador novo.

A "biblioteca de técnicas de interações", no ModeComposer, armazena protótipos de objetos que suportam várias técnicas de interação [Sha90]. Qualquer técnica de interação criada pelo Mode Composer pode ser usada como um protótipo colocando-a nesta biblioteca. O padrão Prototype permite ao Mode Composer suportar um conjunto ilimitado de técnicas de interação.

O exemplo do editor musical discutido anteriormente se baseia no *framework* para desenhos do Unidraw [VL90].

Padrões relacionados

Prototype e Abstract Factory (95) são padrões que competem entre si em várias situações, como discutimos no final deste capítulo. Porém, eles também podem ser usados em conjunto. Um Abstract Factory pode armazenar um conjunto de protótipos a partir dos quais podem ser clonados e retornados objetos-produto.

Projetos que utilizam intensamente os padrões Composite (160) e Decorator (170) também podem se beneficiar do uso do Prototype.

SINGLETON   criação de objetos

Intenção

Garantir que uma classe tenha somente uma instância e fornecer um ponto global de acesso para a mesma.

Motivação

É importante para algumas classes ter uma, e apenas uma, instância. Por exemplo, embora possam existir muitas impressoras em um sistema, deveria haver somente um *spooler* de impressoras. Da mesma forma, deveria haver somente um sistema de arquivos e um gerenciador de janelas. Um filtro digital terá somente um conversor A/D. Um sistema de contabilidade será dedicado a servir somente a uma companhia.

Como garantimos que uma classe tenha somente uma instância e que essa instância seja facilmente acessível? Uma variável global torna um objeto acessível, mas não impede você de instanciar múltiplos objetos.

Uma solução melhor seria tornar a própria classe responsável por manter o controle da sua única instância. A classe pode garantir que nenhuma outra instância seja criada (pela interceptação das solicitações para criação de novos objetos), bem como pode fornecer um meio para acessar sua única instância. Este é o padrão Singleton.

Aplicabilidade

Use o padrão Singleton quando:

- for preciso haver apenas uma instância de uma classe, e essa instância tiver que dar acesso aos clientes através de um ponto bem conhecido;
- a única instância tiver de ser extensível através de subclasses, possibilitando aos clientes usar uma instância estendida sem alterar o seu código.

Estrutura

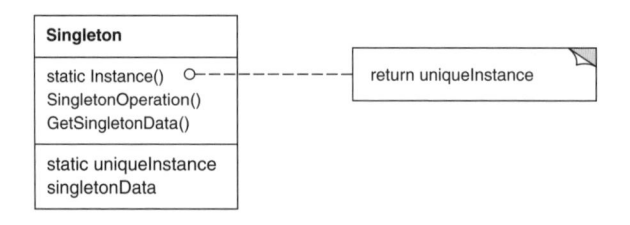

```
┌─────────────────────────┐
│ Singleton               │
├─────────────────────────┤
│ static Instance()    o──┼─ ─ ─ ─ ─ ─ ─→ ┌──────────────────────┐
│ SingletonOperation()    │               │ return uniqueInstance │
│ GetSingletonData()      │               └──────────────────────┘
├─────────────────────────┤
│ static uniqueInstance   │
│ singletonData           │
└─────────────────────────┘
```

Participantes

- **Singleton**
  - define uma operação Instance que permite aos clientes acessarem sua única instância. Instance é uma operação de classe (ou seja, em Smalltalk é um método de classe e em C++ é uma função-membro estática).
  - pode ser responsável pela criação da sua própria instância única.

Colaborações

- Os clientes acessam uma instância Singleton unicamente pela operação Instance do Singleton.

Conseqüências

O padrão Singleton apresenta vários benefícios:

1. *Acesso controlado à instância única.* Como a classe Singleton encapsula a sua única instância, possui controle total sobre como e quando os clientes a acessam.
2. *Espaço de nomes reduzido.* O padrão Singleton representa uma melhoria em relação ao uso de variáveis globais. Ele evita a poluição do espaço de nomes com variáveis globais que armazenam instâncias únicas.
3. *Permite um refinamento de operações e da representação.* A classe Singleton pode ter subclasses e é fácil configurar uma aplicação com uma instância dessa classe estendida. Você pode configurar a aplicação com uma instância da classe de que necessita em tempo de execução.
4. *Permite um número variável de instâncias.* O padrão torna fácil mudar de idéia, permitindo mais de uma instância da classe Singleton. Além disso, você pode usar a mesma abordagem para controlar o número de instâncias que a aplicação utiliza. Somente a operação que permite acesso à instância de Singleton necessita ser mudada.
5. *Mais flexível do que operações de classe.* Uma outra maneira de empacotar a funcionalidade de um singleton é usando operações de classe (ou seja, funções-membro estáticas em C++ ou métodos de classe em Smalltalk). Porém, as técnicas de ambas as linguagens tornam difícil mudar um projeto para permitir mais que uma instância de uma classe. Além disso, as funções-membro estáticas em C++ nunca são virtuais, o que significa que as subclasses não podem redefini-las polimorficamente.

Implementação

A seguir apresentamos tópicos de implementação a serem considerados ao usar o padrão Singleton:

1. *Garantindo uma única instância.* O padrão Singleton torna a instância única uma instância normal de uma classe, mas essa classe é escrita de maneira que somente uma instância possa ser criada.
Uma forma comum de fazer isso é ocultando a operação que cria a instância usando uma operação de classe (isto é, ou uma função-membro estática ou

um método de classe) que garanta que apenas uma única instância seja criada. Esta operação tem acesso à variável que mantém a única instância, e garante que a variável seja iniciada com a instância única antes de retornar ao seu valor. Esta abordagem assegura que um singleton seja criado e iniciado antes da sua primeira utilização.

Em C++, você pode definir a operação de classe com uma função-membro estática `Instance` da classe `Singleton`. `Singleton` também define uma variável-membro estática `_instance` que contém um apontador para sua única instância.

A classe `Singleton` é declarada como

```
class Singleton {
public:
    static Singleton* Instance();
protected:
    Singleton();
private:
    static Singleton* _instance;
};
```

A implementação correspondente é a seguinte

```
Singleton* Singleton::_instance = 0;

Singleton* Singleton::Instance () {
    if (_instance == 0) {
        _instance = new Singleton;
    }
    return _instance;
}
```

Os clientes acessam o singleton através da função membro `Instance`. A variável `_instance` é iniciada com 0, e a função-membro estática `Instance` retorna o seu valor, iniciando-a com a única instância se ele for 0. `Instance` usa *lazy initialization*; o valor que ela retorna não é criado e armazenado até ser acessado pela primeira vez.

Note que o constructor é protegido. Um cliente que tenta instanciar `Singleton` diretamente obterá como resposta um erro em tempo de compilação. Isto assegura que somente uma instância possa ser criada.

Além do mais, uma vez que `_instance` é um apontador para um objeto Singleton, a função-membro `Instance` pode atribuir um apontador para uma subclasse de Singleton para esta variável. Daremos um exemplo do que dissemos aqui na seção Exemplo de código.

Há uma outra coisa a ser observada sobre a implementação em C++. Não é suficiente definir o singleton como um objeto global ou estático, confiando numa inicialização automática. Existem três razões para isto:

(a) não podemos garantir que somente uma instância de um objeto estático será declarada;

(b) talvez não tenhamos informação suficiente para instanciar cada singleton em tempo de inicialização estática. Um singleton pode necessitar de valores que são computados mais tarde, durante a execução do programa;

(c) C++ não define a ordem pela qual os constructors para objetos globais são chamados entre unidades de compilação [ES90]. Isso significa que não podem existir dependências entre singletons; se alguma existir, então é inevitável a ocorrência de erro.

Uma deficiência adicional (embora pequena) da abordagem objeto global/estático é que ela força a criação de todos singletons, quer sejam usados ou não. O uso de uma função-membro estática evita todos estes problemas.

Em Smalltalk, a função que retorna a instância única é implementada como um método de classe da classe Singleton. Para garantir que somente uma instância seja criada, redefine-se a operação *new*. A classe Singleton resultante pode ter os seguintes métodos de classe, em que `SoleInstance` é uma variável de classe que não é usada em nenhum outro lugar:

```
new
    self error: 'cannot create new object'

default
    SoleInstance isNil ifTrue: [SoleInstance := super new].
    ^ SoleInstance
```

2. *Criando subclasses da classe Singleton.* O ponto principal não é a definição da subclasse, mas sim a instalação da sua única instância de maneira que os clientes possam ser capazes de usá-la. Em essência, a variável que referencia a instância do singleton deve ser iniciada com uma instância da subclasse. A técnica mais simples é determinar qual singleton você quer usar na operação `Instance` do Singleton. Um exemplo na seção de Exemplo mostra como implementar essa técnica com variáveis do ambiente (operacional).

Uma outra maneira de escolher a subclasse de Singleton é retirar a implementação de `Instance` da classe-mãe (por exemplo, `MazeFactory`) e colocá-la na subclasse. Isto permite a um programador C++ decidir a classe do singleton em tempo de "Linkedição" (*link-time*), mantendo-a oculta dos seus clientes (por exemplo, fazendo a ligação com um arquivo-objeto que contém uma implementação diferente).

A solução da ligação fixa a escolha da classe do singleton em tempo de "linkedição", o que torna difícil escolher a classe do singleton em tempo de execução. O uso de instruções condicionais para determinação da subclasse é mais flexível, porém codifica de maneira rígida o conjunto das classes Singleton possíveis. Nenhuma abordagem é flexível o bastante em todos os casos.

Uma abordagem mais flexível utiliza um **sistema de registro de singletons (registry of singletons)**. Em vez de ter `Instance` definindo o conjunto das classes Singleton possíveis, as classes Singleton podem registrar suas instâncias singleton por nome, num sistema de registro de conhecimento geral.

O sistema de registro associa nomes e singletons. Os nomes são constituídos de cadeias de caracteres. Quando `Instance` necessita um singleton, ela consulta o sistema de registro, procurando o singleton pelo nome.

O sistema de registro procura o singleton correspondente (se existir) e o retorna ao cliente. Essa solução libera `Instance` da necessidade de ter que conhecer todas as possíveis classes ou instâncias do Singleton. Tudo o que é necessário é uma interface comum para todas as classes Singleton, que inclua operações de registro:

```
class Singleton {
public:
    static void Register(const char* name, Singleton*);
    static Singleton* Instance();
protected:
    static Singleton* Lookup(const char* name);
private:
    static Singleton* _instance;
    static List<NameSingletonPair>* _registry;
};
```

`Register` registra a instância de Singleton com um nome fornecido. Para manter o registro simples, necessitaremos que armazene uma lista de objetos `NameSingletonPair`. Cada `NameSingletonPair` mapeia (associa) um nome a um singleton. Dado um nome, a operação `Lookup` encontra o singleton correspondente. Assumiremos que uma variável do ambiente especifica o nome do singleton desejado.

```
Singleton* Singleton::Instance () {
    if (_instance == 0) {
        const char* singletonName = getenv("SINGLETON");
        // usuário ou ambiente fornece esse valor no início da execução

        _instance = Lookup(singletonName);
        // Lookup retorna 0 se não há qualquer singleton com o nome verificado
    }
    return _instance;
}
```

Onde as classes Singleton registram a si mesmas? Uma possibilidade é fazê-lo no seu constructor. Por exemplo, uma subclasse `MySingleton` poderia fazer o seguinte:

```
MySingleton::MySingleton() {
    // ...
    Singleton::Register("MySingleton", this);
}
```

Naturalmente, o construtor não será chamado a menos que alguém instancie a classe, o que repete o problema que o padrão Singleton está tentando resolver! Nós podemos contornar este problema em C++ através da definição de uma instância estática de `MySingleton`. Por exemplo, podemos definir

```
static MySingleton theSingleton;
```

no arquivo que contém a implementação de `MySingleton`.

A classe Singleton não é mais responsável pela criação do singleton. Em vez disso, sua responsabilidade primária é tornar acessível o objeto singleton escolhido no sistema. A solução que usa o objeto estático ainda apresenta um problema potencial – todas as instâncias de todas as subclasses possíveis de Singleton devem ser criadas, pois, caso contrário, não serão registradas.

Exemplo de código

Suponha que definimos uma classe `MazeFactory` para construir labirintos, conforme descrito na página 100. `MazeFactory` define uma interface para construção de diferentes partes de um labirinto. As subclasses podem redefinir as operações para retornar instâncias de classes-produtos especializadas, tal como `BombedWall` no lugar de simples objetos `Wall`.

O fato relevante aqui é que a aplicação *Maze* necessita somente de uma instância de uma fábrica de labirintos, e que essa instância deverá estar disponível para o código que construir qualquer parte do labirinto. É aí que o padrão Singleton entra. Ao tornar `MazeFactory` um singleton, nós tornamos o objeto-labirinto (*maze*) acessível globalmente sem recorrer a variáveis globais.

Para simplificar, suponhamos que nunca criaremos subclasses de `MazeFactory` (a alternativa será considerada mais à frente). Nós tornamos `MazeFactory` uma classe Singleton em C++, acrescentando uma operação estática `Instance` e um membro estático `_instance` para conter a única instância existente. Também devemos proteger o constructor para prevenir instanciações acidentais, as quais nos levariam a ter mais que uma instância.

```
class MazeFactory {
public:
    static MazeFactory* Instance();

    // interface existente vai aqui
protected:
    MazeFactory();
private:
    static MazeFactory* _instance;
};
```

A implementação correspondente é

```
MazeFactory* MazeFactory::_instance = 0

MazeFactory* MazeFactory::Instance () {
    if (_instance == 0) {
        _instance = new MazeFactory;
    }
    return _instance;
}
```

Agora verificaremos o que acontece quando existem subclasses de `MazeFactory` e a aplicação tem que decidir qual delas usar. Selecionaremos o tipo de labirinto através de uma variável do ambiente e acrescentaremos o código que instancia a subclasse apropriada de `MazeFactory` com base no valor da variável do ambiente. Um bom lugar para colocar este código é a operação `Instance`, porque ela já instancia `MazeFactory`:

```
MazeFactory* MazeFactory::Instance () {
    if (_instance == 0) {
        const char* mazeStyle = getenv("MAZESTYLE");

        if (strcmp(mazeStyle, "bombed") == 0) {
            _instance = new BombedMazeFactory;

        } else if (strcmp(mazeStyle, "enchanted") == 0) {
            _instance = new EnchantedMazeFactory;

        // ... outras subclasses possíveis
```

```
            } else {          // default
                _instance = new MazeFactory;
            }
        }
        return _instance;
    }
```

Note que `Instance` deve ser modificada toda vez que você define uma nova subclasse de `MazeFactory`. Isso pode não ser um problema nesta aplicação, mas pode ser um problema para as fábricas abstratas definidas num *framework*.

Uma solução possível seria usar a técnica do uso de um sistema de registro descrita na seção Implementação. A ligação dinâmica (*dynamic linking*) poderia também ser útil aqui – ela evitaria que a aplicação tivesse que carregar para a memória todas as subclasses que não são usadas.

Usos conhecidos

Um exemplo do padrão Singleton em Smalltalk-80 [Par90] é o conjunto de mudanças no código efetuado por `ChangeSet current`. Um exemplo mais sutil é o relacionamento entre classes e suas **metaclasses**. Uma metaclasse é a classe de uma classe, e cada metaclasse tem uma instância. As metaclasses não têm nomes (exceto indiretamente, através do nome da sua única instância), mas registram e acompanham a sua única instância, e normalmente não criarão outra.

O *toolkit* para construção de interfaces de usuário InterViews [LCI+92] usa o padrão Singleton para acessar as únicas instâncias de suas classes Session e WidgetKit, entre outras. Session define o *ciclo* de eventos disparáveis da aplicação principal, armazena o banco de dados das preferências de estilo do usuário e administra conexões para um ou mais dispositivos físicos de *display*. WidgetKit é uma Abstract Factory (95) para definir os *widgets* de estilo de interação. A operação `WidgetKit::instance` determina a subclasse específica de WidgetKit que é instanciada baseada numa variável de ambiente que Session define. Uma operação similar em Session determina se são suportados *displays* monocromáticos ou coloridos e configura a instância singleton de Session de acordo.

Padrões relacionados

Muitos padrões podem ser implementados usando Singleton. Ver Abstract Factory (95), Builder (104) e Prototype (121).

Discussão sobre padrões de criação

Existem duas maneiras comuns de parametrizar um sistema pelas classes de objetos que ele cria. Uma é criar subclasses da classe que cria os objetos; isto corresponde a usar o padrão Factory Method (112). A principal desvantagem desta solução é que requer a criação de uma nova subclasse somente para mudar a classe do produto. Tais mudanças podem gerar uma cascata de modificações encadeadas. Por exemplo, quando o criador do produto é ele próprio, criado por um método fábrica, então você tem que redefinir também o seu criador.

A outra forma de parametrizar um sistema baseia-se mais na composição de objetos: defina um objeto que seja responsável por conhecer a classe dos objetos-produto e torne-o um parâmetro do sistema. Este é o aspecto-chave dos padrões Abstract

Factory (95), Builder (104) e Prototype (121). Todos os três padrões envolvem a criação de um novo objeto-fábrica cuja responsabilidade é criar objetos-produtos. Em Abstract Factory, o objeto-fábrica produz objetos de várias classes. Em Builder, um objeto-fábrica constrói incrementalmente um objeto complexo usando um protocolo igualmente complexo. O padrão Prototype faz o objeto-fábrica construir um objeto-produto copiando um objeto prototípico. Neste caso, o objeto-fábrica e o protótipo são o mesmo objeto, porque o protótipo é responsável por retornar o produto.

Considere o *framework* para um editor de desenhos descrito no padrão Prototype. Há várias maneiras de parametrizar uma GraphicTool pela classe do produto:

- Aplicando-se o padrão Factory Method, uma subclasse de GraphicTool será criada para cada subclasse de Graphic na paleta. A GraphicTool terá uma nova operação NewGraphic, que cada subclasse de GraphicTool redefinirá.
- Aplicando-se o padrão Abstract Factory, haverá uma hierarquia de classes de GraphicsFactories, uma para cada subclasse de Graphic. Neste caso, cada fábrica cria apenas o produto: CircleFactory criará círculos (*Circles*), LineFactory criará linhas (*Lines*), e assim por diante. Uma GraphicTool será parametrizada como uma fábrica para criação do tipo apropriado de Graphics.
- Aplicando-se o padrão Prototype, cada subclasse de Graphics implementará a operação Clone, e uma GraphicTool será parametrizada com um protótipo da Graphic que ela cria.

Definir qual é o melhor padrão depende de muitos fatores. No nosso *framework* para editores de desenhos, o padrão Factory Method é inicialmente mais fácil de usar. É fácil definir uma subclasse de GraphicTool e as instâncias de GraphicTool são criadas somente quando a paleta é definida. Aqui, a principal desvantagem é a proliferação de subclasses de GraphicTool, sendo que nenhuma delas faz muita coisa.

O padrão Abstract Factory não oferece uma grande melhoria porque também exige uma hierarquia de classes GraphicsFactory bastante grande. Abstract Factory seria preferível a Factory Method somente se já houvesse uma hierarquia de classes GraphicsFactory – ou se o compilador a fornecesse automaticamente (como em Smalltalk ou Objective C) ou se fosse necessária em outra parte do sistema.

No geral, o padrão Prototype é o melhor para o *framework* de editores de desenho porque ele somente requer a implementação de uma operação Clone em cada classe Graphics. Isso reduz o número de classes, e clone pode ser usado para outras finalidades, além de somente instanciação (por exemplo, uma operação duplicar definida no menu).

O Factory Method torna um projeto mais adaptável e apenas um pouco mais complicado. Outros padrões de projeto requerem novas classes, enquanto que Factory Method somente exige uma nova operação. As pessoas freqüentemente usam Factory Method como a maneira padrão de criar objetos, mas não é necessário quando a classe que é instanciada nunca muda ou quando a instanciação ocorre em uma operação que subclasses podem facilmente redefinir, tal como uma operação de inicialização.

Projetos que usam Abstract Factory, Prototype ou Builder são ainda mais flexíveis do que aqueles que utilizam Factory Method, porém, eles também são mais complexos. Freqüentemente, os projetos começam usando Factory Method e evoluem para outros padrões de criação à medida que o projetista descobre onde é necessária maior flexibilidade. O conhecimento de vários padrões de projeto lhe dá mais opções quando trocar um critério de projeto por outro.

Notas

[1]Tais aplicações refletem os padrões Composite (160) e Decorator (170).

4

Padrões estruturais

Os padrões estruturais se preocupam com a forma como classes e objetos são compostos para formar estruturas maiores. Os padrões estruturais de *classes* utilizam a herança para compor interfaces ou implementações. Dando um exemplo simples, considere como a herança múltipla mistura duas ou mais classes em uma outra. O resultado é uma classe que combina as propriedades das suas classes ancestrais. Esse padrão é particularmente útil para fazer bibliotecas de classes desenvolvidas independentemente trabalharem juntas. Um outro exemplo é a forma de classe do padrão Adapter (140). Em geral, um Adapter faz com que uma interface adaptada (em inglês, *adaptee*) seja compatível com outra, dessa forma fornecendo uma abstração uniforme de diferentes interfaces. A classe adaptadora (*adapter*) atinge esse objetivo herdando, privadamente, de uma classe adaptada. O *adapter*, então, exprime sua interface em termos da interface da classe adaptada.

Em lugar de compor interfaces ou implementações, os padrões estruturais de *objetos* descrevem maneiras de compor objetos para obter novas funcionalidades. A flexibilidade obtida pela composição de objetos provém da capacidade de mudar a composição em tempo de execução, o que é impossível com a composição estática de classes.

O Composite (160) é um exemplo de um padrão estrutural de objetos. Ele descreve como construir uma hierarquia de classes composta para dois tipos de objetos: primitivos e compostos. Os objetos compostos permitem compor objetos primitivos e outros objetos compostos em estruturas arbitrariamente complexas. No padrão Proxy (198), um procurador funciona como um substituto ou um marcador para outro objeto. Um *proxy* (procurador) pode ser usado de várias formas. Ele pode atuar como um representante local para um objeto situado num espaço de endereço remoto. Pode representar um grande objeto que deveria ser carregado por demanda. Pode proteger o acesso a um objeto sensível. Proxies fornecem um nível de referência indireta a propriedades específicas de objetos. Daí eles poderem restringir, aumentar ou alterar essas propriedades.

O padrão Flyweight (187) define uma estrutura para o compartilhamento de objetos. Os objetos são compartilhados por pelo menos duas razões: eficiência e consistência. O Flyweight focaliza o compartilhamento para uso eficiente de espaço. As aplicações que usam uma porção de objetos devem prestar atenção no custo de cada objeto. Pode-se obter economia substancial e usando o compartilhamento de objetos, em lugar de replicá-los. Mas objetos podem ser compartilhados somente se eles não definem estados dependentes do contexto.

Objetos Flyweight não possuem tais estados. Qualquer informação adicional de que necessitem para executar suas tarefas é passada aos mesmos quando necessário. Não tendo estados dependentes de contexto, os objetos Flyweight podem ser compartilhados livremente.

Enquanto o Flyweight mostra o que fazer com muitos objetos pequenos, Façade (179) mostra como fazer um único objeto representar todo um subsistema. Um objeto façade (fachada) é uma representação para um conjunto de objetos. Façade executa suas responsabilidades repassando mensagens para os objetos que ela representa. O padrão Bridge (151) separa a abstração de um objeto da sua implementação, de maneira que elas possam variar independentemente.

O Decorator (170) descreve como acrescentar dinamicamente responsabilidades ao objetos. O Decorator é um padrão estrutural que compõe objetos recursivamente para permitir um número ilimitado de responsabilidades adicionais. Por exemplo, um objeto Decorator que contém um componente de uma interface de usuário pode adicionar uma decoração, como uma borda ou sombra, ao componente, ou pode adicionar uma funcionalidade como rolamento ou *zoom*. Podemos adicionar duas decorações simplesmente encaixando um objeto Decorator dentro do outro, e assim por diante, para outras decorações adicionais. Para conseguir isto, cada objeto Decorator deve oferecer a mesma interface do seu componente e repassar mensagens para ele. O Decorator pode executar o seu trabalho (tal como desenhar uma borda em volta do componente) antes ou depois de repassar uma mensagem.

Muitos padrões estruturais estão relacionados de alguma forma. Discutiremos estes relacionamentos no final do capítulo.

ADAPTER estrutural de classes e de objetos

Intenção

Converter a interface de uma classe em outra interface, esperada pelos clientes. O Adapter permite que classes com interfaces incompatíveis trabalhem em conjunto – o que, de outra forma, seria impossível.

Também conhecido como

Wrapper

Motivação

Algumas vezes, uma classe de um *toolkit*, projetada para ser reutilizada não é reutilizável porque sua interface não corresponde à interface específica de um domínio requerida por uma aplicação.

Considere, por exemplo, um editor de desenhos que permite aos usuários desenhar e arranjar elementos gráficos (linhas, polígonos, texto, etc.) em figuras e diagramas. A abstração-chave do editor de desenhos é o objeto gráfico, o qual tem uma forma editável e pode desenhar a si próprio. A interface para objetos gráficos é definida por uma classe abstrata chamada Shape. O editor define uma subclasse de Shape para cada tipo de objeto gráfico: uma classe LineShape para linhas, uma classe PolygonShape para polígonos, e assim por diante.

Classes para formas geométricas elementares, como LineShape e PolygonShape, são bastante fáceis de ser implementadas porque as suas capacidades de desenho e edição são inerentemente limitadas. Mas uma subclasse TextShape que pode exibir e editar textos é mais difícil de ser implementada, uma vez que mesmo a edição básica de textos envolve atualizações complicadas de tela e gerência de *buffer*. Entretanto, pode já existir um *toolkit* para construção de interfaces de usuários, o qual já oferece uma sofisticada classe TextView para a exibição e edição de textos. Idealmente, gostaríamos de reutilizar TextView para implementar TextShape, porém, o *toolkit* não foi projetado levando classes Shape em consideração. Assim, não podemos usar de maneira intercambiável objetos TextView e Shape.

Como é possível que classes existentes e não-relacionadas, como TextView, funcionem em uma aplicação que espera classes com uma interface diferente e incompatível? Poderíamos mudar a classe TextView de maneira que ela fosse coerente com a interface de Shape, porém, a menos que tenhamos o código-fonte do toolkit, essa opção não é viável. Mesmo que tivéssemos o código-fonte, não teria sentido mudar TextView; o *toolkit* não deveria ter que adotar interfaces específicas de domínios somente para fazer com que uma aplicação funcione.

Em vez disso, poderíamos definir TextShape de maneira que ele *adapte* a interface de TextView àquela de Shape. Podemos fazer isto de duas maneiras: (1) herdando a interface de Shape e a implementação de TextView, ou (2) compondo uma instância de TextView dentro de uma TextShape e implementando TextShape em termos da interface de TextView.

Essas duas abordagens correspondem às versões do *padrão* Adapter para classes e para objetos. Chamamos TextShape um **adaptador**.

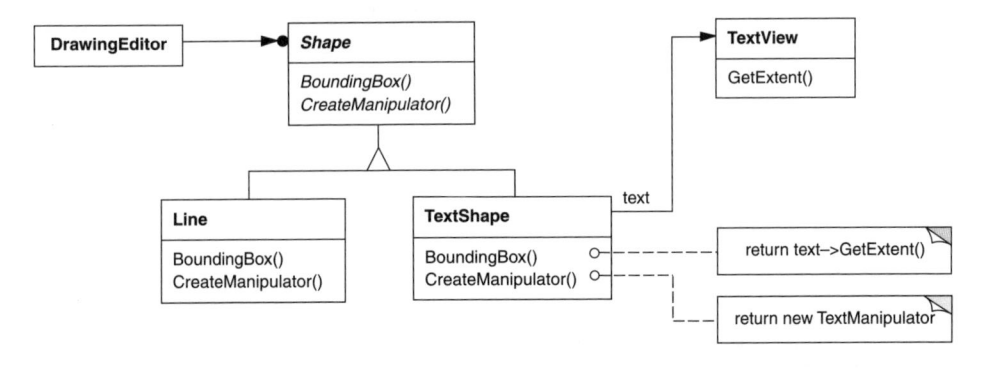

Este diagrama ilustra o caso de um adaptador para objetos. Ele mostra como solicitações de BoundingBox, declarada na classe Shape, são convertidas em solicitações para GetExtent, definida em TextView. Uma vez que TextShape adapta TextView à interface de Shape, o editor de desenhos pode reutilizar a classe TextView que seria incompatível de outra forma.

Freqüentemente, um adaptador é responsável por funcionalidades não oferecidas pela classe adaptada. O diagrama mostra como um adaptador pode atender tais responsabilidades. O usuário deveria ser capaz de "arrastar" cada objeto Shape para uma nova posição de forma interativa, porém, TextView não está projetada para fazer isso. TextShape pode acrescentar essa função através da implementação da operação CreateManipulator, de Shape, a qual retorna uma instância da subclasse Manipulator apropriada.

Manipulator é uma classe abstrata para objetos que sabem como animar um Shape em resposta à entrada de usuário, tal como arrastar a forma geométrica para uma nova localização. Existem subclasses de Manipulator para diferentes formas; por exemplo, TextManipulator é a subclasse correspondente para TextShape. Pelo retorno de uma instância de TextManipulator, TextShape acrescenta a funcionalidade que Shape necessita mas que TextView não tem.

Aplicabilidade

Use o padrão Adapter quando:

- você quiser usar uma classe existente, mas sua interface não corresponder à interface de que necessita;
- você quiser criar uma classe reutilizável que coopere com classes não-relacionadas ou não-previstas, ou seja, classes que não necessariamente tenham interfaces compatíveis;
- (*somente para adaptadores de objetos*) você precisar usar várias subclasses existentes, porém, for impraticável adaptar essas interfaces criando subclasses para cada uma. Um adaptador de objeto pode adaptar a interface da sua classe-mãe.

Estrutura

Um adaptador de classe usa a herança múltipla para adaptar uma interface à outra:

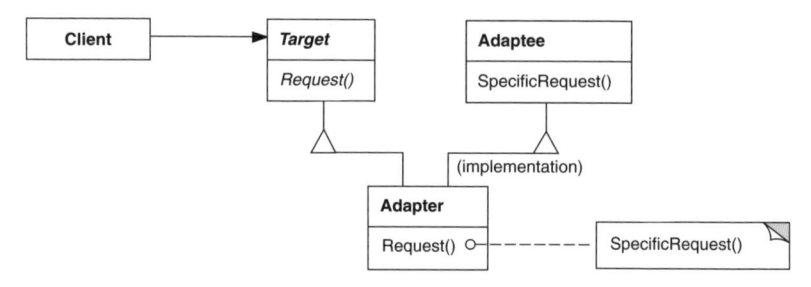

Um adaptador de objeto depende da composição de objetos:

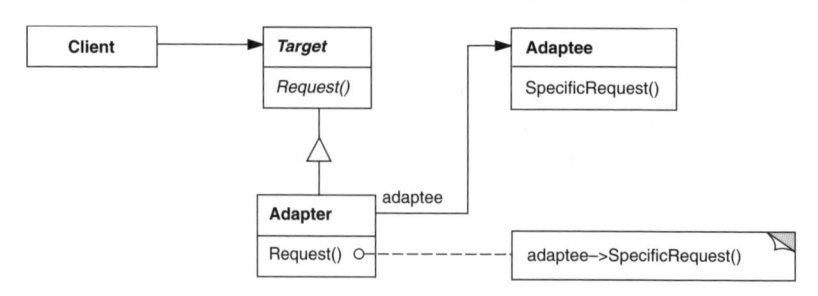

Participantes

- **Target** (Shape)
  – define a interface específica do domínio que Client usa.
- **Client** (DrawingEditor)
  – colabora com objetos compatíveis com a interface de Target.
- **Adaptee** (TextView)
  – define uma interface existente que necessita ser adaptada.
- **Adapter** (TextShape)
  – adapta a interface do Adaptee à interface de Target.

Colaborações

- Os clientes chamam operações em uma instância de Adapter. Por sua vez, o adapter chama operações de Adaptee que executam a solicitação.

Conseqüências

Os adaptadores de classes e de objetos têm diferentes soluções de compromisso. Um adaptador de classe:

- adapta Adaptee a Target através do uso efetivo de uma classe Adapter concreta. Em conseqüência, um adaptador de classe não funcionará quando quisermos adaptar uma classe e todas as suas subclasses;
- permite a Adapter substituir algum comportamento do Adaptee, uma vez que Adapter é uma subclasse de Adaptee;
- introduz somente um objeto, e não é necessário endereçamento indireto adicional por ponteiros para chegar até o Adaptee.

Um adaptador de objeto:

- permite a um único Adapter trabalhar com muitos Adaptees – isto é, o Adaptee em si e todas as suas subclasses (se existirem). O Adapter também pode acrescentar funcionalidade a todos os Adaptees de uma só vez;
- torna mais difícil redefinir um comportamento de Adaptee. Ele exigirá a criação de subclasses de Adaptee e fará com que Adapter referencie a subclasse ao invés do Adaptee em si.

Aqui apresentamos outros pontos a serem considerados quando usamos o padrão Adapter:

1. *Quanta adaptação Adapter faz?* Os Adapters variam no volume de trabalho que executam para adaptar o Adaptee à interface de Target. Existe uma variação do trabalho possível, desde a simples conversão de interface – por exemplo, mudar os nomes das operações – até suportar um conjunto de operações inteiramente diferente. O volume de trabalho que o Adapter executa depende de quão similar é a interface de Target a dos seus Adaptees.
2. *Adaptadores conectáveis (pluggable).* Uma classe é mais reutilizável quando você minimiza as suposições que outras classes devem fazer para utilizá-la. Através da construção da adaptação de interface em uma classe, você elimina a suposição de que outras classes vêm a mesma interface. Dito de outra maneira,

a adaptação de interfaces permite incorporar a nossa classe a sistemas existentes que podem estar esperando interfaces diferentes para a classe. ObjectWorks/Smalltalk [Par90] usa o termo *pluggable adapter* para descrever classes com adaptação de interfaces incorporadas.

Considere um widget TreeDisplay que pode exibir graficamente estruturas de árvore. Se este fosse um *widget* com uma finalidade especial para uso em apenas uma aplicação, então, poderíamos requerer uma interface específica dos objetos que ele exibisse; ou seja, todos deveriam descender de uma classe abstrata Tree. Mas se quiséssemos tornar TreeDisplay mais reutilizável (digamos que quiséssemos torná-la parte de um *toolkit* de *widgets* úteis), então essa exigência não seria razoável. Aplicações definirão suas próprias classes para estruturas de árvore. Elas não deveriam ser forçadas a usar a nossa classe abstrata Tree. Diferentes estruturas de árvores terão diferentes interfaces.

Por exemplo, numa hierarquia de diretório, os descendentes podem ser acessados com uma operação GetSubdirectories, enquanto que numa hierarquia de herança, a operação correspondente poderia ser chamada GetSubclasses. Um widget TreeDisplay reutilizável deve ser capaz de exibir ambos os tipos de hierarquias ainda que usem interfaces diferentes. Em outras palavras, TreeDisplay deveria ter uma adaptação de interface incorporada a ele.

Examinaremos diferentes maneiras de construir adaptações de interfaces, dentro de classes, na seção Implementação.

3. *Utilização de adaptadores de dois sentidos para fornecer transparência.* Um problema potencial com adaptadores decorre do fato de que eles não são transparentes para todos os clientes. Um objeto adaptado não oferece a interface do objeto original, por isso ele não pode ser usado onde o original o for. Adaptadores de dois sentidos (*two-way adapters*) podem fornecer essa transparência. Eles são úteis quando dois clientes diferentes necessitam ver um objeto de forma diferente.

Considere o adaptador de dois sentidos que integra o Unidraw, um *framework* para editores gráficos [VL90], e QOCA, um toolkit para solução de restrições [HHMV92]. Ambos os sistemas possuem classes que representam variáveis explicitamente: Unidraw tem StateVariable e QOCA tem Constraint Variable. Para fazer com que Unidraw trabalhe com QOCA, Constraint Variable deve ser adaptada a StateVariable; para permitir que QOCA propague soluções para Unidraw, StateVariable deve ser adaptada a ConstraintVariable.

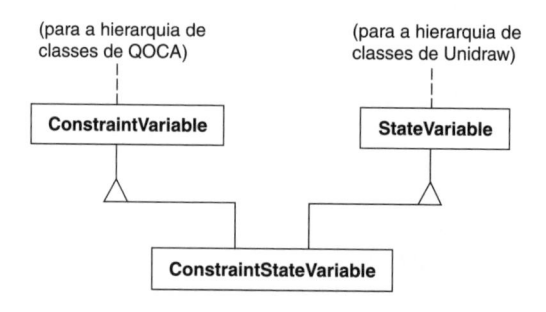

A solução envolve o uso de um adaptador de classe ConstraintStateVariable de dois sentidos, uma subclasse tanto de StateVariable como de ConstraintVariable que adapta as duas interfaces uma à outra. Neste caso, a herança múltipla é uma solução viável porque as interfaces das classes adaptadas são substancialmente diferentes. O adaptador de classe de dois sentidos é compatível com ambas as classes adaptadas, podendo funcionar em ambos os sistemas.

Implementação

Embora a implementação do padrão Adapter seja normalmente simples e direta, apresentamos aqui alguns tópicos a serem sempre considerados:

1. *Implementando adaptadores de classe em C++.* Numa implementação em C++ uma classe Adapter deveria herdar publicamente de Target e privadamente de Adaptee. Assim, Adapter seria um subtipo de Target, mas não de Adaptee.
2. *Adaptadores conectáveis.* Vamos examinar três maneiras de implementar adaptadores "plugáveis" para o widget TreeDisplay descrito anteriormente, os quais podem formatar e exibir uma estrutura hierárquica automaticamente. O primeiro passo, comum a todas as três implementações discutidas aqui, é encontrar uma interface "mínima" para Adaptee, ou seja, o menor subconjunto de operações que permite fazer a adaptação. Uma interface mínima, consistindo em somente um par de operações, é mais fácil de adaptar que uma interface com dúzias de operações. Para o TreeDisplay, o adaptee é qualquer estrutura hierárquica. Uma interface minimalista pode incluir duas operações, uma que define como apresentar graficamente um nó na estrutura hierárquica e outra que recupera os filhos do nó.

A interface mínima conduz a três abordagens de implementação:

   (a) *Utilizando operações abstratas.*

   Defina na classe TreeDisplay operações abstratas correspondentes à interface mínima de Adaptee. As operações abstratas devem ser implementadas por subclasses que também adaptam o objeto hierarquicamente estruturado. Por exemplo, uma subclasse DirectoryTreeDisplay implementará essas operações acessando a estrutura do diretório.

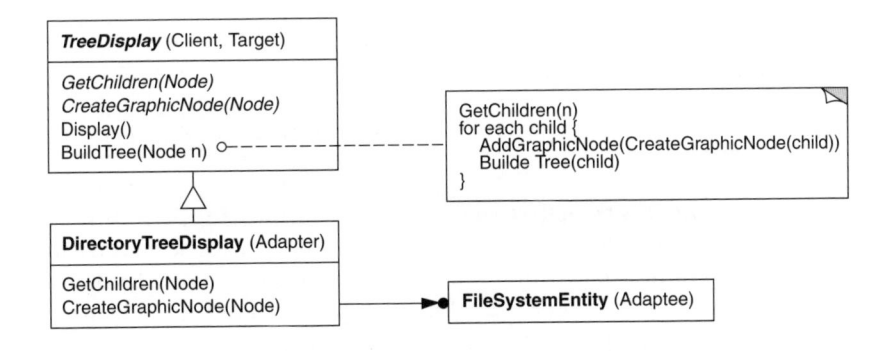

```
TreeDisplay (Client, Target)
─────────────────────────────
GetChildren(Node)
CreateGraphicNode(Node)
Display()
BuildTree(Node n)  ○─ ─ ─ ─ ─ ─ ─ ─ ─  GetChildren(n)
        △                              for each child {
        │                                  AddGraphicNode(CreateGraphicNode(child))
        │                                  Builde Tree(child)
        │                              }
DirectoryTreeDisplay (Adapter)
─────────────────────────────
GetChildren(Node)
CreateGraphicNode(Node) ──────────▶  FileSystemEntity (Adaptee)
```

DirectoryTreeDisplay especializa a interface mínima de maneira que possa exibir estruturas de diretório compostas de objetos FileSystemEntity.

(b) *Utilizando objetos delegados.*

Nesta abordagem, o TreeDisplay repassa solicitações de acesso à estrutura hierárquica para um objeto **delegado**. O TreeDisplay pode usar uma estratégia de adaptação diferente pela substituição de um delegado por outro.

Por exemplo, suponha que exista um DirectoryBrowser que usa um TreeDisplay. Directory Browser pode vir a ser um bom delegado para adaptar TreeDisplay à estrutura do diretório hierárquico. Em linguagens com tipos definidos dinamicamente, como Smalltalk ou Objective C, essa abordagem somente exige uma interface para registrar o delegado junto ao adapter. Então, o TreeDisplay simplesmente repassa as solicitações para o delegado. NEXTSTEP [Add94] usa essa abordagem intensamente para reduzir o uso de subclasses.

As linguagens com tipos estaticamente definidos, como C++, requerem uma definição explícita da interface para o delegado. Podemos especificar tal interface colocando a interface mínima requerida por TreeDisplay em uma classe abstrata TreeAccessorDelegate. Então, podemos misturar essa interface com o delegado de nossa escolha – DirectoryBrowser, neste caso – usando herança. Usamos herança simples se o DirectoryBrowse não tiver classe-mãe, caso contrário, usamos herança múltipla. Misturar classes dessa maneira é mais fácil do que introduzir uma nova subclasse TreeDisplay e implementar suas operações individualmente.

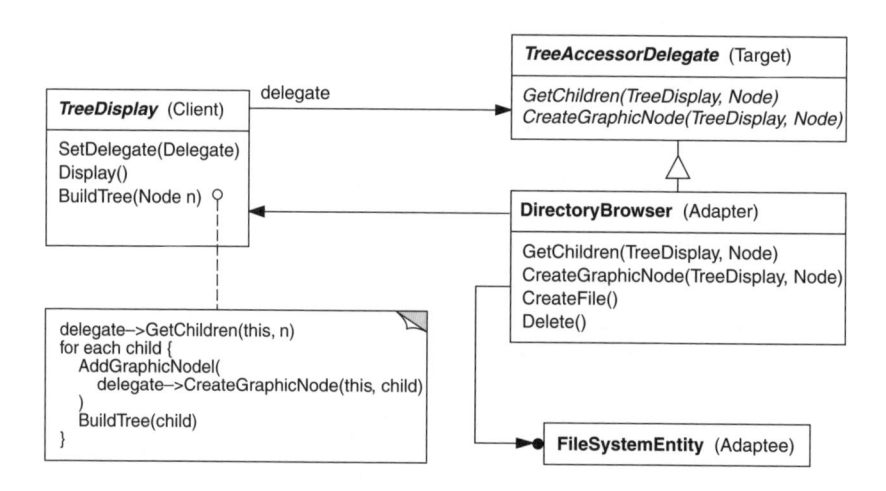

(c) *Adapters parametrizados.*

A maneira usual de suportar adaptadores conectáveis em Smalltalk é parametrizar um adaptador com um ou mais blocos (Smalltalk). A primitiva "block" suporta a adaptação sem usar subclasses. Um bloco pode adaptar uma solicitação e o adaptador pode armazenar um bloco para cada solicitação individual. No nosso exemplo, isso significa que

TreeDisplay armazena um bloco para converter um nó em um GraphicNode e outro bloco para acessar os filhos de um nó.

Por exemplo, para criar um TreeDisplay em uma hierarquia de diretório, escrevemos

```
directoryDisplay :=
    (TreeDisplay on: treeRoot)
        getChildrenBlock:
            [:node | node getSubdirectories]
        createGraphicNodeBlock:
            [:node | node createGraphicNode].
```

Se você está construindo uma adaptação de interface em uma classe, essa abordagem oferece uma alternativa conveniente ao uso de subclasses.

Exemplo de código

Apresentaremos um breve esboço da implementação de adaptadores de classes e de objetos para o exemplo apresentado na seção Motivação, começando com as classes `Shape` e `TextView`.

```cpp
class Shape {
public:
    Shape();
    virtual void BoundingBox(
        Point& bottomLeft, Point& topRight
    ) const;
    virtual Manipulator* CreateManipulator() const;
};

class TextView {
public:
    TextView();
    void GetOrigin(Coord& x, Coord& y) const;
    void GetExtent(Coord& width, Coord& height) const;
    virtual bool IsEmpty() const;
};
```

`Shape` supõe uma caixa delimitadora definida pelos seus cantos opostos. Em contraste, `TextView` é definido por origem, altura e largura. `Shape` também define uma operação `CreateManipulator` para criar um objeto `Manipulator`, o qual sabe como animar uma forma quando um usuário a manipula.[1] O `TextView` não tem uma operação equivalente. A classe `TextShape` é um adaptador entre essas diferentes interfaces.

Um adaptador de classe utiliza a herança múltipla para adaptar interfaces. O ponto-chave dos adaptadores de classe é a utilização de um ramo de herança para herdar a interface e de outro ramo para herdar a implementação. A maneira usual de fazer essa distinção em C++ é herdar a interface publicamente e herdar a implementação privadamente. Usaremos essa convenção para definir o adaptador `TextShape`.

A operação `BoundingBox` converte a interface de `TextView` para que esta fique de acordo com a interface de `Shape`.

```
class TextShape : public Shape, private TextView {
public:
    TextShape();

    virtual void BoundingBox(
        Point& bottomLeft, Point& topRight
    ) const;
    virtual bool IsEmpty() const;
    virtual Manipulator* CreateManipulator() const;
};


void TextShape::BoundingBox (
    Point& bottomLeft, Point& topRight
) const {
    Coord bottom, left, width, height;

    GetOrigin(bottom, left);
    GetExtent(width, height);

    bottomLeft = Point(bottom, left);
    topRight = Point(bottom + height, left + width);
}
```

A operação `IsEmpty` demonstra o repasse direto de solicitações, comum em implementações de adaptadores:

```
bool TextShape::IsEmpty () const {
    return TextView::IsEmpty();
}
```

Finalmente, definimos `CreateManipulator` (a qual não é suportada por `TextView`) a partir do zero. Assumimos que já implementamos uma classe `TextManipulator` que suporta manipulação de um `TextShape`.

```
Manipulator* TextShape::CreateManipulator () const {
    return new TextManipulator(this);
}
```

O adaptador de objeto utiliza composição de objetos para combinar classes que têm interfaces diferentes. Nesta abordagem, o adaptador `TextShape` mantém um apontador para `TextView`.

```
class TextShape : public Shape {
public:
    TextShape(TextView*);

    virtual void BoundingBox(
        Point& bottomLeft, Point& topRight
    ) const;
    virtual bool IsEmpty() const;
    virtual Manipulator* CreateManipulator() const;
private:
    TextView* _text;
};
```

`TextShape` deve iniciar o apontador para instância de `TextView`, e ele faz isso no constructor. Ele também deve invocar operações no seu objeto `TextView` sempre que suas próprias operações forem invocadas. Neste exemplo, presuma que o cliente crie o objeto `TextView` e o passe para o constructor de `TextShape`:

```
TextShape::TextShape (TextView* t) {
    _text = t;
}

void TextShape::BoundingBox (
    Point& bottomLeft, Point& topRight
) const {
    Coord bottom, left, width, height;

    _text->GetOrigin(bottom, left);
    _text->GetExtent(width, height);

    bottomLeft = Point(bottom, left);
    topRight = Point(bottom + height, left + width);
}

bool TextShape::IsEmpty () const {
    return _text->IsEmpty();
}
```

A implementação de `CreateManipulator` não muda em relação à versão para o adaptador de classe, uma vez que é implementada do zero e não reutiliza qualquer funcionalidade existente de `TextView`.

```
Manipulator* TextShape::CreateManipulator () const {
    return new TextManipulator(this);
}
```

Compare este código com o código do caso do adaptador de classe. O adaptador de objeto exige um pouco mais de esforço para escrever, porém, é mais flexível. Por exemplo, a versão do adaptador de objeto de `TextShape` funcionará igualmente bem com subclasses de `TextView` – o cliente simplesmente passa uma instância de uma subclasse de `TextView` para o constructor de `TextShape`.

Usos conhecidos

O exemplo da seção Motivação vem do ET++Draw, uma aplicação de desenho baseada na ET++ [WGM88]. O ET++Draw reutiliza as classes para edição de texto da ET++ usando um adapter de classe TextShape.

O InterViews 2.6 define uma classe abstrata Interactor para elementos da interface do usuário, tais como barras de rolamento, botões e menus [VL88]. Ele também define uma classe abstrata Graphic para objetos gráficos estruturados, tais como linhas, círculos, polígonos e "splines". Tanto Interactors como Graphics têm aparências gráficas, porém, diferentes interfaces e implementações (eles não têm uma classe ancestral compartilhada) e são, portanto, incompatíveis – você não pode incluir diretamente um objeto gráfico estruturado em, por exemplo, uma caixa de diálogo.

Em vez disso, o InterViews 2.6 define um adaptador de objeto chamado GraphicBlock, uma subclasse de Interactor que contém uma instância de Graphic. O GraphicBlock adapta a interface da classe Graphic àquela de Interactor. O GraphicBlock permite que uma instância de Graphic seja exibida, rolada e possa sofrer *zooms* dentro de uma estrutura Interactor.

Os adaptadores conectáveis são comuns em ObjectWorks\Smalltalk [Par90]. O Smalltalk-padrão define uma classe ValueModel para visões (*views*) que exibem um único valor. ValueModel define uma interface `value, value:` para acessar o valor. Estes são métodos abstratos. Programadores de aplicação acessam o valor usando nomes mais específicos do domínio, tais como `width` e `width:`, mas eles não deveriam ter que criar subclasses de ValueModel para adaptar tais nomes específicos da aplicação à interface de ValueModel.

Em vez disso, ObjectWorks\Smalltalk inclui uma subclasse de ValueModel chamada PluggableAdaptor. Um objeto PluggableAdaptor adapta outros objetos à interface de ValueModel (`value, value:`). Ela pode ser parametrizada com blocos para obter e atualizar (set) o valor desejado. PluggableAdaptor utiliza internamente estes blocos para implementar a interface `value, value:`. PluggableAdaptor também permite passar nomes no Selector (por exemplo, `width`, `width:`) diretamente por conveniência sintática. Ela converte estes seletores (*selectors*) nos blocos correspondentes, de forma automática.

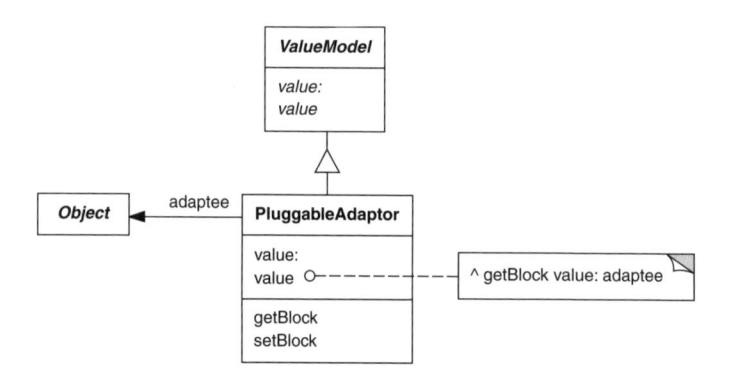

```
                    ┌──────────────┐
                    │  ValueModel  │
                    ├──────────────┤
                    │  value:      │
                    │  value       │
                    └──────────────┘
                           △
                           │
    ┌────────┐  adaptee ┌──────────────────┐
    │ Object │◄─────────│ PluggableAdaptor │
    └────────┘          ├──────────────────┤
                        │ value:           │            ┌─────────────────────────┐
                        │ value    ○───────┼────────────│ ^ getBlock value: adaptee│
                        ├──────────────────┤            └─────────────────────────┘
                        │ getBlock         │
                        │ setBlock         │
                        └──────────────────┘
```

Outro exemplo proveniente de ObjectWorks\Smalltalk é a classe TableAdaptor. Uma TableAdaptor pode adaptar uma seqüência de objetos numa apresentação tabular. A tabela exibe um objeto por linha. O cliente parametriza TableAdaptor com um conjunto de mensagens que uma tabela pode usar para obter os valores de coluna de um objeto.

Algumas classes no AppKit do NeXT [Add94] usam objetos delegados para executar adaptação de interfaces. Um exemplo é a classe NXBrowser que pode exibir listas hierárquicas de dados. NXBrowser usa um objeto delegado para acessar e adaptar dados.

O "Casamento de Conveniência" ("*Marriage of Convenience*"), [Mey88] de Meyer é uma forma de um adaptador de classe. Meyer descreve como uma classe FixedStack adapta a implementação de uma classe Array à interface de uma classe *stack*. O resultado é uma pilha (Stack) que contém um número fixo de entradas.

Padrões relacionados

O padrão Bridge(151) tem uma estrutura similar a um adaptador de objeto, porém, Bridge tem uma intenção diferente: tem por objetivo separar uma interface da sua implementação, de modo que elas possam variar fácil e independentemente. Um adaptador se destina a mudar a interface de um objeto *existente*.

O padrão Decorator (170) aumenta outro objeto sem mudar sua interface. Desta forma, um Decorator é mais transparente para a aplicação do que um adaptador.

Como conseqüência, Decorator suporta a composição recursiva, a qual não é possível com adaptadores puros.

O Proxy (198) define um representante ou "procurador"para outro objeto e não muda a sua interface.

BRIDGE   estrutural de objetos

Intenção

Desacoplar uma abstração da sua implementação, de modo que as duas possam variar independentemente.

Também conhecido como

Handle/Body

Motivação

Quando uma abstração pode ter uma entre várias implementações possíveis, a maneira usual de acomodá-las é usando a herança. Uma classe abstrata define a interface para a abstração, e subclasses concretas a implementam de formas diferentes. Mas essa abordagem nem sempre é suficientemente flexível. A herança liga uma implementação à abstração permanentemente, o que torna difícil modificar, aumentar e reutilizar abstrações e implementações independentemente.

Considere a implementação de uma Janela portável em um *toolkit* para construir interfaces de usuários. Por exemplo, essa abstração deveria nos habilitar a escrever aplicações que trabalham tanto com o sistema XWindow quanto com o Presentation-Manager (PM), da IBM. Usando a herança, poderíamos definir uma classe abstrata Window e subclasses XWindow e PMWindow que implementam a interface Janela para diferentes plataformas. Porém, essa abordagem tem dois problemas:

1. É inconveniente estender a abstração Window para cobrir diferentes tipos de janela ou novas plataformas. Imagine uma subclasse IconWindow de Window que especializa a abstração Window para ícones. Para suportar IconWindows para ambas as plataformas, temos que implementar *duas* classes novas, XIconWindow e PMIconWindow. Pior ainda, teremos que definir duas classes para *cada* tipo de janela. Suportar uma terceira plataforma exige ainda uma outra subclasse de Window para cada tipo de janela.

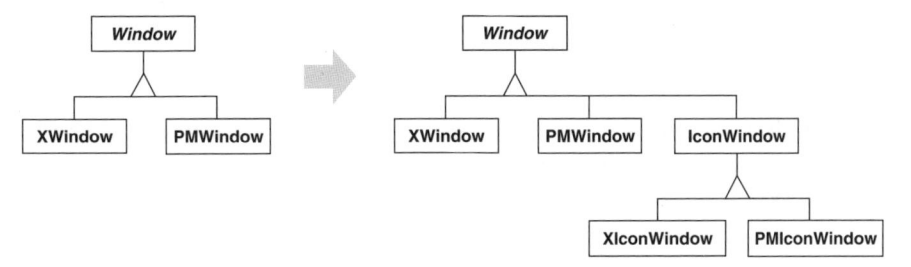

2. Ela torna o código do cliente dependente de plataforma. Sempre que um cliente cria uma janela, instancia uma classe concreta que tem uma implementação específica. Por exemplo, a criação de um objeto Xwindow amarra a abstração Window à implementação do XWindow, o que torna o código do cliente dependente da implementação do XWindow. Isso, por sua vez, torna mais difícil portar o código do cliente para outras plataformas.

Os clientes deveriam ser capazes de criar uma janela sem se prenderem a uma implementação concreta. Somente a implementação da janela deveria depender da plataforma na qual a aplicação é executada. Portanto, o código do cliente deveria instanciar janelas sem mencionar plataformas específicas.

O padrão Bridge trata desses problemas colocando a abstração Window e sua implementação em hierarquias de classes separadas. Existe somente uma hierarquia de classes para interfaces de janelas (Window, IconWindow, TransientWindow) e uma hierarquia separada para implementações de janelas específicas das plataformas, tendo como sua raiz WindowImp. Por exemplo, a subclasse XWindowImp fornece uma implementação baseada no sistema XWindow.

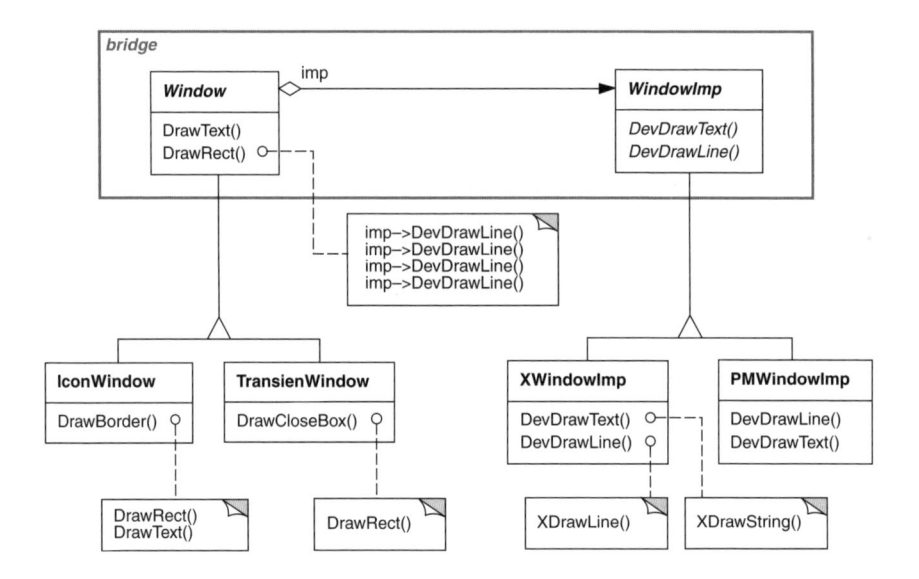

Todas as operações das subclasses de Window são implementadas em termos das operações abstratas da interface WindowImp. Isso desacopla as abstrações de janelas das várias implementações específicas para cada plataforma. Referimo-nos ao relacionamento entre Window e WindowImp como uma **ponte** (*bridge*) porque ela forma uma ponte entre abstração e sua implementação, permitindo que variem de forma independente.

Aplicabilidade

Use o padrão Bridge quando:

- desejar evitar um vínculo permanente entre uma abstração e sua implementação. Isso pode ocorrer, por exemplo, quando a implementação deve ser selecionada ou alterada em tempo de execução;

- tanto as abstrações como suas implementações tiverem de ser extensíveis por meio de subclasses. Neste caso, o padrão Bridge permite combinar as diferentes abstrações e implementações e estendê-las independentemente;
- mudanças na implementação de uma abstração não puderem ter impacto sobre os clientes; ou seja, quando o código dos mesmos não puder ser recompilado.
- (C++) você desejar ocultar completamente a implementação de uma abstração dos clientes. Em C++, a representação de uma classe é visível na interface da classe;
- tiver uma proliferação de classes, como foi mostrado no primeiro diagrama da seção Motivação. Tal hierarquia de classes indica necessidade de separar um objeto em duas partes. Rumbaugh usa o termo "generalizações aninhadas" (*nested generalizations*) [RPB+91] para se referir às hierarquias de cada classe;
- desejar compartilhar uma implementação entre múltiplos objetos (talvez usando a contagem de referências) e este fato deve estar oculto do cliente. Um exemplo simples é a classe String mencionada por Coplien [Cop92], na qual múltiplos objetos podem compartilhar a mesma representação de uma *string* (StringRep).

Estrutura

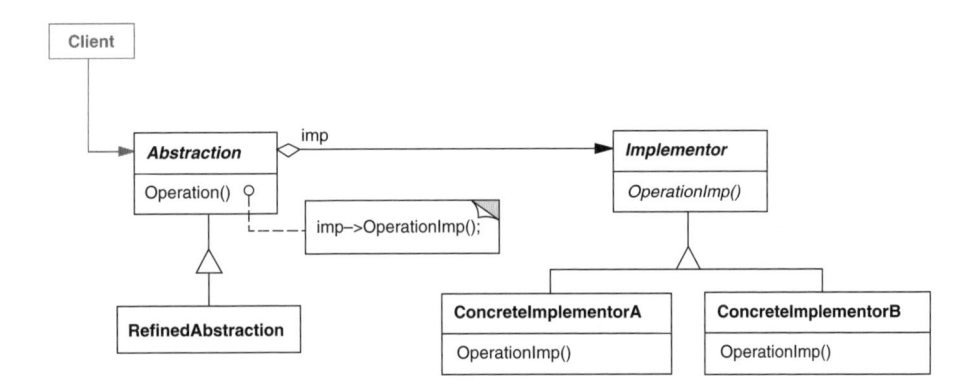

Participantes

- **Abstraction** (Window)
  - define a interface da abstração;
  - mantém uma referência para um objeto do tipo Implementor.
- **RefinedAbstraction** (IconWindow).
  - estende a interface definida por Abstraction.
- **Implementor** (WindowImp)
  - define a interface para as classes de implementação. Essa interface não precisa corresponder exatamente à interface de Abstraction; de fato, as duas interfaces podem ser bem diferentes. A interface de Implementor fornece somente operações primitivas e Abstraction define operações de nível mais alto baseadas nessas primitivas.
- **ConcreteImplementor** (XwindowImp, PMWindowImp)
  - implementa a interface de Implementor e define sua implementação concreta.

Colaborações

- Abstraction repassa as solicitações dos clientes para o seu objeto Implementor.

Conseqüências

O padrão Bridge tem as seguintes conseqüências:

1. *Desacopla a interface da implementação.* Uma implementação não fica permanentemente presa a uma interface. A implementação de uma abstração pode ser configurada em tempo de execução. É até mesmo possível para um objeto mudar sua implementação em tempo de execução.
   O desacoplamento de Abstraction e Implementor também elimina dependências em tempo de compilação da implementação. Mudar uma classe de implementação não requer a recompilação da classe Abstraction e seus clientes. Essa propriedade é essencial quando você quer assegurar compatibilidade no nível binário entre diferentes versões de uma biblioteca de classes.
   Além disso, esse desacoplamento encoraja o uso de camadas que podem melhorar a estruturação de um sistema. A parte de alto nível de um sistema somente tem que ter conhecimento de Abstraction e Implementor.
2. *Extensibilidade melhorada.* Você pode estender as hierarquias de Abstraction e Implementor independentemente.
3. *Ocultação de detalhes de implementação dos clientes.* Você pode proteger e isolar os clientes de detalhes de implementação, tais como o compartilhamento de objetos Implementor e o mecanismo de contagem de referências que os acompanham (se houver).

Implementação

Considere os seguintes aspectos de implementação quando aplicar o padrão Bridge:

1. *Há somente um Implementor.* Em situações onde há somente uma implementação, não é necessário criar uma classe abstrata Implementor. Trata-se aqui de um caso degenerado do padrão Bridge; existe uma relação um para um entre Abstraction e Implementor. Não obstante, essa separação ainda é útil quando uma mudança na implementação numa classe não deve afetar seus clientes existentes – ou seja, não deveriam ser recompilados, apenas "linkeditadas" novamente. Carolan [CAR89] usa o termo "Cheshire Cat", para descrever esta separação. Em C++, a interface da classe Implementor pode ser definida num arquivo *header* privado, o qual não é fornecido aos clientes. Isso permite ocultar completamente uma implementação de uma classe dos seus clientes.
2. *Criar o objeto Implementor correto.* Como, quando e onde você decide qual classe Implementor instanciar, se existe mais do que uma?
   Se a Abstraction tem conhecimento de todas as classes ConcreteImplementor, então pode instanciar uma delas no seu constructor; pode decidir por uma delas através de parâmetros passados para o seu constructor. Se, por exemplo, uma classe da categoria coleção suporta múltiplas implementações, a decisão pode se basear no tamanho da coleção. Uma implementação com

uma lista ligada pode ser usada para coleções pequenas, e uma tabela de randomização (*hash table*) para coleções maiores.

Uma outra abordagem é escolher, inicialmente, uma implementação-padrão e mudá-la mais tarde, de acordo com a utilização. Por exemplo, se a coleção cresce além de um certo limiar, então ela muda sua implementação para uma mais apropriada, para um número maior de itens.

É possível também delegar totalmente a decisão para outro objeto. No exemplo Window/WindowImp, nós podemos introduzir um objeto-fábrica (ver Abstract Factory (95)) cuja única função é encapsular aspectos específicos de plataformas. A fábrica sabe que tipo de objeto WindowImp criar para a plataforma em uso; uma Window simplesmente solicita isso para uma WindowImp, e esta retorna o tipo correto. Um benefício dessa abordagem é que a Abstraction não está acoplada diretamente a nenhuma das classes Implementor.

3. *Compartilhando Implementors.* Coplien ilustra como a expressão Handle/Body em C++ pode ser usado para compartilhar implementações entre vários objetos [Cop92]. O Body armazena um contador de referências que a classe Handle incrementa e decrementa. O código para atribuir handles com bodies compartilhados têm a seguinte forma geral:

```cpp
Handle& Handle::operator= (const Handle& other)  {
    other._body->Ref();
    _body->Unref();

    if (_body->RefCount() == 0) {
        delete _body;
    }
    _body = other._body;

    return *this;
}
```

4. *Utilização de herança múltipla.* Você pode usar a herança múltipla em C++ para combinar uma interface com a sua implementação [Mar91]. Por exemplo, uma classe pode herdar publicamente de Abstraction e privadamente de um ConcreteImplementor. Porém, porque esta abordagem usa herança estática, ela liga uma implementação permanentemente à sua interface. Portanto, você não pode implementar um autêntico padrão Bridge com herança múltipla – pelo menos não em C++.

Exemplo de código

O código C++ a seguir implementa o exemplo Window/WindowImp da seção Motivação. A classe `Window` define a abstração de janela para aplicações de clientes:

```cpp
class Window {
public:
    Window(View* contents);

    // solicitações manipuladas por window
    virtual void DrawContents();

    virtual void Open();
    virtual void Close();
    virtual void Iconify();
    virtual void Deiconify();
```

```
    // solicitações repassadas para a implementação
    virtual void SetOrigin(const Point& at);
    virtual void SetExtent(const Point& extent);
    virtual void Raise();
    virtual void Lower();

    virtual void DrawLine(const Point&, const Point&);
    virtual void DrawRect(const Point&, const Point&);
    virtual void DrawPolygon(const Point[], int n);
    virtual void DrawText(const char*, const Point&);

protected:
    WindowImp* GetWindowImp();
    View* GetView();

private:
    WindowImp* _imp;
    View* _contents; // "contents" do window
};
```

Window mantém uma referência para uma WindowImp, a classe abstrata que declara uma interface para o sistema de janelas subjacente.

```
class WindowImp {
public:
    virtual void ImpTop() = 0;
    virtual void ImpBottom() = 0;
    virtual void ImpSetExtent(const Point&) = 0;
    virtual void ImpSetOrigin(const Point&) = 0;

    virtual void DeviceRect(Coord, Coord, Coord, Coord) = 0;
    virtual void DeviceText(const char*, Coord, Coord) = 0;
    virtual void DeviceBitmap(const char*, Coord, Coord) = 0;
    // mais funções de desenho em janelas
protected:
    WindowImp();
};
```

As subclasses de Window definem os diferentes tipos de janelas que a aplicação pode usar, tais como janelas de aplicação, ícones, janelas transitórias para diálogos, *palettes* flutuantes de ferramentas, e assim por diante.

Por exemplo, a ApplicationWindow implementará a DrawContents para desenhar a instância de View por ela armazenada:

```
class ApplicationWindow : public Window {
public:
    // ...
    virtual void DrawContents();
};

void ApplicationWindow::DrawContents () {
    GetView()->DrawOn(this);
}
```

IconWindow armazena o nome de um mapa de *bits* para o ícone que ela exibe...

```
class IconWindow : public Window {
public:
    // ...
    virtual void DrawContents();
private:
    const char* _bitmapName;
};
```

... e implementa os `DrawContents` para desenhar um mapa de *bits* na janela:

```
void IconWindow::DrawContents() {
    WindowImp* imp = GetWindowImp();
    if (imp != 0) {
        imp->DeviceBitmap(_bitmapName, 0.0, 0.0);
    }
}
```

São possíveis muitas outras variações de `Window`. Uma `TransientWindow` pode necessitar se comunicar com a janela criada por ela durante o diálogo; daí manter uma referência para aquela janela. Uma `PalleteWindow` sempre flutua acima de outras janelas. Uma `IconDockWindow` contém `IconWindows` e as arranja de maneira ordenada.

As operações de `Window` são definidas em termos da interface de `WindowImp`. Por exemplo, a `DrawRect` extrai quatro coordenadas dos seus dois parâmetros `Point` antes de chamar a operação de `WindowImp` que desenha o retângulo na janela:

```
void Window::DrawRect (const Point& p1, const Point& p2) {
    WindowImp* imp = GetWindowImp();
    imp->DeviceRect(p1.X(), p1.Y(), p2.X(), p2.Y());
}
```

As subclasses concretas de `WindowImp` suportam diferentes sistemas de janelas. A subclasse `XWindowImp` suporta o sistema XWindow:

```
class XWindowImp : public WindowImp {
public:
    XWindowImp();

    virtual void DeviceRect(Coord, Coord, Coord, Coord);
    // restante da interface pública...
private:
    // estados específicos X window, incluindo:
    Display* _dpy;
    Drawable _winid;   // window id
    GC _gc;            // window graphic context
};
```

Para o PresentationManager (PM), nós definimos uma classe `PMWindowImp`:

```
class PMWindowImp : public WindowImp {
public:
    PMWindowImp();
    virtual void DeviceRect(Coord, Coord, Coord, Coord);

    // restante da interface pública...
private:
    // estados específicos do PM window, incluindo:
    HPS _hps;
};
```

Estas subclasses implementam operações de WindowImp em termos do sistema de janelas primitivo. Por exemplo, DeviceRect é implementada para X como segue:

```
void XWindowImp::DeviceRect (
    Coord x0, Coord y0, Coord x1, Coord y1
) {
    int x = round(min(x0, x1));
    int y = round(min(y0, y1));
    int w = round(abs(x0 - x1));
    int h = round(abs(y0 - y1));
    XDrawRectangle(_dpy, _winid, _gc, x, y, w, h);
}
```

A implementação para o PM pode se assemelhar ao seguinte:

```
void PMWindowImp::DeviceRect (
    Coord x0, Coord y0, Coord x1, Coord y1
) {
    Coord left   = min(x0, x1);
    Coord right  = max(x0, x1);
    Coord bottom = min(y0, y1);
    Coord top    = max(y0, y1);

    PPOINTL point[4];

    point[0].x = left;   point[0].y = top;
    point[1].x = right;  point[1].y = top;
    point[2].x = right;  point[2].y = bottom;
    point[3].x = left;   point[3].y = bottom;

    if (
        (GpiBeginPath(_hps, 1L) == false) ||
        (GpiSetCurrentPosition(_hps, &point[3]) == false) ||
        (GpiPolyLine(_hps, 4L, point) == GPI_ERROR) ||
        (GpiEndPath(_hps) == false)
    ) {
        // report error
    } else {
        GpiStrokePath(_hps, 1L, 0L);
    }
}
```

Como uma janela obtém uma instância da subclasse correta de WindowImp? Neste exemplo, assumiremos que Window tem essa responsabilidade. A sua operação GetWindowImp obtém a instância correta de uma fábrica abstrata (ver Abstract Factory (95)) que efetivamente encapsula todos os aspectos específicos do sistema de janelas.

```
WindowImp* Window::GetWindowImp () {
    if (_imp == 0) {
        _imp = WindowSystemFactory::Instance()->MakeWindowImp();
    }
    return _imp;
}
```

O método `WindowSystemFactory::Instance()` retorna uma fábrica abstrata que manufatura todos os objetos específicos do sistema de janelas. Para simplificar, nós o tornaremos um Singleton (130) e deixaremos a classe `Window` acessar a fábrica diretamente.

Usos conhecidos

O exemplo de Window acima provém da ET++ [WGM88]. Em ET++, a WindowImp é chamada de "WindowPort" e tem subclasses como XWindowPort e SunWindowPort. O objeto Window cria o seu correspondente Implementor solicitando-o de uma fábrica abstrata chamada "WindowSystem". WindowSystem fornece uma interface para criação de objetos específicos da plataforma, tais como fontes tipográficas, cursores, mapas de *bits* e assim por diante.

O projeto da ET++ de Window/WindowPort estende o padrão Bridge no sentido de que WindowPort também mantém uma referência de volta para a Window. A classe implementor de WindowPort usa essa referência para notificar Window sobre eventos específicos de WindowPort: a chegada de eventos de entrada, redimensionamento de janelas, etc.

Tanto Coplien [Cop92] como Stroustrup [Str91] mencionam classes Handle e dão alguns exemplos. Seus exemplos enfatizam tópicos de administração da memória, tais como compartilhamento de representações de "strings", e suporte para objetos de tamanho variável. Nosso foco está mais em suportar extensões independentes, tanto de abstrações quanto de suas implementações.

libg++[Lea88] define classes que implementam estruturas de dados comuns, tais como Set, LinkedSet, HashSet, LinkedList e HashTable. Set é uma classe abstrata que define uma abstração de um conjunto, enquanto que LinkedList e HashTable são implementadores concretos (*concrete implementors*) para uma lista ligada e uma tabela de randomização, respectivamente. LinkedSet e HashSet são implementadores que fazem uma ponte entre Set e seus correspondentes concretos LinkedList e HashTable. Esse é um exemplo de um padrão Bridge degenerado porque não há uma classe abstrata Implementor.

O AppKit, da NeXT, [Add94] usa o padrão Bridge na implementação e exibição de imagens gráficas. Uma imagem pode ser representada de diversas maneiras. A forma de exibição ótima de uma imagem depende das propriedades do dispositivo de *display*, especificamente de suas capacidades quanto a cores e resolução. Sem a ajuda do AppKit, os desenvolvedores teriam que determinar qual seria a implementação a ser usada sob várias circunstâncias em cada aplicação.

Para aliviar os desenvolvedores desta responsabilidade, a AppKit fornece uma *bridge* (ponte) chamada NXImage/NXImageRep. NXImage define a interface para a manipulação de imagens. A implementação de imagens é definida numa hierarquia de classes separada NXImageRep, a qual tem subclasses, tais como NXEPSImageRep, NXCachedImageRep e NXBitMapImageRep. NXImage mantém uma referência para um ou mais objetos NXImageRep. Se existe mais do que uma implementação de imagem, então NXImage seleciona a mais adequada para o dispositivo de *display* que está sendo usado. NXImage é até mesmo capaz de converter de uma implementação para outra, se necessário.

O aspecto interessante dessa variante do Bridge, é que NXImage pode armazenar mais do que uma implementação NXImageRep ao mesmo tempo.

Padrões relacionados

Um padrão Abstract Factory (95) pode criar e configurar uma Bridge específica.

O padrão Adapter (140) é orientado para fazer com que classes não-relacionadas trabalhem em conjunto. Ele é normalmente aplicado a sistemas que já foram projetados. Por outro lado, Bridge é usado em um projeto, desde o início, para permitir que abstrações e implementações possam variar independentemente.

COMPOSITE estrutural de objetos

Intenção

Compor objetos em estruturas de árvore para representarem hierarquias partes-todo. Composite permite aos clientes tratarem de maneira uniforme objetos individuais e composições de objetos.

Motivação

Aplicações gráficas, tais como editores de desenhos e sistemas de captura esquemática, permitem aos usuários construir diagramas complexos a partir de componentes simples. O usuário pode agrupar componentes para formar componentes maiores, os quais, por sua vez, podem ser agrupados para formar componentes ainda maiores. Uma implementação simples poderia definir classes para primitivas gráficas, tais como Texto e Linhas, além de outras classes que funcionam como recipientes (*containers*) para essas primitivas.

Porém, há um problema com essa abordagem: o código que usa essas classes deve tratar objetos primitivos e objetos recipientes de modo diferente, mesmo se na maior parte do tempo o usuário os trata de forma idêntica. Ter que distinguir entre esses objetos torna a aplicação mais complexa. O padrão Composite descreve como usar a composição recursiva de maneira que os clientes não tenham que fazer essa distinção.

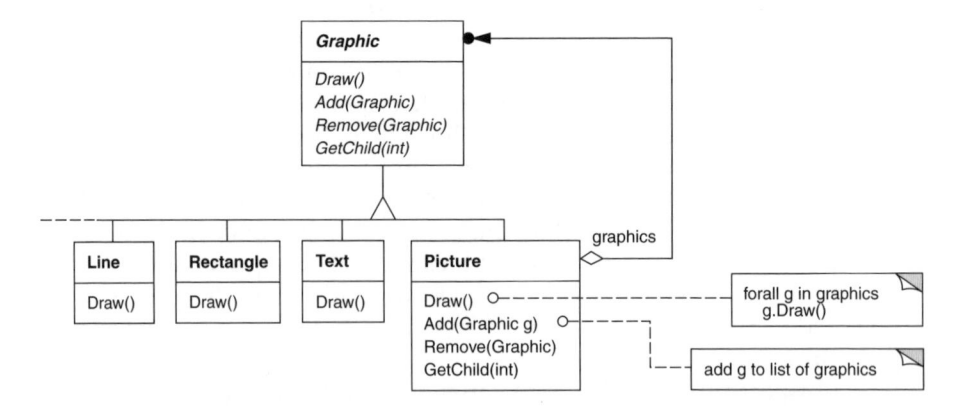

A chave para o padrão Composite é uma classe abstrata que representa *tanto* as primitivas *como* os seus recipientes. Para o sistema gráfico, esta classe é Graphic. A Graphic declara operações como Draw, que são específicas de objetos gráficos. Ela também declara operações que todos os objetos compostos compartilham, tais como operações para acessar e administrar seus filhos.

As subclasses Line, Rectangle e Text (ver diagrama de classes precedente) definem objetos gráficos primitivos. Essas classes implementam Draw para desenhar linhas, retângulos e textos, respectivamente. Uma vez que as primitivas gráficas não têm filhos gráficos, nenhuma dessas subclasses implementa operações relacionadas com filhos.

A classe Picture define um agregado de objetos Graphic. Picture implementa Draw para chamar Draw em seus filhos e implementa operações relacionadas com filhos da maneira necessária. Como a interface de Picture segue a interface de Graphic, os objetos Picture podem compor outros objetos Picture recursivamente.

O diagrama a seguir mostra uma típica estrutura de objeto composto, composta recursivamente por objetos gráficos:

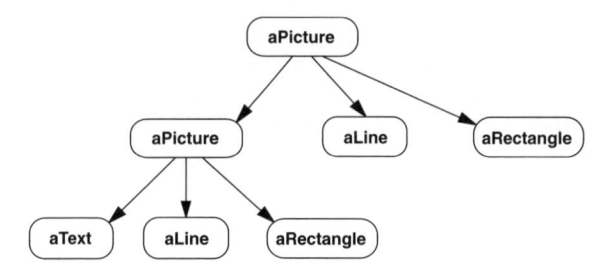

Aplicabilidade

Use o padrão Composite quando:

- quiser representar hierarquias partes-todo de objetos;
- quiser que os clientes sejam capazes de ignorar a diferença entre composições de objetos e objetos individuais. Os clientes tratarão todos os objetos na estrutura composta de maneira uniforme.

Estrutura

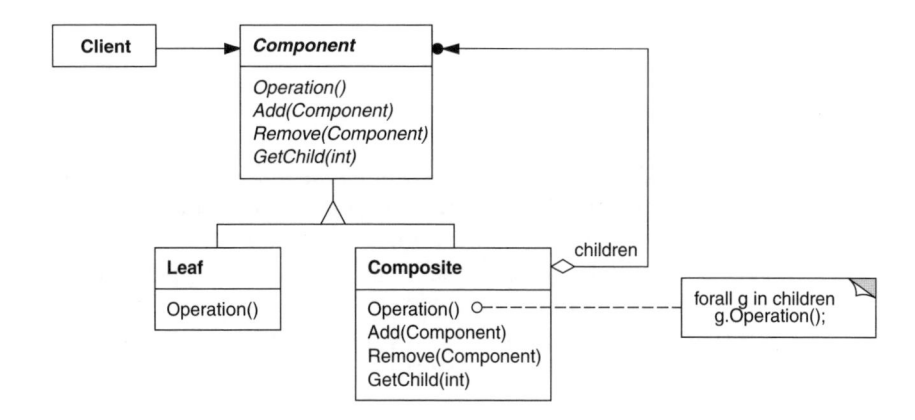

Uma típica estrutura de um objeto Composite pode se parecer com esta:

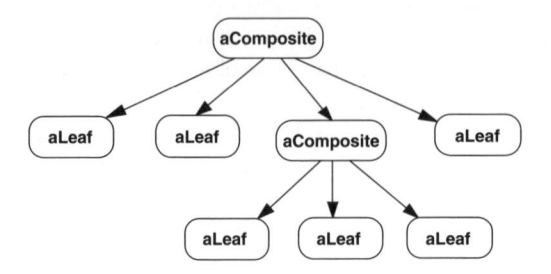

Participantes

- **Component** (Graphic)
  - declara a interface para os objetos na composição;
  - implementa comportamento-padrão para a interface comum a todas as classes, conforme apropriado;
  - declara uma interface para acessar e gerenciar os seus componentes-filhos;
  - (opcional) define uma interface para acessar o pai de um componente na estrutura recursiva e a implementa, se isso for apropriado.
- **Leaf** (Rectangle, Line, Text, etc.)
  - representa objetos-folha na composição. Uma folha não tem filhos;
  - define comportamento para objetos primitivos na composição.
- **Composite** (Picture)
  - define comportamento para componentes que têm filhos;
  - armazena os componentes-filho;
  - implementa as operações relacionadas com os filhos presentes na interface de Component.
- **Client**
  - manipula objetos na composição através da interface de Component.

Colaborações

- Os clientes usam a interface da classe Component para interagir com os objetos na estrutura composta. Se o receptor é uma *Leaf* (Folha), então a solicitação é tratada diretamente. Se o receptor é um Composite, ele normalmente repassa as solicitações para os seus componentes-filhos, executando operações adicionais antes e/ou depois do repasse.

Conseqüências

O padrão Composite:

- define hierarquias de classe que consistem de objetos primitivos e objetos compostos. Os objetos primitivos podem compor objetos mais complexos, os quais, por sua vez, também podem compor outros objetos, e assim por diante, recursivamente. Sempre que o código do cliente esperar um objeto primitivo, ele também poderá aceitar um objeto composto.
- torna o cliente simples. Os clientes podem tratar estruturas compostas e objetos individuais de maneira uniforme. Os clientes normalmente não sabem (e não

deveriam se preocupar com isto) se estão tratando com uma folha ou um componente composto. Isto simplifica o código a ser escrito nas classes-cliente, porque evita o uso de comandos do tipo CASE com os rótulos classes que definem a composição.
- torna mais fácil de acrescentar novas espécies de componentes. Novas subclasses definidas, Composite ou Leaf, funcionam automaticamente com as estruturas existentes e o código do cliente. Os clientes não precisam ser alterados para tratar novas classes Component.
- pode tornar o projeto excessivamente genérico. A desvantagem de facilitar o acrescimo de novos componentes é que isso torna mais difícil restringir os componentes de uma composição. Algumas vezes, você deseja uma composição que tenha somente certos componentes. Com Composite, você não pode confiar no sistema de tipos para garantir a obediência a essas restrições. Ao invés disso, terá que usar verificações e testes em tempo de execução.

Implementação

Há muitos aspectos a serem considerados quando da implementação do *padrão* Composite:

1. *Referências explícitas aos pais*. Manter referências dos componentes-filhos para seus pais pode simplificar o percurso e a administração de uma estrutura composta. A referência aos pais simplifica mover-se para cima na estrutura e deletar um componente. As referências ao pai também ajudam a suportar o padrão Chain of Responsibility (212).
O lugar usual para definir a referência ao pai é a classe Component. As classes Leaf e Composite podem herdar a referência e as operações que a gerenciam. Com referências aos pais, é necessário manter a condição invariante de que todos os descendentes de um composto tenham um pai. A maneira mais fácil de garantir isso é mudar o pai de um componente *somente* quando ele está sendo acrescentado ou removido de um composto. Se isso puder ser implementado uma única vez nas operações Add e Remove da classe Composite, então poderá ser herdado por todas as subclasses, e a condição invariante será mantida automaticamente.
2. *Compartilhamento de componentes*. É útil compartilhar componentes, por exemplo, para reduzir os requisitos de espaço de armazenamento. Porém, quando um componente não pode ter mais do que um pai, o compartilhamento de componentes torna-se difícil.
Uma solução possível é fazer com que os filhos armazenem múltiplos pais. Porém, isso pode conduzir a ambigüidades, na medida em que uma solicitação se propagar para cima na estrutura. O padrão Flyweight (187) mostra como retrabalhar um projeto para não ter que armazenar os pais. Ele funciona nos casos onde os filhos podem evitar o envio de solicitações aos pais através da externalização de alguns ou de todos os seus estados.
3. *Maximização da interface de Component*. Um dos objetivos do padrão Composite é tornar os clientes desconhecedores das classes específicas Leaf ou Composite que estão usando. Para atingir este objetivo, a classe Component deve definir

tantas operações comuns quanto possível para as classes Composite e Leaf. A classe Component usualmente fornece implementações-padrão para essas operações, e as subclasses Leaf e Composite as redefinirão.

Contudo, esse objetivo algumas vezes irá conflitar com o princípio do projeto de hierarquia de classes, que afirma que uma classe deveria somente definir operações que têm significado para suas subclasses. Existem muitas operações suportadas por Component que não parecem fazer sentido para as classes Leaf. Como pode, então, Component fornecer uma implementação-padrão para elas?

Às vezes, um pouco de criatividade mostra como uma operação que teria sentido somente para Composite pode ser implementada para todos os Components movendo-a para a classe Component. Por exemplo, a interface para acessar os filhos é uma parte fundamental de uma classe Composite, mas não necessariamente de classes Leaf. Mas se virmos uma Leaf como um Component que *nunca* tem filhos, podemos definir uma operação-padrão para o acesso a filhos na classe Component que nunca *retorna* quaisquer filhos. As classes Leaf podem usar a implementação-padrão, porém, as classes Composite a reimplementarão de maneira que ela retorne seus filhos.

O gerenciamento das operações sobre filhos é mais problemática e é discutida no próximo item.

4. *Declarando as operações de gerenciamento de filhos.* Embora a classe Composite *implemente* as operações Add e Remove para gerenciar os filhos, um aspecto importante do padrão Composite é quais classes *declaram* essas operações na hierarquia de classes. Deveríamos declarar essas operações em Component e fazer com que tenham sentido para as classes Leaf, ou deveríamos declará-las e defini-las somente em Composite e suas subclasses?

A decisão envolve uma solução de compromisso entre a segurança e a transparência:

- Definir a interface de gerenciamento dos filhos na raiz da hierarquia de classes lhe dá transparência porque você pode tratar todos os componentes uniformemente. No entanto, isso diminui a segurança porque os clientes podem tentar fazer coisas sem sentido, como acrescentar e remover objetos das folhas.
- Definir o gerenciamento de filhos na classe Composite lhe dá segurança porque qualquer tentativa de acrescentar ou remover objetos das folhas será detectada em tempo de compilação em uma linguagem com tipos estáticos, como C++. Porém, você perde transparência porque as folhas e os compostos têm interfaces diferentes.

Neste padrão nós enfatizamos a transparência em detrimento da segurança. Se você optar pela segurança, algumas vezes poderá perder informações sobre tipos e terá que converter um componente num composto. Como isso pode ser feito sem recorrer a uma conversão de tipo insegura?

Uma abordagem é declarar uma operação `Composite* GetComposite()` na classe Component. Component fornece uma operação-padrão que retorna um apontador nulo. A classe Composite redefine essa operação para retornar a si mesma através do apontador `this`:

```
class Composite;

class Component {
public:
    //...
    virtual Composite* GetComposite() { return 0; }
};

class Composite : public Component {
public:
    void Add(Component*);
    // ...
    virtual Composite* GetComposite() { return this; }
};

class Leaf : public Component {
    // ...
};
```

`GetComposite` permite fazer uma consulta a um componente para verificar se é uma composição. Você pode executar as operações `Add` e `Remove` com segurança na composição que o GetComposite retorna.

```
Composite* aComposite = new Composite;
Leaf* aLeaf = new Leaf;

Component* aComponent;
Composite* test;

aComponent = aComposite;
if (test = aComponent->GetComposite()) {
    test->Add(new Leaf);
}

aComponent = aLeaf;

if (test = aComponent->GetComposite()) {
    test->Add(new Leaf); // will not add leaf
}
```

Testes semelhantes para um Composite podem ser efetuados usando a construção `dynamic_cast` da C++.

Naturalmente, o problema aqui é que nós não tratamos todos os componentes uniformemente. Temos que voltar a testar diferentes tipos antes de tomar a ação apropriada.

A única maneira de oferecer transparência é definindo operações-padrão para `Add` e `Remove` em Component. Isso cria um novo problema: não há uma maneira de implementar `Component::Add` sem introduzir a possibilidade de ela falhar. Você poderia fazer com que ela não fizesse nada, mas isso ignora uma consideração importante, ou seja, uma tentativa de adicionar algo a uma folha provavelmente indica um erro (*bug*). Nesse caso, a operação `Add` produziria lixo. Você poderia fazer com que ela deletasse seu argumento, mas isso pode não ser o que os clientes esperam.

Normalmente, é melhor fazer `Add` e `Remove` falharem como caso-padrão (talvez gerando uma exceção) se o componente não puder ter filhos ou se o argumento de `Remove` não for um filho do componente.

Uma outra alternativa é mudar levemente o significado de "remover". Se o componente mantiver uma referência para um pai, então poderemos redefinir `Component::Remove` para remover ele próprio do seu pai. Contudo, ainda não existe uma interpretação com significado para um `Add` correspondente.

5. *Component deveria implementar uma lista de Components?* Você pode ser tentado a definir o conjunto de filhos como uma variável de instância na classe Component, em que as operações de acesso e o gerenciamento dos filhos são declaradas. Porém, colocar o apontador para o filho na classe-base incorre em uma penalização de espaço para todas as folhas, mesmo que uma folha nunca tenha filhos. Isto vale a pena somente se houver poucos filhos na estrutura.

6. *Ordenação dos filhos.* Muitos projetos especificam uma ordenação dos filhos de Composite. No exemplo Graphics anterior, ordenar pode significar ordenar da frente para trás. Se os Composites representam árvores de análise (*parse trees*), então comandos compostos (de uma linguagem de programação) podem ser instâncias de um Composite cujos filhos devem ser ordenados para refletir o programa.

   Quando a ordenação de filhos é um aspecto a ser considerado, você deve desenhar interfaces de acesso e o gerenciamento de filhos cuidadosamente, para administrar a seqüência dos filhos. O padrão Iterator (244) pode guiá-lo na solução desse problema.

7. *Uso de* caching *para melhorar o desempenho.* Se é necessário percorrer ou pesquisar composições com freqüência, a classe Composite pode fazer um *cache* de informações sobre seus filhos para navegação. O Composite pode fazer um *cache* dos resultados obtidos ou somente de informações que lhe permitam abreviar o percurso ou a busca. A classe Picture do exemplo na seção Motivação poderia fazer um *cache* das caixas delimitadoras dos seus filhos. Durante o desenho ou a seleção, essa caixa delimitadora colocada no *cache* permite à Picture evitar o desenho ou a busca quando seus filhos não estiverem visíveis na janela corrente.

   As mudanças de um componente exigirão a invalidação dos *caches* dos seus pais. Isso funciona melhor quando os componentes conhecem os seus pais. Assim, se você está usando *caching*, precisará definir uma interface para dizer aos compostos que seus *caches* estão inválidos.

8. *Quem deveria deletar componentes?* Em linguagens sem *garbage collection*, normalmente é melhor tornar um Composite responsável pela deleção de seus filhos, quando for destruído. Uma exceção a essa regra ocorre quando objetos Leaf são imutáveis e assim podem ser compartilhados.

9. *Qual é a melhor estrutura de dados para o armazenamento de componentes?* Os Composites podem usar várias estruturas de dados para armazenar os seus filhos, incluindo listas ligadas, árvores, vetores (*arrays*) e tabelas de randomização (*hash tables*). A escolha da estrutura de dados depende (como sempre) da eficiência. De fato, não é nem mesmo necessário usar uma estrutura de dados de propósito geral. Algumas vezes, os compostos têm uma variável para cada filho, embora isto requeira que cada subclasse de Composite implemente sua própria interface de gerência. Veja Interpreter (231) para um exemplo.

Exemplo de código

Equipamentos tais como computadores e componentes para sistemas de som estereofônicos são freqüentemente organizados em hierarquias partes/todo ou de conteúdo. Por exemplo, um chassis pode conter dispositivos periféricos e placas-mãe, um barramento (*bus*) pode conter cartões e um gabinete pode conter chassis, barramentos, e assim por diante. Tais estruturas podem ser modeladas naturalmente usando o padrão Composite.

A classe `Equipment` define uma interface para todos os equipamentos na hierarquia partes-todo.

```
class Equipment {
public:
    virtual ~Equipment();

    const char* Name() { return _name; }

    virtual Watt Power();
    virtual Currency NetPrice();
    virtual Currency DiscountPrice();

    virtual void Add(Equipment*);
    virtual void Remove(Equipment*);
    virtual Iterator<Equipment*>* CreateIterator();
protected:
    Equipment(const char*);
private:
    const char* _name;
};
```

`Equipment` declara operações que retornam os atributos de um equipamento ou parte de um equipamento, tais como o seu consumo de energia e seu custo. As subclasses implementam essas operações para tipos específicos de equipamentos. `Equipment` também declara uma operação `CreateIterator` a qual retorna um `Iterator` (ver Apêndice C) para acessar suas partes. A implementação-padrão para essa operação retorna uma NullIterator (iterador nulo), o qual itera sobre o conjunto vazio.

As subclasses de `Equipment` podem incluir classes Leaf que representam dispositivos ou acionadores de disco, circuitos integrados e chaves:

```
class FloppyDisk : public Equipment {
public:
    FloppyDisk(const char*);
    virtual ~FloppyDisk();

    virtual Watt Power();
    virtual Currency NetPrice();
    virtual Currency DiscountPrice();
};
```

`CompositeEquipment` é a classe base para equipamentos que contêm outros equipamentos. Ela é também uma subclasse de `Equipment`.

```
class CompositeEquipment : public Equipment {
public:
    virtual ~CompositeEquipment();

    virtual Watt Power();
    virtual Currency NetPrice();
    virtual Currency DiscountPrice();

    virtual void Add(Equipment*);
    virtual void Remove(Equipment*);
    virtual Iterator<Equipment*>* CreateIterator();

protected:
    CompositeEquipment(const char*);
private:
    List<Equipment*> _equipment;
};
```

`CompositeEquipment` define as operações para acesso e gerenciamento de subequipamentos. As operações `Add` e `Remove` inserem e deletam equipamentos da lista de equipamentos armazenada num membro `_equipment`. A operação `CreateIterator` retorna um iterador (especificamente, uma instância de `ListIterator`) que percorrerá esta lista.

Uma implementação-padrão de `NetPrice` pode utilizar `CreateIterator` para efetuar a soma dos preços líquidos dos subequipamentos [2]:

```
Currency CompositeEquipment::NetPrice () {
    Iterator<Equipment*>* i = CreateIterator();
    Currency total = 0;

    for (i->First(); !i->IsDone(); i->Next()) {
        total += i->CurrentItem()->NetPrice();
    }
    delete i;
    return total;
}
```

Agora podemos representar o chassis de um computador como uma subclasse de `CompositeEquipment` chamada `Chassis`. `Chassis`, que herda as operações relacionadas com os filhos de `CompositeEquipment`.

```
class Chassis : public CompositeEquipment {
public:
    Chassis(const char*);
    virtual ~Chassis();

    virtual Watt Power();
    virtual Currency NetPrice();
    virtual Currency DiscountPrice();
};
```

Podemos definir outros recipientes (*containers*) de equipamentos, tais como `Cabinet` e `Bus` de uma maneira similar. Isso nos dá tudo que necessitamos para montar um equipamento como um computador pessoal bastante simples.

```
Cabinet* cabinet = new Cabinet("PC Cabinet");
Chassis* chassis = new Chassis("PC Chassis");

cabinet->Add(chassis);

Bus* bus = new Bus("MCA Bus");
bus->Add(new Card("16Mbs Token Ring"));

chassis->Add(bus);
chassis->Add(new FloppyDisk("3.5in Floppy"));

cout << "The net price is " << chassis->NetPrice() << endl;
```

Usos conhecidos

Exemplos do padrão Composite podem ser encontrados em quase todos os sistemas orientados a objetos. A classe View original do Model/View/Controller da Smalltalk [Kp88] era um Composite, e quase todo *toolkit* para construção de interfaces de usuário e *frameworks* seguiram os seus passos, incluindo ET++ (com o seu VObjects [WGM88]) e InterViews (Styles [LCI+92], Graphics [VL88] e Glyphs [CL90]). É interessante observar que a versão original de View do Model/View/Controller tinha um conjunto de "subviews"; em outras palavras, view era tanto a classe Component como a classe Composite. O Release 4.0 da Smalltalk-80 revisou o Model/View/Controller como uma classe VisualComponent que tem subclasses View e CompositeView.

O *framework* compilador RTL Smalltalk [JML92] usa o padrão Composite extensamente. A RTL Expression é uma classe Component para árvores de análise (*parse trees*). Ela tem subclasses, tais como BinaryExpression, que contêm objetos-filho RTLExpression. Essas classes definem uma estrutura composta para árvores de análise. RegisterTransfer é a classe Component para uma forma intermediária Single Static Assigment (SSA) de um programa. As subclasses Leaf, de RegisterTransfer, definem diferentes atribuições estáticas (*static assignments*), tais como:

- atribuições primitivas que executam uma operação em dois registradores, atribuindo o resultado a um terceiro;
- uma atribuição com um registrador de origem, mas sem registrador de destino, o que indica que o registrador é usado após o retorno de uma rotina; e
- uma atribuição com registrador de destino, mas sem registrador de origem, o que indica que o registrador recebe a atribuição antes do início da rotina.

Outra subclasse, RegisterTransferSet, é uma classe Composite para representar atribuições que mudam vários registradores de uma só vez.

Outro exemplo desse padrão ocorre no domínio financeiro, em que um portfólio agrega ativos individuais. Você pode suportar agregações complexas de ativos implementando um portfólio como um Composite compatível com a interface de um ativo individual [BE93].

O padrão Command (222) descreve como objetos Command podem ser compostos e seqüenciados com uma classe Composite MacroCommand.

Padrões relacionados

Freqüentemente, a ligação componente-pai é usada para o padrão Chain of Responsibility (212).

O padrão Decorator (170) é freqüentemente usado com o padrão Composite. Quando decoradores e composições são usados juntos, eles têm normalmente uma classe-mãe comum. Assim, decoradores terão que suportar a interface de Component com operações como Add, Remove e GetChild.

O Flyweight (187) permite compartilhar componentes, porém estes não mais podem referenciar seus pais.

O padrão Iterator (244) pode ser usado para percorrer os compostos.

O padrão Visitor (305) pode ser usado para localizar operações e comportamentos que seriam de outra forma distribuídos entre classes Composite e Leaf.

DECORATOR

estrutural de objetos

Intenção

Dinamicamente, agregar responsabilidades adicionais a um objeto. Os Decorators fornecem uma alternativa flexível ao uso de subclasses para extensão de funcionalidades.

Também Conhecido Como

Wrapper

Motivação

Algumas vezes queremos acrescentar responsabidades a objetos individuais, e não a toda uma classe. Por exemplo, um *toolkit* para construção de interfaces gráficas de usuário deveria permitir a adição de propriedades, como bordas, ou comportamentos, como rolamento, para qualquer componente da interface do usuário.

Uma forma de adicionar responsabilidades é a herança. Herdar uma borda de uma outra classe coloca uma borda em volta de todas as instâncias de uma subclasse. Contudo, essa abordagem é inflexível, porque a escolha da borda é feita estaticamente. Um cliente não pode controlar como e quando decorar o componente com uma borda.

Uma abordagem mais flexível é embutir o componente em outro objeto que acrescente a borda. O objeto que envolve o primeiro é chamado de **decorator**. O decorator segue a interface do componente que decora, de modo que sua presença é transparente para os clientes do componente. O decorator repassa solicitações para o componente, podendo executar ações adicionais (tais como desenhar uma borda) antes ou depois do repasse. A transparência permite encaixar decoradores recursivamente, desta forma permitindo um número ilimitado de responsabilidades adicionais.

Suponha que tenhamos um objeto TextView que exibe texto numa janela. Como padrão, TextView não tem barras de rolamento porque nem sempre a necessitamos. Quando as necessitarmos, poderemos usar um ScrollDecorator para acrescentá-las.

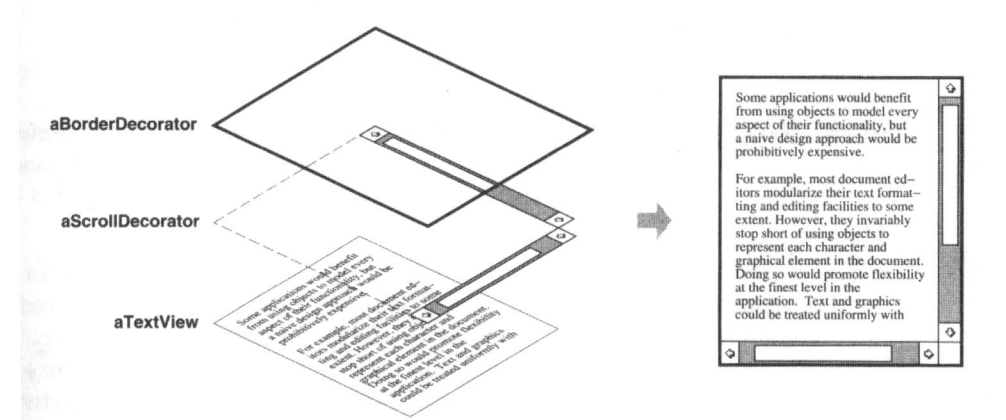

Suponha, também, que queiramos acrescentar uma borda preta espessa ao redor do objeto TextView. Também podemos usar um objeto BorderDecorator para esta finalidade. Simplesmente compomos os decoradores com TextView para produzir o resultado desejado.

O diagrama de objetos abaixo mostra como compor um objeto TextView com objetos BorderDecorator e ScrollDecorator para produzir uma visão do texto cercada por bordas e rolável:

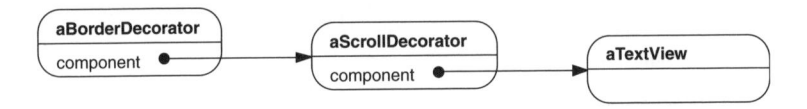

As classes ScrollDecorator e BorderDecorator são subclasses de Decorator, uma classe abstrata destinada a componentes visuais que decoram outros componentes visuais.

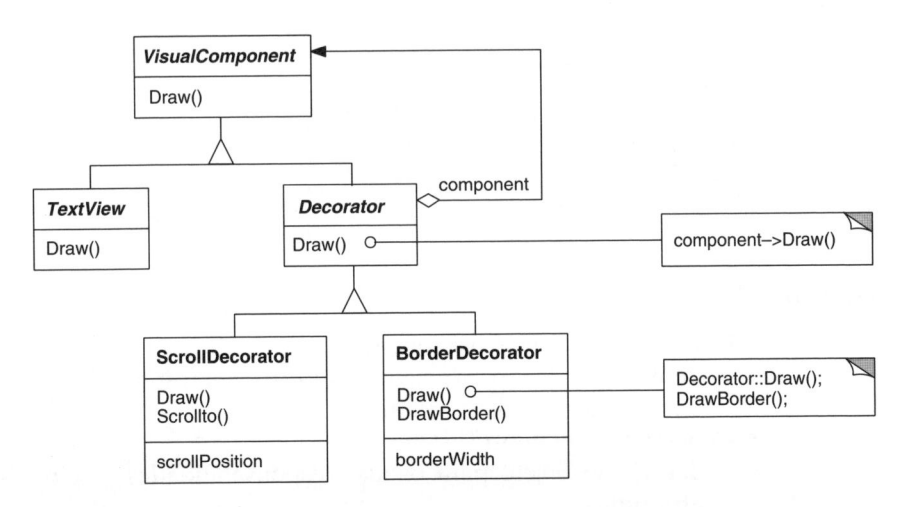

VisualComponent é a classe abstrata para objetos visuais. Ela define suas interface de desenho e de tratamento de eventos. Observe como a classe Decorator simplesmente repassa as solicitações de desenho para o seu componente e como as subclasses de Decorator podem estender essa operação.

As subclasses de Decorator são livres para acrescentar operações para funcionalidades específicas. Por exemplo, a operação ScrollTo, de ScrollDecorator, permite a outros objetos fazerem rolamento na interface *se* eles souberem que existe um objeto ScrollDecorator na interface. O aspecto importante deste padrão é que ele permite que decoradores (*decorators*) apareçam em qualquer lugar no qual possa aparecer um VisualComponent. Desse modo, os clientes em geral não poderão distinguir entre um componente decorado e um não-decorado, e assim serão totalmente independentes das decorações.

Aplicabilidade

Use Decorator:

- para acrescentar responsabilidades a objetos individuais de forma dinâmica e transparente, ou seja, sem afetar outros objetos;
- para responsabilidades que podem ser removidas;
- quando a extensão através do uso de subclasses não é prática. Às vezes, um grande número de extensões independentes é possível e isso poderia produzir uma explosão de subclasses para suportar cada combinação. Ou a definição de uma classe pode estar oculta ou não estar disponível para a utilização de subclasses.

Estrutura

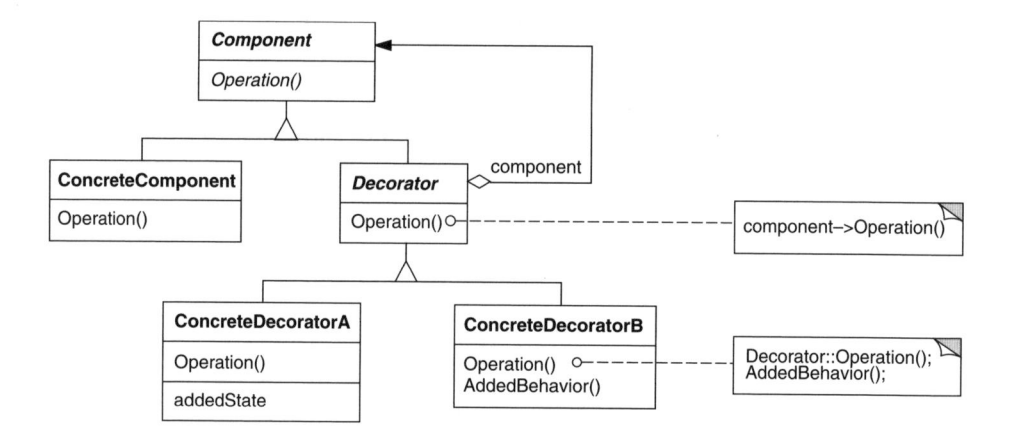

```
                    ┌──────────────┐
                    │  Component   │◄──────────────────┐
                    ├──────────────┤                   │
                    │ Operation()  │                   │
                    └──────┬───────┘                   │
                           △                           │
              ┌────────────┴────────────┐              │
    ┌─────────────────┐      ┌──────────────┐ component│
    │ConcreteComponent│      │  Decorator   │◇─────────┘
    ├─────────────────┤      ├──────────────┤           ┌──────────────────────┐
    │ Operation()     │      │ Operation()  │○─ ─ ─ ─ ─ │ component->Operation()│
    └─────────────────┘      └──────┬───────┘           └──────────────────────┘
                                    △
                      ┌─────────────┴─────────────┐
           ┌──────────────────┐         ┌──────────────────┐
           │ConcreteDecoratorA│         │ConcreteDecoratorB│
           ├──────────────────┤         ├──────────────────┤     ┌──────────────────────┐
           │ Operation()      │         │ Operation()      │○─ ─ │Decorator::Operation();│
           │ addedState       │         │ AddedBehavior()  │     │AddedBehavior();       │
           └──────────────────┘         └──────────────────┘     └──────────────────────┘
```

Participantes

- **Component** (VisualComponent)
    - define a interface para objetos que podem ter responsabilidades acrescentadas aos mesmos dinamicamente.
- **ConcreteComponent** (TextView)
    - define um objeto para o qual responsabilidades adicionais podem ser atribuídas.
- **Decorator**
    - mantém uma referência para um objeto Component e define uma interface que segue a interface de Component.
- **ConcreteDecorator** (BorderDecorator, ScrollDecorator)
    - acrescenta responsabilidades ao componente.

Colaborações

- Decorator repassa solicitações para o seu objeto Component. Opcionalmente, ele pode executar operações adicionais antes e depois de repassar a solicitação.

Conseqüências

O padrão Decorator tem pelo menos dois benefícios-chaves e duas deficiências:

1. *Maior flexibilidade do que a herança estática.* O padrão Decorator fornece uma maneira mais flexível de acrescentar responsabilidades a objetos do que pode ser feito com herança estática (múltipla). Com o uso de decoradores, responsabilidades podem ser acrescentadas e removidas em tempo de execução simplesmente associando-as e dissociando-as de um objeto. Em comparação, a herança requer a criação de uma nova classe para cada responsabilidade adicional (por exemplo, BorderScrollableTextView, BorderedTextView). Isso dá origem a muitas classes e aumenta a complexidade de um sistema. Além do mais, fornecer diferentes classes Decorator para uma específica classe Component permite combinar e associar (*match*) responsabilidades.
   Os Decorators também tornam fácil acrescentar uma propriedade duas vezes. Por exemplo, para dar a um TextView uma borda dupla, simplesmente associe dois BorderDecorators. Herdar de uma classe Border duas vezes é um procedimento sujeito a erros, na melhor das hipóteses.
2. *Evita classes sobrecarregadas de características na parte superior da hierarquia.* Um Decorator oferece uma abordagem do tipo "use quando for necessário" para adição de responsabilidades. Em vez de tentar suportar todas as características previsíveis em uma classe complexa e customizada, você pode definir uma classe simples e acrescentar funcionalidade de modo incremental com objetos Decorator. A funcionalidade necessária pode ser composta a partir de peças simples. Como resultado, uma aplicação não necessita incorrer no custo de características e recursos que não usa. Também é fácil definir novas espécies de Decorators independentemente das classes de objetos que eles estendem, mesmo no caso de extensões não-previstas. Estender uma classe complexa tende a expor detalhes não-relacionados com as responsabilidades que você está adicionando.
3. *Um decorador e o seu componente não são idênticos.* Um decorador funciona como um envoltório transparente. Porém, do ponto de vista da identidade de um objeto, um componente decorado não é idêntico ao próprio componente. Daí não poder depender da identidade de objetos quando você utiliza decoradores.
4. *Grande quantidade de pequenos objetos.* Um projeto que usa o Decorator freqüentemente resulta em sistemas compostos por uma grande quantidade de pequenos objetos parecidos. Os objetos diferem somente na maneira como são interconectados, e não nas suas classes ou no valor de suas variáveis. Embora esses sistemas sejam fáceis de customizar por quem os compreende, podem ser difíceis de aprender e depurar.

Implementação

Vários tópicos deveriam ser levados em conta quando da aplicação do padrão Decorator:

1. *Conformidade de interface.* A interface do objeto decorador deve estar em conformidade com a interface do componente que ele decora. Portanto, classes ConcreteDecorator devem herdar de uma classe comum (ao menos em C++).
2. *Omissão da classe abstrata Decorator.* Não há necessidade de definir uma classe abstrata Decorator quando você necessita acrescentar uma responsabilidade. Isso acontece freqüentemente quando você está lidando com uma hierarquia de classes existente em vez de estar projetando uma nova hierarquia. Nesse caso, pode fundir a responsabilidade de Decorator de repassar solicitações para o componente, com o ConcreteDecorator.
3. *Mantendo leves as classes Component.* Para garantir uma interface que apresente conformidade, componentes e decoradores devem descender de uma classe Component comum. É importante manter leve essa classe comum; ou seja, ela deve focalizar a definição de uma interface e não o armazenamento de dados. A definição da representação dos dados deve ser transferida para subclasses; caso contrário, a complexidade da classe Component pode tornar os decoradores muito pesados para serem usados em grande quantidade. A colocação de um volume grande de funcionalidades em Component também aumenta a probabilidade de que as subclasses concretas paguem por características e recursos de que não necessitam.
4. *Mudar o exterior de um objeto versus mudar o seu interior.* Podemos pensar em um decorador como sendo uma pele sobre um objeto que muda o seu comportamento. Uma alternativa é mudar o interior do objeto. O padrão Strategy (292) é um bom exemplo de um padrão para mudança do interior de um objeto.

    Strategies representam uma escolha melhor em situações onde a classe Component é intrinsicamente pesada, dessa forma tornando a aplicação do padrão Decorator muito onerosa. No padrão Strategy, o componente repassa parte do seu comportamento para um objeto strategy separado. O padrão Strategy permite alterar ou estender a funcionalidade do componente pela substituição do objeto strategy.

    Por exemplo, podemos suportar diferentes estilos de bordas fazendo com que o componente transfira o desenho de bordas para um objeto Border separado. O objeto Border é um objeto Strategy que encapsula uma estratégia para desenhar bordas. Através da extensão do número de estratégias de apenas uma para uma lista aberta (ilimitada) das mesmas, obtemos o mesmo efeito que quando encaixamos decoradores recursivamente.

    Por exemplo, no MacApp 3.0 [App89] e no Bedrock [Sym93a] componentes gráficos (chamados "views"(visões) mantêm uma lista de objetos adornadores (*adorners*) que podem ligar adornos adicionais, tais como bordas, a um componente visão. Se uma visão tem qualquer adorno ligado ou associado, então ela lhes dá a oportunidade de desenhar elementos adicionais. O MacApp e o Bedrock precisam usar essa abordagem porque a classe View é bastante pesada. Seria muito caro usar uma View totalmente completa somente para acrescentar uma borda.

Uma vez que o padrão Decorator somente muda o componente do ponto de vista exterior, o componente não precisa saber coisa alguma sobre seus decoradores; ou seja, os decoradores são transparentes para o componente.

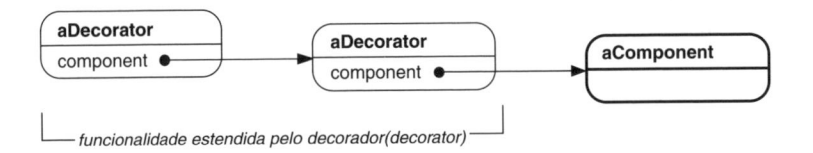

```
┌─────────────┐      ┌─────────────┐      ┌─────────────┐
│ aDecorator  │      │ aDecorator  │      │ aComponent  │
├─────────────┤─────▶├─────────────┤─────▶│             │
│ component ● │      │ component ● │      │             │
└─────────────┘      └─────────────┘      └─────────────┘
        └── funcionalidade estendida pelo decorador(decorator) ──┘
```

Quando se usam estratégias, o próprio componente conhece as extensões possíveis. Assim, ele tem que referenciar e manter as estratégias correspondentes:

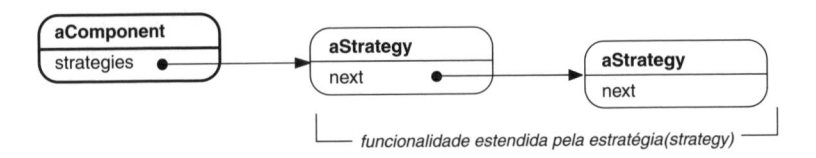

```
┌─────────────┐      ┌─────────────┐      ┌─────────────┐
│ aComponent  │      │  aStrategy  │      │  aStrategy  │
├─────────────┤─────▶├─────────────┤─────▶│             │
│ strategies ●│      │  next    ●  │      │  next       │
└─────────────┘      └─────────────┘      └─────────────┘
              └── funcionalidade estendida pela estratégia(strategy) ──┘
```

A abordagem baseada no Strategy pode exigir a modificação do componente para acomodar novas extensões. Por outro lado, uma estratégia pode ter uma interface especializada, enquanto que a interface de um decorador deve estar em conformidade com a do componente. Por exemplo, uma estratégia para implementar uma borda necessita somente definir a interface para definir uma borda (DrawBorder, GetWidth, etc.), o que significa que a estratégia pode ser leve, ainda que a classeComponent seja pesada.

O MacApp e o Bedrock utilizam essa abordagem para mais do que simplesmente adornar visões. Eles também a usam para estender o comportamento de tratamento de eventos dos objetos. Em ambos os sistemas, uma visão mantém uma lista de objetos "behavior" (comportamento), que pode modificar e interceptar eventos. A visão dá a cada um dos objetos comportamento registrados uma chance de manipular o evento antes de comportamentos não-registrados, na prática redefinindo-os. Você pode decorar uma visão com suporte especial para tratamento do teclado, por exemplo, registrando um objeto comportamento que intercepta e trata eventos de teclas.

Exemplo de código

O código a seguir mostra como implementar decoradores de interfaces de usuário em C++. Assumiremos que existe uma classe Component chamada `VisualComponent`.

```cpp
class VisualComponent {
public:
    VisualComponent();

    virtual void Draw();
    virtual void Resize();
    // ...
};
```

Definiremos uma subclasse de `VisualComponent` chamada `Decorator`, para a qual introduziremos subclasses para obter diferentes decorações.

```cpp
class Decorator : public VisualComponent {
public:
    Decorator(VisualComponent*);

    virtual void Draw();
    virtual void Resize();
    // ...
private:
    VisualComponent* _component;
};
```

`Decorator` decora o `VisualComponent` referenciado pela variável de instância `_component`, a qual é iniciada no constructor. Para cada operação na interface de `VisualComponent`, `Decorator` define uma implementação-padrão que passa a solicitação para `_component`:

```cpp
void Decorator::Draw () {
    _component->Draw();
}

void Decorator::Resize () {
    _component->Resize();
}
```

As subclasses de `Decorator` definem decorações específicas. Por exemplo, a classe `BorderDecorator` acrescenta uma borda ao seu componente circunscrito. `BorderDecorator` é uma subclasse de `Decorator` que redefine a operação `Draw` para desenhar a borda. `BorderDecorator` também define uma operação de ajuda privada `DrawBorder`, que executa o desenho. A subclasse herda todas as outras implementações de operações de `Decorator`.

```cpp
class BorderDecorator : public Decorator {
public:
    BorderDecorator(VisualComponent*, int borderWidth);

    virtual void Draw();
private:
    void DrawBorder(int);
private:
    int _width;
};

void BorderDecorator::Draw () {
    Decorator::Draw();
    DrawBorder(_width);
}
```

Uma implementação similar seria adotada para `ScrollDecorator` e `DropShadowDecorator`, a qual adicionaria recursos de rolamento e sombreamento a um componente visual. Agora podemos compor instâncias destas classes para oferecer diferentes decorações. O código a seguir ilustra como podemos usar decoradores para criar um `TextView` rolável com bordas.

Em primeiro lugar, temos que colocar um componente visual num objeto janela. Assumiremos que a nossa classe `Window` oferece uma operação `SetContents` com esta finalidade:

```
void Window::SetContents (VisualComponent* contents) {
    // ...
}
```

Agora podemos criar a visão do texto e uma janela para colocá-la:

```
Window* window = new Window;
TextView* textView = new TextView;
```

`TextView` é um `VisualComponent` que nos permite colocá-lo na janela:

```
window->SetContents(textView);
```

Mas queremos uma `TextView` rolável com bordas. Assim, nós a decoramos de maneira apropriada antes de colocá-la na janela.

```
window->SetContents(
    new BorderDecorator(
        new ScrollDecorator(textView), 1
    )
);
```

Uma vez que `Window` acessa os seus conteúdos através da interface de `VisualComponent`, ele não é ciente da presença do decorador. Você, sendo cliente, pode ainda acompanhar a visão do texto se tiver que interagir diretamente com ela, por exemplo, quando precisar invocar operações que não são parte da interface de `VisualComponent`. Clientes que dependem da identidade do componente também poderiam referenciá-lo diretamente.

Usos conhecidos

Muitos *toolkits* orientados a objetos para construção de interfaces de usuário utilizam decoradores para acrescentar adornos gráficos a widgets. Os exemplos incluem o InterViews [LVC89, LCI+92], a ET++ [WGM88] e a biblioteca de classes ObjectWorks/ Smalltalk [Par90]. Aplicações mais exóticas do Decorator são o DebuggingGlyph, do InterViews, e o PassivityWrapper, do ParcPlace Smalltalk. Um DebuggingGlyph imprime informação para depuração (*debbuging*) antes e depois que ele repassa uma solicitação de *layout* para o seu componente. Esta informação para rastreamento pode ser usada para analisar e depurar o comportamento de *layout* de objetos participantes numa composição complexa.

O PassivityWrapper pode habilitar ou desabilitar interações do usuário com o componente.

Porém, o padrão Decorator não tem seu uso limitado a interfaces gráficas do usuário, como ilustra o exemplo a seguir, baseado nas classes *streaming* da ET++[WGM88].

Streams são uma abstração fundamental em muitos recursos de programas para entrada e saída. Um *stream* pode fornecer uma interface para conversão de objetos em uma seqüência de bytes ou caracteres. Isso nos permite transcrever um objeto para um arquivo, ou para um *string* na memória, para posterior recuperação. Uma maneira simples e direta de fazer isso é definir uma classe abstrata Stream com as subclasses MemoryStream e FileStream. Mas suponha que também queiramos ser capazes de fazer o seguinte:

- Comprimir os lados do *stream* usando diferentes algoritmos de compressão (runlength encoding, Lempel-Ziv, etc.).
- Reduzir os dados do *stream* a caracteres ASCII de sete bits, de maneira que possa ser transmitido por um canal de comunicação ASCII.

O padrão Decorator fornece uma maneira elegante de acrescentar estas responsabilidades a *streams*. O diagrama abaixo mostra uma solução para o problema:

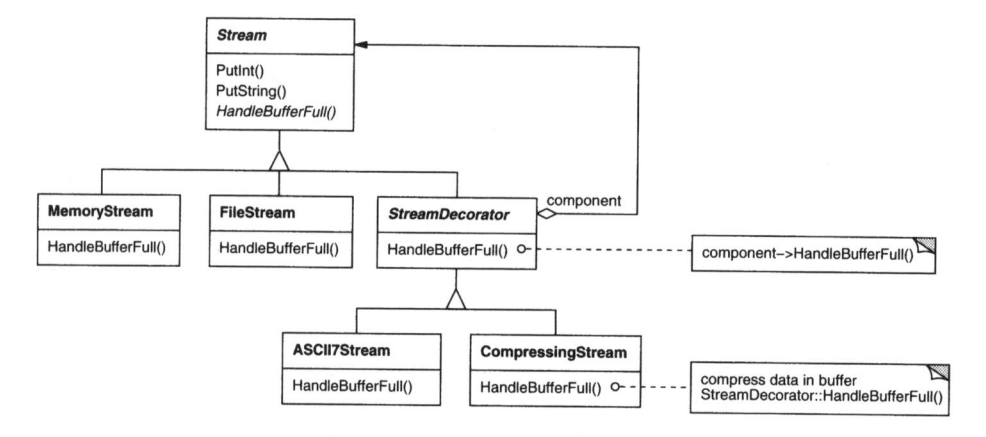

```
                    ┌─────────────────────┐
                    │      Stream         │
                    ├─────────────────────┤
                    │ PutInt()            │
                    │ PutString()         │
                    │ HandleBufferFull()  │
                    └─────────────────────┘
                              △
          ┌───────────────────┼───────────────────┐
          │                   │                   │                    component
┌──────────────────┐ ┌──────────────────┐ ┌──────────────────┐     ┌────────────────────────────┐
│  MemoryStream    │ │   FileStream     │ │ StreamDecorator  │◇----│ component->HandleBufferFull()│
├──────────────────┤ ├──────────────────┤ ├──────────────────┤     └────────────────────────────┘
│ HandleBufferFull()│ │ HandleBufferFull()│ │ HandleBufferFull()│
└──────────────────┘ └──────────────────┘ └──────────────────┘
                                                  △
                                    ┌─────────────┴──────────────┐
                                    │                            │
                          ┌──────────────────┐        ┌──────────────────┐
                          │   ASCII7Stream   │        │ CompressingStream│
                          ├──────────────────┤        ├──────────────────┤
                          │ HandleBufferFull()│        │ HandleBufferFull()│----┐
                          └──────────────────┘        └──────────────────┘    │
                                                                    ┌─────────────────────────────────┐
                                                                    │ compress data in buffer         │
                                                                    │ StreamDecorator::HandleBufferFull()│
                                                                    └─────────────────────────────────┘
```

A classe abstrata Stream mantém um *buffer* interno e fornece operações para armazenar dados no *stream* (PutInt, PutString). Sempre que o *buffer* fica cheio, Stream chama a operação abstrata HandleBufferFull, que faz a transferência efetiva dos dados. A versão FileStream desta operação redefine a mesma para transferir o buffer para um arquivo.

Aqui a classe chave é StreamDecorator, a qual mantém uma referência para um componente *stream* e repassa solicitações para o mesmo. As subclasses de StreamDecorator substituem HandleBufferFull e executam ações adicionais antes de chamar a operação HandleBufferFull de StreamDecorator.

Por exemplo, a subclasse CompressingStream comprime os dados, e ASCII7Stream converte os dados para ASCII de sete bits. Agora, para criar uma FileStream que comprime os seus dados *e* converte os dados binários comprimidos para ASCII de sete bits, nós decoramos um FileStream com um CompressingStream e um ASCII7Stream:

```
Stream* aStream = new CompressingStream(
    new ASCII7Stream(
        new FileStream("aFileName")
    )
);
aStream->PutInt(12);
aStream->PutString("aString");
```

Padrões relacionados

Adapter (140): Um padrão Decorator é diferente de um padrão Adapter no sentido de que um Decorator somente muda as responsabilidades de um objeto, não a sua interface; já um Adapter dará a um objeto uma interface completamente nova.

Composite (160): Um padrão Decorator pode ser visto como um padrão Composite degenerado com somente um componente. Contudo, um Decorator acrescenta responsabilidades adicionais – ele não se destina a agregação de objetos.

Strategy (292): Um padrão Decorator permite mudar a superfície de um objeto, um padrão Strategy permite mudar o seu interior. Portanto, essas são duas maneiras alternativas de mudar um objeto.

FAÇADE   estrutural de objetos

Intenção

Fornecer uma interface unificada para um conjunto de interfaces em um subsistema. Façade define uma interface de nível mais alto que torna o subsistema mais fácil de ser usado.

Motivação

Estruturar um sistema em subsistemas ajuda a reduzir a complexidade. Um objetivo comum de todos os projetos é minimizar a comunicação e as dependências entre subsistemas. Uma maneira de atingir esse objetivo é introduzir um objeto **façade** (fachada), o qual fornece uma interface única e simplificada para os recursos e facilidades mais gerais de um subsistema.

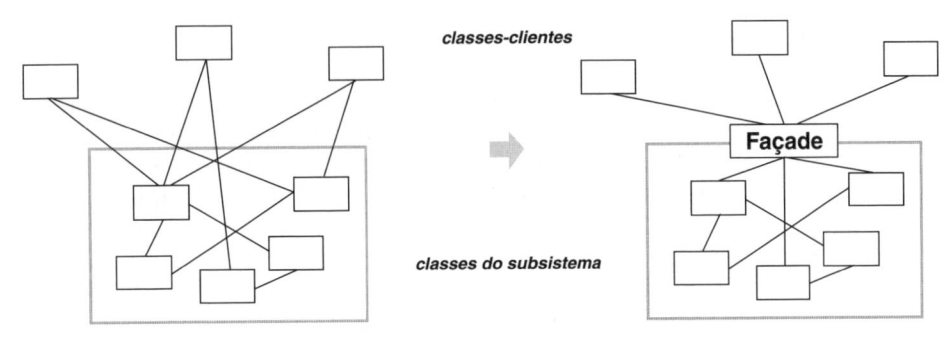

Considere, por exemplo, um ambiente de programação que fornece acesso às aplicações para o seu subsistema compilador. Esse subsistema contém classes, tais como Scanner, Parser, ProgramNode, BytecodeStream e ProgramNodeBuilder, que implementam o compilador. Algumas aplicações especializadas podem precisar acessar essas classes diretamente. Mas a maioria dos clientes de um compilador geralmente não se preocupa com detalhes tais como análise e geração de código; eles apenas querem compilar seu código. Para eles, as interfaces poderosas, porém de baixo nível, do subsistema compilador somente complicam sua tarefa.

Para fornecer uma interface de nível mais alto que pode isolar os clientes dessas classes, o subsistema compilador também inclui uma classe Compiler. A classe Compiler funciona como uma fachada: oferece aos clientes uma interface única e simples para o subsistema compilador. Junta as classes que implementam a funcionalidade de um compilador, sem ocultá-las completamente. O compilador Façade torna a vida mais fácil para a maioria dos programadores, sem, entretanto, ocultar a funcionalidade de nível mais baixo dos poucos que a necessitam.

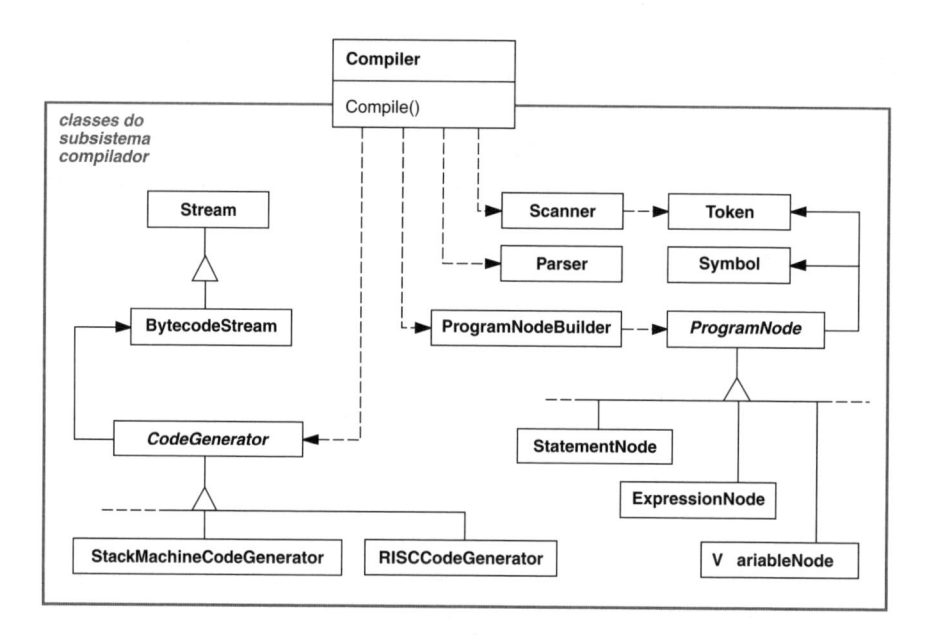

Aplicabilidade

Use o padrão Façade quando:

- você desejar fornecer uma interface simples para um subsistema complexo. Os subsistemas se tornam mais complexos à medida que evoluem. A maioria dos padrões, quando aplicados, resulta em mais e menores classes. Isso torna o subsistema mais reutilizável e mais fácil de customizar, porém, também se torna mais difícil de usar para os clientes que não precisam customizá-lo. Uma fachada pode fornecer, por comportamento-padrão, uma visão simples do sistema, que é boa o suficiente para a maioria dos clientes. Somente os clientes que demandarem maior customização necessitarão olhar além da fachada;
- existirem muitas dependências entre clientes e classes de implementação de uma abstração. Ao introduzir uma fachada para desacoplar o subsistema dos clientes e de outros subsistemas, estar-se-á promovendo a independência e portabilidade dos subsistemas.

- você desejar estruturar seus subsistemas em camadas. Use uma fachada para definir o ponto de entrada para cada nível de subsistema. Se os subsistemas são independentes, você pode simplificar as dependências entre eles fazendo com que se comuniquem uns com os outros exclusivamente através das suas fachadas.

Estrutura

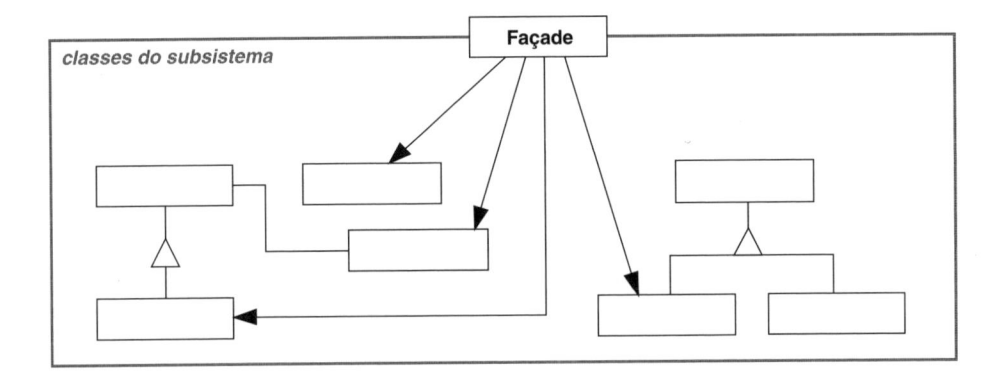

Participantes

- **Façade** (Compiler)
  - conhece quais as classes do subsistema são responsáveis pelo atendimento de uma solicitação;
  - delega solicitações de clientes a objetos apropriados do subsistema.
- **Classes de subsistema** (Scanner, Parser, ProgramNode, etc.)
  - implementam a funcionalidade do subsistema;
  - encarregam-se do trabalho atribuído a elas pelo objeto Façade;
  - não têm conhecimento da façade; isto é, não mantêm referências para a mesma.

Colaborações

- Os clientes se comunicam com um subsistema através do envio de solicitações para Façade, que as repassa para o(s) objeto(s) apropriado(s) do subsistema. Embora os objetos do subsistema executem o trabalho real, a façade pode ter de efetuar trabalho próprio para traduzir a sua interface para as interfaces de subsistemas.
- Os clientes que usam a façade não acessam os objetos do subsistema diretamente.

Conseqüências

O padrão Façade oferece os seguintes benefícios:

1. Isola os clientes dos componentes do subsistema, dessa forma reduzindo o número de objetos com que os clientes têm que lidar e tornando o subsistema mais fácil de usar;

2. Promove um acoplamento fraco entre o subsistema e seus clientes. Freqüentemente, os componentes num subsistema são fortemente acoplados. O acoplamento fraco permite variar os componentes do subsistema sem afetar os seus clientes.
As Façades ajudam a estratificar um sistema e as dependências entre objetos. Elas podem eliminar dependências complexas ou circulares. Isso pode ser uma conseqüência importante quando o cliente e o subsistema são implementados independentemente.
Reduzir as dependências de compilação é um aspecto vital em grandes sistemas de software. Você deseja economizar tempo através da minimização da recompilação, quando as classes do subsistema sofrem transformações. A redução das dependências de compilação com o uso de façades pode limitar a recompilação necessária para uma pequena mudança num subsistema importante. Uma façade também pode simplificar a migração de sistemas para outras plataformas, porque é menos provável que a construção de um subsistema exija construir todos os outros.
3. Não impede as aplicações de utilizarem as classes do subsistema caso necessitem fazê-lo. Assim, você pode escolher entre a facilidade de uso e a generalidade.

Implementação

Considere os seguintes aspectos quando implementar uma façade:

1. *Redução do acoplamento cliente-subsistema.* O acoplamento entre os clientes e o subsistema pode ser ainda mais reduzido tornando Façade uma classe abstrata com subclasses concretas para diferentes implementações de um subsistema. Então, os clientes podem se comunicar com o subsistema através da interface da classe abstrata Façade. Este acoplamento abstrato evita que os clientes saibam qual a implementação de um subsistema que está sendo usada.
Uma alternativa ao uso de subclasses é configurar um objeto Façade com diferentes objetos-subsistema. Para customizar Façade simplesmente substitua um ou mais dos seus objetos-subsistema.
2. *Classes de subsistemas: públicas ou privadas?* Um subsistema é análogo a uma classe no sentido de que ambos possuem interfaces e de que ambos encapsulam algo – uma classe encapsula estado e operações, enquanto um subsistema encapsula classes. E da mesma forma que é útil pensar na interface pública e na interface privada de uma classe, podemos pensar na interface pública e na interface privada de um subsistema.
A interface pública de um subsistema consiste de classes que todos os clientes podem acessar; a interface privada destina-se somente aos encarregados de estender o subsistema. A classe Façade naturalmente é parte da interface pública, porém, não é a única parte. Também outras classes do subsistema são usualmente públicas. Por exemplo, as classes Parser e Scanner no subsistema compilador são parte da interface pública.
Tornar privadas as classes do subsistema seria útil, porém, poucas linguagens orientadas a objetos fornecem suporte para isso. Tradicionalmente, tanto C++ como Smalltalk têm tido um espaço global de nomes para classes. Contudo, recentemente o comitê de padronização de C++ acrescentou espaços de nomes à linguagem [Str94], o que lhe permitirá expor somente as classes públicas do subsistema.

Exemplo de código

Vamos imaginar mais de perto como colocar uma fachada num subsistema compilador.

O subsistema compilador define uma classe BytecodeStream que implementa um *stream* de objetos Bytecode. Um objeto Bytecode encapsula um código de bytes, o qual pode especificar instruções de máquina. O subsistema também define uma classe Token para objetos que encapsulam *tokens* na linguagem de programação.

A classe Scanner aceita um *stream* em caracteres e produz um *stream* de *tokens*, um de cada vez.

```
class Scanner {
public:
    Scanner(istream&);
    virtual ~Scanner();

    virtual Token& Scan();
private:
    istream& _inputStream;
};
```

A classe Parser usa um ProgramNodeBuilder para construir uma árvore de análise a partir dos *tokens* de Scanner.

```
class Parser {
public:
    Parser();
    virtual ~Parser();

    virtual void Parse(Scanner&, ProgramNodeBuilder&);
};
```

Parser chama ProgramNodeBuilder para construir a árvore de análise incrementalmente. Estas classes interagem de acordo com o *padrão* Builder (104).

```
class ProgramNodeBuilder {
public:
    ProgramNodeBuilder();

    virtual ProgramNode* NewVariable(
        const char* variableName
    ) const;

    virtual ProgramNode* NewAssignment(
        ProgramNode* variable, ProgramNode* expression
    ) const;

    virtual ProgramNode* NewReturnStatement(
        ProgramNode* value
    ) const;

    virtual ProgramNode* NewCondition(
        ProgramNode* condition,
        ProgramNode* truePart, ProgramNode* falsePart
    ) const;
    // ...
```

```
        ProgramNode* GetRootNode();
private:
    ProgramNode* _node;
};
```

A árvore de análise é composta de instâncias de subclasses de `ProgramNode` tais como `StatementNode`, `ExpressionNode`, e assim por diante. A hierarquia `ProgramNode` é um exemplo do padrão Composite (160). `ProgramNode` define uma interface para manipular o nó do programa e seus descendentes, se houver.

```
class ProgramNode {
public:
    // program node manipulation
    virtual void GetSourcePosition(int& line, int& index);
    // ...

    // child manipulation
    virtual void Add(ProgramNode*);
    virtual void Remove(ProgramNode*);
    // ...

    virtual void Traverse(CodeGenerator&);
protected:
    ProgramNode();
};
```

A operação `Traverse` aceita um objeto `CodeGenerator`. As subclasses de `ProgramNode` usam esse objeto para gerar código de máquina na forma de objetos `Bytecode` num `BytecodeStream`. A classe `CodeGenerator` é um visitor (ver Visitor, 305).

```
class CodeGenerator {
public:
    virtual void Visit(StatementNode*);
    virtual void Visit(ExpressionNode*);
    // ...
protected:
    CodeGenerator(BytecodeStream&);
protected:
    BytecodeStream& _output;
};
```

`CodeGenerator` tem subclasses, como `StackMachineCodeGenerator` e `RISCCodeGenerator`, que geram código de máquina para diferentes arquiteturas de *hardware*.

Cada subclasse de `ProgramNode` implementa `Traverse` para chamar `Traverse` nos seus objetos `ProgramNode` descendentes. Por sua vez, cada descendente faz o mesmo para os seus descendentes, e assim por diante, recursivamente. Por exemplo, `ExpressionNode` define `Traverse` como segue:

```
void ExpressionNode::Traverse (CodeGenerator& cg) {
    cg.Visit(this);

    ListIterator<ProgramNode*> i(_children);

    for (i.First(); !i.IsDone(); i.Next()) {
        i.CurrentItem()->Traverse(cg);
    }
}
```

As classes que discutimos até aqui compõem o subsistema compilador. Agora introduziremos uma classe Compiler, uma façade que junta todas estas peças. Compiler fornece uma interface simples para compilar código-fonte e gerar código de máquina para uma máquina específica.

```
class Compiler {
public:
    Compiler();

    virtual void Compile(istream&, BytecodeStream&);
};

void Compiler::Compile (
    istream& input, BytecodeStream& output
) {
    Scanner scanner(input);
    ProgramNodeBuilder builder;
    Parser parser;

    parser.Parse(scanner, builder);

    RISCCodeGenerator generator(output);
    ProgramNode* parseTree = builder.GetRootNode();
    parseTree->Traverse(generator);
}
```

Essa implementação codifica de maneira rígida o tipo de gerador de código a ser usado, de modo que os programadores não especificam a arquitetura para a qual o código está sendo gerado. Isso pode ser razoável se for sempre a mesma arquitetura para a qual será gerado código. Porém, se esse não for o caso, poderemos querer mudar o constructor de Compiler para aceitar como parâmetro um CodeGenerator. Então, os programas poderão especificar o gerador a ser usado quando eles instanciarem Compiler. A fachada do Compilador pode também parametrizar outros participantes, tais como Scanner e ProgramNodeBuilder, o que acrescenta flexibilidade, mas também se desvia da missão do padrão Façade, que é simplificar a interface para os casos comuns.

Usos conhecidos

O exemplo de Compilador na seção Exemplo de código foi inspirado pelo sistema Compilador do ObjectWorks/Smalltalk [Par90].

No *framework* para aplicações da ET++[WGM88], uma aplicação pode ter incorporadas ferramentas de *browsing* para inspecionar os seus objetos em tempo de execução. Essas ferramentas para inspeção (*browsers*) são implementadas num subsistema separado que inclui uma classe Façade chamada "ProgrammingEnvironment". Essa fachada define operações, tais como InspectObject e InspectClass, para acessar os *browsers*.

Uma aplicação ET++ também pode ignorar o suporte incorporado para *browsing*. Nesse caso, ProgrammingEnvironment implementa essas solicitações como operações nulas; ou seja, não executam nada. Somente a subclasse ETProgrammingEnvironment implementa essas solicitações como operações que exibem os *browsers* correspondentes.

A aplicação não tem conhecimento se um ambiente de *browsing* está disponível ou não; existe acoplamento abstrato entre aplicação e o subsistema de *browsing*.

O sistema operacional Choices [CIRM93] usa fachadas para compor muitos *frameworks* num só. As abstrações-chave em Choices são processos, recursos de armazenamento e espaços de endereçamento. Para cada uma dessas abstrações existe um subsistema correspondente, implementado como *framework*, que suporta a probabilidade do Choices para uma variedade de plataformas diferentes. Dois desses subsistemas têm um "representante" (isto é, fachada). Esses representantes são FileSystemInterface (armazenamento) e Domain (espaços de endereçamento).

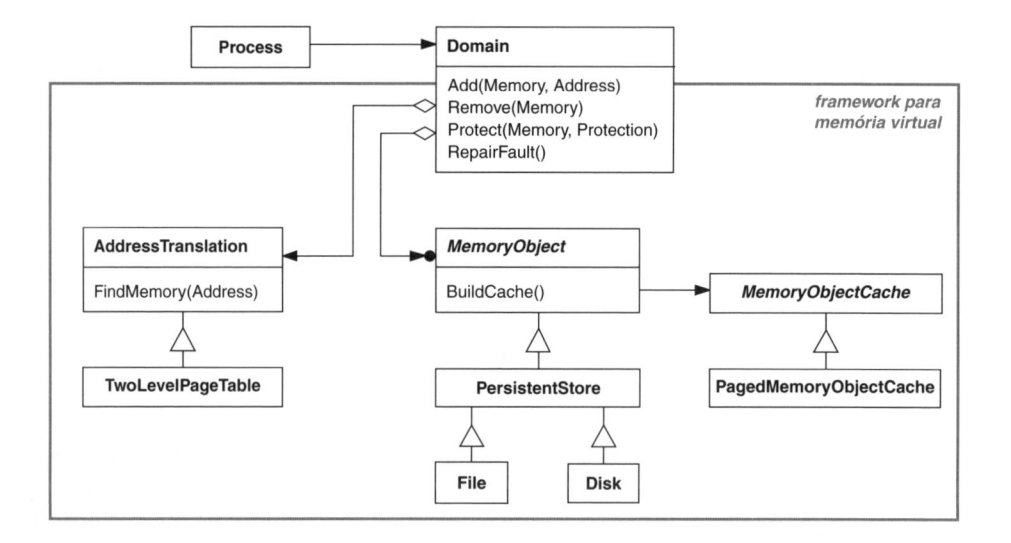

```
        Process  ────▶  Domain
                        Add(Memory, Address)
                ◇─────  Remove(Memory)               framework para
                ◇─────  Protect(Memory, Protection)  memória virtual
                        RepairFault()

 AddressTranslation ◀──●  MemoryObject
 FindMemory(Address)       BuildCache()  ──────▶  MemoryObjectCache
         △                      △                      △
         │                      │                      │
 TwoLevelPageTable         PersistentStore         PagedMemoryObjectCache
                                △
                         ┌──────┴──────┐
                        File          Disk
```

Por exemplo, o *framework* para memória virtual tem Domain como sua fachada. Um Domain representa um espaço de endereçamento. Ele fornece o mapeamento entre endereços virtuais e deslocamentos para objetos na memória, arquivos ou armazenamento de suporte. As principais operações no Domain suportam a adição de um objeto na memória em um endereço específico, a remoção de um objeto da memória e o tratamento de um *page fault*.

Como mostra o diagrama precedente, o subsistema para memória virtual usa os seguintes componentes internamente:

- MemoryObject (objeto de memória) representa um depósito de dados.
- MemoryObjetctCache acumula os dados de MemoryObject na memória física. MemoryObjectCache é, na realidade, um padrão Strategy (292) que localiza a política de *caching*.
- AddressTranslation encapsula a tradução de endereços do hardware.

A operação RepairFault é chamada sempre que uma interrupção de *page fault* ocorre. Domain acha o objeto de memória no endereço que está causando a falta da página e delega a operação RepairFault para o cache associado com aquele objeto de memória. Domains podem ser customizados mudando os seus componentes.

Padrões relacionados

Abstract Factory (95) pode ser usado com Façade para fornecer uma interface para criação de objetos do subsistema de forma independente do subsistema. Uma Abstract Factory pode ser usada como uma alternativa a Façade para ocultar classes específicas de plataformas.

Mediator (257) é semelhante a Façade no sentido em que ele abstrai a funcionalidade de classes existentes. Contudo, a finalidade de Mediator é abstrair comunicações arbitrárias entre objetos-colegas, freqüentemente centralizando funcionalidades que não pertencem a nenhum deles. Os colegas do Mediator estão cientes do mesmo e se comunicam com o Mediator em vez de se comunicarem uns com os outros diretamente. Por contraste, uma fachada meramente abstrai uma interface para objetos subsistemas para torná-los mais fáceis de serem utilizados; ela não define novas funcionalidades e as classes do subsistema não têm conhecimento dela.

Normalmente, somente um objeto Façade é necessário. Desta forma, objetos Façade são freqüentemente Singletons (130).

FLYWEIGHT   estrutural de objetos

Intenção

Usar compartilhamento para suportar eficientemente grandes quantidades de objetos de granularidade fina.

Motivação

Algumas aplicações poderiam se beneficiar da sua estruturação em objetos em todo o seu projeto, porém, uma implementação ingênua seria proibitivamente cara.

Por exemplo, a maioria das implementações de editores de documentos tem recursos para formatação e edição de textos que são, até certo ponto, modularizados. Editores de documento orientados a objetos usam objetos para representar elementos embutidos, tais como tabelas e figuras. No entanto, normalmente eles não chegam a usar objetos para cada caractere do documento, mesmo que, se assim o fizessem, promovessem ao máximo a flexibilidade na aplicação. Caracteres e elementos embutidos poderiam, então, ser tratados uniformemente com relação à maneira como são desenhados e formatados. A aplicação poderia ser estendida para suportar novos conjuntos de caracteres sem afetar outras funcionalidades. A estrutura dos objetos da aplicação poderia imitar a estrutura física do documento. O diagrama da página 188 mostra como o editor de documentos pode usar objetos para representar caracteres.

O aspecto negativo de tal estruturação é o seu custo. Mesmo documentos de tamanhos moderados podem requerer centenas de milhares de objetos-caracteres, o que consumirá uma grande quantidade de memória, podendo incorrer num custo inaceitável em tempo de execução. O padrão Flyweight descreve como compartilhar objetos para permitir o seu uso em granularidades finas sem incorrer num custo proibitivo.

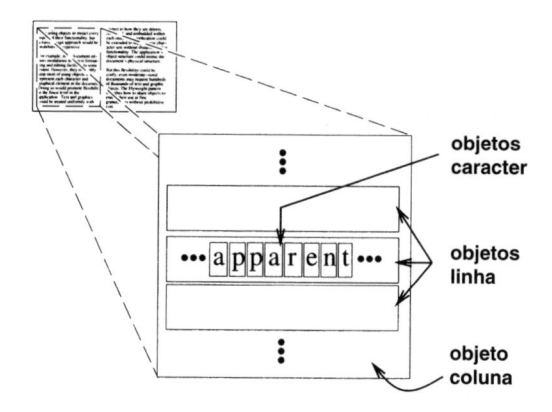

Um **flyweight (peso-mosca)*** é um objeto compartilhado que pode ser usado em múltiplos contextos simultaneamente. O flyweight funciona como um objeto independente em cada contexto – ele é indistinguível de uma instância do objeto que não é compartilhada. Os flyweights não podem fazer hipóteses ou asserções sobre o contexto no qual operam. Aqui, o conceito-chave é entre estado **intrínseco** e **extrínseco**. O estado intrínseco é armazenado no flyweight; ele consiste de informações independentes do contexto do flyweight, desta forma tornando-o compartilhado. O estado extrínseco depende de e varia com o contexto do flyweight e, portanto, não pode ser compartilhado. Os objetos-cliente são responsáveis pela passagem de estados extrínsecos para o flyweight quando necessário.

Os flyweights modelam conceitos ou entidades e são normalmente muito numerosos para serem representados por objetos. Por exemplo, um editor de documentos pode criar um flyweight para cada letra do alfabeto. Cada flyweight armazena o código de um caractere, mas as coordenadas da sua posição do documento e seu estilo tipográfico podem ser determinados a partir de algoritmos de *layout* do texto e dos comandos de formatação que estão em vigor sempre que o caractere aparece. O código do caractere é o estado intrínseco, enquanto que as outras informações são extrínsecas. Logicamente, existe um objeto para cada ocorrência de um dado caractere no documento:

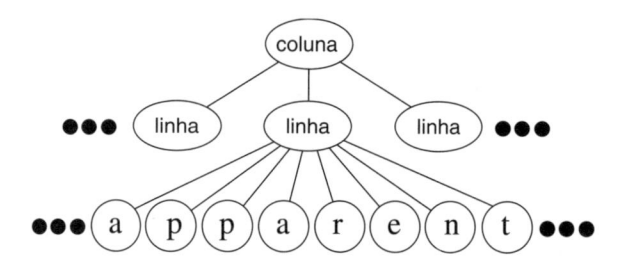

Fisicamente, contudo, existe um objeto compartilhado flyweight por caractere e ele aparece em diferentes contextos na estrutura do documento. Cada ocorrência de um objeto de caractere referencia a mesma instância no *pool* de objetos flyweight.

---

* N. de R.T.: *Flyweight* é a categoria de lutadores mais leves nas lutas de box.

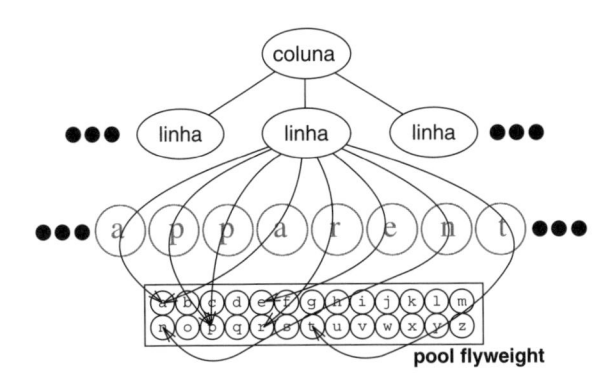

[Diagrama: coluna → linha, linha, linha → a p p a r e n t → pool flyweight (a-z)]

pool flyweight

A estrutura de classes para esses objetos é mostrada a seguir. Glyph é a classe abstrata de objetos gráficos, alguns dos quais podem ser flyweights. As operações que podem depender de um estado extrínseco recebem-no como um parâmetro. Por exemplo, Draw e Intersects devem conhecer em qual contexto o glifo está, antes que possam executar o seu trabalho.

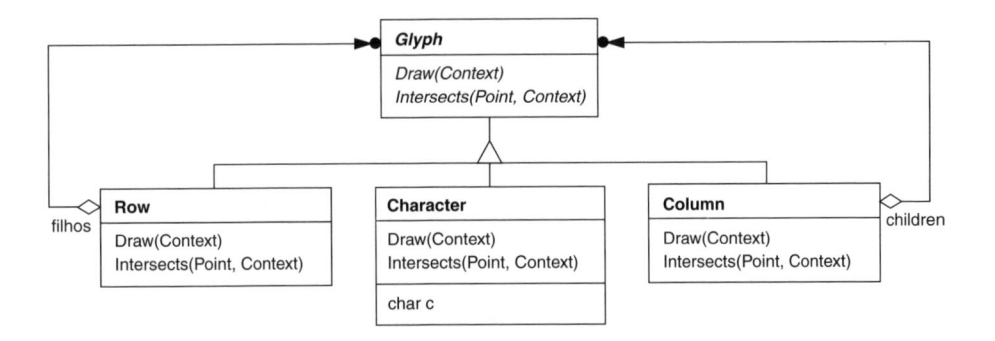

[Diagrama UML: Glyph (Draw(Context), Intersects(Point, Context)) com subclasses Row, Character (char c), Column; filhos / children]

Um flyweight que representa a letra "a" somente armazena o correspondente código de caractere; ele não necessita armazenar a sua localização ou fonte tipográfica. Os clientes fornecem a informação dependente do contexto que o flyweight necessita para desenhar a si próprio. Por exemplo, um glifo Row sabe onde seus filhos deveriam desenhar a si próprios, de maneira que sejam arrumados horizontalmente. Assim, ele pode passar para cada filho sua localização na solicitação do desenho.

Uma vez que o número de objetos de caracteres diferentes é muito menor que o número de caracteres do documento, o número total de objetos é substancialmente menor do que aquele que seria usado por uma implementação ingênua. Um documento no qual todos os caracteres aparecem na mesma fonte tipográfica e na mesma cor colocará algo na ordem de 100 objetos de caracteres (aproximadamente o tamanho do conjunto de caracteres ASCII), independente do comprimento do documento. E uma vez que a maioria dos documentos não usa mais do que 10 diferentes combinações de fonte-cor, esse número não crescerá muito. Dessa maneira, uma abstração de objeto se torna prática para caracteres individuais.

Aplicabilidade

A eficiência do padrão Flyweight depende muito de como e onde ele é usado. Aplique o padrão Flyweight quando *todas as condições* a seguir forem verdadeiras:

- uma aplicação utiliza um grande número de objetos;
- os custos de armazenamento são altos por causa da grande quantidade de objetos;
- a maioria dos estados de objetos pode ser tornada extrínseca;
- muitos grupos de objetos podem ser substituídos por relativamente poucos objetos compartilhados, uma vez que estados extrínsecos são removidos;
- a aplicação não depende da identidade dos objetos. Uma vez que objetos Flyweights podem ser compartilhados, testes de identidade produzirão o valor verdadeiro para objetos conceitualmente distintos.

Estrutura

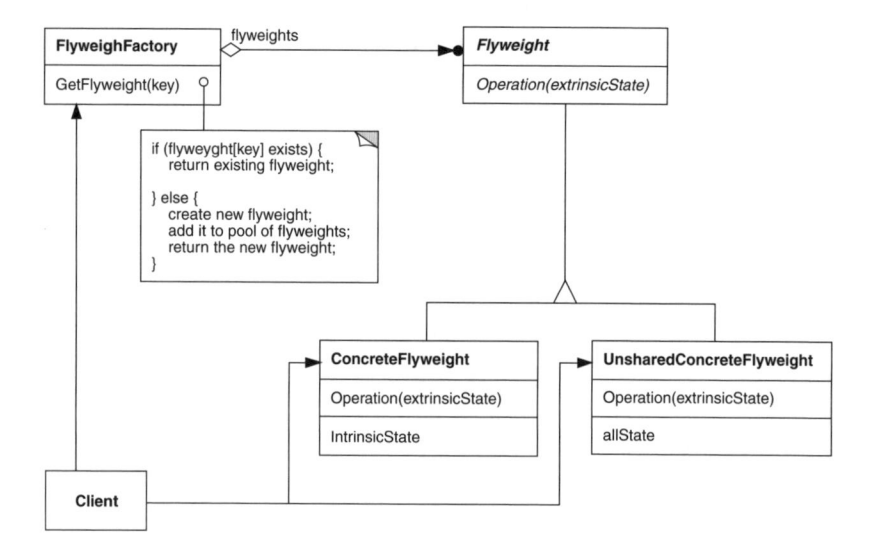

O seguinte diagrama de objetos mostra como flyweights são compartilhados.

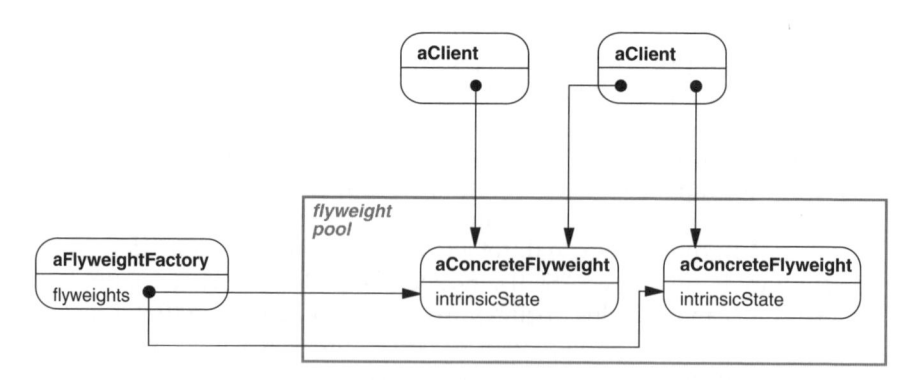

Participantes

- **Flyweight** (Glyph)
    - declara uma interface através da qual flyweights podem receber e atuar sobre estados extrínsecos.

- **ConcreteFlyweight** (Character)
  - implementa a interface de Flyweight e acrescenta armazenamento para estados intrínsecos, se houver. Um objeto ConcreteFlyweight deve ser compartilhável. Qualquer estado que ele armazene deve ser intrínseco, ou seja, independente do contexto do objeto ConcreteFlyweight.
- **UnsharedConcreteFlyweight** (Row, Column)
  - nem todas as subclasses de Flyweight necessitam ser compartilhadas. A interface de Flyweight *habilita* o compartilhamento; ela não o força ou o garante. É comum para objetos UnsharedConcreteFlyweight não compartilhar objetos ConcreteFlyweight como filhos em algum nível da estrutura de objetos de Flyweight (tal como o fazem as classes Row e Column).
- **FlyweightFactory**
  - cria e gerencia objetos flyweight;
  - garante que os flyweights sejam compartilhados apropriadamente. Quando um cliente solicita um flyweight, um objeto FlyweightFactory fornece uma instância existente ou cria uma, se nenhuma existir.
- **Client**
  - mantém uma referência para flyweight(s);
  - computa ou armazena o estado extrínseco do flyweight(s).

Colaborações

- O estado que um flyweight necessita para funcionar deve ser caracterizado como intrínseco ou como extrínseco. Um estado intrínseco é armazenado no objeto ConcreteFlyweight; um estado extrínseco é armazenado ou computado por objetos Client. Os clientes passam este estado para o flyweight quando invocam suas operações.
- Os clientes não deveriam instanciar ConcreteFlyweights diretamente. Eles devem obter objetos ConcreteFlyweight exclusivamente do objeto FlyweightFactory para garantir que sejam compartilhados de forma apropriada.

Conseqüências

Os flyweights podem introduzir custos de tempo de execução associados com a transferência, procura e/ou computação de estados extrínsecos, especialmente se esses anteriormente estavam armazenados como um estado intrínseco. Contudo, tais custos são compensados pelas economias de espaço, as quais aumentam à medida que mais flyweights são compartilhados.

As economias de armazenamento são uma função de vários fatores:

- a redução do número total de instâncias obtida com o compartilhamento;
- a quantidade de estados intrínsecos por objeto;
- se o estado extrínseco é computado ou armazenado.

Quanto mais flyweights são compartilhados, maior a economia de armazenagem. A economia aumenta com a quantidade de estados compartilhados. As maiores economias ocorrem quando os objetos usam quantidades substanciais tanto de estados intrínsecos como de estados extrínsecos, e os estados extrínsecos podem ser melhor computados do que armazenados. Então você economiza a armazenagem de duas maneiras: o compartilhamento reduz o custo dos estados intrínsecos e você troca estados extrínsecos por tempo de computação.

O padrão Flyweight é freqüentemente combinado com o padrão Composite (160) para representar uma estrutura hierárquica tal como um gráfico com nós de folhas compartilhados. Uma conseqüência do compartilhamento é que os nós de folhas flyweight não podem armazenar um apontador para os seus pais. Em vez disso, o apontador do pai é passado para o flyweight como parte do seu estado extrínseco. Isso tem um impacto importante sobre a forma como os objetos na hierarquia se comunicam uns com os outros.

Implementação

Considere os seguintes aspectos ao implementar o padrão Flyweight:

1. *Remoção dos estados extrínsecos.* A aplicabilidade do padrão é determinada em grande medida pela facilidade de identificação de estados extrínsecos e pela sua remoção dos objetos compartilhados. A remoção dos estados extrínsecos não ajudará a reduzir os custos de armazenamento se existirem tantos tipos diferentes de estados extrínsecos quanto existem objetos antes do compartilhamento. Idealmente, o estado extrínseco pode ser computado a partir de uma estrutura de objeto separada, estrutura essa com requisitos de armazenamento muito menores.

    Por exemplo, no nosso editor de documento, podemos armazenar um mapa de informações tipográficas numa estrutura separada ao invés de armazenar a fonte tipográfica e o estilo do tipo com cada objeto do caracter. O mapa mantém um acompanhamento dos blocos de caracteres com os mesmos atributos tipográficos. Quando um caractere desenha a si próprio, recebe seus atributos tipográficos como um efeito colateral do percurso desenvolvido pelo processo de desenho. Uma vez que documentos normalmente usam poucas fontes de estilos tipográficos diferentes, armazenar essa informação externamente a cada objeto-caracter é muito mais eficiente do que armazená-la internamente.

2. *A gerência dos objetos compartilhados.* Se objetos são compartilhados, os clientes não devem instanciá-los diretamente. FlyweightFactory permite aos clientes a localização de um flyweight específico. Objetos FlyweightFactory freqüentemente usam uma memória associativa para permitir aos clientes encontrar os flyweights de seu interesse. Por exemplo, a flyweight factory no exemplo do editor de documentos pode manter uma tabela de flyweights indexada por códigos de caracteres. O gerenciador retorna o flyweight apropriado, uma vez que ele recebeu o seu código, criando o flyweight se ele ainda não existe.

    A capacidade de compartilhamento também implica em alguma forma de contagem de referências ou de *garbage collection* para recuperar o espaço de um flyweight quando este não for mais necessário. Contudo, nenhum desses recursos é necessário se o número de flyweights for fixo e pequeno (por exemplo, flyweights para o conjunto de caracteres ASCII). Nesse caso, vale a pena manter os flyweights disponíveis permanentemente.

Exemplo de código

Retornando para o nosso exemplo do formatador de documentos, podemos definir uma classe base Glyph para objetos gráficos flyweight. Logicamente, glifos são Composite (ver Composite (160), que têm atributos gráficos e que podem desenhar a si mesmos. Aqui, nós focalizamos somente o atributo fonte tipográfica. Porém, a mesma abordagem pode ser usada para quaisquer outros atributos gráficos que um glifo possa ter.

```
class Glyph {
public:
    virtual ~Glyph();

    virtual void Draw(Window*, GlyphContext&);

    virtual void SetFont(Font*, GlyphContext&);
    virtual Font* GetFont(GlyphContext&);

    virtual void First(GlyphContext&);
    virtual void Next(GlyphContext&);
    virtual bool IsDone(GlyphContext&);
    virtual Glyph* Current(GlyphContext&);

    virtual void Insert(Glyph*, GlyphContext&);
    virtual void Remove(GlyphContext&);
protected:
    Glyph();
};
```

A subclasse Character simplesmente armazena um código de caractere:

```
class Character : public Glyph {
public:
    Character(char);

    virtual void Draw(Window*, GlyphContext&);
private:
    char _charcode;
};
```

Para não ter que alocar espaço para um atributo fonte em cada glifo, armazenaremos o atributo extrinsecamente num objeto GlyphContext. Um GlyphContext atua como um repositório de estados extrínsecos. Ele mantém um mapeamento compacto entre um glifo e sua fonte tipográfica (e quaisquer outros atributos gráficos que ele possa ter) em diferentes contextos. Qualquer operação que necessita conhecer a fonte do glifo num dado contexto terá uma instância de GlyphContext passada para ela como um parâmetro. A operação pode então consultar o GlyphContext para a fonte tipográfica naquele contexto. O contexto depende da localização do glifo na estrutura dos glifos. Portanto, as operações de iteração e manipulação de filhos de Glyph deverão atualizar GlyphContext sempre que forem utilizadas.

```
class GlyphContext {
public:
    GlyphContext();
    virtual ~GlyphContext();

    virtual void Next(int step = 1);
    virtual void Insert(int quantity = 1);

    virtual Font* GetFont();
    virtual void SetFont(Font*, int span = 1);
private:
    int _index;
    BTree* _fonts;
};
```

GlyphContext deve ser mantido informado da posição atual na estrutura de glifos durante o percurso. GlyphContext::Next incrementa _index à medida que o percurso se processa. As subclasses de Glyph que têm filhos (por exemplo, Row e Column) devem implementar Next de maneira que ele chame GlyphContext::Next em cada ponto do percurso.

GlyphContext::GetFont usa o índice como uma chave para uma estrutura BTree que armazena o mapeamento entre glifo e fonte. Cada nó na árvore é rotulado com o comprimento da *string* para a qual ele fornece informação sobre fontes tipográficas. As folhas na árvore apontam para uma fonte tipográfica, enquanto que os nós interiores quebram o *string* em *substrings*, uma para cada filho.

Considere o seguinte extrato de uma composição de glifos:

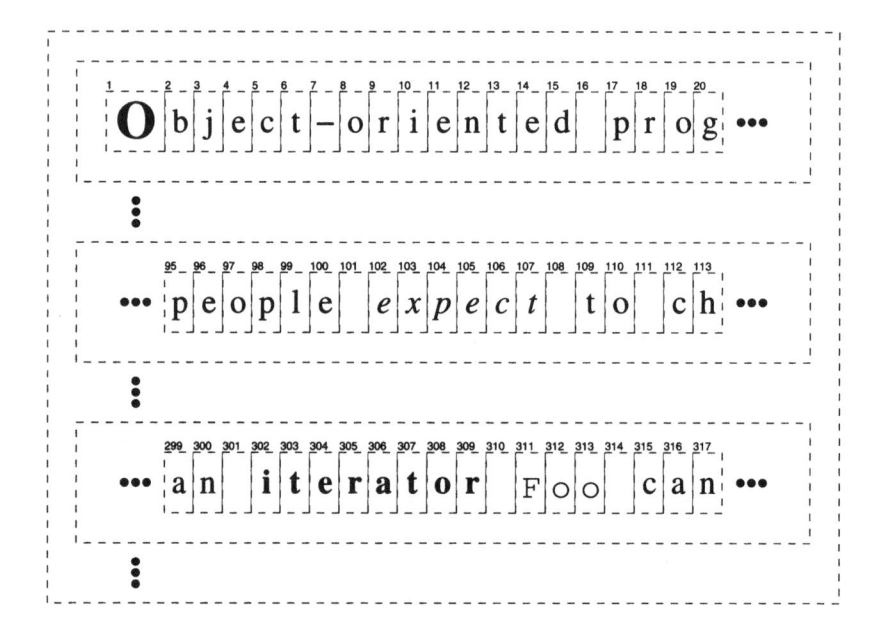

A estrutura BTree para informações sobre fontes tipográficas pode se assemelhar a

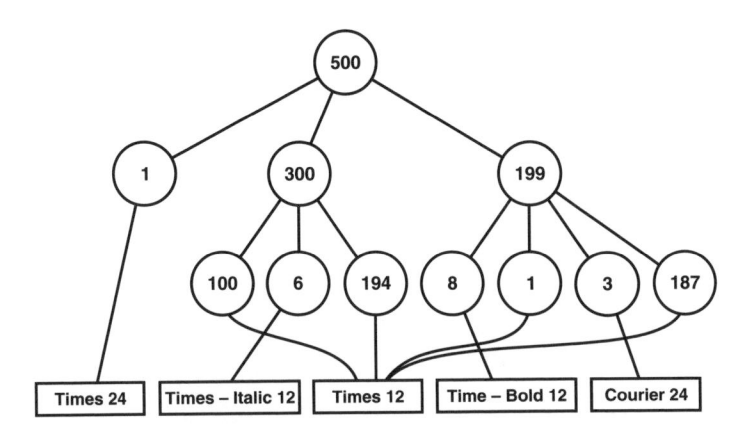

Os nós interiores definem intervalos para índices de glifos. A BTree é atualizada em resposta a mudanças nas fontes e sempre que forem acrescentados ou removidos glifos à estrutura de glifo. Por exemplo, assumindo que estamos no índice 102 do percurso, o seguinte código determina a fonte de cada caractere na palavra "expect" para aquele do texto adjacente (isto é, times12, uma instância de Font para Times Roman de 12 pontos):

```
GlyphContext gc;
Font* times12 = new Font("Times-Roman-12");
Font* timesItalic12 = new Font("Times-Italic-12");
// ...

gc.SetFont(times12, 6);
```

A nova estrutura BTree (com as mudanças mostradas em preto) se assemelha a:

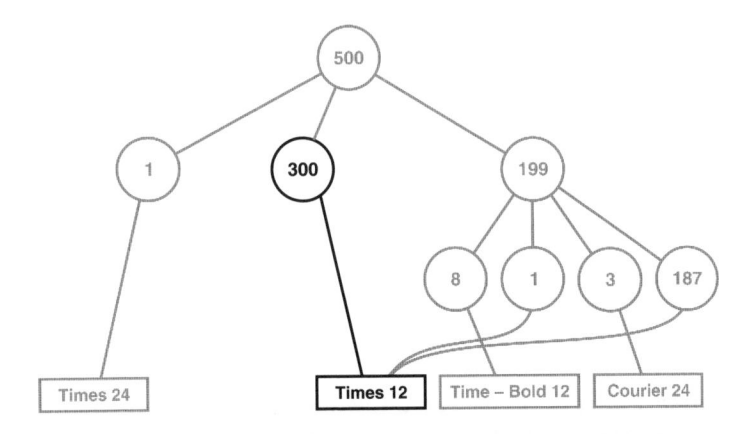

Suponha que adicionemos a palavra "don't" (incluindo um espaço posterior), em Times Italic de 12 pontos, antes de "expect". O seguinte código informa o gc desse evento, assumindo que ele ainda está no índice 102:
a estrutura BTree se torna

```
gc.Insert(6);
gc.SetFont(timesItalic12, 6);
```

```
              ┌─────┐
              │ 506 │
              └─────┘
           ╱     │      ╲
      ┌───┐   ┌─────┐   ┌─────┐
      │ 1 │   │ 306 │   │ 199 │
      └───┘   └─────┘   └─────┘
             ╱  │  ╲    ╱ │ │ ╲
        ┌───┐ ┌─┐ ┌───┐┌─┐┌─┐┌─┐ ┌───┐
        │100│ │6│ │200││8││1││3│ │187│
        └───┘ └─┘ └───┘└─┘└─┘└─┘ └───┘
```

| Times 24 | Times – Italic 12 | Times 12 | Time – Bold 12 | Courier 24 |

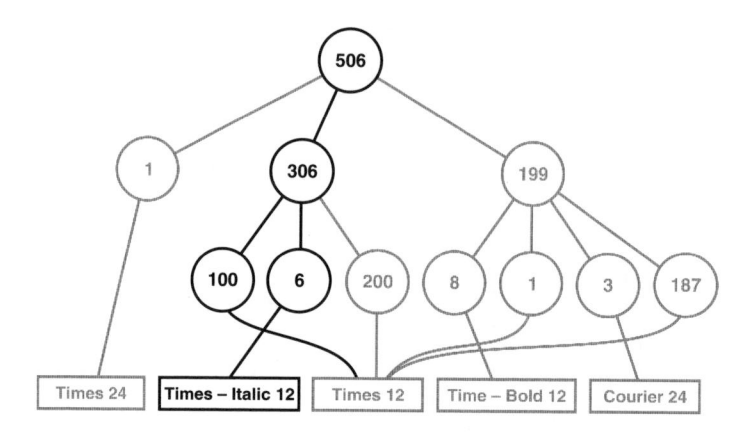

Quando o `GlyphContext` é consultado acerca da fonte do glifo corrente, ele desce a `BTree`, acrescentando índices à medida que procede até encontrar a fonte para o índice corrente. Porque a freqüência das mudanças de fontes é relativamente baixa, a árvore permanece pequena em relação ao tamanho da estrutura de glifo. Isso mantém os custos de armazenagem baixos sem um aumento desproporcional no tempo de pesquisa.[3]

O último objeto de que necessitamos é um FlyweightFactory que cria glifos e garante que eles são compartilhados apropriadamente. A classe `GlyphFactory` instancia `Character` e outros tipos de glifos. Nós somente compartilhamos objetos `Character`; glifos compostos são muito menos numerosos e os seus estados importantes (isto é, seus filhos) são intrínsecos.

```
const int NCHARCODES = 128;

class GlyphFactory {
public:
    GlyphFactory();
    virtual ~GlyphFactory();

    virtual Character* CreateCharacter(char);
    virtual Row* CreateRow();
    virtual Column* CreateColumn();
    // ...
private:
    Character* _character[NCHARCODES];
};
```

O *array* `_character` contém apontadores para glifos `Character` indexados por código do caractere. O array é iniciado com zeros no constructor

```
GlyphFactory::GlyphFactory () {
    for (int i = 0; i < NCHARCODES; ++i) {
        _character[i] = 0;
    }
}
```

`CreateCharacter` procura por um caractere no glifo-caractere no *array* e retorna o correspondente glifo, se ele existir. Se não existir, `CreateCharacter` o criará, o colocará no *array*, retornando-o:

```
Character* GlyphFactory::CreateCharacter (char c) {
    if (!_character[c]) {
        _character[c] = new Character(c);
    }
    return _character[c];
}
```

As outras operações simplesmente instanciarão um novo objeto a cada vez que forem chamadas, uma vez que glifos de não-caracteres não serão compartilhados:

```
Row* GlyphFactory::CreateRow () {
    return new Row;
}

Column* GlyphFactory::CreateColumn () {
    return new Column;
}
```

Poderíamos omitir essas operações e permitir aos clientes instanciarem diretamente glifos não-compartilhados. Contudo, se mais tarde decidirmos tornar esses glifos compartilháveis, teremos que mudar o código do cliente que os cria.

Usos conhecidos

O conceito de objetos flyweight foi primeiramente descrito e explorado como uma técnica de projeto no InterViews 3.0 [CL90]. Os seus desenvolvedores construíram um poderoso editor de documentos chamado Doc como demonstração do conceito [CL92]. Doc usa objetos de glifos para representar cada caractere no documento.

O editor constrói uma instância de Glyph para cada caractere de um estilo particular (o que define seus atributos gráficos); daí o estado intrínseco de um caractere consistir no código de um caractere e sua informação de estilo (um índice para uma tabela de estilos)[4]. Isso significa que somente a posição é extrínseca, tornando Doc rápido. Os documentos são representados por uma classe Document, que também funciona como FlyweightFactory. Medições efetuadas com o Doc mostraram que o compartilhamento de caracteres flyweight é bastante eficiente. Num caso típico, um documento contendo 180 mil caracteres exigiu a alocação de somente 480 objetos-caractere.

O ET++ [WGM88] utiliza flyweights para suportar a independência de estilos de apresentação[5]. O estilo de apresentação afeta o *layout* dos elementos da interface do usuário (por exemplo, barras de rolamento, botões, menus – conhecidos coletivamente como widgets) e suas decorações (por exemplo, sombreamentos, chanframentos). Um widget delega todo o seu comportamento de *layout* e de desenho para um objeto Layout separado. Mudar o objeto Layout também muda o estilo de aparência, mesmo em tempo de execução

Para cada classe Widget há uma classe Layout correspondente (p. ex., ScrollbarLayout, MenubarLayout, etc). Um problema óbvio dessa abordagem é que a utilização de objetos de Layout separados duplica o número de objetos de interface para o usuário. Para cada objeto de interface há um objeto de Layout adicional. Para evitar essa sobrecarga, os objetos de Layout são implementados como flyweights. Eles são bons flyweights porque lidam principalmente com a definição do comportamento e é fácil passá-los com o pouco de estado intrínseco de que necessitam para desenhar e formatar um objeto.

Os objetos Layout são criados e administrados por objetos Look. A classe Look é um Abstract Factory (95) que recupera um determinado objeto Layout com operações, tais como GetButtonLayout, GetMenuBar, e assim por diante. Para cada estilo de aparência existe uma correspondente subclasse Look (por exemplo, MotifLook, Open-Look) que fornece os objetos Layout apropriados.

A propósito, os objetos Layout são essencialmente estratégias (ver Strategy, 292). Eles são um exemplo de um objeto strategy implementado como um flyweight.

Padrões Relacionados

O padrão Flyweight é freqüentemente combinado com o padrão Composite para implementar uma estrutura hierárquica lógica em termos de um gráfico acíclico direcionado com nós de folhas compartilhados.

Freqüentemente é melhor implementar objetos State (284) e Strategy (292) como flyweights.

PROXY   estrutural de objetos

Intenção

Fornece um substituto (*surrogate*) ou marcador da localização de outro objeto para controlar o acesso a esse objeto.

Também conhecido como

Surrogate

Motivação

Uma razão para controlar o acesso a um objeto é adiar o custo integral de sua criação e inicialização até o momento em que realmente necessitamos usá-lo. Considere um editor de documentos que pode embutir objetos gráficos num documento. Alguns objetos gráficos, tais como grandes imagens "rasterizadas", podem ser muito caros para serem criados. A abertura de documentos deveria ser rápida, assim, deveríamos evitar a criação, de uma só vez, de todos os objetos caros quando o documento é aberto. De qualquer forma, isso não é necessário porque nem todos esses objetos estarão visíveis no documento ao mesmo tempo.

Essas restrições sugerem a criação de tais objetos caros *sob demanda*, o que, neste caso, ocorre quando uma imagem se torna visível. Mas o que colocamos num documento no lugar da imagem? E como podemos ocultar o fato de que o objeto é criado sob demanda de maneira que não compliquemos a implementação do editor? Por exemplo, essa implementação não deveria produzir impacto sobre o código de apresentação e formatação.

A solução é usar outro objeto, um **proxy** (procurador), que funciona como um substituto temporário da imagem real. O proxy funciona exatamente como a imagem e toma conta da sua instanciação quando a mesma for necessária.

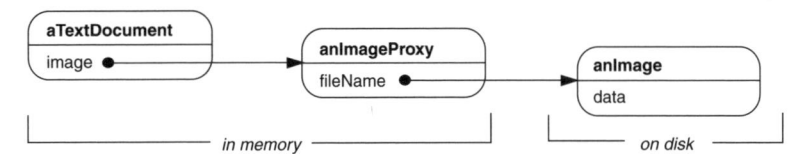

```
aTextDocument              anImageProxy
  image  •———————————————▶   fileName  •———————————▶   anImage
                                                         data

        └─── in memory ───────────────┘    └─── on disk ───┘
```

O proxy de imagem cria a imagem real somente quando o editor de documentos solicita ao mesmo exibir a si próprio invocando sua operação Draw. O proxy repassa as solicitações subseqüentes diretamente para a imagem. Portanto, ele deve manter uma referência para a imagem após criá-la.

Vamos assumir que as imagens são armazenadas em arquivos separados. Neste caso, podemos usar o nome do arquivo como referência para o objeto real. O proxy também armazena sua **extensão**, ou seja, sua largura e altura.

A extensão permite ao proxy esconder as solicitações sobre o seu tamanho, oriundas do formatador, sem ter que efetivamente instanciar a imagem.

O seguinte diagrama de classe ilustra esse exemplo em mais detalhes.

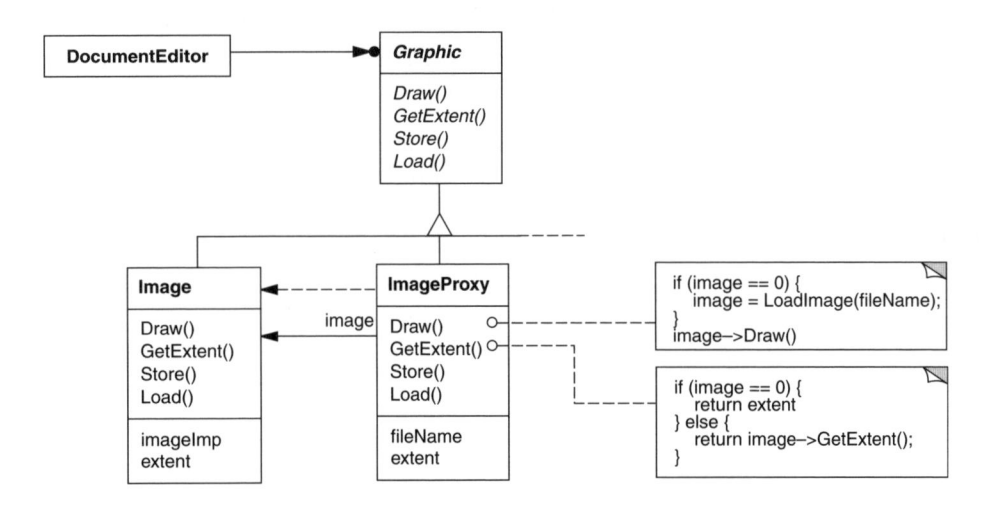

```
DocumentEditor ——————▶ Graphic
                        Draw()
                        GetExtent()
                        Store()
                        Load()
                           △
                           │
         ┌─────────────────┴─────────┐
       Image             ImageProxy                if (image == 0) {
       Draw()            Draw()   o─ ─ ─ ─ ─ ─ ─     image = LoadImage(fileName);
       GetExtent()       GetExtent() o─ ─ ─ ┐     }
       Store()           Store()             │     image—>Draw()
       Load()            Load()              │
                                             │    if (image == 0) {
       imageImp          fileName            └─ ─ ─  return extent
       extent            extent                    } else {
                                                     return image—>GetExtent();
                                                    }
```

O editor de documentos acessa as imagens embutidas através da interface definida pela classe abstrata Graphic. ImageProxy é uma classe para imagens que são criadas sob demanda. ImageProxy mantém o nome do arquivo como uma referência para a imagem no disco. O nome do arquivo é passado como um argumento para o constructor de ImageProxy.

Um ImageProxy também armazena os limites da imagem (*extent*) e uma referência para a instância real de Image (*filename*). Essa referência não será válida até que o Proxy instancie a imagem real. A operação Draw garante que a imagem é instanciada antes de repassar a ela a solicitação. GetExtent repassa a solicitação para a imagem somente se ela estiver instanciada; caso contrário, ImageProxy retorna a extensão (*extent*) armazenada.

Aplicabilidade

O padrão Proxy é aplicável sempre que há necessidade de uma referência mais versátil, ou sofisticada, do que um simples apontador para um objeto. Aqui apresentamos diversas situações comuns nas quais o padrão Proxy é aplicável:

1. Um **remote proxy** fornece um representante local para um objeto num espaço de endereçamento diferente. NEXTSTEP[Add94] usa a classe NXProxy para esta finalidade. Coplien [Cop92] chama este tipo de proxy de um "embaixador" (*ambassador*).
2. Um **virtual proxy** cria objetos caros sob demanda. O ImageProxy descrito na seção Motivação é um exemplo de um proxy deste tipo.
3. Um **protection proxy** controla o acesso ao objeto original. Os proxies de proteção são úteis quando os objetos devem ter diferentes direitos de acesso. Por exemplo, KernelProxies, no sistema operacional Choices [CIRM93], fornece um acesso protegido aos objetos do sistema operacional.
4. Um **smart reference** é um substituto para um simples *pointer* que executa ações adicionais quando um objeto é acessado. Usos típicos incluem:

   - contar o número de referências para o objeto real, de modo que o mesmo possa ser liberado automaticamente quando não houver mais referências (também chamadas de **smart pointers** [Ede92]);
   - carregar um objeto persistente para a memória quando ele for referenciado pela primeira vez;
   - verificar se o objeto real está bloqueado antes de ser acessado, para assegurar que nenhum outro objeto possa mudá-lo.

Estrutura

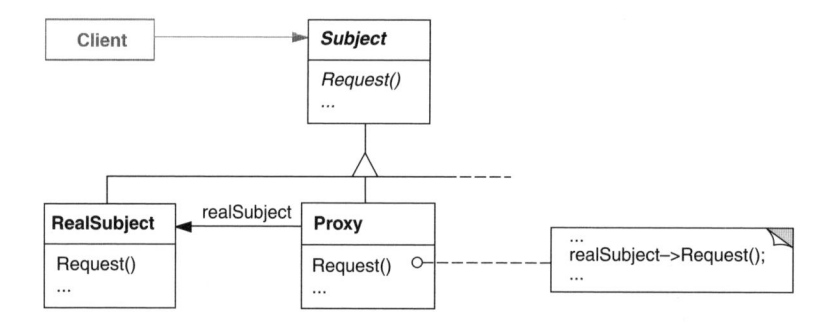

Participantes

- **Proxy** (ImageProxy)
  - mantém uma referência que permite ao proxy acessar o objeto real (*real subject*). O proxy pode referenciar um Subject se as interfaces de RealSubject e Subject forem as mesmas;
  - fornece uma interface idêntica a de Subject, de modo que o proxy possa substituir o objeto real (*real subject*).

- controla o acesso ao objeto real e pode ser responsável pela sua criação e exclusão.
- outras responsabilidades dependem do tipo de proxy:
  - *remote proxies* são responsáveis pela codificação de uma solicitação e de seus argumentos, bem como pelo envio da solicitação codificada para o objeto real num espaço de endereçamento diferente;
  - *virtual proxies* podem manter informações adicionais sobre o objeto real, de maneira que possam postergar o acesso ao mesmo. Por exemplo, o ImageProxy da seção Motivação armazena a extensão da imagem real;
  - *protection proxies* verificam se quem chama tem as permissões de acesso requeridas para executar uma consulta.
- **Subject** (Graphic)
  - define uma interface comum para RealSubject e Proxy, de maneira que um Proxy possa ser usado em qualquer lugar em que um RealSubject é esperado.
- **RealSubject** (Image)
  - Define o objeto real que o proxy representa.

Colaborações

- Dependendo de seu tipo, Proxy repassa solicitações para RealSubject quando apropriado.

Conseqüências

O *padrão* Proxy introduz um nível de referência indireta no acesso a um objeto. A referência indireta adicional tem muitos usos, dependendo do tipo de proxy:

1. Um proxy remoto pode ocultar o fato de que um objeto reside num espaço de endereçamento diferente.
2. Um proxy virtual pode executar otimizações, tais como a criação de um objeto sob demanda.
3. Tanto proxies de proteção como smart references permitem tarefas adicionais de organização (*housekeeping*) quando um objeto é acessado.

Existe uma outra otimização que o padrão Proxy pode ocultar do cliente. Chamada de **copy-on-write**, está relacionada à criação de um objeto sob demanda. Copiar um objeto grande e complicado pode ser uma operação cara do ponto de vista computacional. Se a cópia nunca é modificada, então não há necessidade de incorrer neste custo. Pela utilização de um proxy para postergar o processo de cópia, garantimos que pagamos o preço da cópia do objeto somente se ele for modificado.

Para *copy-on-write* funcionar, o *objeto* deve ter suas referências contadas. Copiar o proxy não fará nada mais do que incrementar esta contagem de referências. Somente quando o cliente solicita uma operação que modifica o *objeto*, o proxy realmente o copia. Nesse caso, o proxy também deve diminuir a contagem de referências do *objeto*. Quando a contagem de referências se torna zero, o *objeto* é deletado.

A abordagem *copy-on-write* pode reduzir significativamente o custo computacional da cópia de *objetos* muito pesados.

Implementação

O padrão Proxy pode explorar as seguintes características de linguagem:

1. *Sobrecarregar o operador de acesso a membros em C++*. C++ suporta a sobrecarga *(overloading)* de `operator->`, o operador de acesso a membros. A sobrecarga desse operador permite a execução um trabalho adicional sempre que um objeto é de referenciado. Isso pode ser útil para implementar alguns tipos de proxy; o proxy se comporta exatamente como um apontador.
O exemplo seguinte ilustra o uso dessa técnica para implementar um virtual proxy chamado `ImagePtr`.

```
class Image;
extern Image* LoadAnImageFile(const char*);
    // external function

class ImagePtr {
public:
    ImagePtr(const char* imageFile);
    virtual ~ImagePtr();

    virtual Image* operator->();
    virtual Image& operator*();
private:
    Image* LoadImage();
private:
    Image* _image;
    const char* _imageFile;
};

ImagePtr::ImagePtr (const char* theImageFile) {
    _imageFile = theImageFile;
    _image = 0;
}

Image* ImagePtr::LoadImage () {
    if (_image == 0) {
        _image = LoadAnImageFile(_imageFile);
    }
    return _image;
}
```

Os operadores `->` e `*` usam `LoadImage` para retornar `_image` para os clientes (fazendo a carga, se necessário).

```
Image* ImagePtr::operator-> () {
    return LoadImage();
}

Image& ImagePtr::operator* () {
    return *LoadImage();
}
```

Essa abordagem permite invocar operações de `Image` por meio de objetos `ImagePtr` sem ter o trabalho de tornar as operações parte da interface de `ImagePtr`:

```
ImagePtr image = ImagePtr("anImageFileName");
image->Draw(Point(50, 100));
   // (image.operator->())->Draw(Point(50, 100))
```

Observe como o proxy `image` funciona como apontador, mas não é declarado como tal para uma `Image`. Isso significa que você não pode usá-lo exatamente como um apontador real para um `Image`. Por isso, nesta abordagem, os clientes devem tratar os objetos `Image` e `ImagePtr` de modo diferente.

A sobrecarga do operador de acesso a membro não é uma boa solução para todo tipo de proxy. Alguns proxies precisam conhecer precisamente *qual* a operação chamada, e a sobrecarga do operador de acesso a membro não funciona nesses casos.

Considere o exemplo de um proxy virtual da seção Motivação. A imagem deveria ser carregada num momento específico – quando a operação Draw é chamada – e não sempre que a imagem é referenciada. A sobrecarga do operador de acesso não permite esta distinção. Nesse caso, devemos implementar manualmente cada operação de proxy que repassa a solicitação para o objeto.

Normalmente, essas operações são muito similares umas às outras, como demonstra o Exemplo de código. Todas as operações verificam se a solicitação é legal, se existe objeto original, etc, antes de repassar a solicitação para o objeto. É tedioso escrever este código toda vez. Assim, é comum usar um pré-processador para gerá-lo automaticamente.

2. *Usando `doesNotUnderstand` em Smalltalk.* Smalltalk fornece um gancho que você pode usar para suportar um encaminhamento automático de solicitações. Smalltalk chama `doesNotUnderstand: aMessage` quando um cliente envia uma mensagem para um receptor que não tem um método correspondente. A classe Proxy pode redefinir `doesNotUnderstand` de maneira que a mensagem seja repassada para o seu objeto.

Para garantir que uma solicitação seja repassada para o objeto e não simplesmente absorvida em silêncio pelo proxy, é possível definir uma classe Proxy que não entende *nenhuma* mensagem. Smalltalk permite a você fazer isso definindo Proxy como uma classe que não tem uma superclasse[6].

A principal desvantagem de `doesNotUnderstand:` é que a maioria dos sistemas Smalltalk tem algumas poucas mensagens especiais que são tratadas diretamente pela máquina virtual, e essas não produzem a usual procura de métodos (*method look-up*). A única que é usualmente implementada em Object (podendo, assim, afetar proxies) é a operação identidade ==.

Se você pretende usar `doesNotUnderstand:` para implementar Proxy, deve contornar esse problema. Não deve esperar operadores de identidade em proxies com o significado de identidade nos seus objetos reais.

Uma desvantagem adicional é que `doesNotUnderstand:` foi desenvolvido para o tratamento de erros, e não para o uso com proxies, e assim, em geral, não é muito rápida.

3. *Proxy não tem sempre que conhecer o tipo do objeto real.* Se uma classe Proxy puder tratar com seu objeto exclusivamente através de uma interface abstrata, não há necessidade de criar uma classe Proxy para cada classe RealSubject; o proxy

pode tratar todas as classes RealSubject de maneira uniforme. Porém, se os Proxies forem instanciar RealSubjects (como no caso de um proxy virtual), então eles têm que conhecer a classe concreta.

Um outro tópico de implementação envolve a maneira de referenciar o objeto antes de ele ser instanciado. Alguns proxies têm que referenciar seu objeto quer ele esteja no disco ou na memória. Isso significa que eles devem usar alguma forma de identificador de objeto independente do espaço de endereçamento. Com essa finalidade, na seção Motivação usamos o nome do arquivo.

Exemplo de código

O código seguinte implementa dois tipos de proxy: o proxy virtual descrito na seção Motivação e um proxy implementado com `doesNotUnderstand`: [7].

1. *Um proxy virtual*. A classe `Graphic` define a interface para objetos gráficos:

```
class Graphic {
public:
    virtual ~Graphic();

    virtual void Draw(const Point& at) = 0;
    virtual void HandleMouse(Event& event) = 0;

    virtual const Point& GetExtent() = 0;

    virtual void Load(istream& from) = 0;
    virtual void Save(ostream& to) = 0;
protected:
    Graphic();
};
```

A classe `Image` implementa a interface de `Graphic` para exibir arquivos de imagens. `Image` redefine `HandleMouse` para permitir aos usuários redimensionar interativamente a imagem.

```
class Image : public Graphic {
public:
    Image(const char* file);  // carrega a imagem do arquivo
    virtual ~Image();

    virtual void Draw(const Point& at);
    virtual void HandleMouse(Event& event);

    virtual const Point& GetExtent();

    virtual void Load(istream& from);
    virtual void Save(ostream& to);
private:
    // ...
};
```

O `ImageProxy` tem a mesma interface que `Image`:

```
class ImageProxy : public Graphic {
public:
    ImageProxy(const char* imageFile);
    virtual ~ImageProxy();

    virtual void Draw(const Point& at);
    virtual void HandleMouse(Event& event);

    virtual const Point& GetExtent();

    virtual void Load(istream& from);
    virtual void Save(ostream& to);
protected:
    Image* GetImage();
private:
    Image* _image;
    Point _extent;
    char* _fileName;
};
```

O constructor salva uma cópia local do nome do arquivo que armazena a imagem, e inicializa _extent e _image:

```
ImageProxy::ImageProxy (const char* fileName) {
    _fileName = strdup(fileName);
    _extent = Point::Zero;   // não conhece a extensão da imagem ainda
    _image = 0;
}

Image* ImageProxy::GetImage() {
    if (_image == 0) {
        _image = new Image(_fileName);
    }
    return _image;
}
```

A implementação de GetExtent retorna a extensão armazenada, se possível; caso contrário, a imagem é carregada a partir do arquivo. Draw carrega a imagem e HandleMouse repassa o evento para a imagem real.

```
const Point& ImageProxy::GetExtent () {
    if (_extent == Point::Zero) {
        _extent = GetImage()->GetExtent();
    }
    return _extent;
}

void ImageProxy::Draw (const Point& at) {
    GetImage()->Draw(at);
}

void ImageProxy::HandleMouse (Event& event) {
    GetImage()->HandleMouse(event);
}
```

A operação Save salva a extensão armazenada da imagem e o nome do arquivo de imagem em um *stream*. Load recupera esta informação e inicia os membros correspondentes.

```
void ImageProxy::Save (ostream& to) {
    to << _extent << _fileName;
}

void ImageProxy::Load (istream& from) {
    from >> _extent >> _fileName;
}
```

Finalmente, suponha que temos uma classe `TextDocument` que pode conter objetos `Graphic`:

```
class TextDocument {
public:
    TextDocument();

    void Insert(Graphic*);
    // ...
};
```

Podemos inserir um `ImageProxy` no texto de documento desta forma:

```
TextDocument* text = new TextDocument;
// ...
text->Insert(new ImageProxy("anImageFileName"));
```

2. *Proxies que usam* `doesNotUnderstand`. Você pode criar proxies genéricos em Smalltalk através da definição de classes cuja superclasse é nil[8] e definindo o método `doesNotUnderstand:` para tratar mensagens.
A seguinte solução assume que o proxy tem um método `realSubject` que retorna seu objeto real. No caso de ImageProxy, este método verificaria se o objeto Image foi criado, criaria, se necessário, e, finalmente, o retornaria. Ele utiliza `perform:withArguments:` para executar a mensagem que está sendo interceptada e tratada no objeto real.

```
doesNotUnderstand: aMessage
    ^ self realSubject
        perform: aMessage selector
        withArguments: aMessage arguments
```

O argumento para `doesNotUnderstand:` é uma instância de `Message` que representa a mensagem não compreendida pelo proxy. Assim, o proxy responde a todas as mensagens, garantindo que o objeto real existe antes de repassar a mensagem para ele.
Uma das vantagens de `doesNotUnderstand:` é poder executar processamentos arbitrários. Por exemplo, poderíamos produzir um proxy de proteção, especificando um conjunto de mensagens `legalMessages` para serem aceitas, dando então ao proxy o seguinte método:

```
doesNotUnderstand: aMessage
    ^ (legalMessages includes: aMessage selector)
        ifTrue: [self realSubject
            perform: aMessage selector
            withArguments: aMessage arguments]
        ifFalse: [self error: 'Illegal operator']
```

Esse método verifica se a mensagem é uma mensagem legal antes de repassá-la para o objeto real. Se não for uma mensagem legal, então ele enviará `error:` para o proxy, o que resultará num ciclo infinito de erros, a menos que o proxy defina `error:`. Conseqüentemente, a definição de `error:` deveria ser copiada da classe Object juntamente com quaisquer outros métodos que ela (`error:`) usa.

Usos conhecidos

O exemplo de um proxy virtual na seção Motivação é proveniente das classes de blocos de construção de textos da ET++.

O NEXTSTEP [Add94] usa proxies (instâncias da classe NXProxy) como representantes locais de objetos que podem ser distribuídos. Um servidor cria proxies para objetos remotos quando são solicitados pelos clientes. Ao receber uma mensagem, o proxy a codifica junto com os seus argumentos e então repassa a mensagem codificada para o objeto remoto. De maneira similar, o objeto codifica quaisquer resultados que retornem, mandando-os de volta para o objeto NXProxy.

McCullough [McC87] discute o uso de proxies em Smalltalk para acessar objetos remotos. Pascoe [Pas86] discute como obter efeitos colaterais nas chamadas de métodos e controle de acesso com "encapsulators" (encapsuladores).

Padrões relacionados

Adapter (140): um adaptador fornece uma interface diferente para o objeto que adapta. Em contraste, um proxy fornece a mesma interface como seu objeto. Contudo, um proxy usado para proteção de acesso pode se recusar a executar uma operação que o objeto executará. Assim, na prática, sua interface pode ser efetivamente um subconjunto da interface do objeto.

Decorator (170): embora decoradores possam ter implementações semelhantes às de proxies, os decoradores têm uma finalidade diferente. Um decorador acrescenta uma ou mais responsabilidades a um objeto, enquanto que um proxy controla o acesso a um objeto.

Proxies variam em grau com relação à maneira em que eles podem ser implementados como um decorador (*decorator*). Um proxy de proteção pode ser implementado exatamente como um decorador. Por outro lado, um proxy remoto não conterá uma referência direta para o seu objeto real, mas somente uma referência indireta, tal como "host ID e endereço local no host". Um proxy virtual começará com uma referência indireta, tal como um nome de arquivo, mas eventualmente obterá e usará uma referência direta.

Discussão sobre padrões estruturais

Você deve ter observado semelhanças entre os padrões estruturais, especialmente nos seus participantes e suas colaborações. Provavelmente isso acontece porque os padrões estruturais dependem do mesmo pequeno conjunto de mecanismos de linguagem para estruturação do código e dos objetos: herança simples e múltipla para padrões baseados em classes e composição de objetos para padrões de objetos. Porém, as semelhanças escondem as diferentes intenções destes padrões. Nesta seção comparamos e contrastamos grupos de padrões estruturais para dar uma idéia dos seus méritos relativos.

Adapter *versus* Bridge

Os padrões Adapter (140) e Bridge (151) têm alguns atributos em comum. Ambos promovem a flexibilidade ao fornecer um nível de endereçamento indireto para outro objeto. Ambos envolvem o repasse de solicitações para este objeto, partindo de uma interface diferente da sua própria.

A diferença-chave entre esses padrões está nas suas intenções. O Adapter focaliza na solução de incompatibilidades entre duas interfaces existentes. Ele não focaliza em como essas interfaces são implementadas, tampouco considera como podem evoluir independentemente. É uma forma de tornar duas classes, projetadas independentemente, capazes de trabalhar em conjunto sem ter que reimplementar uma ou outra. Por outro lado, Bridge estabelece uma ponte entre uma abstração e suas (potencialmente numerosas) implementações. Ele fornece uma interface estável aos clientes, ainda que permita variar as classes que a implementam. Também acomoda novas implementações à medida que o sistema evolui.

Como resultado dessas diferenças, Adapter e Bridge são freqüentemente usados em pontos diferentes do ciclo de vida do software. Um adapter freqüentemente se torna necessário quando você descobre que duas classes incompatíveis deveriam trabalhar em conjunto, em geral, para evitar a replicação de código. O acoplamento não foi previsto. Em contraste, o usuário de *bridge* compreende desde o início que uma abstração deve ter várias implementações, e ambas (abstração e implementação) podem evoluir independentemente. O padrão Adapter faz as coisas funcionarem *após* elas terem sido projetadas; o Bridge as faz funcionarem *antes que* existam. Isso não significa que o Adapter seja algo inferior ao Bridge; cada padrão meramente trata de um problema diferente.

Você pode pensar em uma façade (fachada, ver Façade, pág. *179*) como um Adapter para um conjunto de outros objetos. Porém, essa interpretação se esquece do fato de que façade define uma *nova* interface, enquanto que um adaptador reutiliza uma interface pré-existente. Lembre-se de que um adaptador faz com que duas interfaces *existentes* funcionem em conjunto, ao contrário de definir uma interface inteiramente nova.

Composite *versus* Decorator *versus* Proxy

Os padrões Composite (160) e Decorator (170) têm diagramas de estrutura similares, refletindo o fato de que ambos dependem de composição recursiva para organizar um número indefinido de objetos. Esse aspecto comum pode tentá-lo a pensar que um objeto decorator é um composite degenerado, mas isso ignora o significado do padrão Decorator. A similaridade termina na composição recursiva, uma vez mais, porque as intenções são diferentes.

O Decorator é projetado para permitir acrescentar responsabilides a objetos sem usar subclasses. Ele evita a explosão de subclasses que podem surgir da tentativa de cobrir estaticamente todas as combinações de responsabilidades. O Composite tem uma intenção diferente. Ele focaliza a estruturação de classes de maneira que muitos objetos relacionados possam ser tratados de maneira uniforme, e múltiplos objetos possam ser tratados como um só. O seu foco não está na decoração, mas sim na representação.

Essas intenções são distintas, porém complementares. Em conseqüência disso, os padrões Composite e Decorator são freqüentemente usados em conjunto. Ambos conduzem ao tipo de projeto no qual você pode construir aplicações apenas conectando objetos uns aos outros, sem definir novas classes. Haverá uma classe abstrata com algumas subclasses que são composites, algumas que são decorators e algumas que implementam os blocos de construção fundamentais do sistema. Neste caso, tanto composites como decorators terão uma interface comum. Do ponto de vista do padrão Decorator, um composite é um ConcreteComponent. Do ponto de vista do padrão Composite, um decorator é uma Leaf (folha). Naturalmente, *não precisam* ser usados juntos e, como vimos, suas intenções são bem diferentes.

Um outro padrão com uma estrutura similar à do Decorator é o Proxy (198). Ambos os padrões descrevem como fornecer um nível de endereçamento indireto para um objeto, e as implementações, tanto do objeto proxy como do objeto decorator; mantêm uma referência para um outro objeto para o qual repassam solicitações. Contudo, uma vez mais, eles têm finalidades diferentes.

Como o Decorator, o padrão Proxy compõe o objeto e fornece uma interface idêntica para os clientes. Diferentemente do Decorator, o padrão Proxy não está preocupado em incluir ou excluir propriedades dinamicamente e não está projetado para composição recursiva. Sua intenção é fornecer um substituto para um objeto quando for inconveniente ou indesejável acessá-lo diretamente porque, por exemplo, está numa máquina remota, tem acesso restrito ou é persistente.

No padrão Proxy, o objeto fornece as funcionalidades-chave e o proxy fornece (ou recusa) acesso ao objeto. No Decorator, o componente fornece somente parte da funcionalidade e um ou mais decoradores fornecem o restante. O Decorator trata a situação em que a funcionalidade total de um objeto não pode ser determinada em tempo de compilação, pelo menos não de maneira conveniente. Essa abertura torna a composição recursiva uma parte essencial do Decorator. Esse não é o caso do Proxy porque o Proxy focaliza um relacionamento – entre o proxy e seu objeto – e esse relacionamento pode ser expresso estaticamente.

Essas diferenças são significativas porque capturam soluções para problemas recorrentes específicos no projeto orientado a objetos. Mas isso não significa que esses padrões não possam ser combinados. Você pode imaginar um proxy-decorator que acrescenta funcionalidade a um proxy, ou um decorator-proxy que adorna um objeto remoto. Embora tais híbridos *possam* ser úteis (nós não temos exemplos reais para mostrar), eles são divisíveis em padrões que *são* úteis.

Notas

[1] CreateManipulator é um exemplo de um Factory Method (112).
[2] É fácil esquecer de deletar o iterador uma vez que você acabou de usá-lo. O padrão Iterator mostra como se proteger quanto a tais erros (*bugs*) na página 252.
[3] O tempo de pesquisa neste esquema é proporcional à freqüência de mudanças das fontes.
[4] No Exemplo de código dado anteriormente, a informação de estilo é tornada extrínseca, deixando o código de caractere como o único estado intrínseco.

5. Veja Abstract Factory (95) para uma outra abordagem que trata a independência de aparência.
6. A implementação de objetos distribuídos NEXTSTEP [Add94] (especificamente a classe NXProxy) utiliza esta técnica. A implementação redefine *forward*, o equivalente de gancho em NEXTSTEP.
7. Iterator (244) descreve um outro tipo de proxy na página 252.
8. Em última instância, quase todas as classes têm Object como sua superclasse. Daí isso significar o mesmo que dizer "definir uma classe que não tem Object como sua superclasse".

5
Padrões comportamentais

Os padrões comportamentais se preocupam com algoritmos e a atribuição de responsabilidades entre objetos. Os padrões comportamentais não descrevem apenas padrões de objetos ou classes, mas também os padrões de comunicação entre eles. Esses padrões caracterizam fluxos de controle difíceis de seguir em tempo de execução. Eles afastam o foco do fluxo de controle para permitir que você se concentre somente na maneira como os objetos são interconectados.

Os padrões comportamentais de classe utilizam a herança para distribuir o comportamento entre classes. Este capítulo inclui dois padrões desse tipo. O Template Method (301) é o mais simples e o mais comum dos dois. Um método *template* é uma definição abstrata de um algoritmo. Ele define o algoritmo passo a passo. Cada passo invoca uma operação abstrata ou uma operação primitiva. Uma subclasse encarna um algoritmo através da definição das operações abstratas. O outro padrão comportamental de classe é Interpreter (231), o qual representa uma gramática como uma hierarquia de classes e implementa um interpretador como uma operação em instâncias destas classes.

Os padrões comportamentais de objetos utilizam a composição de objetos em vez da herança. Alguns descrevem como um grupo de objetos-pares cooperam para a execução de uma tarefa que nenhum objeto sozinho poderia executar por si mesmo. Um aspecto importante aqui é como os objetos-pares conhecem uns aos outros. Os pares poderiam manter referências explícitas uns para os outros, mas isso aumentaria o seu acoplamento. Levado ao extremo, cada objeto teria conhecimento de cada um dos demais. O padrão Mediator (257) evita essa situação pela introdução de um objeto mediador entre os objetos-pares. Um mediador fornece o referenciamento indireto necessário para um acoplamento fraco.

O padrão Chain of Responsibility (212) fornece um acoplamento ainda mais fraco. Ele permite enviar solicitações implicitamente para um objeto através de uma cadeia de objetos candidatos. Qualquer candidato pode satisfazer a solicitação dependendo de condições em tempo de execução. O número de candidatos é aberto e você pode selecionar quais candidatos participam da cadeia em tempo de execução.

O padrão Observer (274) define e mantém uma dependência entre objetos. O exemplo clássico do Observer está no Model/View/Controller da Smalltalk, onde todas as visões do modelo são notificadas sempre que o estado do modelo muda.

Outros padrões comportamentais de objetos se preocupam com o encapsulamento de comportamento em um objeto e com a delegação de solicitações para ele. O padrão Strategy (292) encapsula um algoritmo num objeto. Strategy torna fácil especificar e mudar o algoritmo que um objeto usa. O padrão Command (222) encapsula uma solicitação num objeto, de maneira que possa ser passada como um parâmetro, armazenada numa lista histórica ou manipulada de outras formas. O padrão State (284) encapsula os estados de um objeto, de maneira que o objeto possa mudar o seu comportamento quando o seu objeto-estado mudar. Visitor (305) encapsula comportamento que, de outra forma, seria distribuído entre classes, Iterator (244) abstrai a maneira como objetos de um agregado são acessados e percorridos.

CHAIN OF RESPONSIBILITY   comportamental de objetos

Intenção

Evitar o acoplamento do remetente de uma solicitação ao seu receptor, ao dar a mais de um objeto a oportunidade de tratar a solicitação. Encadear os objetos receptores, passando a solicitação ao longo da cadeia até que um objeto a trate.

Motivação

Considere um recurso de *help* sensível ao contexto para uma interface gráfica de usuário. O usuário pode obter informação de ajuda em qualquer parte da interface simplesmente pressionando o botão do mouse sobre ela. A ajuda que é fornecida depende da parte da interface que é selecionada e do seu contexto; por exemplo, um botão numa caixa de diálogo pode ter uma informação de ajuda diferente da de um botão similar na janela principal. Se não houver uma informação específica de ajuda para aquela parte da interface, então o sistema de ajuda deveria exibir uma mensagem de ajuda mais genérica sobre o contexto imediato – por exemplo, a caixa de diálogo como um todo.

Daí ser natural organizar a informação de ajuda de acordo com a sua generalidade – do mais específico para o mais genérico. Além do mais, está claro que uma solicitação de ajuda é tratada por um entre vários objetos da interface do usuário; qual objeto depende do contexto e de quão específica é a ajuda disponível.

O problema aqui é que o objeto que na prática *fornece* a ajuda não é conhecido explicitamente pelo objeto (por exemplo, o botão) que *inicia* a solicitação de ajuda. O que necessitamos é de uma maneira de desacoplar o botão que inicia a solicitação de ajuda dos objetos que podem fornecer informação de ajuda. O padrão Chain of Responsibility define como isso acontece.

A idéia desse padrão é desacoplar remetentes e receptores fornecendo a múltiplos objetos a oportunidade de tratar uma solicitação. A solicitação é passada ao longo de uma cadeia de objetos até que um deles a trate.

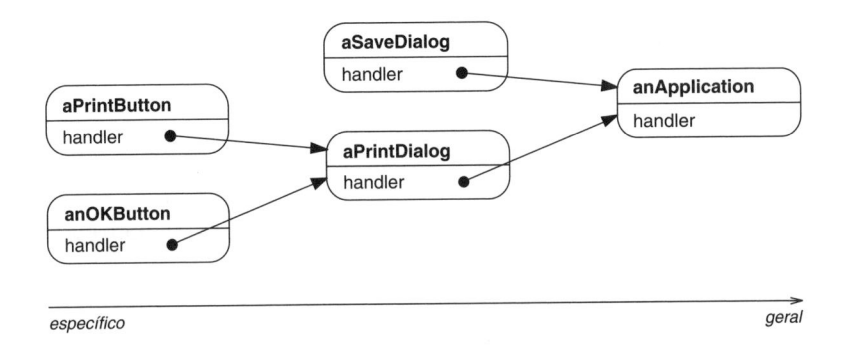

```
                      aSaveDialog
                       handler  •─────────► anApplication
   aPrintButton                               handler
    handler  •──────►  aPrintDialog
                        handler  •
   anOKButton
    handler  •────────►

   específico                                    geral
```

O primeiro objeto na cadeia que recebe a solicitação trata a mesma ou a repassa para o próximo candidato na cadeia, que faz a mesma coisa. O objeto que fez a solicitação não tem conhecimento explícito de quem a tratará – dizemos que a solicitação tem **um receptor implícito**.

Vamos assumir que o usuário pressiona o botão do mouse solicitando ajuda sobre o botão marcado "Print". O botão está contido numa instância de PrintDialog, o qual conhece o objeto da aplicação ao qual ele pertence (ver o diagrama de objeto precedente). O seguinte diagrama de interação ilustra como a solicitação de ajuda é repassada ao longo da cadeia:

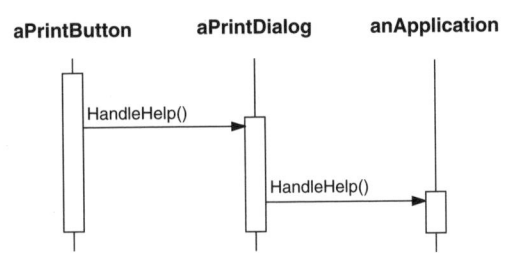

```
   aPrintButton    aPrintDialog    anApplication
        │               │               │
        │ HandleHelp()  │               │
        ├──────────────►│               │
        │               │ HandleHelp()  │
        │               ├──────────────►│
        │               │               │
```

Neste caso, nem aPrintButton nem aPrintDialog trata a solicitação; ela pára em um anApplication, o qual a trata ou a ignora. O cliente que emitiu a solicitação não possui uma referência direta para o objeto que efetivamente a realizou.

Para repassar a solicitação ao longo da cadeia — e para garantir que os receptores permaneçam implícitos — cada objeto na cadeia compartilha uma interface comum para o tratamento de solicitações e para acessar seu **sucessor** na cadeia. Por exemplo, o sistema de ajuda pode definir uma classe HelpHandler, com uma correspondente operação HandleHelp. HelpHandler pode ser a classe-mãe para as classes de objetos-candidatos, ou ela pode ser definida como uma classe mixin[*]. Então, classes que desejam tratar solicitações de ajuda podem tornar HelpHandler uma classe mãe:

---

[*] N. de T.: Uma classe mixin é uma classe usada para definir outras classes, através da combinação de suas propriedades e de outras classes mixin, pelo uso da herança múltipla.

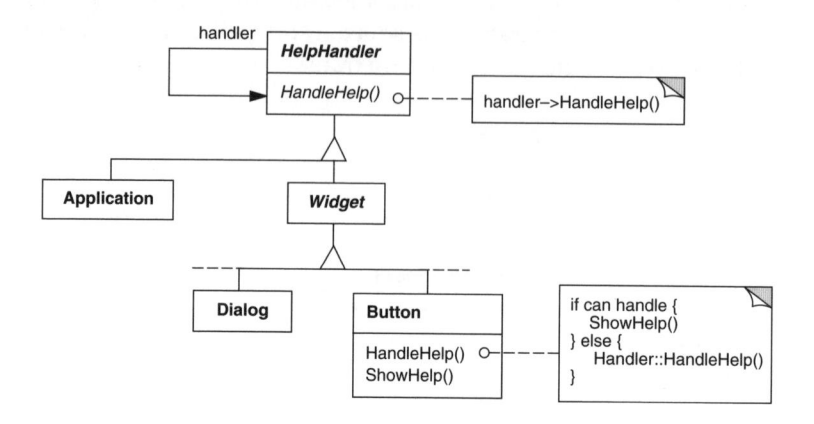

As classes Button, Dialog e Application usam as operações de HelpHandler para tratar solicitações de ajuda. A operação HandlerHelp, de HelpHandler, repassa a solicitação para o sucessor, por falta. Subclasses podem substituir esta operação para fornecer ajuda sob as circunstâncias apropriadas; caso contrário, podem usar a implementação por falta para repassar a solicitação.

Aplicabilidade

Utilize Chain of Responsibility quando:

- mais de um objeto pode tratar uma solicitação e o objeto que a tratará não conhecido *a priori*. O objeto que trata a solicitação deve ser escolhido automaticamente;
- você quer emitir uma solicitação para um dentre vários objetos, sem especificar explicitamente o receptor;
- o conjunto de objetos que pode tratar uma solicitação deveria ser especificado dinamicamente.

Estrutura

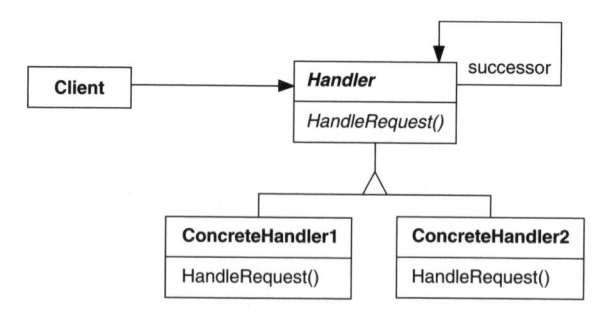

Uma típica estrutura de objeto pode se parecer com esta:

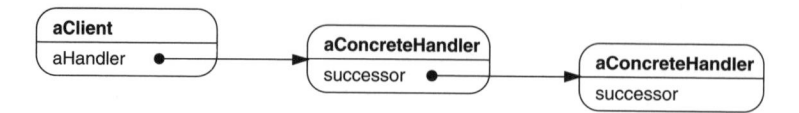

Participantes

- **Handler** (HelpHandler)
  - define uma interface para tratar solicitações.
  - (opcional) implementa o elo (*link*) ao sucessor.
- **ConcreteHandler** (PrintButton, PrintDialog)
  - trata de solicitações pelas quais é responsável.
  - pode acessar seu sucessor.
  - se o ConcreteHandler pode tratar a solicitação, ele assim o faz; caso contrário, ele repassa a solicitação para o seu sucessor.
- **Cliente**
  - inicia a solicitação para um objeto ConcreteHandler da cadeia.

Colaborações

Quando um cliente emite uma solicitação, a solicitação se propaga ao longo da cadeia até que um objeto ConcreteHandler assume a responsabilidade de tratá-la.

Conseqüências

A Chain of Responsibility tem os seguintes benefícios e deficiências:

1. *Acoplamento reduzido.* O padrão libera um objeto de ter que conhecer qual o outro objeto que trata de uma solicitação. Um objeto tem que saber somente que uma solicitação será tratada "apropriadamente". Tanto o receptor como o remetente não têm conhecimento explícito um do outro, e um objeto que está na cadeia não necessita conhecer a estrutura da mesma.
   Como resultado, Chain of Responsibility pode simplificar as interconexões de objetos. Ao invés de os objetos manterem referências para todos os receptores-candidatos, eles mantêm uma referência única para o seu sucessor.
2. *Flexibilidade adicional na atribuição de responsabilidades a objetos.* O Chain of Responsibility dá uma flexibilidade adicional na distribuição de responsabilidades entre objetos. É possível acrescentar ou mudar responsabilidades para o tratamento de uma solicitação pelo acréscimo ou mudança da cadeia em tempo de execução. Você pode combinar isto com subclasses para especializar estaticamente os *handlers**.
3. *A recepção não é garantida.* Uma vez que uma solicitação não tem um receptor explícito, não há *garantia* de que ela será tratada – a solicitação pode sair pelo final da cadeia sem ter sido tratada. Uma solicitação também pode não ser tratada quando a cadeia não está configurada apropriadamente.

Implementação

Aqui apresentamos aspectos da implementação a serem considerados ao usar Chain of Responsibility:

1. *Implementando a cadeia de sucessores.* Há duas maneiras possíveis de implementar a cadeia de sucessores:
   (a) definir novos elos (normalmente no Handler, porém, em seu lugar os ConcreteHandlers poderiam defini-las);
   (b) utilizar os existentes.

---

* N. de T.: Handler é traduzido como aquele ou aquilo que trata ou manipula algo.

Até aqui nossos exemplos definem novas ligações, mas, freqüentemente, você poderá usar referências existentes para objetos ao formar a cadeia de sucessores. Por exemplo, as referências aos pais numa hierarquia partes-todo pode definir o sucessor de uma parte. Uma estrutura de widgets pode já ter tais ligações. O Composite (160) discute referências aos pais em mais detalhes.

O uso de ligações existentes funciona bem quando as ligações suportam a cadeia necessária. Ela poupa a definição explícita de ligações e economiza espaço. Mas, se a estrutura não reflete a cadeia de responsabilidades de que sua aplicação necessita, então você terá que definir ligações redundantes.

2. *Conectando sucessores.* Se não existem referências pré-existentes para a definição de uma cadeia, então você terá que introduzi-las por conta. Nesse caso, o handler não somente define a interface para as solicitações, mas normalmente mantém a ligação para o sucessor. Isso permite ao handler fornecer uma implementação-padrão de HandleRequest que repassa a solicitação para o sucessor (se houver). Se uma subclasse ConcreteHandler não está interessada na solicitação, ela não tem que redefinir a operação de repasse, uma vez que a sua implementação *default* faz o repasse incondicionalmente. Aqui apresentamos uma classe-base HelpHandler que mantém uma ligação para o sucessor:

3. *Representando solicitações.* Diferentes opções estão disponíveis para representar solicitações. Na forma mais simples, a solicitação é a invocação de uma operação codificada de maneira rígida e fixa, como no caso de HandleHelp.

```
class HelpHandler {
public:
    HelpHandler(HelpHandler* s) : _successor(s) { }
    virtual void HandleHelp();
private:
    HelpHandler* _successor;
};

void HelpHandler::HandleHelp () {
    if (_successor) {
        _successor->HandleHelp();
    }
}
```

Isso é conveniente e seguro, mas você só pode repassar o conjunto fixo de solicitações que a classe handler define.

Uma alternativa é usar uma única função handler que aceita um código de solicitação como parâmetro (por exemplo, uma constante inteira ou um *string*). Isso suporta um conjunto aberto de solicitações. O único requisito necessário é que o remetente e o receptor concordem sobre como a solicitação deve ser codificada.

Essa abordagem é mais flexível, mas requer comandos condicionais para despachar a solicitação com base no seu código de solicitação. Além do mais, não há uma maneira segura de passar parâmetros. Assim, elas devem ser empacotadas e desempacotadas manualmente. Obviamente, isso é menos seguro do que invocar uma operação diretamente.

Para tratar o problema da passagem de parâmetros, nós podemos usar objetos-solicitação separados que "empacotam" os parâmetros da solicitação. Uma classe Request pode representar solicitações explicitamente, e novos tipos de solicitações podem ser definidos por subclasses. As subclasses podem definir parâmetros diferentes. Os handlers devem conhecer o tipo de solicitação (isto é, qual subclasse de Request eles estão usando) para acessar esses parâmetros. Para identificar a solicitação, Request pode definir uma função de acesso (accessor, C++) que devolve um identificador para a classe. Como alternativa, o receptor pode usar informação sobre tipos em tempo de execução se a linguagem de implementação permitir.

Aqui apresentamos o esboço de uma função de despacho que usa objetos-solicitação para identificar solicitações. Uma operação GetKind, definida na classe base Request, identifica o tipo de solicitação.

```
void Handler::HandleRequest (Request* theRequest) {
    switch (theRequest->GetKind()) {
    case Help:
        // faz o cast do argumento para o tipo apropriado
        HandleHelp((HelpRequest*) theRequest);
        break;

    case Print:
        HandlePrint((PrintRequest*) theRequest);
        // ...
        break;

    default:
        // ...
        break;
    }
}
```

As subclasses podem estender a função de despacho por redefinição de HandleRequest. A subclasse trata somente as solicitações nas quais ela está interessada; outras solicitações são repassadas para a classe mãe. Desse modo, as subclasses efetivamente estendem (em vez de redefinirem) a operação HandleRequest. Por exemplo, apresentamos aqui como uma subclasse ExtendedHandler estende a versão de Handler de HandleRequest:

```
class ExtendedHandler : public Handler {
public:
    virtual void HandleRequest(Request* theRequest);
    // ...
};

void ExtendedHandler::HandleRequest (Request* theRequest) {
    switch (theRequest->GetKind()) {
    case Preview:
        // trata a solicitação do Preview
        break;
```

```
        default:
            // deixa o Handler tratar as outras solicitações
            Handler::HandleRequest(theRequest);
        }
    }
```

4. *Repasse automático em Smalltalk.* Você pode usar o mecanismo `doesNotUnderstand` em Smalltalk para repassar solicitações. As mensagens que não têm métodos correspondentes são interceptadas na implementação de `doesNotUnderstand`, a qual pode ser substituída para repassar a mensagem para o sucessor de um objeto. Desta forma, não é necessário implementar o repasse manualmente; a classe trata somente a solicitação na qual está interessada e confia em `doesNotUnderstand` para repassá-la para outras.

Exemplo de código

O exemplo a seguir ilustra como o padrão chain of responsibility pode tratar solicitações para um sistema de *help online,* como descrito anteriormente. A solicitação de ajuda é uma operação explícita. Usaremos referências existentes para os pais na hierarquia dos *widgets* para propagar as solicitações entre *widgets* na cadeia e definiremos uma referência na classe Handler para propagar solicitações de ajuda entre não-*widgets* na cadeia.

A classe `HelpHandler` define a interface para tratamento de solicitações de ajuda. Ela mantém um tópico de ajuda (que, por omissão, é vazio) e mantém uma referência para o seu sucessor na cadeia de *handlers* de ajuda. A operação-chave é `HandleHelp`, que as subclasses redefinem. `HasHelp` é uma operação de conveniência para verificar se existe um tópico de ajuda associado.

```
typedef int Topic;
const Topic NO_HELP_TOPIC = -1;

class HelpHandler {
public:
    HelpHandler(HelpHandler* = 0, Topic = NO_HELP_TOPIC);
    virtual bool HasHelp();
    virtual void SetHandler(HelpHandler*, Topic);
    virtual void HandleHelp();
private:
    HelpHandler* _successor;
    Topic _topic;
};

HelpHandler::HelpHandler (
    HelpHandler* h, Topic t
) : _successor(h), _topic(t) { }

bool HelpHandler::HasHelp () {
    return _topic != NO_HELP_TOPIC;
}

void HelpHandler::HandleHelp () {
    if (_successor != 0) {
        _successor->HandleHelp();
    }
}
```

Todos os widgets são subclasses da classe abstrata Widget. Widget é uma subclasse de HelpHandler, uma vez que todos os elementos da interface do usuário podem ter ajudas associadas a eles. (Poderíamos ter usado da mesma maneira uma implementação baseada em classes mixin).

```
class Widget : public HelpHandler {
protected:
    Widget(Widget* parent, Topic t = NO_HELP_TOPIC);
private:
    Widget* _parent;
};

Widget::Widget (Widget* w, Topic t) : HelpHandler(w, t) {
    _parent = w;
}
```

No nosso exemplo, um botão é o primeiro *handler* na cadeia. A classe Button é uma subclasse de Widget. O constructor de Button aceita dois parâmetros: uma referência para o widget que o contém e para o tópico de ajuda.

```
class Button : public Widget {
public:
    Button(Widget* d, Topic t = NO_HELP_TOPIC);

    virtual void HandleHelp();
    // Operações de Widget redefinidas por Button...
};
```

A versão de Button para HandleHelp testa primeiro se existe um tópico de ajuda para botões. Se o desenvolvedor não tiver definido um tópico, então a solicitação é repassada ao sucessor usando a operação HandleHelp em HelpHandler. Se *existir* um tópico de ajuda, o botão o exibe e a busca termina.

```
Button::Button (Widget* h, Topic t) : Widget(h, t) { }

void Button::HandleHelp () {
    if (HasHelp()) {
        // oferece ajuda sobre o botão
    } else {
        HelpHandler::HandleHelp();
    }
}
```

Dialog implementa um esquema similar, com exceção de que o seu sucessor não é um widget, mas *qualquer handler* de ajuda. Na nossa aplicação, esse sucessor será uma instância de Application.

```
class Dialog : public Widget {
public:
    Dialog(HelpHandler* h, Topic t = NO_HELP_TOPIC);
    virtual void HandleHelp();

    // Operações de Widget redefinidas por Dialog
    // ...
};

Dialog::Dialog (HelpHandler* h,  Topic t) : Widget(0) {
    SetHandler(h, t);
}

void Dialog::HandleHelp () {
    if (HasHelp()) {
        // oferece ajuda sobre o dialog
    } else {
        HelpHandler::HandleHelp();
    }
}
```

No fim da cadeia está uma instância de `Application`. A aplicação não é um widget, assim, `Application` é uma especialização direta de `HelpHandler`. Quando uma solicitação se propaga até esse nível, application pode fornecer informações sobre a aplicação em geral ou oferecer uma lista de diversos tópicos de ajuda:

```
class Application : public HelpHandler {
public:
    Application(Topic t) : HelpHandler(0, t) { }

    virtual void HandleHelp();
    // operações específicas da aplicação...
};

void Application::HandleHelp () {
    // apresenta uma lista de tópicos de ajuda
}
```

O código a seguir cria e conecta esses objetos. Aqui, o diálogo trata de impressão, e, portanto, os objetos têm tópicos relacionados com impressão atribuídos a eles.

```
const Topic PRINT_TOPIC = 1;
const Topic PAPER_ORIENTATION_TOPIC = 2;
const Topic APPLICATION_TOPIC = 3;

Application* application = new Application(APPLICATION_TOPIC);
Dialog* dialog = new Dialog(application, PRINT_TOPIC);
Button* button = new Button(dialog, PAPER_ORIENTATION_TOPIC);
```

Podemos invocar a solicitação de ajuda chamando `HandleHelp` em qualquer objeto da cadeia. Para começar a busca no objeto do botão, simplesmente chame `HandleHelp` nele:

```
button->HandleHelp();
```

Nesse caso, o botão tratará a solicitação imediatamente. Note que qualquer classe `HelpHandler` poderia se torna sucessora de `Dialog`. Ainda mais, seu sucessor poderia ser mudado dinamicamente. Desta forma, não importando onde um diálogo é usado, você obterá a informação de ajuda dependente do contexto apropriada para ele.

Usos conhecidos

Várias bibliotecas de classes usam o padrão Chain of Responsibility para tratar de eventos de usuário. Elas utilizam diferentes nomes para a classe Handler, mas a idéia é a mesma: quando o usuário aperta o botão do mouse ou pressiona uma tecla, um evento é gerado e passado ao longo da cadeia. MacApp [App89] e ET++ [WGM88] a chamam "Event-Handler", a biblioteca TCL da Symantec [Sym93b] a chama "Bureaucrat" e o AppKit de NeXT [Add94] usa o nome "Responder".

O *framework* Unidraw para editores gráficos define objetos Command que encapsulam solicitações para objetos Component e ComponentView [VL90]. Comandos são solicitações no sentido de que um componente ou a visão de um componente pode interpretar um comando para executar uma operação. Isso corresponde à abordagem "solicitações como objetos", descrita na seção de Implementação. Components e component views podem ser estruturados hierarquicamente. Um componente ou uma visão de componente pode repassar a interpretação de comandos para os seus pais, os quais, por sua vez, a repassam para seus pais, e assim por diante, desta forma formando uma cadeia de responsabilidades.

O ET++ usa Chain of Responsibility para tratar atualizações gráficas. Um objeto gráfico chama a operação InvalidateRct sempre que ele deve atualizar uma parte da sua apresentação. Um objeto gráfico não pode tratar InvalidateRct por si próprio porque ele não sabe o suficiente sobre o seu contexto. Por exemplo, um objeto gráfico pode estar contido em objetos, tais como Scrollers ou Zoomers que transformam o seu sistema de coordenadas. Isso significa que o objeto pode ser rolado ou sofrer um zoom, de maneira que fique parcialmente fora de vista. Portanto, a implementação-padrão de InvalidateRect repassa a solicitação para o objeto que contém o objeto gráfico. Quando Window recebe a solicitação, fica garantida a transformação apropriada do InvalidateRect. Window trata InvalidateRect pela notificação da interface do sistema de janelas, solicitando uma atualização.

Padrões relacionados

O Chain of Responsibility é freqüentemente aplicado em conjunto com o Composite (160). No Composite, o pai de um componente pode atuar como seu sucessor.

COMMAND   comportamental de objetos

Intenção

Encapsular uma solicitação como um objeto, desta forma permitindo parametrizar clientes com diferentes solicitações, enfileirar ou fazer o registro *(log)* de solicitações e suportar operações que podem ser desfeitas.

Também conhecido como

Action, Transaction

Motivação

Algumas vezes é necessário emitir solicitações para objetos sem nada saber sobre a operação que está sendo solicitada ou sobre o seu receptor. Por exemplo, *toolkits* para construção de interfaces de usuário incluem objetos como botões de menus que executam uma solicitação em resposta à entrada do usuário. Mas o *toolkit* não pode implementar a solicitação explicitamente no botão ou menu porque somente as aplicações que utilizam o *toolkit* sabem o que deveria ser feito e em qual objeto. Como projetistas de *toolkits*, não temos meios de saber qual o receptor da solicitação ou as operações que ele executará.

O padrão Command permite a objetos de *toolkit* fazer solicitações de objetos-aplicação não especificados, transformando a própria solicitação num objeto. Esse objeto pode ser armazenado e passado como outros objetos. A chave desse padrão é uma classe abstrata Command, a qual declara uma interface para execução de operações. Na sua forma mais simples, essa interface inclui uma operação abstrata Execute. As subclasses concretas de Command especificam um par receptor-ação através do armazenamento do receptor como uma variável de instância e pela implementação de Execute para invocar a solicitação. O receptor tem o conhecimento necessário para poder executar a solicitação.

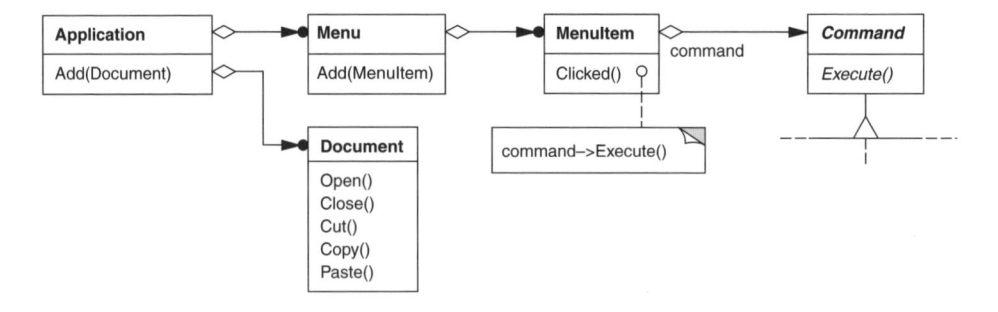

Menus podem ser implementados facilmente com objetos Command. Cada escolha num Menu é uma instância de uma classe MenuItem. Uma classe Application cria esses menus e seus itens de menus juntamente com o resto da interface do usuário. A classe Application também mantém um registro de acompanhamento dos objetos Document que um usuário abriu.

A aplicação configura cada MenuItem com uma instância de uma subclasse concreta de Command. Quando o usuário seleciona um MenuItem, o MenuItem chama Execute no seu Command, e Execute executa a operação. MenuItens não sabem qual a subclasse de Command que usam. As subclasses de Command armazenam o receptor da solicitação que invoca uma ou mais operações no receptor.

Por exemplo, um PasteCommand suporta colar textos da área de transferência (*clipboard*) num Document. O receptor de PasteCommand é o objeto Document que é fornecido por instanciação. A operação Execute invoca Paste no Document que está recebendo.

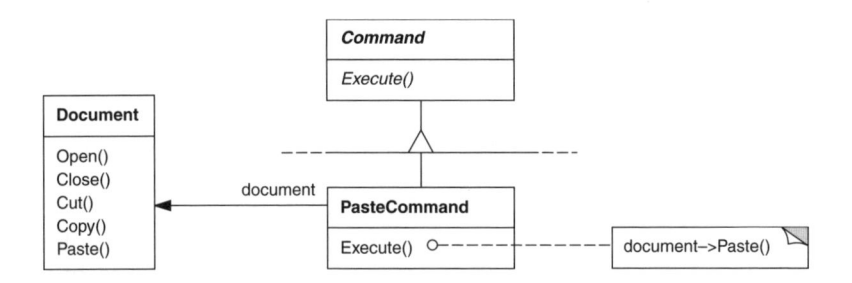

```
              Command
              Execute()
                 △
                 |
Document         |
Open()           |
Close()          |
Cut()    ◄── document ── PasteCommand
Copy()                   Execute() ○─────── document->Paste()
Paste()
```

A operação Execute do OpenCommand, é diferente: ela solicita ao usuário o nome de um documento, cria o correspondente objeto Document, adiciona este documento à aplicação receptora e abre o documento.

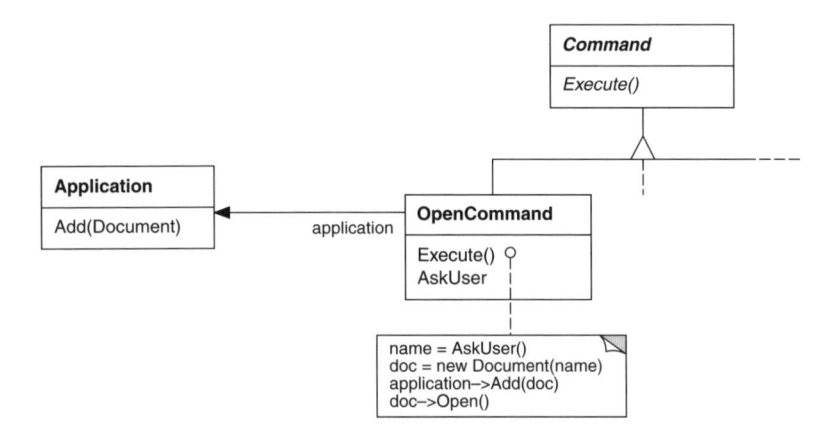

```
                          Command
                          Execute()
                             △
                             |
Application                  |
Add(Document) ◄── application ── OpenCommand
                                 Execute() ○
                                 AskUser   |
                                           |
                          name = AskUser()
                          doc = new Document(name)
                          application->Add(doc)
                          doc->Open()
```

Algumas vezes, um MenuItem necessita executar uma *seqüência* de comandos. Por exemplo, um MenuItem para centralizar uma página, no tamanho normal, poderia ser construído a partir de um objeto CenterDocumentCommand e de um objeto NormalSizeCommand. Como é comum encadear comandos desta forma, nós podemos definir uma classe MacroCommand para permitir que um MenuItem execute um número aberto de comandos.

O MacroCommand é uma subclasse concreta de Command que simplesmente executa uma seqüência de Commands. O MacroCommand não tem um receptor explícito, porque os comandos que ele seqüencia definem seu próprio receptor.

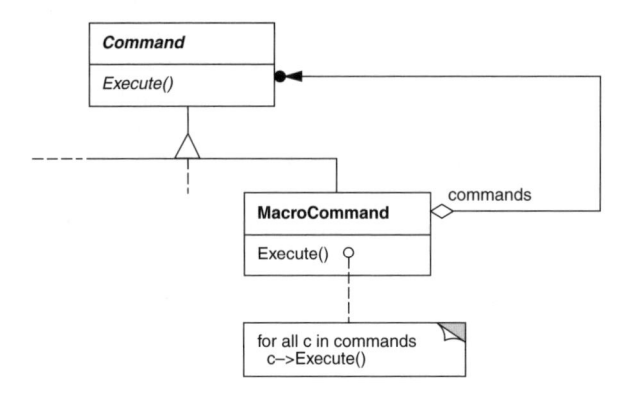

```
┌─────────────────┐
│    Command      │
├─────────────────┤
│    Execute()    │
└─────────────────┘
         △
         ┊
         ┊           ┌──────────── commands
┌─────────────────┐◇─┘
│  MacroCommand   │
├─────────────────┤
│    Execute()  ○─┐
└─────────────────┘ │
                    │
         ┌──────────┴───────┐
         │ for all c in commands │
         │   c–>Execute()   │
         └──────────────────┘
```

Observe em cada um destes exemplos como o padrão Command desacopla o objeto que invoca a operação daquele que tem o conhecimento para executá-la. Isso nos dá bastante flexibilidade no projeto da nossa interface de usuário. Uma aplicação pode oferecer tanto uma interface com menus como uma interface com botões para algum recurso seu, simplesmente fazendo com que o menu e o botão compartilhem uma instância da mesma subclasse concreta Command. Nós podemos substituir comandos dinamicamente, o que poderia ser útil para a implementação de menus sensíveis ao contexto. Também podemos suportar *scripts* de comandos compondo comandos em comandos maiores. Tudo isto é possível porque o objeto que emite a solicitação somente necessita saber como emiti-la; ele não necessita saber como a solicitação será executada.

Aplicabilidade

Use o padrão Command quando você deseja:

- parametrizar objetos por uma ação a ser executada, da forma como os objetos MenuItem fizeram acima. Você pode expressar tal parametrização numa linguagem procedural através de uma função **callback,** ou seja, uma função que é registrada em algum lugar para ser chamada em um momento mais adiante. Os Commands são uma substituição orientada o objetos para *callbacks*;
- especificar, enfileirar e executar solicitações em tempos diferentes. Um objeto Command pode ter um tempo de vida independente da solicitação orginal. Se o receptor de uma solicitação pode ser representado de uma maneira independente do espaço de endereçamento, então você pode transferir um objeto command para a solicitação para um processo diferente e lá atender a solicitação;
- suportar desfazer operações. A operação Execute, de Command, pode armazenar estados para reverter seus efeitos no próprio comando. A interface de Command deve ter acrescentada uma operação Unexecute, que reverte os efeitos de uma chamada anterior de Execute. Os comandos executados são armazenados em uma lista histórica. O nível ilimitado de desfazer e refazer operações é obtido percorrendo esta lista para trás e para frente, chamando operações Unexecute e Execute, respectivamente;

- suportar o registro (*logging*) de mudanças de maneira que possam ser reaplicadas no caso de uma queda de sistema. Ao aumentar a interface de Command com as operações carregar e armazenar, você pode manter um registro (*log*) persistente das mudanças. A recuperação de uma queda de sistema envolve a recarga dos comandos registrados a partir do disco e sua reexecução com a operação Execute.
- estruturar um sistema em torno de operações de alto nível construídas sobre operações primitivas. Tal estrutura é comum em sistemas de informação que suportam **transações**. Uma transação encapsula um conjunto de mudanças nos dados. O padrão Command fornece uma maneira de modelar transações. Os Commands têm uma interface comum, permitindo invocar todas as transações da mesma maneira. O padrão também torna mais fácil estender o sistema com novas transações.

Estrutura

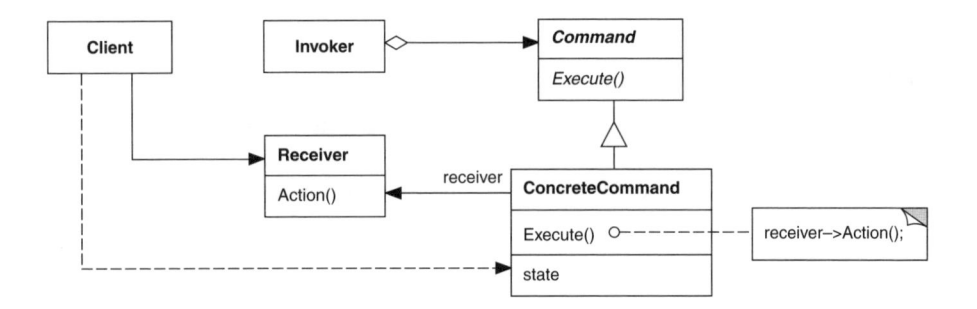

Participantes

- **Command**
  - declara uma interface para a execução de uma operação.
- **ConcreteCommand** (PasteCommand, OpenCommand)
  - define uma vinculação entre um objeto Receiver e uma ação;
  - implementa Execute através da invocação da(s) correspondente(s) operação(ões) no Receiver.
- **Client** (Application)
  - cria um objeto ConcreteCommand e estabelece o seu receptor.
- **Invoker** (MenuItem)
  - solicita ao Command a execução da solicitação.
- **Receiver** (Document, Application)
  - sabe como executar as operações associadas a uma solicitação. Qualquer classe pode funcionar como um Receiver.

Colaborações

- O cliente cria um objeto ConcreteCommand e especifica o seu receptor.
- Um objeto Invoker armazena o objeto ConcreteCommand.
- O Invoker emite uma solicitação chamando Execute no Command. Quando se deseja que os comandos possam ser desfeitos, ConcreteCommand armazena estados para desfazer o comando antes de invocar Execute.

- O objeto ConcreteCommand invoca operações no seu Receiver para executar a solicitação.

O diagrama a seguir mostra as interações entre esses objetos, ilustrando como Command desacopla o Invoker do Receiver (e da solicitação que ele executa).

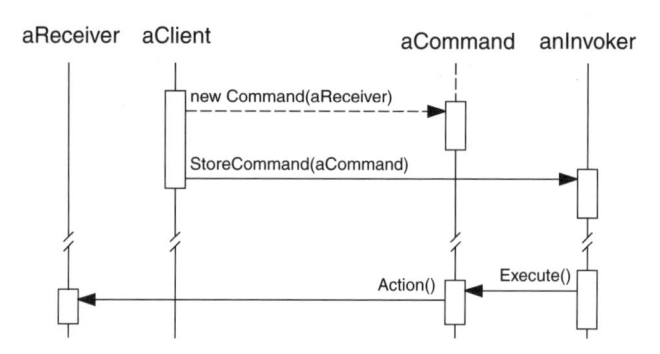

Conseqüências

O padrão Command tem as seguintes conseqüências:

1. Command desacopla o objeto que invoca a operação daquele que sabe como executá-la.
2. Commands são objetos de primeira classe, ou seja, podem ser manipulados e estendidos como qualquer outro objeto.
3. Você pode montar comandos para formar um comando composto. Um exemplo disso é a classe MacroCommand descrita anteriormente. Em geral, comandos compostos são uma instância do padrão Composite (160).
4. É fácil acrescentar novos Commands porque você não tem que mudar classes existentes.

Implementação

Considere os seguintes aspectos quando implementar o padrão Command:

1. *Quão inteligente deveria ser um comando?* Um comando pode ter uma grande gama de habilidades. Em um extremo mais simples, ele define uma vinculação entre um receptor e as ações que executam a solicitação. No outro extremo, o mais complexo, ele implementa tudo sozinho, sem delegar para nenhum receptor. Este último caso extremo é útil quando você deseja definir comandos que são independentes de classes existentes, quando não existe um receptor adequado ou quando um comando conhece o seu receptor implicitamente. Por exemplo, um comando que cria uma outra janela de aplicação pode ser tão capaz de criar uma janela como qualquer outro objeto. Em algum ponto entre esses dois extremos estão os comandos que têm conhecimento suficiente para encontrar o seu receptor dinamicamente.
2. *Suportando desfazer e refazer.* Commands podem suportar capacidades de desfazer e refazer se eles fornecerem uma maneira de reverter sua execução (por exemplo, uma operação Unexecute ou Undo). Uma classe

ConcreteCommand pode necessitar armazenar estados adicionais para fazer isso. Esses estados podem incluir:

- o objeto Receptor (*Receiver*), o qual efetivamente executa as operações em resposta à solicitação;
- os argumentos da operação executada no receptor;
- quaisquer valores originais no receptor que podem mudar como resultado do tratamento da solicitação. O receptor deve fornecer operações que permitem ao comando retornar o receptor ao seu estado anterior.

Para suportar um nível apenas de desfazer, uma aplicação necessita armazenar somente o último comando executado. Para suportar múltiplos níveis de desfazer e refazer, a aplicação necessita uma **lista histórica** de comandos que foram executados onde o máximo comprimento da lista determina o número de níveis de desfazer/refazer. A lista histórica armazena seqüências de comandos que foram executados. Percorrendo a lista para trás e executando de maneira reversa os comandos, cancelam-se os seus efeitos; percorrendo a lista para frente e executando os comandos, reexecuta-se os comandos a serem refeitos.

Um comando que pode ser desfeito poderá ter que ser copiado, antes de ser colocado na lista histórica. Isso se deve ao fato de que o objeto comando que executou a solicitação original, digamos, a partir de um MenuItem, executará outras solicitações em instantes posteriores. A cópia é necessária para distinguir diferentes invocações do mesmo comando se o seu estado pode variar entre invocações. Por exemplo, um DeleteCommand que deleta objetos selecionados deve armazenar diferentes conjuntos de objetos, cada vez que é executado. Portanto, o objeto DeleteCommand deve ser copiado logo após a execução e ter a cópia colocada na lista histórica. Se na execução o estado do comando nunca muda, então a cópia não é necessária – somente uma referência para o comando necessita ser colocada na lista histórica. Commands que devem ser copiados antes de serem colocados na lista histórica se comportam como protótipos (ver Prototype, 121).

3. *Evitando a acumulação de erros no processo de desfazer.* Histerese pode ser um problema ao tentarmos garantir um mecanismo confiável de desfazer/refazer que preserve a semântica da aplicação. Erros podem se acumular à medida que os comandos são executados, desexecutados e reexecutados repetidamente, de modo que o estado de uma aplicação eventualmente poderia divergir dos valores originais. Portanto, pode ser necessário armazenar mais informações no comando para assegurar que os objetos sejam restaurados ao seu estado original. O padrão Memento pode ser aplicado para dar ao comando acesso a essas informações, sem expor aspectos internos de outros objetos.

4. *Usando templates C++.* Para comandos que (1) não possam ser desfeitos e (2) não exijam argumentos, podemos usar *templates* em C++ a fim de evitar a criação de uma subclasse de Command para cada tipo de ação e receptor. Mostraremos como fazer isto na seção Exemplo de Código.

Exemplo de código

O código C++ mostrado aqui esboça a implementação das classes Command da seção de Motivação. Nós definiremos `OpenCommand`, `PasteCommand` e `MacroCommand`. Primeiramente, a classe abstrata `Command`:

```
class Command {
public:
    virtual ~Command();

    virtual void Execute() = 0;
protected:
    Command();
};
```

Um `OpenCommand` abre um documento cujo nome é fornecido pelo usuário. Para um `OpenCommand` deve ser passado um objeto `Application` no seu constructor. `AskUser` é uma rotina de implementação que solicita ao usuário o nome do documento a ser aberto.

```
class OpenCommand : public Command {
public:
    OpenCommand(Application*);

    virtual void Execute();
protected:
    virtual const char* AskUser();
private:
    Application* _application;
    char* _response;
};

OpenCommand::OpenCommand (Application* a) {
    _application = a;
}

void OpenCommand::Execute () {
    const char* name = AskUser();

    if (name != 0) {
        Document* document = new Document(name);
        _application->Add(document);
        document->Open();
    }
}
```

Para um `PasteCommand` deve ser passado um objeto `Document` como seu receptor. O receptor é fornecido como um parâmetro para o constructor de `PasteCommand`.

```
class PasteCommand : public Command {
public:
    PasteCommand(Document*);

    virtual void Execute();
private:
    Document* _document;
};

PasteCommand::PasteCommand (Document* doc) {
    _document = doc;
}

void PasteCommand::Execute () {
    _document->Paste();
}
```

Para comandos simples, que não podem ser desfeitos e não necessitam de argumentos, nós podemos usar um *template* de uma classe para parametrizar o receptor do comando. Definiremos uma subclasse *template* `SimpleCommand` para tais comandos. O `SimpleCommand` é parametrizado pelo tipo do `Receiver` e mantém uma vinculação entre um objeto receptor e uma ação armazenada como um apontador para uma função-membro.

```
template <class Receiver>
class SimpleCommand : public Command {
public:
    typedef void (Receiver::* Action)();

    SimpleCommand(Receiver* r, Action a) :
        _receiver(r), _action(a) { }

    virtual void Execute();
private:
    Action _action;
    Receiver* _receiver;
};
```

O construtor armazena o receptor e a ação nas variáveis de instância correspondentes. `Execute` simplesmente aplica a ação ao receptor.

```
template <class Receiver>
void SimpleCommand<Receiver>::Execute () {
    (_receiver->*_action)();
}
```

Para criar um comando que chama `Action` numa instância da classe `MyClass`, um cliente simplesmente escreve

```
MyClass* receiver = new MyClass;
// ...
Command* aCommand =
    new SimpleCommand<MyClass>(receiver, &MyClass::Action);
// ...
aCommand->Execute();
```

Tenha em mente que essa solução funciona somente para comandos simples. Comandos mais complexos, que mantêm controle não somente de seus receptores mas também de argumentos ou estados para desfazer, exigem uma subclasse Command.

Um MacroCommand administra uma seqüência de subcomandos e fornece operações para acrescentar e remover subcomandos. Não é necessário um receptor explícito porque estes subcomandos já definem seus receptores.

```
class MacroCommand : public Command {
public:
    MacroCommand();
    virtual ~MacroCommand();

    virtual void Add(Command*);
    virtual void Remove(Command*);

    virtual void Execute();
private:
    List<Command*>* _cmds;
};
```

A chave para o MacroCommand é a sua função-membro Execute. Ela percorre todos os subcomandos e executa Execute em cada um deles.

```
void MacroCommand::Execute () {
    ListIterator<Command*> i(_cmds);

    for (i.First(); !i.IsDone(); i.Next()) {
        Command* c = i.CurrentItem();
        c->Execute();
    }
}
```

Note que se MacroCommand implementasse uma operação Unexecute, então seus subcomandos deveriam ser revertidos na ordem *inversa* à da implementação de Execute.

Por fim, MacroCommand deve fornecer operações para administrar seus subcomandos. A MacroCommand também é responsável por deletar seus subcomandos.

```
void MacroCommand::Add (Command* c) {
    _cmds->Append(c);
}

void MacroCommand::Remove (Command* c) {
    _cmds->Remove(c);
}
```

Usos conhecidos

Talvez o primeiro exemplo do *padrão* Command tenha aparecido em um artigo de Lieberman [Lie85]. O MacApp [App89] popularizou a noção de comandos para implementação de operações que podem ser desfeitas. O ET++ [WGM88], o Inter Views [LCI+92] e o Unidraw [VL90] também definem classes que seguem o *padrão* Command. InterViews define uma classe abstrata Action que fornece a funcionalidade de comando. Ele também define um *template* ActionCallback, parametrizado pelo método ação, que instancia automaticamente subclasses Command.

A biblioteca de classes THINK [Sym93b] também utiliza comandos para suportar ações que podem ser desfeitas. Comandos em THINK são chamados "Tasks" (tarefas). Os objetos Tasks são passados ao longo de uma Chain of Responsibility (212) para serem consumidos.

Os objetos de comando de Unidraw são únicos no sentido de que eles se comportam como mensagens. Um comando Unidraw pode ser enviado a outro objeto para interpretação, e o resultado da interpretação varia de acordo com o objeto receptor. Além do mais, o receptor pode delegar a interpretação para um outro objeto, normalmente o pai do receptor, numa estrutura maior como a de uma Chain of Responsibility. Assim, o receptor de um comando Unidraw é computado, em vez de armazenado. O mecanismo de interpretação do Unidraw depende de informações de tipo em tempo de execução.

Coplien descreve como implementar **functors**, objetos que são funções em C++ [Cop92]. Ele obtém um grau de transparência no seu uso através da sobrecarga do operador de chamada (`operator ()`). O *padrão* Command é diferente; o seu foco é a manutenção de um *vínculo entre* um receptor e uma função (isto é, uma ação), e não somente a manutenção de uma função.

Padrões relacionados

Um Composite (160) pode ser usado para implementar MacroCommands.

Um Memento (266) pode manter estados que o comando necessita para desfazer o seu efeito.

Um comando que deve ser copiado antes de ser colocado na lista histórica funciona como um Prototype (121).

INTERPRETER comportamental de classes

Intenção

Dada uma linguagem, definir uma representação para a sua gramática juntamente com um interpretador que usa a representação para interpretar sentenças dessa linguagem.

Motivação

Se um tipo específico de problema ocorre com freqüência suficiente, pode valer a pena expressar instâncias do problema como sentenças de uma linguagem simples. Então, você pode construir um interpretador que soluciona o problema interpretando estas sentenças. Por exemplo, pesquisar cadeias de caracteres que correspondem a um determinado padrão (*pattern matching*) é um tipo de problema comum. Expressões regulares são uma linguagem-padrão para especificação de padrões de cadeias de caracteres. Em vez de construir algoritmos customizados para comparar cada padrão com as cadeias, algoritmos de busca poderiam interpretar uma expressão regular que especifica um conjunto de cadeias a serem encontradas.

O padrão Interpreter descreve como definir uma gramática para linguagens simples, representar sentenças na linguagem e interpretar essas sentenças. Neste exemplo, o padrão descreve como definir uma gramática para expressões regulares, representar uma determinada expressão regular e como interpretar essa expressão regular. Suponha a seguinte gramática que define expressões regulares:

```
expression ::= literal | alternation | sequence | repetition |
               '(' expression ')'
alternation ::= expression '|' expression
sequence ::= expression '&' expression
repetition ::= expression '*'
literal ::= 'a' | 'b' | 'c' | ... { 'a' | 'b' | 'c' | ... }*
```

O símbolo `expression` é um símbolo inicial, e `literal` é um símbolo terminal que define palavras simples.

O padrão Interpreter usa uma classe para representar cada regra da gramática. Os símbolos do lado direito da regra são variáveis de instância dessas classes. A gramática acima é representada por cinco classes: uma classe abstrata RegularExpression e suas quatro subclasses LiteralExpression, AlternationExpression, SequenceExpression e RepetitionExpression. As últimas três classes definem variáveis que contém subexpressões.

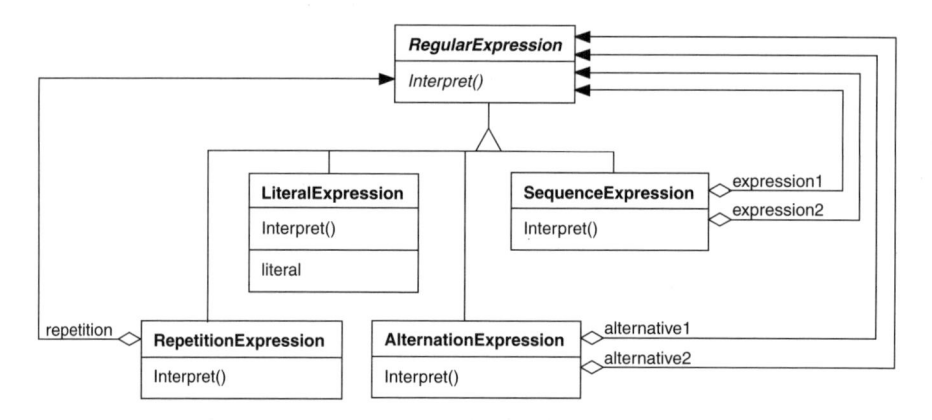

Cada expressão regular definida por essa gramática é representada por uma árvore sintática abstrata composta de instâncias destas classes. Por exemplo, a árvore sintática abstrata

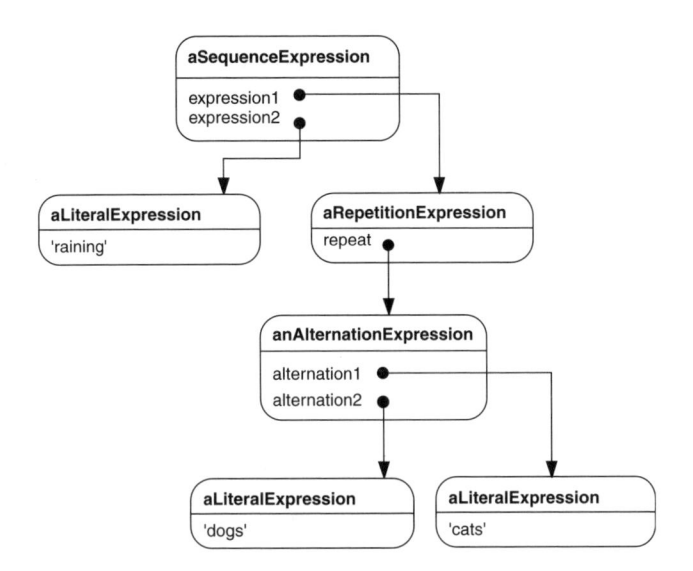

```
                    ┌─────────────────────┐
                    │ aSequenceExpression │
                    ├─────────────────────┤
                    │ expression1  •──────┐
                    │ expression2  •──┐   │
                    └─────────────────┼───┼─┘
                          │           │   │
          ┌───────────────┘           │   │
          ▼                           ▼   ▼
┌──────────────────┐         ┌──────────────────────┐
│ aLiteralExpression│         │ aRepetitionExpression│
├──────────────────┤         ├──────────────────────┤
│ 'raining'        │         │ repeat  •─────┐      │
└──────────────────┘         └───────────────┼──────┘
                                             ▼
                              ┌─────────────────────────┐
                              │ anAlternationExpression │
                              ├─────────────────────────┤
                              │ alternation1  •─────┐   │
                              │ alternation2  •─┐   │   │
                              └─────────────────┼───┼───┘
                                    │           │
                    ┌───────────────┘           │
                    ▼                           ▼
          ┌──────────────────┐       ┌──────────────────┐
          │aLiteralExpression│       │aLiteralExpression│
          ├──────────────────┤       ├──────────────────┤
          │ 'dogs'           │       │ 'cats'           │
          └──────────────────┘       └──────────────────┘
```

representa a expressão regular

```
raining & (dogs | cats) *
```

Podemos criar um interpretador para estas expressões regulares definindo a operação Interpret em cada subclasse de RegularExpression. Interpret aceita como argumento o contexto no qual interpretar a expressão. O contexto contém a cadeia de caracteres de entrada e informações sobre quanto dela foi identificado (*matched*) até aqui. Cada subclasse de RegularExpression implementa Interpret para buscar a correspondência com a parte seguinte da cadeia de entrada baseada no contexto corrente. Por exemplo,

- LiteralExpression verificará se a entrada corresponde ao literal por ela definido;
- AlternationExpression verificará se a entrada corresponde a alguma de suas alternativas;
- RepetitionExpression verificará se a entrada tem múltiplas cópias da expressão que ela repete;

e assim por diante.

Aplicabilidade

Use o padrão Interpreter quando houver uma linguagem para interpretar e você puder representar sentenças da linguagem como árvores sintáticas abstratas. O padrão Interpreter funciona melhor quando:

- a gramática é simples. Para gramáticas complexas, a hierarquia de classes para a gramática se torna grande e incontrolável. Em tais casos, ferramentas tais como geradores de analisadores são uma alternativa melhor. Elas podem

interpretar expressões sem a construção de árvores sintáticas abstratas, o que pode economizar espaço e, possivelmente, tempo;
- a eficiência não é uma preocupação crítica. Os interpretadores mais eficientes normalmente *não* são implementados pela interpretação direta de árvores de análise sintática, mas pela sua tradução para uma outra forma. Por exemplo, expressões regulares são freqüentemente transformadas em máquinas de estado. Porém, mesmo assim, o *tradutor* pode ser implementado pelo padrão Interpreter, sendo o padrão, portanto, ainda aplicável.

Estrutura

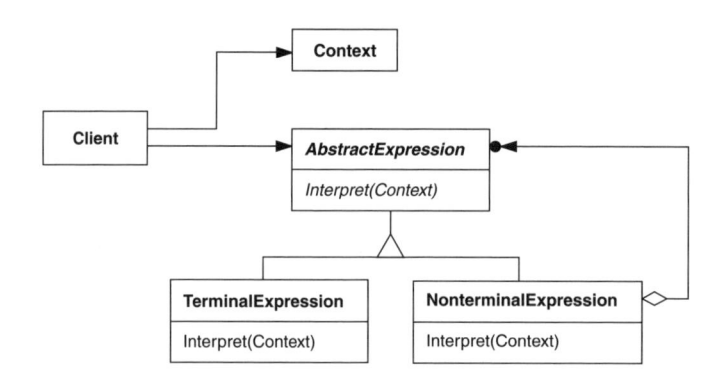

Participantes

- **AbstractExpression** (RegularExpression)
    - declara uma operação abstrata Interpret comum a todos os nós na árvore sintática abstrata.
- **TerminalExpression** (LiteralExpression)
    - implementa uma operação Interpret associada aos símbolos terminais da gramática;
    - é necessária uma instância para cada símbolo terminal em uma sentença.
- **NonterminalExpression** (AlternationExpression, RepetitionExpression, SequenceExpressions)
    - é necessária uma classe desse tipo para cada regra $R::=R_1R_2...R_n$ da gramática;
    - mantém variáveis de instância do tipo AbstractExpression para cada um dos símbolos R_1 a R_n;
    - implementa uma operação Interpret para símbolos não-terminais da gramática. Interpret chama a si próprio recursivamente nas variáveis que representam R_1 a R_n.
- **Context**
    - contém informação que é global para o interpretador.
- **Client**
    - constrói (ou recebe) uma árvore sintática abstrata que representa uma determinada sentença na linguagem definida pela gramática. A árvore sintática abstrata é montada a partir de instâncias das classes NonTerminalExpression e TerminalExpression.
    - invoca a operação Interpret.

Colaborações

- O cliente constrói (ou recebe) a sentença como uma árvore sintática abstrata de instâncias de NonTerminalExpression e TerminalExpression. Então o cliente inicia o contexto e invoca a operação Interpret.
- Cada nó NonTerminalExpression define Interpret em termos de Interpret em cada subexpressão. A operação Interpret de cada TerminalExpression define o caso-base na recursão.
- As operações Interpret em cada nó utilizam o contexto para armazenar e acessar o estado do interpretador.

Conseqüências

O *padrão* Interpreter tem os seguintes benefícios e deficiências:

1. *É fácil de mudar e estender a gramática.* Uma vez que o padrão usa classes para representar regras da gramática, você pode usar a herança para mudar ou estender a gramática. Expressões existentes podem ser modificadas incrementalmente, e novas expressões podem ser definidas como variações de velhas expressões.
2. *Implementar a gramática também é fácil.* Classes que definem nós na árvore sintática abstrata têm implementações similares. Essas classes são fáceis de escrever e freqüentemente sua geração pode ser automatizada com um gerador de compiladores ou de analisadores sintáticos.
3. *Gramáticas complexas são difíceis de manter.* O padrão Interpreter define pelo menos uma classe para cada regra da gramática (regras gramaticais definidas utilizando-se BNF podem exigir múltiplas classes). Logo, gramáticas que contêm muitas regras podem ser difíceis de administrar e manter. Outros padrões de projeto podem ser aplicados para diminuir o problema (ver Implementação). Porém, quando a gramática é muito complexa, técnicas como geradores de analisadores ou de compiladores são mais apropriadas.
4. *Acrescentando novas formas de interpretar expressões.* O padrão Interpreter torna mais fácil resolver uma expressão de uma maneira nova. Por exemplo, você pode suportar *pretty printing* ou verificação de tipo de uma expressão pela definição de uma nova operação nas classes da expressão. Se você continua criando novas formas de interpretar uma expressão, então considere a utilização do padrão Visitor (305) para evitar mudança nas classes da gramática.

Implementação

Os padrões Interpreter e Composite (160) compartilham muitos aspectos de implementação. Os seguintes aspectos são específicos do Interpreter:

1. *Criação da árvore sintática abstrata.* O padrão Interpreter não explica como *criar* uma árvore sintática abstrata. Em outras palavras, não trata de análise sintática. A árvore sintática abstrata pode ser criada por um analisador baseado em tabela, por um analisador especialmente codificado (normalmente descendente recursivo) ou diretamente pelo cliente.
2. *Definindo a operação Interpret.* Você não tem que definir a operação Interpret nas classes das expressões. Se for normal criar um novo interpretador, então é

melhor utilizar o padrão Visitor (305) para colocar Interpret num objeto "visitor" separado. Por exemplo, uma gramática para uma linguagem de programação terá muitas operações em árvores sintáticas abstratas, tais como verificação de tipo, otimização, geração de código, e assim por diante. Será mais adequado usar um Visitor para evitar a definição dessas operações em cada classe da gramática.

3. *Compartilhando símbolos terminais com o padrão Flyweight.* As gramáticas cujas sentenças contêm muitas ocorrências de um símbolo terminal podem se beneficiar do compartilhamento de uma única cópia daquele símbolo. As gramáticas para programas de computador são bons exemplos – cada variável do programa aparecerá em muitos lugares, por todo o código. No exemplo da seção Motivação, uma sentença pode ter o símbolo terminal *dog* (modelado pela classe LiteralExpression) aparecendo muitas vezes.

Nós terminais geralmente não armazenam informação sobre sua posição na árvore sintática abstrata. Nós pais passam aos nós terminais as informações de contexto de que eles necessitam durante a interpretação. Daí haver uma distinção entre estados compartilhados (intrínsecos) e estados passados (extrínsecos), sendo aplicável o padrão Flyweight (187).

Por exemplo, cada instância de LiteralExpression para *dog* recebe um contexto contendo a subcadeia reconhecida até então. E cada LiteralExpression faz a mesma coisa na sua operação Interpret – ela testa se a parte seguinte da entrada contém um *dog* – não importando onde a instância apareça na árvore.

Exemplo de código

Apresentamos aqui dois exemplos. O primeiro é um exemplo completo em Smalltalk para verificar se uma seqüência corresponde a uma expressão regular. O segundo é um programa em C++ para calcular o resultado de expressões boleanas.

O reconhecedor de expressões regulares testa se uma cadeia de caracteres pertence à linguagem definida pela expressão regular. A expressão regular é definida pela seguinte gramática:

```
expression ::= literal | alternation | sequence | repetition |
               '(' expression ')'
alternation ::= expression '|' expression
sequence ::= expression '&' expression
repetition ::= expression 'repeat'
literal ::= 'a' | 'b' | 'c' | ... { 'a' | 'b' | 'c' | ... }*
```

Esta gramática é uma ligeira modificação do exemplo apresentado em Motivação. Nós mudamos um pouco a sintaxe concreta de expressões regulares porque o símbolo "*" não pode ser uma operação pós-fixada em Smalltalk. Assim, usamos `repeat` no seu lugar. Por exemplo, a expressão regular

```
(('dog ' | 'cat ') repeat & 'weather')
```

reconheceria a cadeia de entrada "`dog dog cat weather`".

Para implementar o reconhecedor, nós definimos as cinco classes definidas na página 232. A classe `SequenceExpression` tem as variáveis de instância `expression1` e `expression2` para os seus filhos da árvore sintática abstrata. `AlternationExpression` armazena suas alternativas nas suas variáveis de instância `alternative1` e `alternative2`, enquanto que `RepetitionExpression` mantém a expressão que ela repete na sua variável de instância `repetition`. LiteralExpression tem uma variável de instância `components` que mantém uma lista de objetos (provavelmente caracteres). Estes representam a cadeia literal de caracteres que deve casar com a seqüência de entrada.

A operação `match:` implementa um interpretador para a expressão regular. Cada uma das classes que define a árvore sintática abstrata implementa essa operação. Ela aceita `inputState` como um argumento que representa o estado corrente do processo de comparação, tendo lido parte da cadeia de entrada.

Esse estado corrente é caracterizado por um conjunto de *input streams* que representa o conjunto de entradas que a expressão regular pode ter aceito até aqui. (Isto é equivalente a registrar todos os estados que o autômato de estados finitos equivalente teria, tendo reconhecido o *input stream* até este ponto).

O estado corrente é o mais importante para a operação `repeat`. Por exemplo, se a expressão regular fosse

```
'a' repeat
```

então o interpretador poderia casar com "`a`", "`aa`", "`aaa`", e assim por diante. Se ela fosse

```
'a' repeat & 'bc'
```

então poderia casar com "`abc`", "`aabc`", "`aaabc`", e assim por diante. Mas se a expressão regular fosse

```
'a' repeat & 'abc'
```

então comparar a entrada "`aabc`" com a subexpressão "`'a' repreat`" produziria dois *input streams*, um tendo correspondido a um caracter da entrada, e o outro tendo correspondido a dois caracteres. Somente o *stream* que aceitou um caracter corresponderá ao "`abc`" remanescente.

Agora consideraremos as definições de `match:` para cada classe que define a expressão regular. A definição de `SequenceExpression` compara cada uma das suas subexpressões em seqüência. Usualmente, ela eliminará "input streams" do seu `inputState`.

```
match: inputState
    ^ expression2 match: (expression1 match: inputState).
```

Uma `AlternationExpression` retornará a um estado que consiste da união dos estados de ambas as alternativas. A definição de `match:` para `AlternationExpression` é

```
match: inputState
    | finalState |
    finalState := alternative1 match: inputState.
    finalState addAll: (alternative2 match: inputState).
    ^ finalState
```

A operação `match:` para `RepetitionExpression` tenta encontrar tantos potenciais estados correspondentes quanto possível:

```
match: inputState
    | aState finalState |
    aState := inputState.
    finalState := inputState copy.
    [aState isEmpty]
        whileFalse:
            [aState := repetition match: aState.
            finalState addAll: aState].
    ^ finalState
```

Seu estado de saída usualmente contém mais estados do que seu estado de entrada porque uma `RepetitionExpression` pode corresponder a uma, duas ou muitas ocorrências de `repetition` no estado de entrada. Os estados de saída representam todas essas possibilidades, permitindo a elementos subseqüentes da expressão regular decidirem qual estado é correto.

Finalmente, a definição de `match:` para `LiteralExpression` tenta comparar seus componentes com qualquer *input stream* possível. Ela mantém somente aqueles *input streams* que têm um correspondente:

```
match: inputState
    | finalState tStream |
    finalState := Set new.
    inputState
        do:
            [:stream | tStream := stream copy.
            (tStream nextAvailable:
                components size
            ) = components
                ifTrue: [finalState add: tStream]
            ].
    ^ finalState
```

A mensagem `nextAvailable:` avança o *input stream*. Essa é a única operação `match:` que avança o *stream*. Observe como o estado retornado contém uma cópia do *input stream*, garantindo dessa forma que encontrar um literal correspondente nunca mudará o *input stream*. Isso é importante porque cada alternativa de uma `AlternationExpression` deveria ter cópias idênticas do *input stream*.

Agora que definimos as classes que compõem uma árvore sintática abstrata, podemos descrever como construí-la. Em vez de escrever um analisador de expressões regulares, definiremos algumas operações nas classes `RegularExpression`, de maneira que executando uma expressão Smalltalk produz-se uma árvore sintática abstrata para a expressão regular correspondente. Isso nos permite utilizar o compilador embutido Smalltalk como se fosse um analisador de expressões regulares.

Para definir a árvore sintática abstrata, necessitaremos definir "|", "repeat" e "&" como operações de `RegularExpression`. Essas operações são definidas na classe `RegularExpression` como segue:

```
& aNode
    ^ SequenceExpression new
        expression1: self expression2: aNode asRExp

repeat
    ^ RepetitionExpression new repetition: self

| aNode
    ^ AlternationExpression new
        alternative1: self alternative2: aNode asRExp

asRExp
    ^ self
```

A operação `asRExp` converterá literais em `RegularExpressions`. Essas operações são definidas na classe `String`:

```
& aNode
    ^ SequenceExpression new
        expression1: self asRExp expression2: aNode asRExp

repeat
    ^ RepetitionExpression new repetition: self

| aNode
    ^ AlternationExpression new
        alternative1: self asRExp alternative2: aNode asRExp

asRExp
    ^ LiteralExpression new components: self
```

Se tivéssemos definido essas operações mais acima na hierarquia de classes (`SequenceableCollection` em Smalltalk-80, `IndexedCollection`, em Smalltalk/V), então elas também seriam definidas para classes, tais como `Array` e `OrderedCollection`. Isso levaria expressões regulares a reconhecer seqüências de qualquer tipo de objeto.

O segundo exemplo é um sistema para manipulação e cálculo de expressões boleanas implementado em C++. Os símbolos terminais nesta linguagem são constantes boleanas, ou seja, `true` e `false`. Símbolos não-terminais representam expressões contendo os operadores `and`, `or`, e `not`. A gramática é definida como segue:

```
BooleanExp  ::= VariableExp | Constant | OrExp | AndExp | NotExp |
                '(' BooleanExp ')'
AndExp      ::= BooleanExp  'and' BooleanExp
OrExp       ::= BooleanExp  'or' BooleanExp
NotExp      ::= 'not' BooleanExp
Constant    ::= 'true' | 'false'
VariableExp ::= 'A' | 'B' | ... | 'X' | 'Y' | 'Z'
```

Definiremos duas operações sobre expressões boleanas. A primeira, `Evaluate`, resolve uma expressão boleana num contexto que atribui um valor verdadeiro ou falso para cada variável. A segunda operação, `Replace`, produz uma nova expressão boleana pela substituição de uma variável por uma expressão. `Replace` mostra como o padrão Interpreter pode ser usado para algo mais do que apenas calcular expressões. Neste caso, ele manipula a própria expressão.

Aqui daremos detalhes somente das classes `BooleanExp`, `VariableExp` e `AndExp`. As classes `OrExp` e `NotExp` são similares a `AndExp`. A classe `Constant` representa as constantes boleanas.

`BooleanExp` define a interface para todas as classes que definem uma expressão boleana:

```
class BooleanExp {
public:
    BooleanExp();
    virtual ~BooleanExp();

    virtual bool Evaluate(Context&) = 0;
    virtual BooleanExp* Replace(const char*, BooleanExp&) = 0;
    virtual BooleanExp* Copy() const = 0;
};
```

A classe `Context` define um mapeamento de variáveis para valores boleanos, os quais representamos com as constantes da C++ `true` e `false`. `Context` tem a seguinte interface:

```
class Context {
public:
    bool Lookup(const char*) const;
    void Assign(VariableExp*, bool);
};
```

A `VariableExp` representa uma variável com um nome:

```
class VariableExp : public BooleanExp {
public:
    VariableExp(const char*);
    virtual ~VariableExp();

    virtual bool Evaluate(Context&);
    virtual BooleanExp* Replace(const char*, BooleanExp&);
    virtual BooleanExp* Copy() const;
private:
    char* _name;
};
```

O construtor aceita o nome da variável como um argumento:

```
VariableExp::VariableExp (const char* name) {
    _name = strdup(name);
}
```

Determinando o valor de uma variável, retorna o seu valor no contexto corrente. Copiar uma variável retorna uma nova `VariableExp`:

```
bool VariableExp::Evaluate (Context& aContext) {
    return aContext.Lookup(_name);
}
```

Para substituir uma variável por uma expressão, testamos para verificar se a

```
BooleanExp* VariableExp::Copy () const {
    return new VariableExp(_name);
}
```

variável tem o mesmo nome daquela que foi passada como argumento:

```
BooleanExp* VariableExp::Replace (
    const char* name, BooleanExp& exp
) {
    if (strcmp(name, _name) == 0) {
        return exp.Copy();
    } else {
        return new VariableExp(_name);
    }
}
```

Uma `AndExp` representa uma expressão obtida aplicando o operador boleano "e" a duas expressões boleanas.

```
class AndExp : public BooleanExp {
public:
    AndExp(BooleanExp*, BooleanExp*);
    virtual ~AndExp();

    virtual bool Evaluate(Context&);
    virtual BooleanExp* Replace(const char*, BooleanExp&);
    virtual BooleanExp* Copy() const;
private:
    BooleanExp* _operand1;
    BooleanExp* _operand2;
};

AndExp::AndExp (BooleanExp* op1, BooleanExp* op2) {
    _operand1 = op1;
    _operand2 = op2;
}
```

Executar uma `AndExp` determina o valor dos seus operandos e retorna o "and" lógico dos resultados.

```
bool AndExp::Evaluate (Context& aContext) {
    return
        _operand1->Evaluate(aContext) &&
        _operand2->Evaluate(aContext);
}
```

Uma `AndExp` implementa `Copy` e `Replace` fazendo chamadas recursivas sobre os seus operandos:

```
BooleanExp* AndExp::Copy () const {
    return
        new AndExp(_operand1->Copy(), _operand2->Copy());
}

BooleanExp* AndExp::Replace (const char* name, BooleanExp& exp) {
    return
        new AndExp(
            _operand1->Replace(name, exp),
            _operand2->Replace(name, exp)
        );
}
```

Agora podemos definir a expressão boleana

```
(true and x) or (y and (not x))
```

e calculá-la para uma dada atribuição de `true` ou `false` às variáveis *X* e *Y*:

```
BooleanExp* expression;
Context context;

VariableExp* x = new VariableExp("X");
VariableExp* y = new VariableExp("Y");

expression = new OrExp(
    new AndExp(new Constant(true), x),
    new AndExp(y, new NotExp(x))
);

context.Assign(x, false);
context.Assign(y, true);

bool result = expression->Evaluate(context);
```

A expressão tem o resultado `true` ("verdadeiro") para estas atribuições de valores x e y. Podemos calcular a expressão com atribuições de valores diferentes das variáveis, simplesmente mudando o contexto.

Por fim, podemos substituir a variável y por uma nova expressão e então recalculá-la:

```
VariableExp* z = new VariableExp("Z");
NotExp not_z(z);

BooleanExp* replacement = expression->Replace("Y", not_z);

context.Assign(z, true);

result = replacement->Evaluate(context);
```

Este exemplo ilustra um ponto importante sobre o *padrão* Interpreter: muitos tipos de operações podem "interpretar" uma sentença.

Das três operações definidas para `BooleanExp`, `Evaluate` se ajusta melhor à nossa idéia do que um interpretador deveria fazer – ou seja, interpretar um programa ou expressão e retornar um resultado simples.

Contudo, `Replace` também pode ser visto como um interpretador. Ele é um interpretador cujo contexto é o nome da variável que está sendo substituída juntamente com a expressão que a substitui e cujo resultado é uma nova expressão. Mesmo `Copy` pode ser visto como um interpretador com um contexto vazio. Pode parecer um pouco estranho considerar `Replace` e `Copy` interpretadores, pois são apenas operações básicas sobre árvores. Os exemplos em Visitor (305) mostram como as três operações podem ser refatoradas num Visitor "interpretador" separado, desta forma mostrando que a semelhança é profunda.

O padrão Interpreter é mais do que somente uma operação distribuída sobre uma hierarquia de classes que usa o padrão Composite (160). Nós consideramos `Evaluate` um interpretador, pois pensamos na hierarquia de classes de `BooleanExp` representando uma linguagem. Dada uma hierarquia de classes semelhante para representar as montagens de peças automotivas, seria improvável que considerássemos operações como `Weight` e `Copy` como interpretadores, mesmo que elas estejam distribuídas sobre uma hierarquia de classes que usa o padrão Composite – simplesmente não pensamos em peças de automóveis como uma linguagem. É uma questão de perspectiva; se começássemos a publicar gramáticas de peças de automóveis, então poderíamos considerar as operações sobre essas peças como maneiras de interpretar a linguagem.

Usos conhecidos

O padrão Interpreter é amplamente usado em compiladores implementados com linguagens orientadas a objetos, como são os compiladores de Smalltalk. SPECTalk usa o padrão para interpretar descrições de formatos de arquivos de entrada [Sza92]. O *toolkit* solucionador de restrições QOCA o utiliza para avaliar restrições [HHMV92].

Considerado na sua forma mais geral (isto é, uma operação distribuída sobre uma hierarquia de classes baseada no padrão Composite), quase todos os usos do padrão Composite também conterão o padrão Interpreter. Mas o padrão Interpreter deveria ser reservado para aqueles casos em que você deseja ver a hierarquia de classes como a definição de uma linguagem.

Padrões relacionados

Composite (160): A árvore sintática abstrata é uma instância do padrão Composite.

Flyweight (187) mostra como compartilhar símbolos terminais dentro de uma árvore sintática abstrata.

Iterator (244): O Interpreter pode usar um Iterator para percorrer a estrutura.

Visitor (305) pode ser usado para manter o comportamento em cada elemento da árvore sintática abstrata em uma classe.

ITERATOR comportamental de objetos

Intenção

Fornecer um meio de acessar, seqüencialmente, os elementos de um objeto agregado sem expor a sua representação subjacente.

Também conhecido como

Cursor

Motivação

Um objeto agregado, tal como uma lista, deveria fornecer um meio de acessar seus elementos sem expor a sua estrutura interna. Além do mais, você pode querer percorrer a lista de diferentes maneiras, dependendo do que quiser fazer. Mas, provavelmente, você não irá querer inflar a interface da lista com operações para diferentes percursos, ainda que possa antecipar aquelas de que necessitará. Você também pode precisar ter mais de um percurso pendente sobre a mesma lista.

O padrão Iterator permite fazer tudo isto. A idéia-chave nesse padrão é retirar a responsabilidade de acesso e percurso do objeto lista e colocá-la em um objeto **iterator**. A classe Iterator define uma interface para acessar os elementos da lista. Um objeto iterator é responsável por manter a posição do elemento corrente; ou seja, sabe quais elementos já foram percorridos.

Por exemplo, uma classe List necessitaria uma ListIterator com o seguinte relacionamento entre elas:

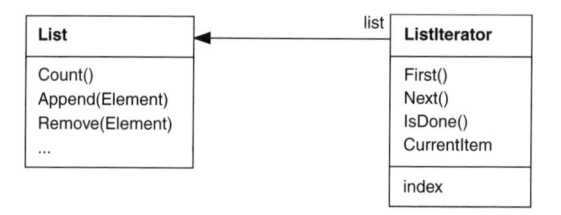

List		list	ListIterator
Count()			First()
Append(Element)			Next()
Remove(Element)			IsDone()
...			CurrentItem
			index

Antes que possa instanciar o ListIterator, você deverá fornecer a Lista a ser percorrida. Uma vez tendo a instância de ListIterator, poderá acessar os elementos da lista seqüencialmente. A operação CurrentItem retorna o elemento corrente na lista, a operação First inicia o elemento corrente com o primeiro elemento da lista, a operação Next avança para o elemento seguinte e IsDone testa se avançamos para além do último elemento – isto é, se terminamos o percurso.

Separar o mecanismo de percurso do objeto List nos permite definir Iteradores para diferentes políticas de percurso sem enumerá-las na interface de List. Por exemplo, FilteringListIterator pode fornecer acesso somente àqueles elementos que satisfaçam restrições específicas de filtragem.

Note que o iterador e a lista são acoplados, e que o cliente deve saber que é uma *lista* que é percorrida e não alguma outra estrutura agregada. O cliente se compromete com uma determinada estrutura agregada. Seria melhor se pudéssemos mudar a classe do agregado sem ter que mudar o código-cliente. Podemos fazer isto generalizando o conceito de iterador para suportar a **iteração polimórfica**.

Como exemplo, vamos assumir que também temos uma implementação SkipList de uma lista. Uma skiplist [Pug90] é uma estrutura de dados probabilística com características semelhantes às das árvores balanceadas. Queremos ser capazes de escrever um código que funcione tanto para objetos List como para SkipList.

Definimos uma classe AbstractList que fornece uma interface comum para manipulação de listas. Similarmente, necessitamos uma classe abstrata Iterator que define uma interface comum de iteração. Então, podemos definir subclasses concretas de Iterator para as diferentes implementações de lista. Como resultado, o mecanismo de iteração se torna independente das classes concretas de agregados.

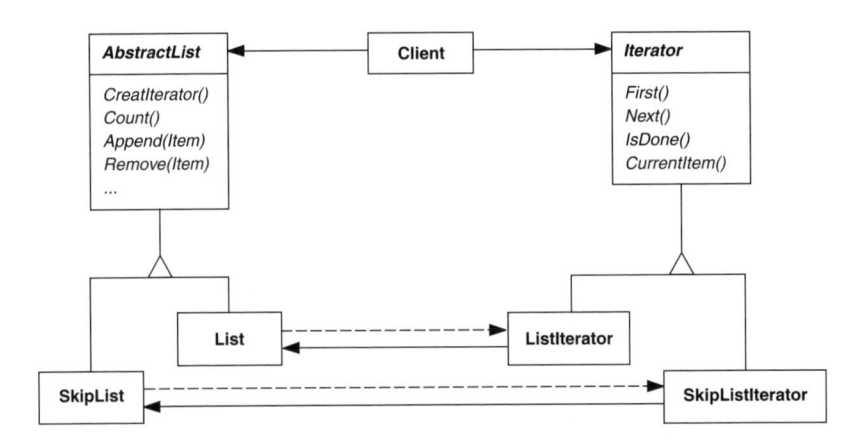

```
┌─────────────────┐          ┌────────┐          ┌─────────────────┐
│  AbstractList   │◄─────────│ Client │─────────►│    Iterator     │
├─────────────────┤          └────────┘          ├─────────────────┤
│ CreatIterator() │                              │ First()         │
│ Count()         │                              │ Next()          │
│ Append(Item)    │                              │ IsDone()        │
│ Remove(Item)    │                              │ CurrentItem()   │
│ ...             │                              └─────────────────┘
└─────────────────┘
         △                                               △
         │                                               │
    ┌────┴────┐                                  ┌───────┴────────┐
    │         │                                  │                │
┌───────┐  ┌──────┐                         ┌─────────────┐  ┌──────────────┐
│SkipList│ │ List │◄─────────────────────── │ ListIterator│  │SkipListIterator│
└───────┘  └──────┘                         └─────────────┘  └──────────────┘
     ◄──────────────────────────────────────────────────────────
```

O problema remanescente é como criar o iterador. Uma vez que queremos escrever código que é independente das subclasses concretas de List, não podemos simplesmente instanciar uma classe específica. Em vez disso, tornamos os objetos de lista responsáveis pela criação dos seus iteradores correspondentes. Isso exige uma operação como CreateIterator, pela qual os clientes solicitam um objeto iterador.

O CreateIterator é um exemplo de um método fábrica (ver Factory Method, 112). Nós o utilizamos aqui para permitir a um cliente pedir a um objeto lista o iterador apropriado. A abordagem Factory Method dá origem a duas hierarquias de classes, uma para listas e outra para iteradores. O método fábrica CreateIterator "conecta" as duas hierarquias.

Aplicabilidade

Use o padrão Iterator:

- para acessar os conteúdos de um objeto agregado sem expor a sua representação interna;
- para suportar múltiplos percursos de objetos agregados;
- para fornecer uma interface uniforme que percorra diferentes estruturas agregadas (ou seja, para suportar a iteração polimórfica).

Estrutura

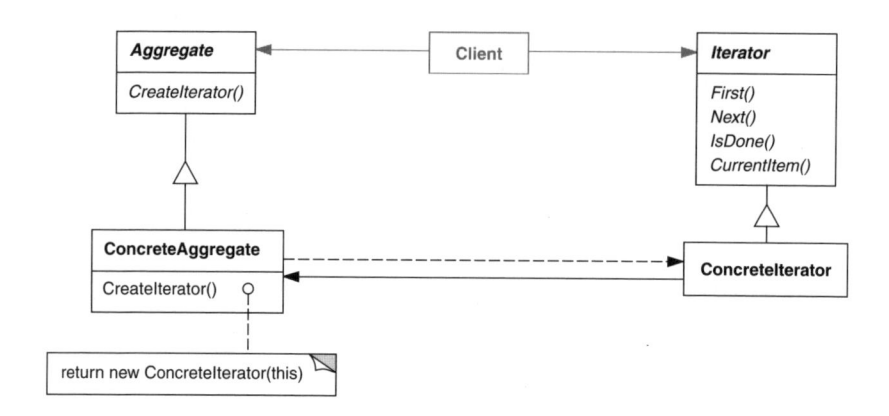

```
            Aggregate  ◁------  Client  ------▷  Iterator
          CreateIterator()                       First()
                △                                Next()
                |                                IsDone()
                |                                CurrentItem()
                |                                     △
                |                                     |
        ConcreteAggregate  ←--------------------  ConcreteIterator
         CreateIterator()  ○
                         : 
                         :
         return new ConcreteIterator(this)
```

Participantes

- **Iterator**
  - define uma interface para acessar e percorrer elementos.
- **ConcreteIterator**
  - implementa a interface de Iterator.
  - mantém o controle da posição corrente no percurso do agregado.
- **Aggregate**
  - define uma interface para a criação de um objeto Iterator.
- **ConcreteAggregate**
  - implementa a interface de criação do Iterator para retornar uma instância do ConcreteIterator apropriado.

Colaborações

- Um ConcreteIterator mantém o controle do objeto corrente no agregado e pode computar o objeto sucessor no percurso.

Conseqüências

O padrão Iterator tem três conseqüências importantes:

1. *Ele suporta variações no percurso de um agregado.* Os agregados complexos podem ser percorridos de muitas maneiras. Por exemplo, a geração de código e a verificação semântica envolve o percurso de árvores de derivação. A geração de código pode percorrer a árvore de derivação sintática em ordem in-fixada ou prefixada. Iteradores tornam fácil mudar o algoritmo de percurso: simplesmente substitua a instância do iterador por uma diferente. Você também pode definir subclasses de Iterator para suportar novos percursos.
2. *Iteradores simplificam a interface do agregado.* A interface de percurso de Iterator elimina as necessidades de uma interface semelhante em Aggregate, dessa forma simplificando a interface do agregado.

3. *Mais do que um percurso pode estar em curso (ou pendente), em um agregado.* Um interador mantém o controle de acompanhamento do estado do seu próprio percurso. Portanto, você pode ter mais que um percurso em andamento ao mesmo tempo.

Implementação

Iterator tem muitas variantes e alternativas de implementação. A seguir, apresentamos algumas importantes. As soluções de compromisso freqüentemente dependem da estrutura de controle oferecida pela linguagem. Algumas linguagens (por exemplo, CLU [LG86]), até mesmo suportam esse padrão diretamente.

1. *Quem controla a iteração?* Um aspecto fundamental é decidir qual parte controla a iteração, o iterador ou o cliente que usa o iterador. Quando o cliente controla a iteração, o iterador é chamado de um **iterador externo**, e quando é o iterador que a controla, o iterador é chamado de um **iterador interno**[2]. Os clientes que usam um iterador externo devem avançar o percurso e solicitar explicitamente o próximo elemento ao iterador. Em contraste com isso, o cliente passa a um iterador interno uma operação a ser executada, e o iterador aplica essa operação a cada elemento no agregado.

   Iteradores externos são mais flexíveis que iteradores internos. Por exemplo, é fácil comparar duas coleções quanto à sua igualdade com um iterador externo, mas isso é praticamente impossível com iteradores internos. Iteradores internos são especialmente fracos em uma linguagem como C++, que não oferece funções anônimas, fechos ou continuações, como o fazem Smalltalk e CLOS. Mas, por outro lado, iteradores internos são mais fáceis de usar porque eles definem a lógica da iteração para você.

2. *Quem define o algoritmo de percurso?* O iterador não é o único lugar onde o algoritmo de percurso pode ser definido. O agregado pode definir o algoritmo de percurso e utilizar o iterador somente para armazenar o estado da iteração. Chamamos a este tipo de iterador um **cursor**, uma vez que ele meramente aponta para a posição corrente no agregado. Um cliente invocará a operação Next no agregado com o cursor como um argumento, e a operação Next mudará o estado do cursor[3].

   Se o iterador é responsável pelo algoritmo de percurso, então é fácil utilizar diferentes algoritmos de iteração sobre o mesmo agregado, e também pode ser mais fácil reutilizar o mesmo algoritmo sobre agregados diferentes. Por outro lado, o algoritmo de percurso pode necessitar acessar as variáveis privadas do agregado. Se esse for o caso, a colocação do algoritmo de percurso no iterador viola o encapsulamento do agregado.

3. *Quão robusto é o iterador?* Pode ser perigoso modificar um agregado enquanto ele é percorrido. Se são acrescentados ou deletados elementos do agregado, pode-se acabar acessando um elemento duas vezes ou perdendo-o completamente. Uma solução simples é copiar o agregado e percorrer a cópia, mas isso é, em geral, muito caro de ser feito em termos computacionais.

   Um **iterador robusto** garante que inserções ou remoções não interferirão com o percurso, e ele consegue isso sem copiar o agregado. Há muitas maneiras de implementar iteradores robustos. A maioria depende do registro do iterador com o agregado. Na inserção ou remoção, o agregado ajusta o estado interno dos iteradores que ele produziu ou mantém internamente informações para garantir um percurso adequado.

Klofer fornece uma boa discussão sobre como iteradores robustos são implementados em ET++ [Kof93]. Murray discute a implementação de iteradores robustos para classe List do USL StandardComponents [Mur93].

4. *Operações adicionais de Iterator.* A interface mínima de Iterator consiste das operações First, Next, IsDone e CurrentItem[4]. Algumas operações adicionais podem ser úteis. Por exemplo, agregados ordenados podem ter uma operação Previous que posiciona o iterador no elemento prévio. Uma operação SkipTo é útil para coleções classificadas ou indexadas. SkipTo posiciona o iterador para um objeto que satisfaz critérios específicos.

5. *Usando iteradores polimórficos em C++.* Iteradores polimórficos têm o seu custo. Eles exigem que o objeto iterador seja alocado dinamicamente por um método-fábrica. Daí eles devem ser usados somente quando há necessidade de polimorfismo. Caso contrário, use iteradores concretos, que podem ser alocados na pilha de execução.

Os iteratores polimórficos têm um outro inconveniente: o cliente é responsável por deletá-los. Isto é sujeito a erros porque é fácil esquecer de liberar o espaço alocado para um objeto iterador quando você acaba de usá-lo. Isso é particularmente provável quando existem múltiplos pontos de saída em uma operação. E se uma exceção é disparada, o objeto iterador nunca será liberado.

O padrão Proxy (198) oferece um remédio para essa situação. Podemos usar um proxy alocado na pilha como um substituto para o iterador real. O proxy deleta o iterador no seu destrutor. Assim, quando o proxy sai do escopo, o iterador real será desalocado juntamente com ele. O proxy assegura uma limpeza adequada mesmo no caso de exceções. Essa é uma aplicação da técnica bem conhecida em C++ "alocação de recurso é inicialização" [ES90]. A seção Exemplo de Código mostra um exemplo disso.

6. *Iteradores podem ter acesso privilegiado.* Um iterador pode ser visto como uma extensão do agregado que o criou. O iterador e o agregado são fortemente acoplados. Podemos fortalecer essa relação em C++, tornando o iterador uma classe `friend` do seu agregado. Então, você não terá que definir operações para o agregado cuja única finalidade seria permitir que iteradores implementassem percursos de forma eficiente.

Contudo, tal acesso privilegiado pode tornar difícil a definição de novos percursos, uma vez que isto exigirá a mudança da interface do agregado para acrescentar outro friend. Para evitar este problema, a classe Iterator pode incluir operações `protected` para acessar membros importantes, porém, publicamente disponíveis do agregado. As subclasses de Iterator (e *somente* elas) poderão usar essas operações protegidas para obter acesso privilegiado ao agregado.

7. *Iterators para composites.* Iteradores externos podem ser difíceis de implementar sobre estruturas recursivas de agregados como aquelas encontradas no padrão Composite (160) porque uma posição da estrutura pode abranger muitos níveis de agregados encaixados. Portanto, um iterador externo tem que armazenar uma trajetória através do Composite para manter controle do objeto corrente. Algumas vezes é mais fácil só utilizar um iterador interno. Ele pode registrar a posição corrente simplesmente chamando a si próprio

recursivamente, dessa forma armazenando implicitamente a trajetória na pilha de chamadas.

Se os nós em um Composite têm uma interface para movimentação de um nó para os seus irmãos, pais e filhos, então um iterador baseado em cursor pode oferecer uma melhor alternativa. O cursor somente necessita controlar o nó corrente; ele pode basear-se na interface dos nós para percorrer o Composite.

Os Composites freqüentemente necessitam ser percorridos de mais de uma maneira. São comuns percursos em pré-ordem, pós-ordem, in-ordem e *breadth-first* (passar de um nó para outro nó no mesmo nível da árvore). Você pode suportar cada tipo de percurso com uma classe diferente de iterador.

8. *Iteradores nulos.* Um **NullIterator** é um iterador degenerado útil para tratar condições de contorno. Por definição, um NullIterator *sempre* termina com um percurso; ou seja, a operação IsDone sempre devolve o valor "verdadeiro" (*true*).

NullIterator pode tornar mais fácil um percurso de agregados estruturados em árvores (como os Composites). A cada ponto do percurso solicitamos ao elemento corrente que coloque um iterador para seus filhos. Os elementos do agregado normalmente retornam um iterador concreto. Porém, elementos-folhas retornam uma instância de NullIterator. Isso nos permite implementar o percurso sobre toda estrutura de uma maneira uniforme.

Exemplo de código

Examinaremos uma implementação de uma simples classe List, parte de nossa Foundation Library (Apêndice C). Mostraremos duas implementações de Iterator, uma para percorrer List da frente para trás e outra para atravessá-la de trás para frente (a biblioteca suporta somente a primeira). Então mostraremos como usar esses iteradores e como evitar o compromisso com uma implementação em particular. Depois disso, mudamos o projeto para garantir que iteradores sejam deletados de maneira apropriada. O último exemplo ilustra um iterador interno e o compara à sua contrapartida externa.

1. *Interfaces de List e Iterator.* Primeiramente, examinemos a parte da interface de List relevante para a implementação de Iteradores. Veja no Apêndice C a interface completa.

```
template <class Item>
class List {
public:
    List(long size = DEFAULT_LIST_CAPACITY);

    long Count() const;
    Item& Get(long index) const;
    // ...
};
```

A classe `List` fornece uma maneira razoavelmente eficiente para suportar a iteração através da sua interface pública. Ela é suficiente para implementar ambos os percursos. Assim, não há necessidade de dar aos iteradores um acesso privilegiado à estrutura de dados subjacente; ou seja, as classes iterator não são *friends* de `List`. Para permitir o uso transparente de diferentes percursos, definimos uma classe abstrata `Iterator` que define a interface de um iterador.

```
template <class Item>
class Iterator {
public:
    virtual void First() = 0;
    virtual void Next() = 0;
    virtual bool IsDone() const = 0;
    virtual Item CurrentItem() const = 0;
protected:
    Iterator();
};
```

2. *Implementações de subclasses de Iterator.* `ListIterator` é uma subclasse de `Iterator`.

```
template <class Item>
class ListIterator : public Iterator<Item> {
public:
    ListIterator(const List<Item>* aList);
    virtual void First();
    virtual void Next();
    virtual bool IsDone() const;
    virtual Item CurrentItem() const;
private:
    const List<Item>* _list;
    long _current;
};
```

A implementação de `ListIterator` é simples e direta. Ela armazena `List` juntamente com um índice `_current` para a lista:

```
template <class Item>
ListIterator<Item>::ListIterator (
    const List<Item>* aList
) : _list(aList), _current(0) {
}
```

`First` posiciona o iterador no primeiro elemento:

```
template <class Item>
void ListIterator<Item>::First () {
    _current = 0;
}
```

`Next` avança o elemento corrente:

```
template <class Item>
void ListIterator<Item>::Next () {
    _current++;
}
```

`IsDone` testa se o índice referencia um elemento dentro de List:

```
template <class Item>
bool ListIterator<Item>::IsDone () const {
    return _current >= _list->Count();
}
```

Finalmente, `CurrentItem` retorna o item para o índice corrente. Se a iteração já terminou, então disparamos uma exceção `IteratorOutOfBounds`:

```
template <class Item>
Item ListIterator<Item>::CurrentItem () const {
    if (IsDone()) {
        throw IteratorOutOfBounds;
    }
    return _list->Get(_current);
}
```

A implementação de ReverseListIterator é idêntica, com a exceção de que sua operação `First` posiciona `_current` no fim da lista, e `Next` decrementa `_current` na direção do primeiro item.

3. *Usando os iteradores.* Vamos assumir que temos uma `List` de objetos `Employee` (empregado), e que queremos imprimir todos os empregados nela contidos. A classe `Employee` suporta isso por meio de uma operação `Print`. Para imprimir a lista, definimos uma operação `PrintEmployees` que aceita um iterador como um argumento. Ela usa o iterador para percorrer e imprimir a lista.

```
void PrintEmployees (Iterator<Employee*>& i) {
    for (i.First(); !i.IsDone(); i.Next()) {
        i.CurrentItem()->Print();
    }
}
```

Uma vez que dispomos de iteradores para percursos tanto de trás para diante como da frente para trás, podemos reutilizar essa operação para imprimir os empregados em ambas as ordens.

```
List<Employee*>* employees;
// ...
ListIterator<Employee*> forward(employees);
ReverseListIterator<Employee*> backward(employees);

PrintEmployees(forward);
PrintEmployees(backward);
```

4. *Evitando comprometer-se com uma implementação específica da lista.* Vamos considerar agora como uma variação *skiplist* de `List`, afetaria nosso código de iteração. Uma subclasse `SkipList`, de `List`, pode fornecer um `SkipListIterator` que implementa a interface de *Iterator*. Internamente, o `SkipListIterator` tem que manter mais do que somente um índice para fazer a iteração de maneira eficiente. Mas, uma vez que `SkipListIterator` segue a interface de `Iterator`, a operação `PrintEmployees` também pode ser usada quando os empregados são armazenados num objeto `SkipList`.

```
SkipList<Employee*>* employees;
// ...

SkipListIterator<Employee*> iterator(employees);
PrintEmployees(iterator);
```

Embora essa abordagem funcione, seria melhor se não tivéssemos que nos comprometer com uma implementação específica de `List`, no caso `SkipList`. Podemos introduzir uma classe `AbstractList` para padronizar a interface da lista para diferentes implementações. `List` e `SkipList` se tornam subclasses de `AbstractList`.

Para permitir a iteração polimórfica, `AbstractList` define um método fábrica `CreateIterator`, cujas subclasses redefinem para retornar seus iteradores correspondentes:

```
template <class Item>
class AbstractList {
public:
    virtual Iterator<Item>* CreateIterator() const = 0;
    // ...
};
```

Uma alternativa seria definir uma classe mixin geral, chamada `Traversable`, que define a interface para criação de um iterador. Classes agregadas podem ser combinadas (*mixin*) em `Traversable` para suportar a iteração polimórfica. `List` redefine `CreateIterator` para retornar um objeto `ListIterator`:

```
template <class Item>
Iterator<Item>* List<Item>::CreateIterator () const {
    return new ListIterator<Item>(this);
}
```

Agora estamos em condição de escrever o código para impressão dos empregados independentemente de uma representação concreta.

```
template <class Item>
class ListTraverser {
public:
    ListTraverser(List<Item>* aList);
    bool Traverse();
protected:
    virtual bool ProcessItem(const Item&) = 0;
private:
    ListIterator<Item> _iterator;
};
```

5. *Garantindo que os iteradores sejam deletados.* Observe que `CreateIterator` retorna um objeto iterador recém-alocado. Nós somos responsáveis por deletá-lo. Se esquecermos de fazê-lo teremos criado uma perda de memória. Para tornar a vida mais fácil para os clientes, proveremos um `IteratorPtr` que funciona como um proxy para um iterador. Ele cuida da eliminação do objeto `Iterator` quando este sai do escopo.

`IteratorPtr` é sempre alocado na pilha[5]. C++ automaticamente cuida de chamar o seu destrutor, o qual deleta o iterador real. `IteratorPtr` sobrecarrega tanto `operator ->` quanto o `operator*`, de tal maneira que um `IteratorPtr` possa ser tratado simplesmente como um apontador para um iterador. Os membros de IteratorPtr são todos implementados em linha (*inline*, ou seja, expandidos em tempo de compilação); desta forma não produzem sobrecarga. IteratorPtr permite simplificar nosso código para impressão:

```
template <class Item>
class IteratorPtr {
public:
    IteratorPtr(Iterator<Item>* i): _i(i) { }
    ~IteratorPtr() { delete _i; }

    Iterator<Item>* operator->() { return _i; }
    Iterator<Item>& operator*() { return *_i; }
private:
    // impede cópia e associação para evitar
    // acelerações múltiplas de _i:

    IteratorPtr(const IteratorPtr&);
    IteratorPtr& operator=(const IteratorPtr&);
private:
    Iterator<Item>* _i;
};
```

6. *Um ListIterator interno.* Como exemplo final, vamos examinar uma possível

```
AbstractList<Employee*>* employees;
// ...

IteratorPtr<Employee*> iterator(employees->CreateIterator());
PrintEmployees(*iterator);
```

implementação de uma classe ListIterator interna ou passiva. Aqui o iterador controla a iteração e aplica uma operação a cada elemento.

A questão, neste caso, é como parametrizar o iterador com a operação que queremos executar em cada elemento. C++ não suporta funções anônimas, ou fechos, que outras linguagens fornecem para esta tarefa. Há pelo menos duas opções: (1) passar um apontador para uma função (global ou estática), ou (2) depender do uso de subclasses. No primeiro caso, o iterador chama a operação passada para ele em cada ponto da iteração. No segundo caso, o iterador chama uma operação que uma subclasse redefine para determinar comportamento específico.

Nenhuma das opções é perfeita. Freqüentemente, você deseja acumular estados durante a iteração, e funções não são muito adequadas para isso; teríamos que usar variáveis estáticas para lembrar o estado. Uma subclasse Iterator nos fornece um lugar conveniente para armazenar os estados acumulados, tal como numa variável de instância. Porém, a criação de uma subclasse para cada percurso diferente significa mais trabalho a ser feito.

A seguir, apresentamos um esboço da segunda opção, que utiliza subclasses. Chamamos o iterador interno de ListTraverser.

```
template <class Item>
class ListTraverser {
public:
    ListTraverser(List<Item>* aList);
    bool Traverse();
protected:
    virtual bool ProcessItem(const Item&) = 0;
private:
    ListIterator<Item> _iterator;
};
```

`ListTraverser` aceita uma instância de `List` como um parâmetro. Internamente, utiliza um `ListIterator` externo para fazer o percurso. `Traverse` inicia o percurso e chama `ProcessItem` para cada item. O iterador interno pode decidir terminar um percurso retornando `false`, de `ProcessItem`. `Traverse` retorna se o percurso terminou prematuramente.

```
template <class Item>
ListTraverser<Item>::ListTraverser (
    List<Item>* aList
) : _iterator(aList) { }

template <class Item>
bool ListTraverser<Item>::Traverse () {
    bool result = false;

    for (
        _iterator.First();
        !_iterator.IsDone();
        _iterator.Next()
    ) {
        result = ProcessItem(_iterator.CurrentItem());

        if (result == false) {
            break;
        }
    }
    return result;
}
```

Vamos usar um `ListTraverser` para imprimir os primeiros 10 empregados da nossa lista de empregados. Para fazê-lo, teremos que criar uma subclasse de `ListTraverser` e redefinir `ProcessItem`. Contamos o número de empregados impressos em uma variável de instância `_count`.

```cpp
class PrintNEmployees : public ListTraverser<Employee*> {
public:
    PrintNEmployees(List<Employee*>* aList, int n) :
        ListTraverser<Employee*>(aList),
        _total(n), _count(0) { }

protected:
    bool ProcessItem(Employee* const&);
private:
    int _total;
    int _count;
};

bool PrintNEmployees::ProcessItem (Employee* const& e) {
    _count++;
    e->Print();
    return _count < _total;
}
```

Aqui está como `PrintNEmployees` imprime os primeiros 10 empregados da lista:

```cpp
List<Employee*>* employees;
// ...

PrintNEmployees pa(employees, 10);
pa.Traverse();
```

Observe como o cliente não especifica o ciclo de iteração. Toda a lógica da iteração pode ser reutilizada. Este é o benefício primário de um iterador interno. Entretanto, dá um pouco mais de trabalho do que um iterador externo porque temos que definir uma nova classe. Compare isto com a utilização de um iterador externo:

```cpp
ListIterator<Employee*> i(employees);
int count = 0;

for (i.First(); !i.IsDone(); i.Next()) {
    count++;
    i.CurrentItem()->Print();

    if (count >= 10) {
        break;
    }
}
```

Os iteradores internos podem encapsular diferentes tipos de iterações. Por exemplo, `FilteringListTraverser` encapsula uma interação que processa somente itens que satisfazem um teste:

```cpp
template <class Item>
class FilteringListTraverser {
public:
    FilteringListTraverser(List<Item>* aList);
    bool Traverse();
protected:
    virtual bool ProcessItem(const Item&) = 0;
    virtual bool TestItem(const Item&) = 0;
private:
    ListIterator<Item> _iterator;
};
```

Essa interface é a mesma de `ListTraverser`, com exceção de uma função membro `TestItem`, que foi acrescentada para definir o teste. As subclasses redefinem `TestItem` para especificar o teste.

`Traverse` decide se continua o percurso baseado no resultado do teste:

```
template <class Item>
void FilteringListTraverser<Item>::Traverse () {
    bool result = false;

    for (
        _iterator.First();
        !_iterator.IsDone();
        _iterator.Next()
    ) {
        if (TestItem(_iterator.CurrentItem())) {
            result = ProcessItem(_iterator.CurrentItem());
            if (result == false) {
                break;
            }
        }
    }
    return result;
}
```

Uma variante dessa classe pode definir `Traverse` para retornar se pelo menos um item satisfaz o teste [6].

Usos conhecidos

Os Iterators são comuns em sistemas orientados a objetos. A maioria das bibliotecas de classes de coleções oferece iteradores de uma maneira ou outra.

Aqui citamos um exemplo dos componentes de Booch [Boo94], uma biblioteca popular de classes de coleções. Ela fornece implementação para fila tanto de tamanho fixo (limitado) quanto de crescimento dinâmico (ilimitado). A interface de fila é definida por uma classe abstrata Queue. Para suportar a iteração polimórfica nas diferentes implementações de fila, o iterador de fila é implementado em termos da interface da classe abstrata Queue. Essa variação tem a vantagem de não necessitar de um método-fábrica para consultar as implementações de fila a respeito do seu iterador apropriado. Contudo, requer que a interface da classe abstrata Queue seja poderosa o bastante para implementar o iterador eficientemente.

Os Iterators não necessitam ser definidos tão explicitamente em Smalltalk. As classes-padrão de coleções da linguagem (Bag, Set, Dictionary, OrderedCollection, String, etc.) definem um método iterador interno `do:`, o qual aceita um bloco (isto é, um fecho) como um argumento. Cada elemento na coleção é vinculado à variável local no bloco; então, o bloco é executado. Smalltalk também inclui um conjunto de classes Stream que suporta uma interface semelhante a de um iterador. ReadStream é essencialmente um Iterator, e pode funcionar como um iterador externo para todas as coleções seqüenciais. Não há padrões de iteradores externos para coleções não-seqüenciais, tais como Set e Dictionary.

Os Iteradores polimórficos e o Proxy de limpeza descritos anteriormente são fornecidos pelas classes "container" de ET++ [WGM88]. As classes do *framework* para edição gráfica Unidraw utilizam iteradores baseados em cursores [VL90].

ObjectWindows 2.0 [Bor94] oferece uma hierarquia de classes de iteradores para *containers*. Você pode iterar sobre diferentes tipos de contêiner da mesma maneira. A sintaxe da iteração do ObjectWindow depende de sobrecarregar o operador de pós-incremento ++ para avançar a iteração.

Padrões relacionados

Composite (160): os Iterators são freqüentemente aplicados a estruturas recursivas, tais como Composites.

Factory Method (112): os Iteradores polimórficos dependem de métodos fábrica para instanciar a subclasse apropriada de Iterator.

Memento (266) é freqüentemente usado em conjunto com o *padrão* Iterator. Um iterador pode usar um Memento para capturar o estado de uma iteração. O iterador armazena internamente o memento.

MEDIATOR   comportamental de objetos

Intenção

Definir um objeto que encapsula a forma como um conjunto de objetos interage. O Mediator promove o acoplamento fraco ao evitar que os objetos se refiram uns aos outros explicitamente e permite variar suas interações independentemente.

Motivação

O projeto orientado a objetos encoraja a distribuição de comportamento entre vários objetos. Tal distribuição pode resultar em uma estrutura de objetos com muitas conexões entre eles; na pior das situações, cada objeto acaba tendo conhecimento sobre todos os outros objetos.

Embora o particionamento de um sistema em muitos objetos geralmente melhore a reusabilidade, a proliferação de interconexões tende a reduzi-la novamente. Muitas interconexões tornam menos provável que um objeto possa funcionar sem o apoio de outros – o sistema funciona como se fosse monolítico. Além do mais, pode ser difícil de mudar o comportamento do sistema de maneira significativa, uma vez que o comportamento está distribuído entre muitos objetos. Como resultado, você pode se ver forçado a definir muitas subclasses para customizar e adaptar o comportamento do sistema.

Como exemplo, considere a implementação de caixas de diálogo em uma interface gráfica de usuário. Uma caixa de diálogo usa uma janela para apresentar uma coleção de widgets, tais como botões, menus e campos de entrada como mostrado a seguir:

Freqüentemente, existem dependências entre os widgets no diálogo. Por exemplo, um botão torna-se desabilitado quando um certo campo de entrada está vazio. A seleção de uma entrada em uma lista de escolhas pode mudar o conteúdo de um campo de entrada. Reciprocamente, digitar texto no campo de entrada pode selecionar automaticamente uma ou mais entradas correspondentes na *list box*. Uma vez que aparece texto no campo de entrada, outros botões podem se tornar habilitados, permitindo ao usuário fazer alguma coisa com o texto, tal como mudar ou deletar a coisa à qual o mesmo se refere.

Diferentes caixas de diálogo terão diferentes dependências entre widgets. Assim, muito embora diálogos exibam os mesmos tipos de widgets, não podem simplesmente reutilizar as classes widget disponíveis no ambiente de desenvolvimento; elas devem ser customizadas para refletir as dependências específicas do diálogo. A customização individual das mesmas através de subclasses seria tediosa, uma vez que muitas classes estão envolvidas.

Você pode evitar esses problemas encapsulando o comportamento coletivo num objeto **mediator** separado. Um mediator, ou mediador, é responsável pelo controle e coordenação das interações de um grupo de objetos. O mediador funciona como um intermediário que evita que os objetos do grupo referenciem uns aos outros explicitamente. Os objetos somente conhecem o mediador, desta forma reduzindo o número de interconexões.

Por exemplo, **FontDialogDirector** pode ser um mediador entre os widgets numa caixa de diálogo. Um objeto FontDialogDirector conhece os widgets de um diálogo e coordena sua interação. Ele funciona como um centro concentrador (*hub*) de comunicações para os widgets:

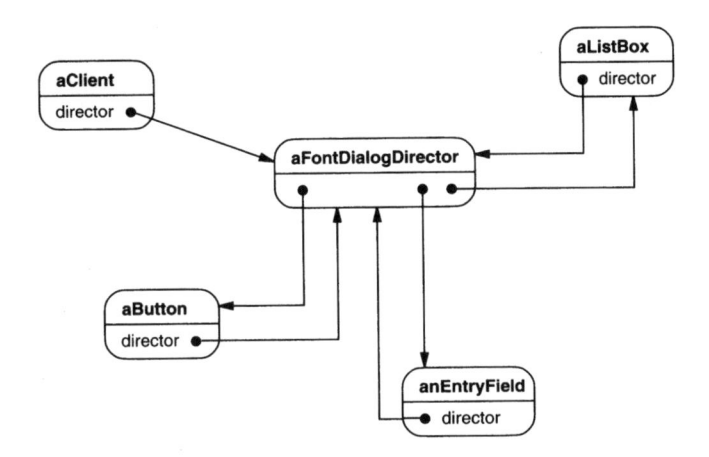

O seguinte diagrama de interação ilustra como os objetos cooperam para tratar uma mudança numa seleção num *list box*:

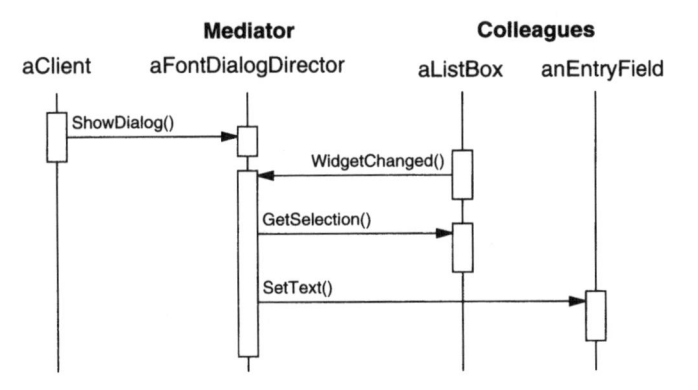

Aqui está a sucessão de eventos pelos quais uma *list box* passa, no caso de manipulação de um campo de entrada:

1. A *list box* notifica seu diretor (director) que ela foi mudada.
2. O diretor obtém a seleção da *list box*.
3. O diretor passa a seleção para o campo de entrada.
4. Agora que o campo de entrada contém algum texto, o diretor habilita botões para iniciar uma ação (por exemplo, "seminegrito", "oblíquo").

Observe como o diretor faz a mediação entre a *list box* e o campo de entrada. Os widgets se comunicam uns com os outros apenas indiretamente, através do diretor. Eles não precisam saber mais nada sobre cada um dos demais; tudo o que conhecem é o diretor. Além do mais, porque o comportamento está localizado em uma classe, pode ser mudado ou substituído pela extensão ou substituição dessa classe.

Eis como a abstração FontDialogDirector pode ser integrada em uma biblioteca de classes:

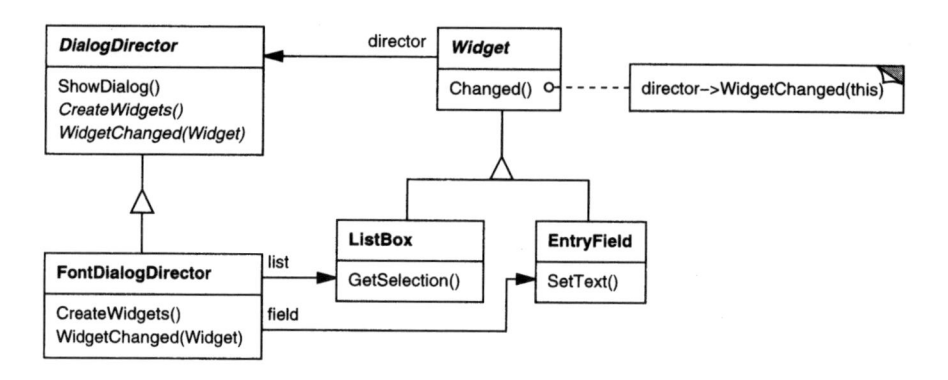

DialogDirector é uma classe abstrata que define o comportamento geral de um diálogo. Os clientes invocam a operação ShowDialog para exibir o diálogo na tela. CreateWidgets é uma operação abstrata para a criação dos widgets de um diálogo. WidgetChanged é uma outra operação abstrata; os widgets a chamam para informar ao seu diretor de que eles mudaram. As subclasses de DialogDirector substituem CreateWidgets para criar os widgets apropriados e elas substituem WidgetChanged para tratar as mudanças.

Aplicabilidade

Utilize o padrão Mediator quando:

- um conjunto de objetos se comunica de maneiras bem-definidas, porém complexas. As interdependências resultantes são desestruturadas e difíceis de entender.
- a reutilização de um objeto é difícil porque ele referencia e se comunica com muitos outros objetos.
- um comportamento que está distribuído entre várias classes deveria ser customizável, ou adaptável, sem excessiva especialização em subclasses.

Estrutura

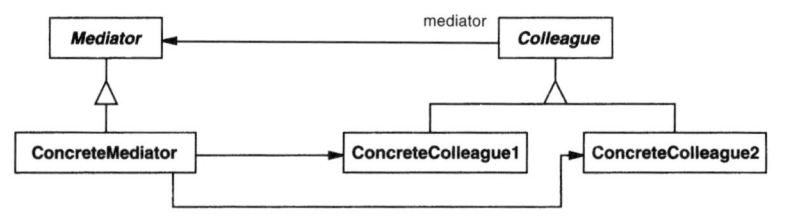

Uma estrutura de objeto típica pode se assemelhar à seguinte:

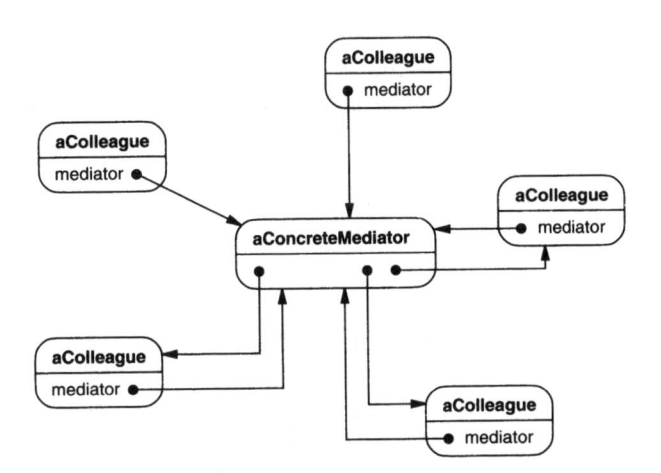

Participantes

- **Mediator**(DialogDirector)
  – define uma interface para comunicação com objetos de classe Colleague.
- **ConcreteMediator**(FontDialogDirector)
  – implementa comportamento cooperativo através da coordenação de objetos de classe Colleague.
  – conhece e mantém seus colegas.
- **Colleague classes**(ListBox, EntryField)
  – cada classe Collegue conhece seu objeto Mediator de outra forma.
  – cada colega se comunica com o seu mediador sempre que, de outra forma, teria que se comunicar com outro colega.

Colaborações

- Colegas enviam e recebem solicitações de um objeto Mediator. O mediador implementa o comportamento cooperativo pelo direcionamento das solicitações para os colegas apropriados.

Conseqüências

O padrão Mediator tem os seguintes benefícios e problemas:

1. *Ele limita o uso de subclasses.* Um mediador localiza o comportamento que, de outra forma, estaria distribuído entre vários objetos. Mudar este comportamento exige a introdução de subclasses somente para o Mediador; classes Colleague podem ser reutilizadas como estão.
2. *Ele desacopla colegas.* Um mediador promove um acoplamento fraco entre colegas. Você pode variar e reutilizar as classes Colleague e Mediator independentemente.
3. *Ele simplifica o protocolo dos objetos.* Um mediador substitui interações muitos-para-muitos por interações um-para-muitos entre o mediador e seus colegas. Relacionamentos um-para-muitos são mais fáceis de compreender, manter e estender.

4. *Ele abstrai a maneira como os objetos cooperam.* Tornando a mediação um conceito independente e encapsulando-a em um objeto, permite-lhe focalizar na maneira como os objetos interagem independente do seu comportamento individual. Isso pode ajudar a esclarecer como os objetos interagem em um sistema.
5. *Ele centraliza o controle.* O padrão Mediator troca a complexidade de interação pela complexidade no mediador. Porque um mediador encapsula protocolos, pode se tornar mais complexo do que qualquer dos colegas individuais. Isso pode tornar o mediador um monolito difícil de manter.

Implementação

Os seguintes aspectos de implementação são relevantes para o *padrão* Mediator:

1. *Omissão da classe abstrata Mediator.* Não há necessidade de definir uma classe abstrata Mediator quando os colegas trabalham apenas com um mediador. O acoplamento abstrato que a classe Mediator fornece permite aos colegas trabalharem com diferentes subclasses de Mediator, e vice-versa.
2. *Comunicação Colleague-Mediator.* Colegas têm que se comunicar com o seu mediador quando ocorre um evento de interesse. Uma abordagem possível é implementar o Mediator como um Observer usando o padrão Observer (274). Classes Colleague funcionam como Subjects, mandando notificações para o mediador sempre que elas mudam de estado. O mediador responde propagando os efeitos da mudança para outros colegas.

   Uma outra abordagem define uma interface de notificação especializada em Mediator, que permite aos colegas serem mais diretos em suas comunicações. Smalltalk/V para Windows utiliza uma forma de delegação: quando se comunicando com um mediador, um colega passa a si próprio como um argumento, permitindo a um mediador identificar o remetente. O Exemplo de Código utiliza essa abordagem, e a implementação em Smalltalk/V é discutida em mais detalhes na seção Usos Conhecidos.

Exemplo de código

Usaremos um DialogDirector para implementar a caixa de diálogo de fontes tipográficas mostradas na seção de Motivação. A classe abstrata `DialogDirector` define a interface para diretores.

`Widget` é a classe base abstrata para widgets. Um widget conhece o seu diretor.

```
class DialogDirector {
public:
    virtual ~DialogDirector();

    virtual void ShowDialog();
    virtual void WidgetChanged(Widget*) = 0;

protected:
    DialogDirector();
    virtual void CreateWidgets() = 0;
};
```

`Changed` chama o diretor da operação `WidgetChanged`. Os widgets chamam

```
class Widget {
public:
    Widget(DialogDirector*);
    virtual void Changed();

    virtual void HandleMouse(MouseEvent& event);
    // ...
private:
    DialogDirector* _director;
};
```

WidgetChanged no seu diretor para informá-lo de um evento significante.

```
void Widget::Changed () {
    _director->WidgetChanged(this);
}
```

As subclasses de DialogDirector redefinem WidgetChanged para afetar os widgets apropriados. O widget passa uma referência de si próprio como argumento para WidgetChanged para permitir que o diretor identifique o widget que mudou. As subclasses de DialogDirector redefinem as virtuais puras CreateWidgets para construir os widgets do diálogo.

ListBox, EntryField e Button são subclasses de Widget para elementos especializados da interface do usuário. ListBox fornece uma operação GetSelection para obter a seleção corrente e a operação SetText de EntryField coloca texto novo no campo.

```
class ListBox : public Widget {
public:
    ListBox(DialogDirector*);

    virtual const char* GetSelection();
    virtual void SetList(List<char*>* listItems);
    virtual void HandleMouse(MouseEvent& event);
    // ...
};

class EntryField : public Widget {
public:
    EntryField(DialogDirector*);

    virtual void SetText(const char* text);
    virtual const char* GetText();
    virtual void HandleMouse(MouseEvent& event);
    // ...
};
```

Button é um widget simples que chama Changed sempre que for pressionado. Isso é feito na sua implementação de HandleMouse:

```
class Button : public Widget {
public:
    Button(DialogDirector*);

    virtual void SetText(const char* text);
    virtual void HandleMouse(MouseEvent& event);
    // ...
};
```

```
void Button::HandleMouse (MouseEvent& event) {
    // ...
    Changed();
}
```

A classe `FontDialogDirector` faz a mediação entre widgets na caixa de diálogo. `FontDialogDirector` é uma subclasse de `DialogDirector`:

```
class FontDialogDirector : public DialogDirector {
public:
    FontDialogDirector();
    virtual ~FontDialogDirector();
    virtual void WidgetChanged(Widget*);

protected:
    virtual void CreateWidgets();

private:
    Button* _ok;
    Button* _cancel;
    ListBox* _fontList;
    EntryField* _fontName;
};
```

`FontDialogDirector` mantém o controle dos widgets que exibe. Ela redefine `CreateWidgets` para criar os widgets e iniciar suas referências para eles:

```
void FontDialogDirector::CreateWidgets () {
    _ok = new Button(this);
    _cancel = new Button(this);
    _fontList = new ListBox(this);
    _fontName = new EntryField(this);

    // preenche a ListBox com os nomes de fontes disponíveis

    // dispõe os widgets no diálogo
}
```

`WidgetChanged` garante que os widgets trabalhem adequadamente em conjunto:

```
void FontDialogDirector::WidgetChanged (
    Widget* theChangedWidget
) {
    if (theChangedWidget == _fontList) {
        _fontName->SetText(_fontList->GetSelection());

    } else if (theChangedWidget == _ok) {
        // aplica a alteração de fontes e libera o diálogo
        // ...

    } else if (theChangedWidget == _cancel) {
        // libera o diálogo
    }
}
```

A complexidade de WidgetChanged aumenta proporcionalmente ao aumento da complexidade do diálogo. Naturalmente, por outras razões, grandes diálogos são indesejáveis, mas a complexidade do mediador pode reduzir os benefícios do *padrão* em outras aplicações.

Usos conhecidos

Tanto ET++[WGM88] como a biblioteca de classes THINK C [Sym93b] usam objetos semelhantes a diretores em diálogos como mediadores entre widgets.

A arquitetura de aplicações da Smalltalk/V para Windows é baseada numa estrutura de mediador [LaL94]. Nesse ambiente, uma aplicação consiste em uma janela (*window*) contendo um conjunto de painéis (*panes*). A biblioteca contém diversos objetos Pane pré-definidos; exemplos incluem TextPane, ListBox, Button e assim por diante. Esses painéis podem ser usados sem recorrer ao uso de subclasses. O desenvolvedor de uma aplicação somente cria subclasses de ViewManager, uma classe responsável pela execução da coordenação entre painéis. ViewManager é o Mediator, e cada painel somente conhece o seu *view manager*, o qual é considerado "proprietário" do painel. Painéis não se referem uns aos outros diretamente.

O diagrama de objeto a seguir mostra um instantâneo de uma aplicação em tempo de execução:

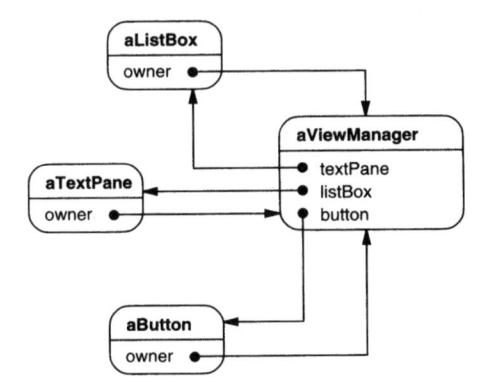

Smalltalk/V utiliza um mecanismo de eventos para comunicação Pane-View-Manager. Um painel gera um evento quando ele deseja obter informação do mediador ou quando deseja informar o mediador que algo de significante ocorreu. Um evento define um símbolo (por exemplo, # select) que identifica o evento. Para tratar do evento, o administrador de listas registra um seletor de métodos com o painel. Esse seletor é o tratador do evento e será invocado sempre que o evento ocorrer.

O fragmento de código a seguir mostra como um objeto ListPane é criado dentro de uma subclasse de ViewManager e como ViewManager registra um tratador de evento para o evento # select:

```
self addSubpane: (ListPane new
    paneName: 'myListPane';
    owner: self;
    when: #select perform: #listSelect:).
```

Outra aplicação do *padrão* Mediator é a coordenação de atualizações complexas. Um exemplo é a classe ChangeManager mencionada em Observer (274). O ChangeManager faz a mediação entre subjects e observers para evitar atualizações redundantes. Quando um objeto muda, ele notifica o ChangeManager, o qual, por sua vez, coordena a atualização notificando os dependentes do objeto.

Uma aplicação similar aparece no *framework* de desenho Unidraw [VL90] e utiliza uma classe chamada CSolver para garantir restrições de conectividade entre "conectores". Objetos em editores gráficos podem parecer como que calando uns aos outros de várias maneiras. Os conectores são úteis em aplicações que mantêm automaticamente a conectividade, tais como editores de diagramas e sistemas de projeto de circuitos. CSolver é um mediador entre conectores. Ele resolve as restrições de conectividade e atualiza as posições dos conectores de modo a refleti-las.

Padrões relacionados

O Façade (179) difere de Mediator no aspecto em que ele abstrai um subsistema de objetos para fornecer uma interface mais conveniente. Seu protocolo é unidirecional; isto é, objetos Façade das solicitações fazem as classes dos subsistemas, mas não vice-versa. Em comparação, o Mediator habilita o comportamento cooperativo que objetos-colegas não fornecem ou não podem fornecer, e o protocolo é multidirecional.

Os colegas podem se comunicar com o mediador usando o *padrão* Observer (274).

MEMENTO comportamental de objetos

Intenção

Sem violar o encapsulamento, capturar e externalizar um estado interno de um objeto, de maneira que o objeto possa ser restaurado para esse estado mais tarde.

Também conhecido como

Token

Motivação

Algumas vezes é necessário registrar o estado interno de um objeto. Isso é necessário na implementação de mecanismos de *checkpoints* e de desfazer (operações) que permitem aos usuários retroceder de operações-tentativas ou recuperar-se de erros. Você deve salvar informação de estado em algum lugar, de modo que possa restaurar os objetos aos seus estados prévios. Porém, objetos normalmente encapsulam parte ou todos os seus estados, tornando-os inacessíveis a outros objetos e impossíveis de serem salvos externamente. Expor este estado violaria o encapsulamento, o que pode comprometer a confiabilidade e a extensibilidade da aplicação.

Considere, por exemplo, um editor gráfico que suporta conectividade entre objetos. Um usuário pode conectar dois retângulos com uma linha, e os retângulos permanecem conectados quando o usuário mover qualquer um deles. O editor assegura que a linha estique para manter a conexão.

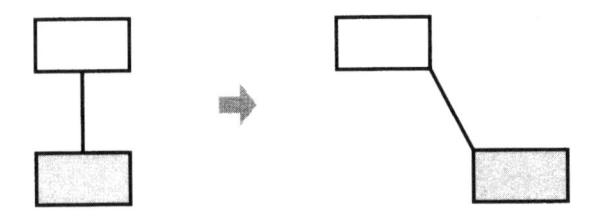

Uma forma bem conhecida de manter relações de conectividade entre objetos é por meio de um sistema de solução de restrições. Podemos encapsular essa funcionalidade em um objeto **ConstraintSolver**. O ConstraintSolver registra as conexões à medida que elas são efetuadas e gera equações matemáticas que as descrevem. Ele resolve essas equações sempre que o usuário estabelece uma conexão ou modifica o diagrama de outra forma. O ConstraintSolver utiliza os resultados dos seus cálculos para rearranjar os elementos gráficos, de modo que mantenham as conexões apropriadas.

Suportar a operação de desfazer nessa aplicação não é tão fácil quanto pode parecer. Uma maneira óbvia de desfazer uma operação "Mover" é armazenar a distância original movida e mover o objeto de volta uma distância equivalente. Contudo, isso não garante que todos os objetos aparecerão onde estavam antes. Suponha que exista alguma folga na conexão. Nesse caso, simplesmente mover o retângulo de volta para a sua localização original não resultará necessariamente no efeito desejado.

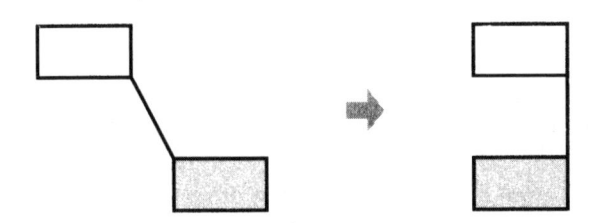

Em geral, a interface pública do ConstraintSolver pode ser insuficiente para permitir a reversão precisa dos seus efeitos sobre outros objetos. O mecanismo de desfazer deve trabalhar mais intimamente com o ConstraintSolver para reestabelecer o estado prévio, mas também deveríamos evitar a exposição dos detalhes de ConstraintSolver ao mecanismo de desfazer.

Podemos resolver esse problema com o *padrão* Memento. Um **memento** (recordação) é um objeto que armazena um instantâneo do estado interno de outro objeto – o **originador** do memento. O mecanismo de desfazer solicitará um memento do originador, quando ele necessita fazer um *checkpoint* do estado do originador. O originador inicia o memento com informações que caracterizam o seu estado corrente. Somente o originador pode armazenar e recuperar informação do memento – o memento é "opaco" para outros objetos.

No exemplo do editor gráfico que acabamos de discutir, o ConstraintSolver pode funcionar como um originador. A seguinte seqüência de eventos caracteriza o processo de desfazer:

1. O editor solicita um memento para o ConstraintSolver como um efeito colateral da operação "mover".

2. O ConstraintSolver cria e devolve um memento, neste caso, uma instância de uma classe SolverState. Um memento de SolverState contém estruturas de dados que descrevem o estado corrente das equações e variáveis internas do ConstraintSolver.
3. Mais tarde, quando o usuário desfaz a operação "mover", o editor devolve SolverState para o ConstraintSolver.
4. Baseado na informação do SolverState, o ConstraintSolver muda suas estruturas internas para retornar suas equações e variáveis ao seu estado prévio exato.

Este arranjo permite que o Constraint Solver confie a outros objetos a informação de que necessita para reverter a um estado prévio, sem expor suas estruturas e representações internas.

Aplicabilidade

Use o *padrão* Memento quando:

- um instantâneo de (alguma porção do) estado de um objeto deve ser salvo de maneira que possa ser restaurado para esse estado mais tarde;
- uma interface direta para obtenção do estado exporia detalhes de implementação e romperia o encapsulamento do objeto.

Estrutura

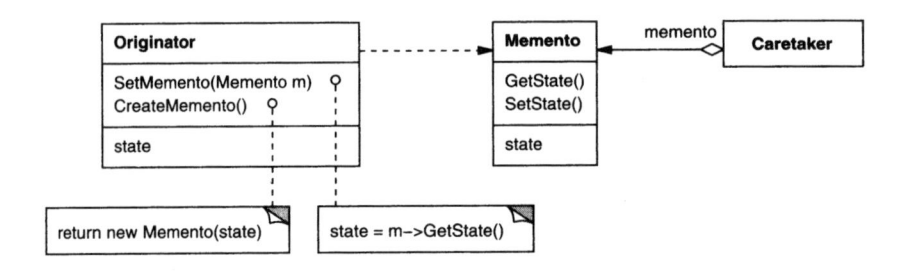

```
┌─────────────────────────┐              ┌──────────────┐  memento   ┌──────────┐
│ Originator              │- - - - - - > │  Memento     │◇──────────│ Caretaker│
├─────────────────────────┤              ├──────────────┤            └──────────┘
│ SetMemento(Memento m)   │              │ GetState()   │
│ CreateMemento()         │              │ SetState()   │
├─────────────────────────┤              ├──────────────┤
│ state                   │              │ state        │
└─────────────────────────┘              └──────────────┘
         │                                      │
┌────────────────────────────┐      ┌──────────────────────────┐
│ return new Memento(state)  │      │ state = m->GetState()    │
└────────────────────────────┘      └──────────────────────────┘
```

Participantes

- **Memento** (SolverState)
  - armazena o estado interno do objeto Originator. O memento pode armazenar pouco ou muito do estado interno do originator, conforme necessário e segundo critérios do seu originador.
  - protege contra acesso por objetos que não o originador. Mementos têm efetivamente duas interfaces. O Caretaker vê uma interface *mínima* do memento – ele somente pode passar o memento para outros objetos. O originador, diferentemente, vê uma interface *ampla*, que lhe permite acessar todos os dados necessários para se restaurar ao seu estado prévio. Idealmente, somente o originador que produziu o memento teria o acesso permitido ao seu estado interno.
- **Originator** (ConstraintSolver)
  - cria um memento contendo um instantâneo do seu estado interno corrente.
  - usa o memento para restaurar o seu estado interno.

- **Caretaker** (*undo mechanism*)
  - é responsável pela custódia do memento.
  - nunca opera ou examina os conteúdos de um memento.

Colaborações

- um *caretaker* solicita um memento de um originador, mantém o mesmo por um certo tempo e o devolve para o originador, como ilustra o seguinte diagrama de interação:

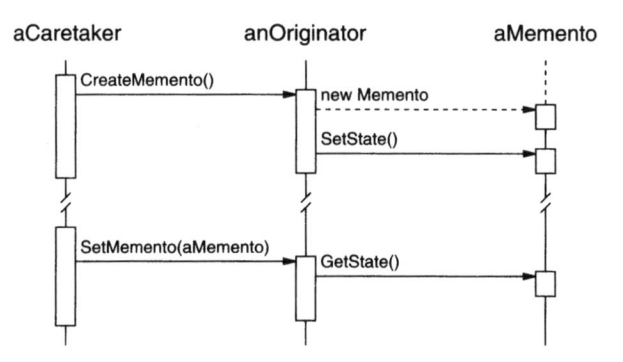

```
aCaretaker          anOriginator          aMemento

  | CreateMemento() |                        |
  |---------------->| new Memento            |
  |                 |----------------------->|
  |                 | SetState()             |
  |                 |----------------------->|
  |                 |                        |
  | SetMemento(aMemento)                     |
  |---------------->| GetState()             |
  |                 |----------------------->|
```

Algumas vezes, o *caretaker* não devolverá o memento para o originador porque o originador pode nunca necessitar voltar a um estado anterior.
- Mementos são passivos. Somente o originador que criou um memento atribuirá ou recuperará o seu estado.

Conseqüências

O padrão Memento tem várias conseqüências:

1. *Preservação das fronteiras de encapsulamento*. Memento evita a exposição de informação que somente um originador deveria administrar, mas que, contudo, deve ser armazenada fora do originador. O padrão protege outros objetos de aspectos internos potencialmente complexos do Originador, desta maneira preservando as fronteiras de encapsulamento.
2. *Ele simplifica o Originador*. Em outros projetos de preservação do encapsulamento, o Originador mantém as versões do estado interno solicitadas pelos clientes. Isso coloca toda a carga de administração do armazenamento sobre o Originador. Deixar os clientes administrarem o estado que solicitam simplifica o Originador e evita que eles tenham que notificar os originadores quando terminarem a utilização.
3. *O uso de mementos pode ser computacionalmente caro*. Mementos podem produzir custos adicionais consideráveis se o Originador tiver de copiar grandes quantidades de informação para armazenar no memento, ou se os clientes criam e devolvem mementos para o originador com muita freqüência. A menos que seja barato encapsular e restaurar o estado do Originador, o padrão pode não ser apropriado. Veja a discussão sobre incrementabilidade na seção Implementação.
4. *Definição de interfaces mínimas e amplas*. Pode ser difícil em algumas linguagens garantir que somente o originador possa acessar o estado do memento.

5. *Custos ocultos na custódia de mementos.* Um *caretaker* é responsável por deletar o memento do qual ele tem a custódia. Contudo, o *caretaker* não tem idéia do volume ocupado pelo estado do memento. Daí um *caretaker* leve poder incorrer em grandes custos de armazenamento quando armazena mementos.

Implementação

Aqui temos dois aspectos a serem considerados ao implementar o padrão Memento:

1. *Suporte de linguagem.* Mementos têm duas interfaces: uma ampla, para os originadores, e uma mínima, para outros objetos. Idealmente, a linguagem de implementação suportaria dois níveis de proteção estática. C++ lhe permite fazer isso tornando o Originador uma *friend* de Memento e tornando privada a interface ampla de Memento. Somente a interface estreita seria declarada pública. Por exemplo:

```
class State;

class Originator {
public:
    Memento* CreateMemento();
    void SetMemento(const Memento*);
    // ...
private:
    State* _state;      // estrutura de dados internas
    // ...
};

class Memento {
public:
    // narrow public interface
    virtual ~Memento();
private:
    // membros privados acessíveis apenas ao Originator
    friend class Originator;
    Memento();

    void SetState(State*);
    State* GetState();
    // ...
private:
    State* _state;
    // ...
};
```

2. *Armazenando mudanças incrementais.* Quando mementos são criados e passados de volta para o seu originador, em uma seqüência previsível, um Memento pode salvar somente a *mudança incremental* do estado interno do originador.
Por exemplo, comandos que podem ser desfeitos em uma lista histórica, podem usar mementos para assegurar que sejam restaurados para o seu exato estado quando são desfeitos (ver Command, 222). A lista histórica define uma ordem específica pela qual comandos podem ser desfeitos e refeitos. Isso significa que mementos podem armazenar apenas a mudança incremental que resulta dos comandos, em vez do estado completo de todos objetos que afetam. No exemplo

anterior na seção Motivação, o solucionador de restrições precisa armazenar somente aquelas estruturas internas que mudam para manter a linha que o conecta aos retângulos, em contraste ao armazenamento das posições absolutas desses objetos.

Exemplos de código

O código C++ dado aqui ilustra o exemplo do ConstraintSolver discutido anteriormente. Podemos usar objetos MoveCommand (ver Command, 222) para (des)fazer a translação de um objeto gráfico de uma posição para outra. O editor gráfico chama a operação Execute do comando para mover um objeto gráfico e Unexecute para desfazer a movimentação. O comando armazena seu alvo, a distância movida e uma instância de ConstraintSolverMemento, um memento contendo um estado do solucionador de restrições.

```
class Graphic;
    // classe-base para objetos gráficos no editor gráfico

class MoveCommand {
public:
    MoveCommand(Graphic* target, const Point& delta);
    void Execute();
    void Unexecute();
private:
    ConstraintSolverMemento* _state;
    Point _delta;
    Graphic* _target;
};
```

As restrições de conexões são estabelecidas pela classe ConstraintSolver. Sua função-membro-chave é Solve, a qual resolve as restrições registradas com a operação AddConstraint. Para suportar desfazer, o estado de ConstraintSolver pode ser externalizado com CreateMemento numa instância de ConstraintSolverMemento. O solucionador de restrições pode ser retornado a um estado prévio chamando SetMemento. ConstraintSolver é um Singleton (130).

```
class ConstraintSolver {
public:
    static ConstraintSolver* Instance();

    void Solve();
    void AddConstraint(
        Graphic* startConnection, Graphic* endConnection
    );
    void RemoveConstraint(
        Graphic* startConnection, Graphic* endConnection
    );
```

```
        ConstraintSolverMemento* CreateMemento();
        void SetMemento(ConstraintSolverMemento*);
    private:
        // estados não-triviais e operações para garantia
        // da semântica de conectividade
    };

    class ConstraintSolverMemento {
    public:
        virtual ~ConstraintSolverMemento();
    private:
        friend class ConstraintSolver;
        ConstraintSolverMemento();

        // estado privado do constraint solver
    };
```

Dadas estas interfaces, nós podemos implementar os membros `Execute` e `Unexecute`, de `MoveCommand` como segue:

```
    void MoveCommand::Execute () {
        ConstraintSolver* solver = ConstraintSolver::Instance();
        _state = solver->CreateMemento(); // cria um memento
        _target->Move(_delta);
        solver->Solve();
    }

    void MoveCommand::Unexecute () {
        ConstraintSolver* solver = ConstraintSolver::Instance();
        _target->Move(-_delta);
        solver->SetMemento(_state); // restabelece o estado do solver
        solver->Solve();
    }
```

O `Execute` adquire um memento de `ConstraintSolverMemento` antes de mover o objeto gráfico. `Unexecute` move o objeto gráfico de volta, volta o estado do solucionador de restrições para o momento prévio e finalmente pede ao solucionador de restrições para solucionar as mesmas.

Usos conhecidos

O exemplo de código procedente é baseado no suporte para conectividade fornecido pela classe CSolver do Unidraw [VL90].

As coleções na Dylan [App92] fornecem uma interface de iteração que reflete o padrão Memento. As coleções da Dylan têm a noção de um objeto "estado", o qual é um memento que representa o estado da iteração. Cada coleção pode representar o estado corrente da iteração de qualquer maneira que ela escolher; a representação é completamente ocultada dos clientes. A abordagem da iteração da Dylan pode ser traduzida para C++ como segue:

```
template <class Item>
class Collection {
public:
    Collection();

    IterationState* CreateInitialState();
    void Next(IterationState*);
    bool IsDone(const IterationState*) const;
    Item CurrentItem(const IterationState*) const;
    IterationState* Copy(const IterationState*) const;

    void Append(const Item&);
    void Remove(const Item&);
    // ...
};
```

`CreateInitialState` retorna um objeto iniciado `IterationState` para a coleção. `Next` avança o estado do objeto para a posição seguinte na iteração; ele efetivamente incrementa o índice da iteração. `IsDone` retorna `true` se `Next` avançou além do último elemento da coleção. `CurrentItem` desreferencia o objeto-estado e retorna o elemento da coleção ao qual se refere. `Copy` retorna uma cópia do objeto-estado dado. Isto é útil para marcar um ponto numa iteração.

Dada uma classe `ItemType`, nós podemos iterar sobre uma coleção de instâncias suas, como segue[7]:

```
class ItemType {
public:
    void Process();
    // ...
};

Collection<ItemType*> aCollection;
IterationState* state;

state = aCollection.CreateInitialState();

while (!aCollection.IsDone(state)) {
    aCollection.CurrentItem(state)->Process();
    aCollection.Next(state);
}
delete state;
```

A interface baseada em mementos para a iteração tem dois benefícios interessantes:

1. Mais de um estado pode trabalhar sobre a mesma coleção (o mesmo é verdade para o padrão Iterator (244).
2. Não é necessário romper o encapsulamento de um conjunto para suportar iteração. Um memento é somente interpretado pelo próprio conjunto; ninguém mais tem acesso a ele. Outras soluções para iteração exigem romper o encapsulamento, tornando as classes de iteradores *friends* das suas classes de coleção (ver Iterator, 244). A situação é revertida na implementação baseada em mementos: `Collection` é uma *friend* de `IteratorState`.

O *toolkit* de solução de restrições QOCA armazena informações incrementais em mementos [HHMV92]. Os clientes podem obter um memento que caracteriza a solução corrente de um sistema de restrições. O memento contém somente aquelas variáveis de restrição que mudaram desde a última solução. Normalmente, apenas um pequeno subconjunto das variáveis do solucionador muda para cada nova solução. Esse subconjunto é suficiente para retornar o solucionador para a solução precedente; a reversão para soluções anteriores exige a restauração de mementos das soluções intermediárias. Por isso, você não pode definir mementos em qualquer ordem; QOCA depende de um mecanismo de história para reverter a soluções anteriores.

Padrões relacionados

Command (222): Comands podem usar mementos para manter estados para operações que normalmente não poderiam ser desfeitas.

Iterator (244): Mementos podem ser usados para iteração, conforme já descrito.

OBSERVER   comportamental de objetos

Intenção

Definir uma dependência um-para-muitos entre objetos, de maneira que quando um objeto muda de estado todos os seus dependentes são notificados e atualizados automaticamente.

Também conhecido como

Dependents, Publish-Subscribe

Motivação

Um efeito colateral comum resultante do particionamento de um sistema em uma coleção de classes cooperantes é a necessidade de manter a consistência entre objetos relacionados. Você não deseja obter consistência tornando as classes fortemente acopladas, porque isso reduz a sua reusabilidade.

Por exemplo, muitos *toolkits* para construção de interfaces gráficas de usuário separam os aspectos de apresentação da interface do usuário dos dados da aplicação subjacente [KP88, LVC89, P+88, WGM88]. As classes que definem dados da aplicação e da apresentação podem ser reutilizadas independentemente. Elas também podem trabalhar em conjunto. Tanto um objeto planilha como um objeto gráfico de barras podem ilustrar informações do mesmo objeto de aplicação usando diferentes apresentações. A planilha e o gráfico de barras não têm conhecimento um do outro, desta forma permitindo reutilizar somente o objeto de que você necessita. Porém, elas *se comportam* como se conhecessem. Quando o usuário muda a informação na planilha, o gráfico de barras reflete as mudanças imediatamente, e vice-versa.

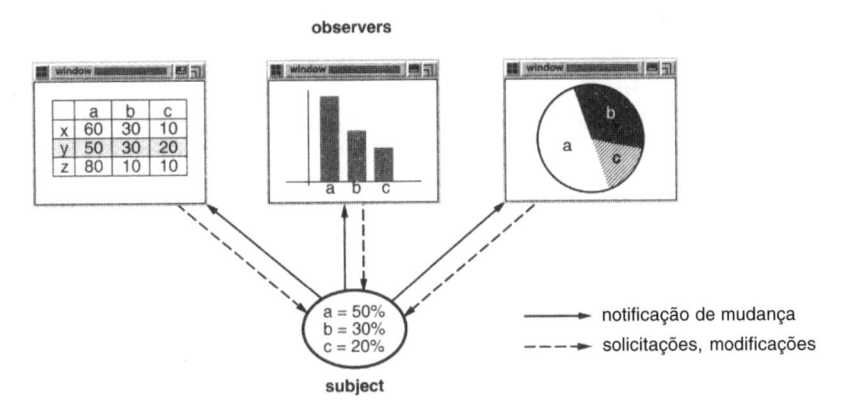

observers

	a	b	c
x	60	30	10
y	50	30	20
z	80	10	10

a = 50%
b = 30%
c = 20%

subject

→ notificação de mudança
--→ solicitações, modificações

Esse comportamento implica que a planilha e o gráfico de barras são dependentes do objeto de dados e, portanto, deveriam ser notificados sobre qualquer mudança no seu estado. E não há razão para limitar o número de dependentes a dois objetos; pode haver um número qualquer de diferentes interfaces do usuário para os mesmos dados.

O padrão Observer descreve como estabelecer esses relacionamentos. Os objetos-chave nesse padrão são **subject** (assunto) e **observer** (observador). Um *subject* pode ter um número qualquer de observadores dependentes. Todos os observadores são notificados quando o *subject* sofre uma mudança de estado. Em resposta, cada observador inquirirá o *subject* para sincronizar o seu estado com o estado do *subject*.

Esse tipo de interação também é conhecido como **publish-subscribe**. O *subject* é o publicador de notificações. Ele envia essas notificações sem ter que saber quem são os seus observadores. Um número qualquer de observadores pode inscrever-se para receber notificações.

Aplicabilidade

Use o padrão Observer em qualquer uma das seguintes situações:

- quando uma abstração tem dois aspectos, um dependente do outro. Encapsulando esses aspectos em objetos separados, permite-se variá-los e reutilizá-los independentemente;
- quando uma mudança em um objeto exige mudanças em outros, e você não sabe quantos objetos necessitam ser mudados;
- quando um objeto deveria ser capaz de notificar outros objetos sem fazer hipóteses, ou usar informações, sobre quem são esses objetos. Em outras palavras, você não quer que esses objetos sejam fortemente acoplados.

Estrutura

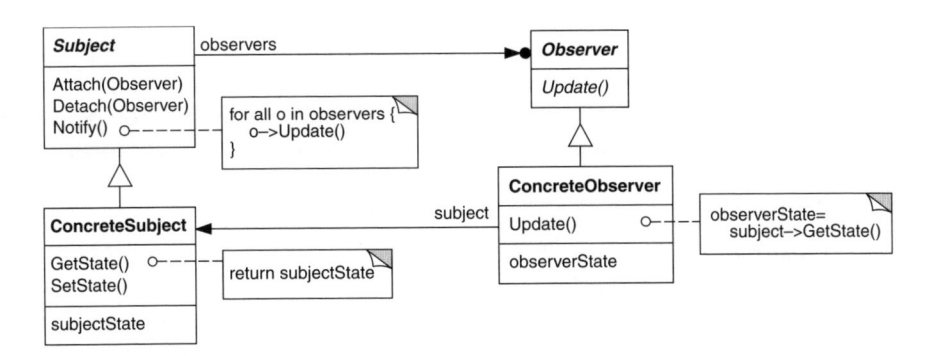

```
Subject                observers         Observer
Attach(Observer)  ─────────────────►     Update()
Detach(Observer)       for all o in observers {
Notify()  o─ ─ ─ ─        o->Update()
                       }
          △                              △
          │                              │
   ConcreteSubject      subject    ConcreteObserver
                   ◄─────────────  Update()  o─ ─ ─   observerState=
   GetState()  o─ ─                                    subject->GetState()
   SetState()      return subjectState     observerState
   subjectState
```

Participantes

- **Subject**
  - conhece os seus observadores. Um número qualquer de objetos Observer pode observar um subject.
  - fornece uma interface para acrescentar e remover objetos, permitindo associar e desassociar objetos observer.
- **Observer**
  - define uma interface de atualização para objetos que deveriam ser notificados sobre mudanças em um Subject.
- **ConcreteSubject**
  - armazena estados de interesse para objetos ConcreteObserver.
  - envia uma notificação para os seus observadores quando seu estado muda.
- **ConcreteObserver**
  - mantém uma referência para um objeto ConcreteSubject.
  - armazena estados que deveriam permanecer consistentes com os do Subject.
  - implementa a interface de atualização de Observer, para manter seu estado consistente com o do subject.

Colaborações

- O ConcreteSubject notifica seus observadores sempre que ocorrer uma mudança que poderia tornar inconsistente o estado deles com o seu próprio.
- Após ter sido informado de uma mudança no subject concreto, um objeto ConcreteObserver poderá consultar o subject para obter informações. O ConcreteObserver usa essa informação para reconciliar o seu estado com o do subject.

O seguinte diagrama de interação ilustra as colaborações entre um subject e dois observadores:

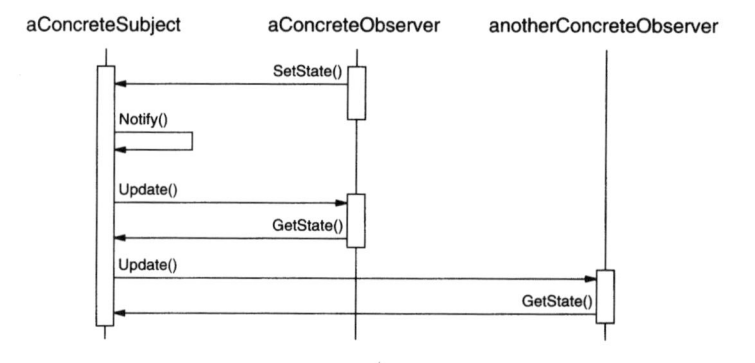

Note como o objeto Observer que inicia a solicitação de mudança posterga sua atualização até que ele consiga uma notificação do subject. Notify não é sempre chamada pelo subject. Pode ser chamada por um observador ou por um outro tipo de objeto. A seção Implementação discute algumas variações comuns.

Conseqüências

O padrão Observer permite variar subjects e observadores de forma independente. Você pode reutilizar subjects sem reutilizar seus observadores e vice-versa. Ele permite acrescentar observadores sem modificar o subject ou outros observadores. Benefícios adicionais e deficiências do padrão Observer incluem o seguinte:

1. *Acoplamento abstrato entre Subject e Observer.* Tudo que o subject sabe é que ele tem uma lista de observadores, cada um seguindo a interface simples da classe abstrata Observer. O subject não conhece a classe concreta de nenhum observador. Assim, o acoplamento entre o subject e os observadores é abstrato e mínimo.

   Por não serem fortemente acoplados, Subjet e Observer podem pertencer a diferentes camadas de abstração em um sistema. Um subject de nível mais baixo pode comunicar-se com um observador de nível mais alto, desta maneira mantendo intacta as camadas do sistema. Se Subject e Observer forem agrupados, então o objeto resultante deve cobrir duas camadas (e violar a estrutura de camadas), ou ser forçado a residir em uma das camadas (o que pode comprometer a abstração da estrutura de camadas).

2. *Suporte para comunicações do tipo broadcast.* Diferentemente de uma solicitação ordinária, a notificação que um subject envia não precisa especificar seu receptor. A notificação é transmitida automaticamente para todos os objetos interessados que a subscreveram. O subject não se preocupa com quantos objetos interessados existem; sua única responsabilidade é notificar seus observadores. Isso dá a liberdade de acrescentar e remover observadores a qualquer momento. É responsabilidade do observador tratar ou ignorar uma notificação.

3. *Atualizações inesperadas.* Como um observador não tem conhecimento da presença dos outros, eles podem ser cegos para o custo global de mudança do subject. Uma operação aparentemente inócua no subject pode causar uma cascata de atualizações nos observadores e seus objetos dependentes. Além do mais, critérios de dependência que não estão bem-definidos ou mantidos normalmente conduzem a atualizações espúrias que podem ser difíceis de detectar.

   Este problema é agravado pelo fato de que o protocolo simples de atualização não fornece detalhes sobre *o que* mudou no subject. Sem protocolos adicionais para ajudar os observadores a descobrir o que mudou, eles podem ser forçados a trabalhar duro para deduzir as mudanças.

Implementação

Nesta seção são discutidos vários aspectos relacionados com a implementação do mecanismo de dependência.

1. *Mapeando subjects para os seus observadores.* A maneira mais simples para um subject manter o controle e o acompanhamento dos observadores que ele deve notificar é armazenar referências para eles explicitamente no subject. Contudo, tal armazenagem pode ser muito dispendiosa quando existem muitos subjects e poucos observadores. Uma solução é trocar espaço por tempo usando um mecanismo de pesquisa associativo (por exemplo, uma *hash table* – tabela de acesso randômico) para manter o mapeamento subject-para-observador. Assim, um subject sem observadores não tem um custo de memória para esse problema. Por outro lado, esta solução aumenta o custo do acesso aos observadores.

2. *Observando mais do que um subject.* Em algumas situações pode fazer sentido para um observador depender de mais do que um subject. Por exemplo, uma planilha pode depender de uma fonte de dados. É necessário estender a

interface de Update em tais casos para permitir ao observador saber *qual* subject está enviando a notificação. O subject pode, simplesmente, passar a si próprio como um parâmetro para a operação Update, dessa forma permitindo ao observador saber qual subject examinar.

3. *Quem dispara a atualização?* O subject e seus observadores dependem do mecanismo de notificação para permanecerem consistentes. Mas qual objeto na realidade chama Notify para disparar a atualização? Aqui estão duas opções:
   (a) ter operações de estabelecimento de estados no Subject que chame Notify após elas mudarem o estado do subject. A vantagem dessa solução é que os clientes não têm que lembrar de chamar Notify no subject. A desvantagem é que diversas operações consecutivas causarão diversas atualizações consecutivas, o que pode ser ineficiente.
   (b) tornar os clientes responsáveis por chamar Notify no momento correto. Aqui, a vantagem é que o cliente pode esperar para disparar a atualização até que seja concluída uma série de mudanças de estado, desta forma evitando atualizações intermediárias desnecessárias. A desvantagem é que os clientes têm uma responsabilidade adicional, de disparar a atualização. Isto torna a ocorrência de erros mais provável, uma vez que os clientes podem esquecer de chamar Notify.

4. *Referências ao vazio (dangling references) para subjects deletados.* A remoção de um subject não deve produzir *referências ao vazio* nos seus observadores. Uma forma de evitar referências ao vazio é fazer com que o subject notifique os seus observadores quando é deletado, de modo que possam restabelecer suas referências. Em geral, simplesmente deletar os observadores não é uma opção, porque outros objetos podem referenciá-los ou porque eles também podem estar observando outros subjects.

5. *Garantindo que o estado do Subject é autoconsistente antes da emissão da notificação.* É importante se assegurar de que o estado do Subject é autoconsistente antes de invocar Notify, porque os observadores consultam o subject sobre o seu estado corrente no curso da atualização de seus próprios estados.
   Esta regra de autoconsistência é fácil de violar não-intencionalmente quando operações nas subclasses de Subject chamam operações herdadas.
   Por exemplo, a notificação na seqüência de código seguinte é disparada quando o subject está em um estado inconsistente:

```
void MySubject::Operation (int newValue) {
    BaseClassSubject::Operation(newValue);
        // dispara a notificação

    _myInstVar += newValue;
        // atualiza o estado da subclasse (tarde demais!)
}
```

Podemos evitar essa armadilha enviando notificações por métodos-template (Template Method, 301) em classes Subject abstratas. Defina uma operação primitiva para ser substituída pelas subclasses e torne Notify a última operação do método-template, o que garantirá que o objeto é autoconsistente quando as subclasses substituem operações de Subject.

A propósito, é sempre uma boa idéia documentar quais operações de Subject disparam notificações.

```
void Text::Cut (TextRange r) {
    ReplaceRange(r);      // redefinido nas subclasses
    Notify();
}
```

6. *Evitando protocolos de atualização específicos dos observadores: os modelos push e pull.* A implementação do padrão Observer freqüentemente tem o subject emitindo (*broadcast*) informações adicionais sobre a modificação. O subject passa essa informação como argumento para Update. A quantidade de informação pode variar bastante.

   Num extremo, que chamaremos de **push model (modelo de empurrar informação),** o subject manda aos observadores informações detalhadas sobre a mudança, quer eles queiram ou não. No outro extremo, está o **pull model (modelo de puxar informação)**; o subject não envia nada além da menor notificação possível, e posteriormente os observadores solicitam detalhes.

   O pull model enfatiza o desconhecimento dos subjects sobre seus observadores, enquanto que o push model assume que os subjects sabem algo das necessidades de seus observadores. O push model pode tornar os observadores menos reutilizáveis porque as classes Subject fazem hipóteses sobre as classes Observer, que podem não ser sempre verdadeiras. Por outro lado, o pull model pode ser ineficiente porque as classes Observer devem verificar o que mudou sem a ajuda do Subject.

7. *Especificando explicitamente as modificações de interesse.* Você pode melhorar a eficiência do processo de atualização estendendo a interface de inscrição no subject para permitir aos observadores se registrarem somente para eventos específicos de seu interesse. Quando tal evento ocorre, o subject informa somente os observadores que se registraram. Uma maneira de suportar isso usa a noção de **aspectos** para objetos Subject. Para registrar o seu interesse em determinados eventos, os observadores são associados aos seus subjects usando

   ```
   void Subject::Attach(Observer*, Aspect& interest);
   ```

   onde `interest` especifica o evento de interesse. Em tempo de notificação, o subject fornece o aspecto mudado para os seus observadores, como um parâmetro para a operação Update. Por exemplo:

   ```
   void Observer::Update(Subject*, Aspect& interest);
   ```

8. *Encapsulando a semântica de atualizações complexas.* Quando o relacionamento de dependência entre subjects e observadores é particularmente complexo pode ser necessário um objeto que mantenha esses relacionamentos. Chamamos tal objeto de **ChangeManager** (Administrador de Mudanças). Sua finalidade é minimizar o trabalho necessário para fazer com que os observadores reflitam uma mudança no seu subject. Por exemplo, se uma operação envolve mudanças em vários subjects interdependentes, você pode ter que assegurar que seus observadores sejam notificados somente após *todos* subjects terem sido modificados para evitar de notificar os observadores mais de uma vez.

O ChangeManager tem três responsabilidades:
   (a) ele mapeia um subject aos seus observadores e fornece uma interface para manter esse mapeamento. Isto elimina a necessidade dos subjects manterem referências para os seus observadores, e vice-versa;
   (b) ele define uma estratégia de atualização específica;
   (c) ele atualiza todos os observadores dependentes, por solicitação de um subject.

O diagrama a seguir ilustra uma implementação simples, baseada no uso de um ChangeManager, do padrão Observer. Existem dois ChangeManagers especializados. O SimpleChangeManager é ingênuo no sentido de que sempre atualiza todos os observadores de cada subject. Por outro lado, o DAGChangeManager trata grafos acíclicos direcionados de dependências entre subjects e seus observadores. Um DAGChangeManager é preferível a um SimpleChangeManager quando um observador observa mais do que um subject. Nesse caso, uma mudança em dois ou mais subjects pode causar atualizações redundantes. O DAGChangeManager assegura que o observador receba somente uma atualização. Quando múltiplas atualizações não são um problema, SimpleChangeManager funciona bem.

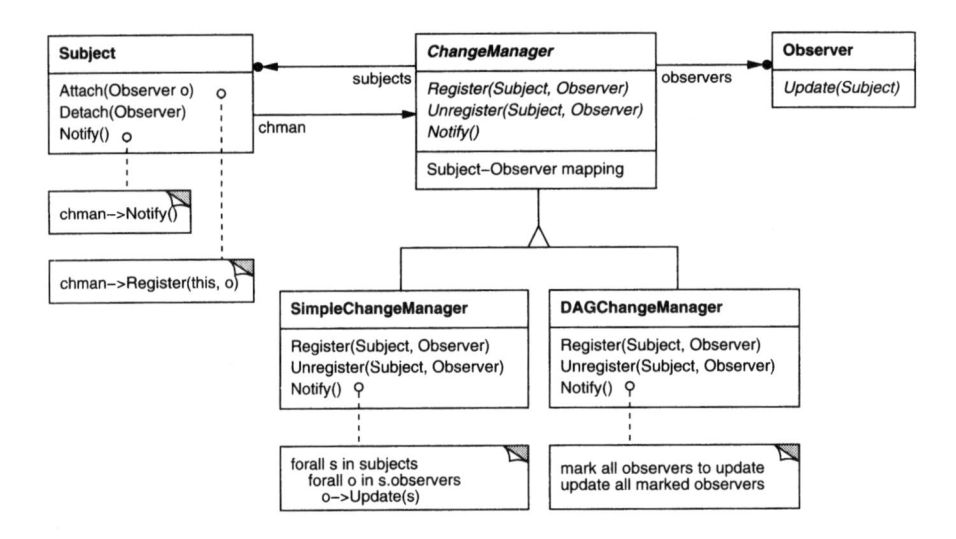

```
┌─────────────────────┐           ┌──────────────────────────────┐           ┌──────────────────┐
│ Subject             │  subjects │ ChangeManager                │ observers │ Observer         │
├─────────────────────┤◄──────────┤──────────────────────────────┤──────────►├──────────────────┤
│ Attach(Observer o)  │           │ Register(Subject, Observer)  │           │ Update(Subject)  │
│ Detach(Observer)    │   chman   │ Unregister(Subject, Observer)│           │                  │
│ Notify()            │           │ Notify()                     │           │                  │
└─────────────────────┘           ├──────────────────────────────┤           └──────────────────┘
      │                           │ Subject–Observer mapping     │
  ┌───┴──────────────┐            └──────────────┬───────────────┘
  │ chman->Notify()  │                           △
  └──────────────────┘              ┌────────────┴────────────┐
  ┌──────────────────────┐          │                         │
  │ chman->Register(this,o)│  ┌─────────────────────┐   ┌─────────────────────┐
  └──────────────────────┘  │ SimpleChangeManager │   │ DAGChangeManager    │
                            ├─────────────────────┤   ├─────────────────────┤
                            │ Register(...)       │   │ Register(...)       │
                            │ Unregister(...)     │   │ Unregister(...)     │
                            │ Notify()            │   │ Notify()            │
                            └─────────────────────┘   └─────────────────────┘
                                │                         │
                            forall s in subjects       mark all observers to update
                              forall o in s.observers   update all marked observers
                                o->Update(s)
```

O ChangeManager é uma instância do padrão Mediator (257). Em geral, existe somente um ChangeManager e ele é conhecido globalmente. Aqui, o padrão Singleton (130) seria útil.

9. *Combinando as classes Subject e Observer*. As bibliotecas de classes escritas em linguagens que não têm herança múltipla (como Smalltalk) geralmente não definem classes Subject e Observer separadas, mas combinam suas interfaces em uma única classe. Isso permite definir um objeto que funciona tanto como um subject como um observe, sem usar herança múltipla. Por exemplo, em Smalltalk, as interfaces de Subject e de Observer estão definidas na classe raiz Object, tornando-as disponíveis para todas as classes.

Exemplo de código

Uma classe abstrata define a interface de Observer:

Esta implementação suporta múltiplos subjects para cada observador. O subject passado para a operação Update permite ao observador determinar qual subject mudou quando ele observa mais de um.

```
class Subject;

class Observer {
public:
    virtual ~Observer();
    virtual void Update(Subject* theChangedSubject) = 0;
protected:
    Observer();
};
```

De maneira semelhante, uma classe abstrata define a interface de Subject:

```
class Subject {
public:
    virtual ~Subject();

    virtual void Attach(Observer*);
    virtual void Detach(Observer*);
    virtual void Notify();
protected:
    Subject();
private:
    List<Observer*> *_observers;
};

void Subject::Attach (Observer* o) {
    _observers->Append(o);
}

void Subject::Detach (Observer* o) {
    _observers->Remove(o);
}

void Subject::Notify () {
    ListIterator<Observer*> i(_observers);

    for (i.First(); !i.IsDone(); i.Next()) {
        i.CurrentItem()->Update(this);
    }
}
```

`ClockTimer` é um subject concreto para armazenar e manter a hora do dia. Ele notifica seus observadores a cada segundo. `ClockTimer` fornece a interface para a recuperação de unidades de tempo individuais, como hora, minuto e segundo.

```
class ClockTimer : public Subject {
public:
    ClockTimer();

    virtual int GetHour();
    virtual int GetMinute();
    virtual int GetSecond();

    void Tick();
};
```

A operação `Tick` é chamada por um relógio interno, a intervalos regulares, para fornecer uma base de tempo precisa. `Tick` atualiza o estado interno de `ClockTimer` e chama `Notify` para informar os observadores sobre a mudança:

```
void ClockTimer::Tick () {
    // atualiza o estado interno de manutenção do tempo
    // ...
    Notify();
}
```

Agora queremos definir uma classe `DigitalClock` que exibe a hora. Ela herda a sua funcionalidade gráfica de uma classe `Widget` fornecida por um *toolkit* para interfaces de usuário. A interface de Observer é misturada com a interface de `DigitalClock` por herança de `Observer`.

```
class DigitalClock: public Widget, public Observer {
public:
    DigitalClock(ClockTimer*);
    virtual ~DigitalClock();

    virtual void Update(Subject*);
        // redefine a operação de Observer

    virtual void Draw();
        // redefine a operação de Widget
        // define como desenhar o relógio digital
private:
    ClockTimer* _subject;
};

DigitalClock::DigitalClock (ClockTimer* s) {
    _subject = s;
    _subject->Attach(this);
}

DigitalClock::~DigitalClock () {
    _subject->Detach(this);
}
```

Antes que a operação `Update` mude o mostrador do relógio, ela faz a verificação para se assegurar de que o subject notificador é o subject do relógio:

```
void DigitalClock::Update (Subject* theChangedSubject) {
    if (theChangedSubject == _subject) {
        Draw();
    }
}

void DigitalClock::Draw () {
    // obtém os novos valores do subject

    int hour = _subject->GetHour();
    int minute = _subject->GetMinute();
    // etc.

    // desenha o relógio digital
}
```

Da mesma maneira pode ser definida uma classe `AnalogClock`.

```
class AnalogClock : public Widget, public Observer {
public:
    AnalogClock(ClockTimer*);
    virtual void Update(Subject*);
    virtual void Draw();
    // ...
};
```

O código a seguir cria uma `AnalogClock` e uma `DigitalClock` que sempre mostra o mesmo tempo:

```
ClockTimer* timer = new ClockTimer;
AnalogClock* analogClock = new AnalogClock(timer);
DigitalClock* digitalClock = new DigitalClock(timer);
```

Sempre que o `timer` pulsar e notificar, os dois relógios serão atualizados e reexibirão a si próprios adequadamente.

Usos conhecidos

O primeiro e talvez mais conhecido exemplo do padrão Observer aparece no Model/View/Controller (MVC), da Smalltalk, o *framework* para a interface do usuário no ambiente Smalltalk [KP88]. A classe Model, do MVC, exerce o papel do Subject, enquanto View é a classe base para observadores. Smalltalk, ET++ [WGM88] e a biblioteca de classes THINK [Sym93b] fornecem um mecanismo geral de dependência colocando interfaces para Subject e Observer na classe-mãe para todas as outras classes do sistema.

Outros *toolkits* para interfaces de usuário que empregam esse padrão são: InterViews [LVC89], Andrew Toolkit [P+88] e Unidraw [VL90]. O InterViews define classes Observer e Observable (para subjects) explicitamente. Andrew as chama "view" e "data object", respectivamente. O Unidraw separa objetos do editor gráfico em View (para observadores) e Subject.

Padrões relacionados

Mediator (257): encapsulando a semântica de atualizações complexas, o ChangeManager atua como um mediador entre subjects e observadores.

Singleton (130): O ChangeManager pode usar o padrão Singleton para torná-lo único e globalmente acessível.

STATE — comportamental de objetos

Intenção

Permite a um objeto alterar seu comportamento quando o seu estado interno muda. O objeto parecerá ter mudado sua classe.

Também conhecido como

Objects for States

Motivação

Considere a classe TCPConnection que representa uma conexão numa rede de comunicações. Um objeto TCPConnection pode estar em diversos estados diferentes: Established (Estabelecida), Listening (Escutando), Closed (Fechada). Quando um objeto TCPConnection recebe solicitações de outros objetos, ele responde de maneira diferente dependendo do seu estado corrente. Por exemplo, o efeito de uma solicitação de Open (Abrir), depende de se a conexão está no seu estado Closed ou no seu estado Established. O padrão State descreve como TCPConnection pode exibir um comportamento diferente em cada estado.

A idéia chave deste padrão é introduzir uma classe abstrata chamada TCPState para representar os estados da conexão na rede. A classe TCPState declara uma interface comum para todas as classes que representam diferentes estados operacionais. As subclasses de TCPState implementam comportamentos específicos ao estado. Por exemplo, as classes TCPEstablished e TCPClosed implementam comportamento específico aos estados Established e Closed de TCPConnection.

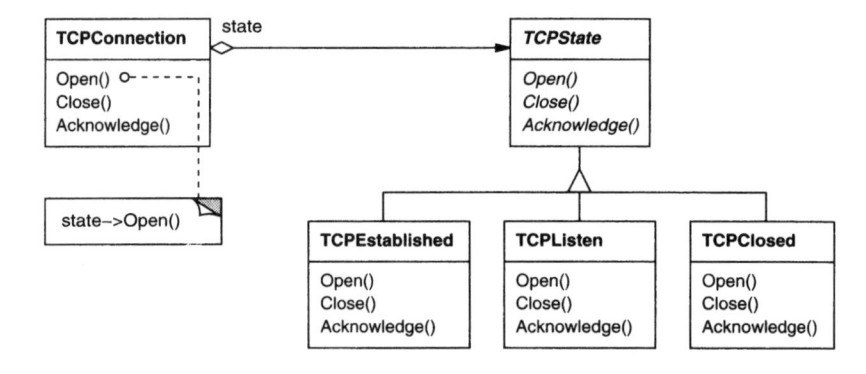

A classe TCPConnection mantém um objeto de estado (uma instância da subclasse de TCPstate) que representa o estado corrente na conexão TCP.

Connection delega todas as solicitações específicas de estados para este objeto de estado. TCPConnection usa sua instância da subclasse de TCPState para executar operações específicas ao estado da conexão.

Sempre que a conexão muda de estado, o objeto TCPConnection muda o objeto de estado que ele utiliza. Por exemplo, quando a conexão passa do estado Established para o estado Closed, TCPConnection substituirá sua instância de TCPEstablished por uma instância de TCPClosed.

Aplicabilidade

Use o padrão State em um dos dois casos seguintes:

- o comportamento de um objeto depende do seu estado e ele pode mudar seu comportamento em tempo de execução, dependendo desse estado;
- operações têm comandos condicionais grandes, de várias alternativas, que dependem do estado do objeto. Esse estado é normalmente representado por uma ou mais constantes enumeradas. Freqüentemente, várias operações conterão essa mesma estrutura condicional. O padrão State coloca cada ramo do comando adicional em uma classe separada. Isto lhe permite tratar o estado do objeto como um objeto propriamente dito, que pode variar independentemente de outros objetos.

Estrutura

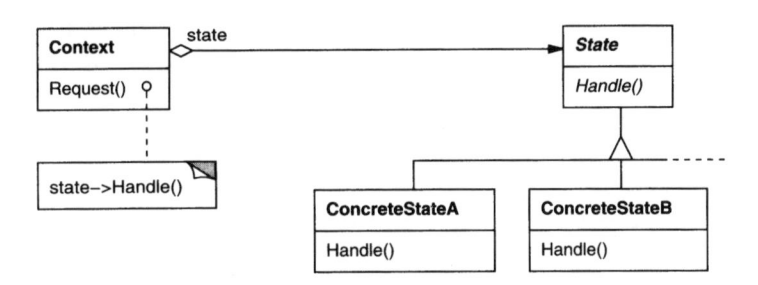

```
┌─────────────┐   state    ┌─────────────┐
│  Context    │◇──────────▶│   State     │
├─────────────┤            ├─────────────┤
│ Request()  ○┄┐           │ Handle()    │
└─────────────┘ ┆           └─────────────┘
                ┆                  △
      ┌─────────────────┐          │
      │ state->Handle() │          ├──────────────┐
      └─────────────────┘    ┌─────────────┐  ┌─────────────┐
                             │ConcreteStateA│  │ConcreteStateB│
                             ├─────────────┤  ├─────────────┤
                             │ Handle()    │  │ Handle()    │
                             └─────────────┘  └─────────────┘
```

Participantes

- **Context** (TCPConnection)
  - define a interface de interesse para os clientes.
  - mantém uma instância de uma subclasse ConcreteState que define o estado corrente.
- **State** (TCPState)
  - define uma interface para encapsulamento associado com um determinado estado do Context.
- **ConcreteState subclasses** (TCPEstablished, TCPListen, TCPClosed)
  - cada subclasse implementa um comportamento associado com um estado do Context.

Colaborações

- O Context delega solicitações específicas de estados para o objeto corrente ConcreteState.
- Um contexto pode passar a si próprio como um argumento para o objeto State que trata a solicitação. Isso permite ao objeto State acessar o contexto, se necessário.

- Context é a interface primária para os clientes. Os clientes podem configurar um contexto com objetos State. Uma vez que o contexto está configurado, seus clientes não têm que lidar com os objetos State diretamente.
- Tanto Context quanto as subclasses de ConcreteState podem decidir qual estado sucede outro, e sob quais circunstâncias.

Conseqüências

O padrão State tem as seguintes conseqüências:

1. *Ele confina comportamento específico de estados e particiona o comportamento para estados diferentes.* O padrão State coloca todo o comportamento associado com um estado particular em um objeto. Como todo o código específico a um estado reside numa subclasse de State, novos estados e transições de estado podem ser facilmente adicionados pela definição de novas subclasses.

   Uma alternativa é usar valores de dados para definir estados internos, tendo operações de Context que verificam explicitamente os dados. Mas, em conseqüência, teríamos instruções parecidas, condicionais ou de seleção (Case) espalhadas por toda a implementação de Context. O acréscimo de um novo estado poderia exigir a mudança de várias operações, o que complicaria a manutenção.

   O padrão State evita esse problema, mas introduz um outro, porque o padrão distribui o comportamento para diversos estados entre várias subclasses de State. Isso aumenta o número de classes e é menos compacto do que ter uma única classe. Porém, tal distribuição é, na realidade, boa se existirem muitos estados, pois de outro modo necessitaríamos de grandes comandos condicionais.

   Do mesmo modo que *procedures* longas são indesejáveis, também o são comandos condicionais grandes. Eles são monolíticos e tendem a tornar o código menos explícito, o que, por sua vez torna-os difíceis de modificar e estender. O padrão State oferece uma maneira melhor para estruturar o código específico de estados. A lógica que determina as transições de estado não se localiza em comandos monolíticos `if` ou `switch`, mas é particionada entre as subclasses de State. O encapsulamento de cada transição de estado e ação associada em uma classe eleva a idéia de um estado de execução ao *status* de um objeto propriamente dito. Isso impõe uma estrutura ao código e torna a sua intenção mais clara.

2. *Ele torna explícitas as transições de estado.* Quando um objeto define o seu estado corrente unicamente em termos de valores de dados internos, suas transições de estado não têm representação explícita; elas apenas aparecem como atribuições de valores a algumas variáveis. A introdução de objetos separados, para estados diferentes, torna as transições mais explícitas.

   Os objetos State também podem proteger o Context de estados internos inconsistentes porque, da perspectiva do Context, as transições de estado são atômicas – elas acontecem pela revinculação (*rebinding*) de *uma* variável (a variável que contém o objeto State de Context), e não de várias [dCLF93].

3. *Objetos State podem ser compartilhados.* Se os objetos State não possuem variáveis de instância – ou seja, o estado que elas representam está codificado inteiramente no seu tipo – então contextos podem compartilhar um objeto State. Quando estados são compartilhados dessa maneira, eles são essenci-

almente flyweights (ver Flyweight, 187) sem estado intrínseco, somente comportamento.

Implementação

O padrão State dá origem a diversas questões de implementação:

1. *Quem define as transições de estado?* O padrão State não especifica qual participante define os critérios para transições de estado. Se os critérios são fixos, então podem ser implementados inteiramente no Context. Contudo, é geralmente mais flexível e adequado permitir que as subclasses de State especifiquem elas mesmas o seu estado sucessor e quando efetuar a transição. Isto exige o acréscimo de uma interface para Context que permite aos objetos State definirem explicitamente o estado corrente de Context.

   A forma de descentralizar a lógica de transição torna mais fácil modificar ou estender a lógica pela definição de novas subclasses State. Uma desvantagem da descentralização é que uma subclasse State terá conhecimento de pelo menos uma outra, o que introduz dependências de implementação entre subclasses.

2. *Uma alternativa baseada no uso de tabelas.* Em C++ Programming Style [Car92], Cargill descreve uma outra maneira de impor estrutura a um código orientado por estados: ele usa tabelas para mapear entradas para transições de estado. Para cada estado, uma tabela mapeia cada entrada possível para um estado sucessor. Com efeito, essa solução converte o código condicional (e, no caso de padrão State, funções virtuais) em uma pesquisa de tabela.

   A principal vantagem do uso de tabelas é sua regularidade: você pode mudar os critérios de transição através da modificação de dados em vez da modificação do código de programas. Contudo, aqui apresentamos algumas desvantagens:

   - Uma pesquisa de tabela freqüentemente é menos eficiente do que a chamada (virtual) de uma função.
   - A colocação da lógica de transição num formato uniforme, tabular, torna os critérios de transição menos explícitos e, portanto, mais difíceis de compreender.
   - É normalmente difícil acrescentar ações para acompanhar as transições de estado. A solução baseada em tabelas captura os estados e suas transições, porém, ela deve ser aumentada para executar computações arbitrárias em cada transição.

   A diferença-chave entre máquinas de estado guiadas por tabelas e o padrão State pode ser resumida desta maneira: o padrão State modela o comportamento específico de estados, enquanto que a abordagem voltada para tabelas se concentra na definição das transições de estado.

3. *Criando e destruindo objetos State.* Duas alternativas comuns de implementação que valem a pena considerar são: (1) criar objetos State apenas quando são necessários e destruí-los logo que se tornem desnecessários e (2) criá-los antecipadamente e nunca destruí-los.

   A primeira escolha é preferível quando os estados que serão atingidos não são conhecidos em tempo de execução e os contextos mudam de estado com pouca freqüência. Esta solução evita a criação de objetos que não serão usados, o que é importante se os objetos State armazenarem grande quantidade de informação. A segunda solução é melhor quando as mudanças de estado ocorrem rapidamente, sendo que nesse caso você deseja evitar a destruição de estados porque serão necessários novamente em breve. Os custos de instanciação acontecem somente uma vez antes do processo, e não existe nenhum custo de destruição. Entretanto, esta solução pode ser inconveniente porque o Context deve manter referências para todos os estados que possam ser alcançados.

4. *Usando herança dinâmica.* A mudança de comportamento para uma determinada solicitação poderia ser obtida pela mudança da classe do objeto em tempo de execução, porém, isso não é possível na maioria das linguagens de programação orientadas a objetos. As exceções incluem Self [US87] e outras linguagens baseadas em delegação que oferecem tal mecanismo e, portanto, suportam diretamente o padrão State. Objetos em Self podem delegar operações para outros objetos para obter uma forma de herança dinâmica. A mudança do alvo da delegação, em tempo de execução, efetivamente muda a estrutura de herança. Esse mecanismo permite aos objetos mudarem o seu comportamento e corresponde a mudar as suas classes.

Exemplo de código

O exemplo a seguir fornece o código C++ para o exemplo de conexões TCP descrito na seção Motivação. Este exemplo é uma versão simplificada do protocolo TCP; ele não descreve o protocolo completo ou todos os estados das conexões TCP[8].

Primeiramente, definiremos a classe `TCPConnection`, a qual fornece uma interface para transmissão de dados e trata solicitações para mudanças de estado.

```
class TCPOctetStream;
class TCPState;

class TCPConnection {
public:
    TCPConnection();

    void ActiveOpen();
    void PassiveOpen();
    void Close();
    void Send();
    void Acknowledge();
    void Synchronize();

    void ProcessOctet(TCPOctetStream*);
private:
    friend class TCPState;
    void ChangeState(TCPState*);
private:
    TCPState* _state;
};
```

`TCPConnection` mantém uma instância da classe `TCPState` na variável membro `_state`. A classe `TCPState` duplica a interface de mudança de estados de `TCPConnection`. Cada operação `TCPState` recebe uma instância de `TCPConnection` como um parâmetro, permitindo a `TCPState` acessar dados de `TCPConnection` e mudar o estado da conexão.

```
class TCPState {
public:
    virtual void Transmit(TCPConnection*, TCPOctetStream*);
    virtual void ActiveOpen(TCPConnection*);
    virtual void PassiveOpen(TCPConnection*);
    virtual void Close(TCPConnection*);
    virtual void Synchronize(TCPConnection*);
    virtual void Acknowledge(TCPConnection*);
    virtual void Send(TCPConnection*);
protected:
    void ChangeState(TCPConnection*, TCPState*);
};
```

TCPConnection delega todas as solicitações específicas de estado para sua instância _state de TCPState. O TCPConnection também fornece uma operação para mudar essa variável para um novo TCPState. O constructor de TCPConnection inicia o objeto no estado TCPClosed (definido mais tarde).

```
TCPConnection::TCPConnection () {
    _state = TCPClosed::Instance();
}

void TCPConnection::ChangeState (TCPState* s) {
    _state = s;
}

void TCPConnection::ActiveOpen () {
    _state->ActiveOpen(this);
}

void TCPConnection::PassiveOpen () {
    _state->PassiveOpen(this);
}

void TCPConnection::Close () {
    _state->Close(this);
}

void TCPConnection::Acknowledge () {
    _state->Acknowledge(this);
}

void TCPConnection::Synchronize () {
    _state->Synchronize(this);
}
```

TCPState implementa o comportamento-padrão para todas as solicitações delegadas a ela. Ela pode também mudar o estado de uma TCPConnection com a operação ChangeState. TCPState é declarado como um *friend* de TCPConnection para ter acesso privilegiado a essa operação.

```
void TCPState::Transmit (TCPConnection*, TCPOctetStream*) { }
void TCPState::ActiveOpen (TCPConnection*) { }
void TCPState::PassiveOpen (TCPConnection*) { }
void TCPState::Close (TCPConnection*) { }
void TCPState::Synchronize (TCPConnection*) { }

void TCPState::ChangeState (TCPConnection* t, TCPState* s) {
    t->ChangeState(s);
}
```

As subclasses de TCPState implementam o comportamento específico de estado. Uma conexão TCP pode estar em muitos estados: Established, Listening, Closed, etc., e existe uma subclasse de TCPState para cada estado. Discutiremos três subclasses em detalhe: TCPEstablished, TCPListen e TCPClosed.

```
class TCPEstablished : public TCPState {
public:
    static TCPState* Instance();

    virtual void Transmit(TCPConnection*, TCPOctetStream*);
    virtual void Close(TCPConnection*);
};

class TCPListen : public TCPState {
public:
    static TCPState* Instance();

    virtual void Send(TCPConnection*);
    // ...
};

class TCPClosed : public TCPState {
public:
    static TCPState* Instance();

    virtual void ActiveOpen(TCPConnection*);
    virtual void PassiveOpen(TCPConnection*);
    // ...
};
```

As subclasses de TCPState não mantêm estados locais, de modo que possam ser compartilhadas e apenas uma instância de cada seja requerida. A única instância de cada subclasse TCPState é obtida pela operação estática Instance[9].

Cada subclasse TCPState implementa um comportamento específico do estado para cada solicitação válida no estado:

```
void TCPClosed::ActiveOpen (TCPConnection* t) {
    // envia SYN, recebe SYN, ACK, etc.

    ChangeState(t, TCPEstablished::Instance());
}

void TCPClosed::PassiveOpen (TCPConnection* t) {
    ChangeState(t, TCPListen::Instance());
}

void TCPEstablished::Close (TCPConnection* t) {
    // envia FIN, recebe ACK de FIN

    ChangeState(t, TCPListen::Instance());
}

void TCPEstablished::Transmit (
    TCPConnection* t, TCPOctetStream* o
) {
    t->ProcessOctet(o);
}

void TCPListen::Send (TCPConnection* t) {
    // envia SYN, recebe SYN, ACK, etc.

    ChangeState(t, TCPEstablished::Instance());
}
```

Após executar o trabalho específico do estado, essas operações chamam a operação ChangeState para mudar o estado de TCPConnection. O TCPConnection em si não sabe nada sobre o protocolo de conexão TCP; são as subclasses TCPState que definem cada transição de estado e ação em TCP.

Usos conhecidos

Johnson e Zweig [JZ91] caracterizam o padrão State e sua aplicação aos protocolos de conexão TCP.

A maioria dos programas populares para fazer desenho fornece "ferramentas" para executar operações por manipulação direta. Por exemplo, uma ferramenta de desenho de linhas permite ao usuário "clicar" e arrastar para criar uma nova linha. Uma ferramenta de seleção permite ao usuário selecionar formas. Existe usualmente uma *pallete* de tais ferramentas para serem escolhidas. O usuário vê essa atividade como escolher uma ferramenta e utilizá-la, mas na realidade o comportamento do editor muda com a ferramenta corrente: quando uma ferramenta de desenho está ativa, criamos formas; quando a ferramenta de seleção está ativa, nós selecionamos formas; e assim por diante. Podemos usar o padrão State para mudar o comportamento do editor dependendo da ferramenta corrente.

Podemos definir uma classe abstrata Tool, a partir da qual definiremos subclasses que implementarão comportamentos específicos de ferramentas. O editor de desenho mantém um objeto Tool corrente e delega solicitações para ele. Ele substitui esse objeto quando o usuário escolhe uma nova ferramenta, fazendo com que o comportamento do editor de desenhos mude de acordo. Essa técnica é usada nos *frameworks* para editores de desenho HotDraw [Joh92] e Unidraw [VL90]. Ela permite aos clientes definir facilmente novos tipos de ferramentas. No HotDraw, a classe DrawingController repassa as solicitações para o objeto Tool corrente. O seguinte diagrama de classe esboça as interfaces de Tool e DrawingController:

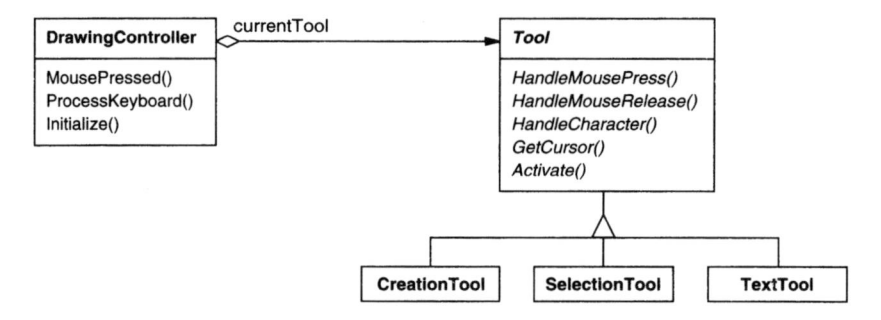

```
┌─────────────────────┐  currentTool    ┌─────────────────────┐
│  DrawingController  │◇───────────────▷│        Tool         │
├─────────────────────┤                 ├─────────────────────┤
│ MousePressed()      │                 │ HandleMousePress()  │
│ ProcessKeyboard()   │                 │ HandleMouseRelease()│
│ Initialize()        │                 │ HandleCharacter()   │
└─────────────────────┘                 │ GetCursor()         │
                                        │ Activate()          │
                                        └─────────────────────┘
                                                  △
                                   ┌──────────────┼──────────────┐
                            ┌─────────────┐ ┌─────────────┐ ┌─────────────┐
                            │ CreationTool│ │SelectionTool│ │   TextTool  │
                            └─────────────┘ └─────────────┘ └─────────────┘
```

O termo Envelope-Letter (técnica, estilo) apresentado por Coplien [Cop92] está relacionado com State.

Envelope-Letter é uma técnica para mudar a classe de um objeto em tempo de execução. O padrão State é mais específico, focalizando sobre como lidar com um objeto cujo comportamento depende do seu estado.

Padrões relacionados

O padrão Flyweight (187) explica quando e como objetos State podem ser compartilhados.

Objetos State são freqüentemente Singletons (130).

STRATEGY   comportamental de objetos

Intenção

Definir uma família de algoritmos, encapsular cada uma delas e torná-las intercambiáveis. Strategy permite que o algoritmo varie independentemente dos clientes que o utilizam.

Também conhecido como

Policy

Motivação

Existem muitos algoritmos para quebrar um *stream* de texto em linhas. Codificar de maneira fixa e rígida tais algoritmos nas classes que os utilizam não é desejável, por várias razões:

- clientes que necessitam de quebras de linhas se tornam mais complexos se incluírem o código de quebra de linhas. Isso os torna maiores e mais difíceis de manter, especialmente se suportam múltiplos algoritmos de quebra de linhas;

- diferentes algoritmos serão apropriados em diferentes situações. Não queremos suportar múltiplos algoritmos de quebra de linhas se não usarmos todos eles;
- é difícil adicionar novos algoritmos e variar os existentes quando a quebra de linha é parte integrante de um cliente.

Podemos evitar esses problemas definindo classes que encapsulam diferentes algoritmos de quebra de linhas. Um algoritmo encapsulado dessa maneira é chamado **strategy** (estratégia).

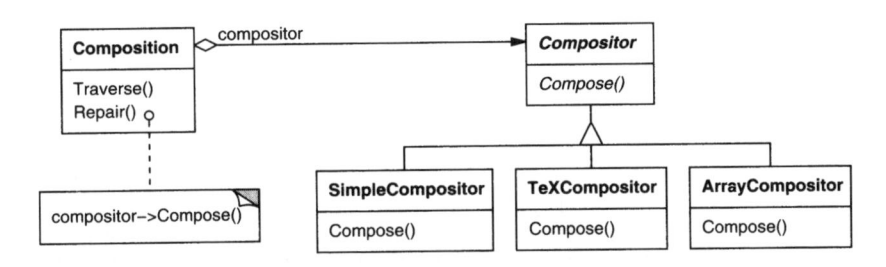

```
Composition  <>—compositor—>  Compositor
Traverse()                    Compose()
Repair()  o
                                  △
compositor->Compose()    ┌────────┼────────┐
                   SimpleCompositor  TeXCompositor  ArrayCompositor
                   Compose()        Compose()       Compose()
```

Suponha que uma classe Composition seja responsável pela manutenção e atualização das quebras de linhas de texto exibidas num visualizador de texto. As estratégias de quebra de linhas não são implementadas pela classe Composition. Em vez disso, são implementadas separadamente por subclasses da classe abstrata Compositor. Subclasses de Compositor implementam diferentes estratégias:

- **SimpleCompositor**: Implementa uma estratégia simples que determina quebras de linha, uma por vez.
- **TeXCompositor:** Implementa o algoritmo T_EX para encontrar quebras de linhas. Esta estratégia tenta otimizar globalmente as quebras de linhas, ou seja, um parágrafo por vez.
- **ArrayCompositor:** Implementa uma estratégia que seleciona quebras de maneira que cada linha tenha um número fixo de itens. Por exemplo, é útil para quebrar uma coleção de ícones em linhas.

Uma Composition mantém uma referência para um objeto Compositor. Sempre que uma Composition reformata seu texto, repassa essa responsabilidade para o seu objeto Compositor. O cliente de Composition especifica qual Compositor deveria ser usado pela instalação do Compositor que ele deseja em Composition.

Aplicabilidade

Use o padrão Strategy quando:

- muitas classes relacionadas diferem somente no seu comportamento. As estratégias fornecem uma maneira de configurar uma classe com um dentre muitos comportamentos;
- você necessita de variantes de um algoritmo. Por exemplo, pode definir algoritmos que refletem diferentes soluções de compromisso entre espaço/tempo. As estratégias podem ser usadas quando essas variantes são implementadas como uma hierarquia de classes de algoritmos [HO87];

- um algoritmo usa dados dos quais os clientes não deveriam ter conhecimento. Use o padrão Strategy para evitar a exposição das estruturas de dados complexas, específicas do algoritmo;
- uma classe define muitos comportamentos, e estes aparecem em suas operações como múltiplos comandos condicionais da linguagem. Em vez de usar muitos comandos condicionais, mova os ramos condicionais relacionados para a sua própria classe Strategy.

Estrutura

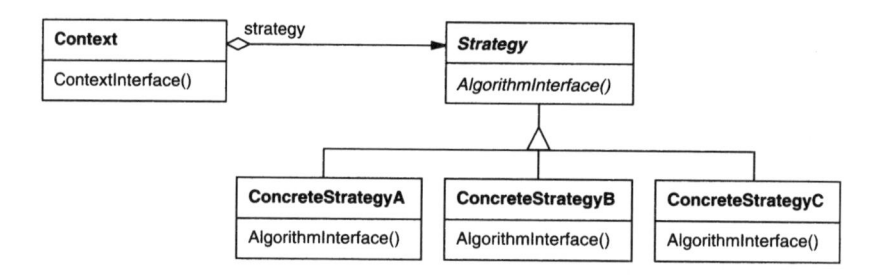

```
┌─────────────────────┐  strategy  ┌─────────────────────┐
│ Context             │◇──────────▶│ Strategy            │
├─────────────────────┤            ├─────────────────────┤
│ ContextInterface()  │            │ AlgorithmInterface()│
└─────────────────────┘            └─────────────────────┘
                                              △
                          ┌───────────────────┼───────────────────┐
              ┌───────────────────┐ ┌───────────────────┐ ┌───────────────────┐
              │ ConcreteStrategyA │ │ ConcreteStrategyB │ │ ConcreteStrategyC │
              ├───────────────────┤ ├───────────────────┤ ├───────────────────┤
              │AlgorithmInterface()│ │AlgorithmInterface()│ │AlgorithmInterface()│
              └───────────────────┘ └───────────────────┘ └───────────────────┘
```

Participantes

- **Strategy** (Compositor)
  - define uma interface comum para todos os algoritmos suportados. Context usa esta interface para chamar o algoritmo definido por uma ConcreteStrategy.
- **ConcreteStrategy** (SimpleCompositor, TeXCompositor, ArrayCompositor)
  - implementa o algoritmo usando a interface de Strategy.
- **Context** (Composition)
  - é configurado com um objeto ConcreteStrategy;
  - mantém uma referência para um objeto Strategy;
  - pode definir uma interface que permite a Strategy acessar seus dados.

Colaborações

- Strategy e Context interagem para implementar o algoritmo escolhido. Um contexto pode passar todos os dados requeridos pelo algoritmo para a estratégia quando o algoritmo é chamado. Alternativamente, o contexto pode passar a si próprio como argumento para operações de Strategy. Isto permite à estratégia chamar de volta o contexto conforme requerido.
- Um contexto repassa solicitações dos seus clientes para sua estratégia. Os clientes usualmente criam e passam um objeto ConcreteStrategy para o contexto; após isso, interagem exclusivamente com o contexto. Freqüentemente existe uma família de classes ConcreteStrategy para um cliente fazer sua escolha.

Conseqüências

O padrão Strategy tem os seguintes benefícios e desvantagens:

1. *Famílias de algoritmos relacionados.* Hierarquias de classes Strategy definem uma família de algoritmos e comportamentos para os contextos reutilizarem. A herança pode ajudar a fatorar a funcionalidade comum dos algoritmos.
2. *Uma alternativa ao uso de subclasses.* A herança oferece uma outra maneira de suportar uma variedade de algoritmos ou comportamentos. Você pode especializar uma classe Context para lhe dar diferentes comportamentos. Mas isso congela o comportamento em Context, misturando a implementação do algoritmo com a de Context, tornando Context mais difícil de compreender, manter e estender. E não se pode variar de algoritmo dinamicamente. Você acaba tendo muitas classes relacionadas cuja única diferença é o algoritmo ou comportamento que elas empregam. Encapsular os algoritmos em classes Strategy separadas permite variar o algoritmo independentemente do seu contexto, tornando mais fácil trocá-los, compreendê-los e estendê-los.
3. *Estratégias eliminam comandos condicionais da linguagem de programação.* O padrão Strategy oferece uma alternativa ao uso de comandos condicionais para a seleção de comportamentos desejados. Quando diferentes comportamentos são agrupados em uma classe é difícil evitar o uso de comandos condicionais para a seleção do comportamento correto.

   O encapsulamento do comportamento em classes Strategy separadas elimina estes comandos condicionais.

   Por exemplo, sem usar estratégias, o código para quebrar o texto em linhas se pareceria com

   ```
   void Composition::Repair () {
       switch (_breakingStrategy) {
       case SimpleStrategy:
           ComposeWithSimpleCompositor();
           break;
       case TeXStrategy:
           ComposeWithTeXCompositor();
           break;
       // ...
       }
       // junta os resultados com a composição existente, se necessário
   }
   ```

   O padrão Strategy elimina este comando *case* pela delegação da tarefa de quebra de linhas para um objeto Strategy:

   ```
   void Composition::Repair () {
       _compositor->Compose();
       // junta os resultados com a composição existente, se necessário
   }
   ```

   Um código que contém muitos estados freqüentemente indica a necessidade de aplicar o padrão Strategy.
4. *A possibilidade de escolha de implementações.* As estratégias podem fornecer diferentes implementações do *mesmo* comportamento. O cliente pode escolher entre estratégias com diferentes compromissos entre tempo e espaço.
5. *Os clientes devem conhecer diferentes Strategies.* O padrão tem uma deficiência potencial no fato de que um cliente deve compreender como Strategies

diferem, antes que ele possa selecionar o mais apropriado. Os clientes podem ser expostos a detalhes e aspectos de implementação. Portanto, você deveria usar o padrão Strategy somente quando a variação em comportamento é relevante para os clientes.
6. *Custo de comunicação entre Strategy e Context.* A interface de Strategy é compartilhada por todas as classes ConcreteStrategy, quer os algoritmos que elas implementem sejam triviais ou complexos. Daí ser provável que alguns ConcreteStrategy não usem toda a informação passada através desta interface; ConcreteStrategies simples podem não usar quaisquer dessas informações! Isso significa que existirão situações em que o contexto criará e iniciará parâmetros que nunca serão usados. Se esse for um problema, você necessitará de um acoplamento maior entre Strategy e Context.
7. *Aumento do número de objetos.* Strategies aumentam o número de objetos numa aplicação. Algumas vezes, você pode reduzir esse custo pela implementação de estratégias como objetos sem estados que os contextos possam compartilhar. Qualquer estado residual é mantido pelo contexto, que o passa em cada solicitação para o objeto Strategy.

Implementação

Considere os seguintes aspectos de implementação:

1. *Definindo as interfaces de Strategy e Context.* As interfaces de Strategy e Context podem fornecer a uma ConcreteStrategy um acesso eficiente a quaisquer dados que necessite de um contexto, e vice-versa.

   Uma solução é fazer com que Context passe dados através de parâmetros para as operações de Strategy – em outras palavras, levar os dados para a estratégia. Isso mantém Strategy e Context desacoplados. Por outro lado, Context pode passar dados de que Strategy não necessita.

   Uma outra técnica é fazer um contexto passar *a si próprio* como um argumento, e então a estratégia solicitar dados do contexto explicitamente. Alternativamente, a estratégia pode armazenar uma referência para o seu contexto, eliminando de todo a necessidade de passar qualquer coisa. De ambas as maneiras, a estratégia pode solicitar exatamente o que ela necessita. Porém, agora, Context deve definir uma interface mais elaborada para os seus dados, o que acopla Strategy e Context mais fortemente.

   As necessidades de um algoritmo específico e seus requisitos de dados determinarão qual a melhor técnica.

2. *Estratégias como parâmetros* template. Em C++, *templates* podem ser usados para configurar uma classe com uma estratégia. Esta técnica somente é aplicável se: (1) Strategy pode ser selecionada em tempo de compilação e (2) ela não tem que ser mudada em tempo de execução. Nesse caso, a classe a ser configurada (por exemplo, `Context`) é definida como uma classe template que tem como parâmetro uma classe `Strategy`:

```
template <class AStrategy>
class Context {
    void Operation() { theStrategy.DoAlgorithm(); }
    // ...
private:
    AStrategy theStrategy;
};
```

A classe é então configurada com uma classe Strategy quando é instanciada:

```
class MyStrategy {
public:
    void DoAlgorithm();
};

Context<MyStrategy> aContext;
```

Com *templates*, não há necessidade de definir uma classe abstrata que defina a interface para Strategy. Usar Strategy como um parâmetro de *template* também permite vincular uma Strategy ao seu Context estaticamente, o que pode melhorar a eficiência.

3. *Tornando os objetos Strategy opcionais.* A classe Context pode ser simplificada se fizer sentido *não* ter um objeto Strategy. Context verifica se ele tem o objeto Strategy antes de acessá-lo. Se existir um, então Context o utiliza normalmente. Se não houver uma estratégia, então Context executa o comportamento-padrão. O benefício dessa solução é que os clientes não têm que lidar com nenhum objeto Strategy *a menos que* eles não queiram o comportamento-padrão.

Exemplo de código

Daremos o código de alto nível para o exemplo da seção Motivação, o qual está baseado na implementação das classes Composition e Compositor em InterViews [LCI+92].

A classe Composition mantém uma coleção de Component, a qual representa texto e elementos gráficos num documento. Uma composição arruma os objetos componentes em linhas usando uma instância da subclasse Compositor, a qual encapsula uma estratégia de quebra de linhas. Cada componente tem associados um tamanho natural, uma extensibilidade e uma compressibilidade. A extensibilidade define quanto o componente pode crescer além do seu tamanho natural; compressibilidade é quanto ele pode ser comprimido. A composição passa esses valores para um compositor, o qual os utiliza para determinar a melhor localização para quebras de linha.

```
class Composition {
public:
    Composition(Compositor*);
    void Repair();
private:
    Compositor* _compositor;
    Component* _components;    // a lista de componentes
    int _componentCount;       // o número de componentes
    int _lineWidth;            // largura da linha
    int* _lineBreaks;          // posição das quebras das linhas
                               // em componentes
    int _lineCount;            // número de linhas
};
```

Quando um novo *layout* é requerido, a composição solicita ao seu compositor determinar onde colocar as quebras de linha. A composição passa para o compositor três vetores que definem tamanhos naturais, extensibilidades e compressibilidades dos componentes. Ela também passa o número de componentes, a largura da linha e um vetor que o compositor preenche com a posição de cada quebra de linha. O compositor devolve o número de quebras calculadas.

A interface de `Compositor` permite à composição passar ao compositor toda a informação de que ele necessita. Isso é um exemplo da abordagem do tipo "levando os dados para a estratégia":

```
class Compositor {
public:
    virtual int Compose(
        Coord natural[], Coord stretch[], Coord shrink[],
        int componentCount, int lineWidth, int breaks[]
    ) = 0;
protected:
    Compositor();
};
```

Note que `Compositor` é uma classe abstrata. As subclasses concretas definem estratégias específicas de quebras de linha.

A composição chama a operação `Repair` do seu compositor. `Repair` primeiramente inicia vetores com tamanho, extensibilidade e compressibilidade naturais de cada componente (cujos detalhes omitiremos). Então, ela chama o compositor para obter as quebras de linha e finalmente estabelece o *layout* dos componentes de acordo com as quebras (também omitido):

```
void Composition::Repair () {
    Coord* natural;
    Coord* stretchability;
    Coord* shrinkability;
    int componentCount;
    int* breaks;

    // prepara os arrays com os tamanhos desejados dos componentes
    // ...

    // determina onde estão as quebras:
    int breakCount;
    breakCount = _compositor->Compose(
        natural, stretchability, shrinkability,
        componentCount, _lineWidth, breaks
    );

    // dispõe os componentes de acordo com as quebras
    // ...
}
```

Examinemos agora as subclasses de `Compositor`. A classe `SimpleCompositor` examina componentes uma linha por vez para determinar onde as quebras deveriam ser colocadas:

```
class SimpleCompositor : public Compositor {
public:
    SimpleCompositor();

    virtual int Compose(
        Coord natural[], Coord stretch[], Coord shrink[],
        int componentCount, int lineWidth, int breaks[]
    );
    // ...
};
```

O `TeXCompositor` utiliza uma estratégia mais global. Ele examina um *parágrafo* por vez, levando em conta o tamanho dos componentes e sua extensibilidade. Ele também tenta dar um "aspecto" uniforme ao parágrafo através da minimização dos espaços em branco entre componentes.

```
class TeXCompositor : public Compositor {
public:
    TeXCompositor();

    virtual int Compose(
        Coord natural[], Coord stretch[], Coord shrink[],
        int componentCount, int lineWidth, int breaks[]
    );
    // ...
};
```

`ArrayCompositor` quebra os componentes em linhas a intervalos regulares.

```
class ArrayCompositor : public Compositor {
public:
    ArrayCompositor(int interval);

    virtual int Compose(
        Coord natural[], Coord stretch[], Coord shrink[],
        int componentCount, int lineWidth, int breaks[]
    );
    // ...
};
```

Essas classes não utilizam toda a informação passada em `Compose`. O `SimpleCompositor` ignora a extensibilidade dos componentes, levando em conta somente suas larguras naturais. O `TeXCompositor` utiliza toda a informação passada para ela, enquanto que `ArrayCompositor` ignora todas.

Para instanciar `Composition`, você passa a ela o compositor que deseja usar:

```
Composition* quick = new Composition(new SimpleCompositor);
Composition* slick = new Composition(new TeXCompositor);
Composition* iconic = new Composition(new ArrayCompositor(100));
```

A interface de `Compositor` é cuidadosamente projetada para suportar todos os algoritmos de *layout* que as subclasses possam implementar. Você não deseja ter que mudar esta interface a cada nova subclasse introduzida porque isso exigirá mudar subclasses existentes. Em geral, as interfaces de Strategy e Context determinam também qual padrão consegue o seu intento.

Usos conhecidos

Tanto ET++ [WGM88] como InterViews usam estratégias para encapsular diferentes algoritmos de quebras de linhas na forma como descrevemos.

No sistema RTL destinado à otimização de código gerado por compiladores [JML92], estratégias definem diferentes esquemas de alocação de registradores (RegisterAllocator) e procedimentos de utilização (*scheduling*) do conjunto de instruções (RISCscheduler, CISCscheduler). Isso fornece flexibilidade no direcionamento do otimizador para diferentes arquiteturas de máquina.

O *framework* para calculadoras (*calculation engine*) do SwapsManager de ET++ computa preços para diferentes instrumentos financeiros [EG92]. Suas abstrações-chave são Instrument e YieldCurve (instrumento e curva de rendimentos, respectivamente). Diferentes instrumentos são implementados como subclasses de Instrument. YieldCurve calcula coeficientes de desconto que determinam o valor presente de fluxos de caixa futuros. Ambas as classes delegam algum comportamento para objetos Strategy. O *framework* fornece uma família de classes ConcreteStrategy para gerar fluxos de caixa, avaliar permutas (*swaps*) e calcular coeficientes de desconto. Você pode criar novas calculadoras através da configuração de Instrument e Yield-Curve com diferentes objetos ConcreteStrategy. Esta abordagem suporta a combinação e casamento de implementações existentes de Strategy, bem como a definição de novas implementações.

Os componentes de Booch usam estratégias como argumentos–template. As classes de coleção de Booch suportam três tipos diferentes de estratégias de alocação de memória: administrada (alocação dentro de um *pool*), controlada (alocações/desalocações são protegidas por travamentos (*locks*), e não-administradas (o alocador de memória normal). Essas estratégias são passadas como argumentos–template para uma classe de coleção quando ela é instanciada. Por exemplo, uma Unbounded-Collection que usa a estratégia não-administrada é instanciada como `UnboundedCollection<MyItemType*, Unnanaged>`.

RApp é um sistema para o *layout* de circuitos integrados [GA89,AG90]. RApp deve estabelecer o *layout* e as rotas dos condutores que conectam subsistemas do circuito. Algoritmos para determinação de rotas no RApp são definidos como subclasses de uma classe abstrata Router. A Router é uma classe Strategy.

ObjectWindows da Borland [Bor94] utiliza estratégias em caixas de diálogo para assegurar que os usuários forneçam dados válidos. Por exemplo, os números devem estar em um certo intervalo, e um campo de entrada numérica deve aceitar somente dígitos. Validar que uma *string* está correta pode exigir uma pesquisa numa tabela

ObjectWindows utiliza objetos Validator para encapsular estratégias de validação. Validators são exemplos de objetos Strategy. Campos de entrada de dados delegam a estratégia de validação para um objeto Validator opcional. O cliente associa um *validator* a um campo, se for necessária uma validação (isto é, um exemplo de uma estratégia opcional). Quando o diálogo é fechado, os campos de entrada solicitam aos seus validators para validarem os dados. A biblioteca de classes fornece validators para casos comuns, tal como um RangeValidator (um validator de intervalo) para números. Novas estratégias de validação, específicas do cliente, podem ser definidas facilmente, criando subclasses da classe Validator.

Padrão relacionados

Flyweight (187): objetos Strategy geralmente são bons flyweights.

TEMPLATE METHOD comportamental de classes

Intenção

Definir o esqueleto de um algoritmo em uma operação, postergando alguns passos para as subclasses. Template Method permite que subclasses redefinam certos passos de um algoritmo sem mudar a estrutura do mesmo.

Motivação

Considere um *framework* para aplicações que fornece as classes Application e Document. A classe Application é responsável por abrir documentos existentes armazenados num formato externo, tal como um arquivo. Um objeto Document representa a informação num documento, depois que ela foi lida do arquivo.

As aplicações construídas com o *framework* podem criar subclasses de Application e Document para atender necessidades específicas. Por exemplo, uma aplicação de desenho define as subclasses DrawApplication e DrawDocument; uma aplicação de planilha define as subclasses SpreadsheetApplication e SpreadsheetDocument.

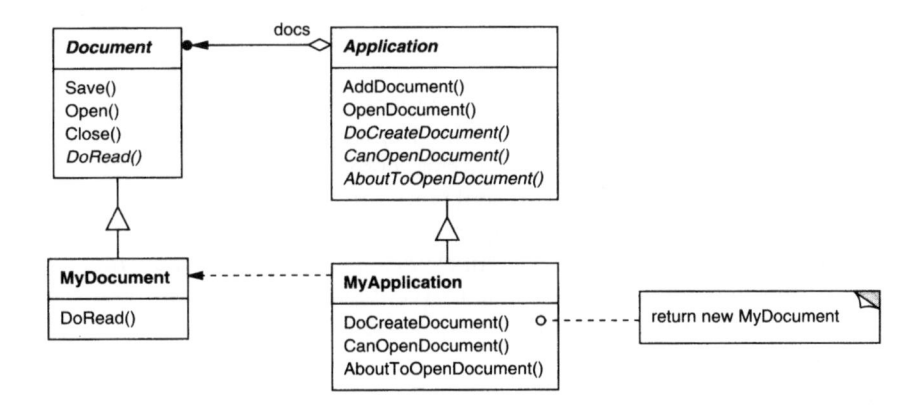

A classe abstrata Application define o algoritmo para abrir e ler um documento na sua operação OpenDocument:

```
void Application::OpenDocument (const char* name) {
    if (!CanOpenDocument(name)) {
        // não consegue tratar este documento
        return;
    }

    Document* doc = DoCreateDocument();

    if (doc) {
        _docs->AddDocument(doc);
        AboutToOpenDocument(doc);
        doc->Open();
        doc->DoRead();
    }
}
```

OpenDocument define cada passo para a abertura de um documento. Ela verifica se o documento pode ser aberto, cria o objeto Document específico para a aplicação, acrescenta-o ao seu conjunto de documentos e lê Document de um arquivo.

Chamamos OpenDocument um **template method**. Um método-template (gabarito, C++ suporta templates) define um algoritmo em termos da operação abstrata que as subclasses redefinem para fornecer um comportamento concreto. As subclasses da aplicação definem os passos do algoritmo que verifica se o documento pode ser aberto (CanOpenDocument) e cria o Document (DoCreateDocument). As classes Document definem a etapa que lê o documento (DoRead). O método template também define uma operação que permite às subclasses de Application saberem quando o documento está para ser aberto (AboutToOpenDocument), no caso de elas terem essa preocupação.

Pela definição de alguns dos passos de um algoritmo usando operações abstratas, o método template fixa a sua ordem, mas deixa as subclasses de Application e Document variarem aqueles passos necessários para atender suas necessidades.

Aplicabilidade

O padrão Template Method pode ser usado:

- para implementar as partes invariantes de um algoritmo uma só vez e deixar para as subclasses a implementação do comportamento que pode variar.
- quando o comportamento comum entre subclasses deve ser fatorado e concentrado numa classe comum para evitar a duplicação de código. Este é um bom exemplo de "refatorar para generalizar", conforme descrito por Opdyke e Johnson [OJ93]. Primeiramente, você identifica as diferenças no código existente e então separa as diferenças em novas operações. Por fim, você substitui o código que apresentava as diferenças por um método-template que chama uma dessas novas operações.
- para controlar extensões de subclasses. Você pode definir um método-template que chama operações "gancho" (ver Conseqüências) em pontos específicos, desta forma permitindo extensões somente nesses pontos.

Estrutura

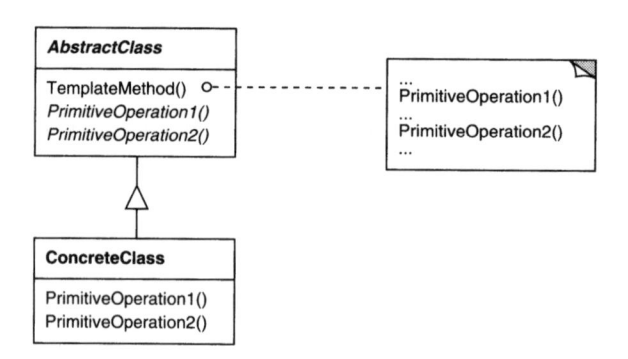

Participantes

- **AbstractClass** (Application)

- define **operações primitivas** abstratas que as subclasses concretas definem para implementar passos de um algoritmo.
- implementa um método-template que define o esqueleto de um algoritmo. O método-template invoca operações primitivas, bem como operações definidas em AbstractClass ou ainda outros objetos.
- **ConcreteClass** (MyApplication)
  - implementa as operações primitivas para executarem os passos específicos do algoritmo da subclasse.

Colaborações

- ConcreteClass depende de AbstractClass para implementar os passos invariantes do algoritmo.

Conseqüências

Os métodos-template são uma técnica fundamental para a reutilização de código. São particularmente importantes em bibliotecas de classe porque são os meios para a fatoração dos comportamentos comuns.

Os métodos-template conduzem a uma estrutura de inversão de controle, algumas vezes chamada de "o princípio de Hollywood", ou seja: "não nos chame, nós chamaremos você" [Swe85]. Isso se refere a como uma classe-mãe chama as operações de uma subclasse, e não o contrário.

Os métodos-template chamam os seguintes tipos de operações:

- operações concretas (ou em ConcreteClass ou em classes-clientes);
- operações concretas de AbstractClass (isto é, operações que são úteis para subclasses em geral);
- operações primitivas (isto é, operações abstratas);
- métodos fábrica (ver Factory Method, 112); e
- **operações-gancho (hook operations)** que fornecem comportamento-padrão que subclasses podem estender se necessário. Uma operação-gancho freqüentemente não executa nada por padrão.

É importante para os métodos-template especificar quais operações são ganchos (*podem* ser redefinidas) e quais são operações abstratas (*devem* ser redefinidas). Para reutilizar uma classe abstrata efetivamente, os codificadores de subclasses devem compreender quais as operações são projetadas para redefinição.

Uma subclasse pode *estender* o comportamento de uma operação de uma classe-mãe pela redefinição da operação e chamando a operação-mãe explicitamente:

```
void DerivedClass::Operation () {
    ParentClass::Operation();
    // comportamento estendido de DerivedClass
}
```

Infelizmente, é fácil esquecer de chamar a operação herdada. Podemos transformar uma tal operação num método-template para dar à (classe) mãe controle sobre a maneira como as subclasses a estendem. A idéia é chamar uma operação-gancho a partir de um método-template na classe-mãe. Então, as subclasses podem substituir essa operação-gancho:

```
void ParentClass::Operation () {
    // comportamento da ParentClass
    HookOperation();
}
```

Um `HookOperation` não faz nada em `ParentClass`:

```
void ParentClass::HookOperation () { }
```

As subclasses substituem `HookOperation` para estender o seu comportamento:

```
void DerivedClass::HookOperation () {
    // extensão da classe derivada
}
```

Implementação

Três aspectos da implementação são dignos de nota:

1. *Usando o controle de acesso de C++.* Em C++, as operações primitivas que um método template chama podem ser declaradas membros protegidos. Isso assegura que elas são chamadas somente pelo método-template.
   As operações primitivas que *devem* ser substituídas são declaradas como virtuais puras. O método-template em si não deveria ser substituído; portanto, você pode tornar o método-template uma função-membro não-virtual.
2. *Minimizando operações primitivas.* Um objetivo importante ao projetar métodos templates é minimizar o número de operações primitivas que uma subclasse deve substituir para materializar o algoritmo. Quanto mais operações necessitam ser substituídas, mais tediosas se tornam as coisas para os clientes.
3. *Convenções de nomenclatura.* Você pode identificar as operações que deveriam ser substituídas pela adição de um prefixo aos seus nomes. Por exemplo, o *framework* MacApp para aplicações Macintosh [App89] prefixa os nomes de métodos template com "Do –": "DoCreateDocument", "DoRead", e assim por diante.

Exemplo de código

O seguinte exemplo em C++ mostra como uma classe-mãe pode impor e garantir um invariante para suas subclasses. O exemplo é tirado do AppKit do NeXT [Add94]. Considere uma classe `View` que suporta a ação de desenhar na tela. `View` garante a invariante que as suas subclasses podem desenhar em uma visão somente após ela se tornar o "foco", o que requer que um certo estado de desenho seja estabelecido de forma apropriada (por exemplo, cores e fontes tipográficas).

Podemos usar um método-template `Display` para estabelecer este estado. `View` define duas operações concretas, `SetFocus` e `ResetFocus`, que estabelecem e fazem a limpeza do estado de desenho, respectivamente. A operação-gancho `DoDisplay` de `View` executa o desenho propriamente dito. `Display` chama `SetFocus` antes de `DoDisplay` para iniciar o estado de desenho; `Display` chama `ResetFocus` posteriormente para sair do estado de desenho.

```
void View::Display () {
    SetFocus();
    DoDisplay();
    ResetFocus();
}
```

Para manter o invariante, os clientes de View sempre chamam Display e subclasses de *View* redefinem DoDisplay.

DoDisplay não faz nada em View:

```
void View::DoDisplay () { }
```

As subclasses a redefinem para acrescentar o seu comportamento de desenho específico:

```
void MyView::DoDisplay () {
    // finaliza os conteúdos da visão
}
```

Usos conhecidos

Os métodos-template são tão fundamentais que eles podem ser encontrados em quase todas as classes abstratas.

Wirfs-Brock e outros [WBWW90,WBJ90] fornecem uma boa visão geral e uma boa discussão de métodos-template.

Padrões relacionados

Os Factory Methods (112) são freqüentemente chamados por métodos-template. No exemplo da seção Motivação, o método-fábrica DoCreateDocument é chamado pelo método-template OpenDocument.

Strategy (292): Métodos-template usam a herança para variar parte de um algoritmo. Estratégias usam a delegação para variar o algoritmo inteiro.

VISITOR   comportamental de objetos

Intenção

Representar uma operação a ser executada nos elementos de uma estrutura de objetos. Visitor permite definir uma nova operação sem mudar as classes dos elementos sobre os quais opera.

Motivação

Considere um compilador que representa programas como árvores sintáticas abstratas. Ele necessitará executar operações nas árvores sintáticas abstratas para análises "semânticas estáticas", como verificar se todas as variáveis estão definidas. Também necessitará gerar código executável. Assim, poderá definir operações para verificação de tipos, otimização de código, análise de fluxo, verificação se as variáveis receberam valores antes de serem usadas, e assim por diante. Além do mais, poderíamos usar as árvores sintáticas abstratas para *pretty-printing*, reestruturação de programas, instrumentação de código e computação de várias métricas de um programa.

A maioria dessas operações necessitará tratar nós que representam comandos de atribuição de forma diferente de nós que representam variáveis ou expressões aritméticas. Portanto, existirá uma classe para comandos de atribuição, outra para acessos a variáveis, uma outra para expressões aritméticas, e assim por diante. Naturalmente, o conjunto das classes-nó depende da linguagem que está sendo compilada. Porém, ele não muda muito para uma determinada linguagem.

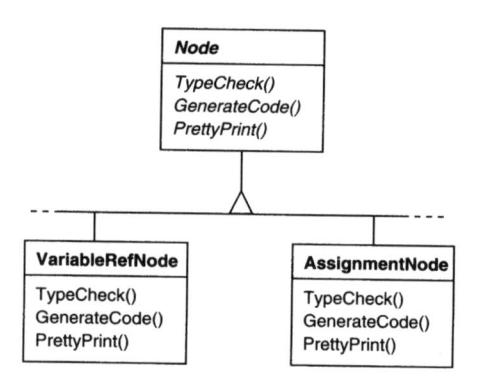

```
                    ┌─────────────────┐
                    │      Node       │
                    ├─────────────────┤
                    │ TypeCheck()     │
                    │ GenerateCode()  │
                    │ PrettyPrint()   │
                    └─────────────────┘
                             △
                  ┌──────────┴──────────┐
    ┌─────────────────┐         ┌─────────────────┐
    │ VariableRefNode │         │ AssignmentNode  │
    ├─────────────────┤         ├─────────────────┤
    │ TypeCheck()     │         │ TypeCheck()     │
    │ GenerateCode()  │         │ GenerateCode()  │
    │ PrettyPrint()   │         │ PrettyPrint()   │
    └─────────────────┘         └─────────────────┘
```

Este diagrama mostra parte da hierarquia da classe Node (Nó). O problema aqui é que distribuir todas essas operações pelas várias classes-nó conduz a um sistema difícil de compreender, manter e mudar. Será confuso ter o código para verificação de tipos misturado com o código para *pretty-printing* ou para análise de fluxo. Além do mais, acrescentar uma nova operação geralmente exige a recompilação de todas essas classes. Seria melhor se cada nova operação pudesse ser acrescentada separadamente, e as classes de nós fossem independentes das operações que se aplicam a elas.

Podemos ter as duas coisas empacotando as operações relacionadas de cada classe num objeto separado, chamado um **visitor** (visitante), e passando para ele elementos da árvore sintática abstrata à medida que a mesma é percorrida. Quando um elemento "aceita" o visitante, envia uma solicitação para o visitante que codifica a classe do elemento. Ela também inclui o elemento como argumento. O visitante então executará a operação para aquele elemento – a operação que costumava estar na classe do elemento.

Por exemplo, um compilador que não usou visitantes pode fazer a verificação de tipos de um procedimento (*procedure*) chamando a operação TypeCheck na sua árvore sintática abstrata. Cada um dos nós implementaria TypeCheck chamando TypeCheck nos seus componentes (ver o diagrama de classe precedente). Se o compilador fizesse a verificação de tipos de um procedimento utilizando visitantes, então ele criaria um objeto TypeCheckingVisitor e chamaria a operação Accept na árvore sintática abstrata com esse objeto como um argumento. Cada um dos nós implementaria Accept chamando de volta o visitante: um nó de atribuição chamaria a operação VisitAssignment no visitante, enquanto que uma referência a uma variável chamaria VisitVariableReference. O que era a operação TypeCheck na classe AssignmentNode se torna agora a operação VisitAssignment em TypeCheckingVisitor.

Para fazer com que visitantes façam mais do que somente verificação de tipo, necessitamos de uma classe-mãe abstrata NodeVisitor para todos os visitantes de uma árvore sintática abstrata. NodeVisitor deve declarar uma operação para cada classe de nó. Uma aplicação que necessita computar métricas de programas definirá novas subclasses de NodeVisitor e não mais necessitará adicionar código específico à aplicação às classes de nós. O padrão Visitor encapsula as operações para cada fase da compilação em uma classe Visitor associada com aquela fase.

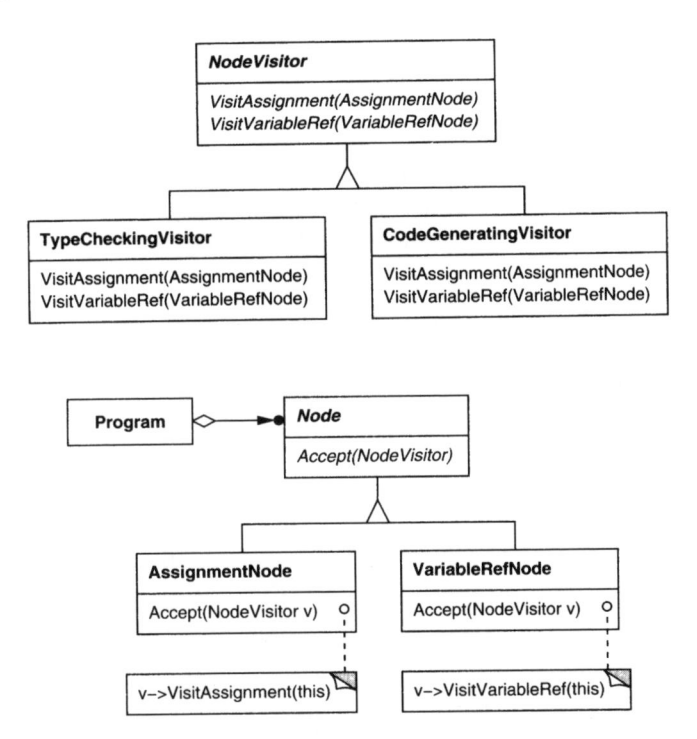

Com o padrão Visitor, você define duas hierarquias de classes: uma para os elementos sobre os quais estão sendo aplicadas as operações (a hierarquia Node) e uma para os visitantes que definem as operações sobre os elementos (a hierarquia NodeVisitor). Você cria uma nova operação acrescentando uma nova subclasse à hierarquia da classe visitante. Na medida em que a gramática que o compilador reconhece não muda (isto é, nós não temos que adicionar novas subclasses de Node), podemos adicionar novas funcionalidades simplesmente definindo novas subclasses de NodeVisitor.

Aplicabilidade

Use o padrão Visitor quando:

- uma estrutura de objetos contém muitas classes de objetos com interfaces que diferem e você deseja executar operações sobre esses objetos que dependem das suas classes concretas;
- muitas operações distintas e não-relacionadas necessitam ser executadas sobre objetos de uma estrutura de objetos, e você deseja evitar "a poluição" das suas

classes com essas operações. Visitor lhe permite manter juntas operações relacionadas, definindo-as em uma única classe. Quando a estrutura do objeto for compartilhada por muitas aplicações, use Visitor para por operações somente naquelas aplicações que as necessitam;

- as classes que definem a estrutura do objeto raramente mudam, porém, você freqüentemente deseja definir novas operações sobre a estrutura. A mudança das classes da estrutura do objeto requer a redefinição da interface para todos os visitantes, o que é potencialmente oneroso. Se as classes da estrutura do objeto mudam com freqüência, provavelmente é melhor definir as operações nessas classes.

Estrutura

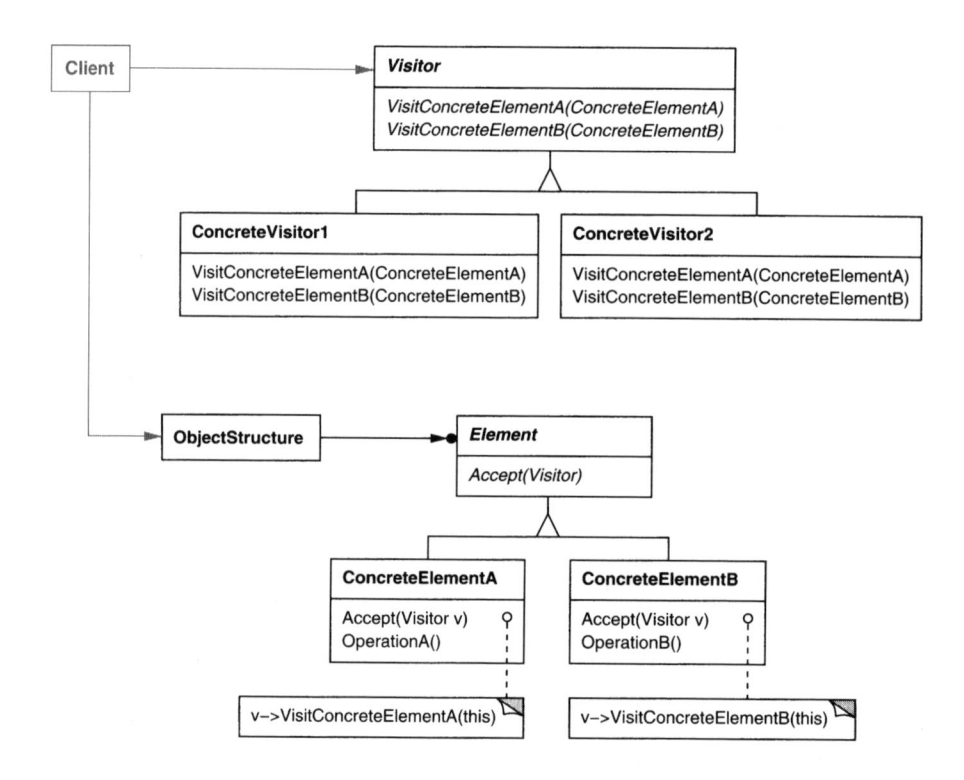

Participantes

- **Visitor** (NodeVisitor)
  - declara uma operação Visit para cada classe ConcreteElement na estrutura do objeto. O nome e a assinatura da operação identifica a classe que envia a solicitação Visit ao visitante. Isso permite ao visitante determinar a classe concreta do elemento que está sendo visitado. Então, o visitante pode acessar o elemento diretamente através da sua interface específica.
- **ConcreteVisitor** (TypeCheckingVisitor)
  - implementa cada operação declarada por Visitor. Cada operação implementa um fragmento do algoritmo definido para a correspondente classe de objeto na estrutura. ConcreteVisitor fornece o contexto para o algoritmo e armazena

o seu estado local. Esse estado freqüentemente acumula resultados durante o percurso da estrutura.
- **Element** (Node)
  - define uma operação Accept que aceita um visitante como um argumento.
- **ConcreteElement** (AssignmentNode, VariableRefNode)
  - implementa uma operação Accept que aceita um visitante como um argumento.
- **ObjectStructure** (Program)
  - pode enumerar seus elementos;
  - pode fornecer uma interface de alto nível para permitir ao visitante visitar seus elementos;
  - pode ser ou uma composição (ver Composite, 160), ou uma coleção, tal como uma lista ou um conjunto.

Colaborações

- Um cliente que usa o padrão Visitor deve criar um objeto ConcreteVisitor e então percorrer a estrutura do objeto, visitando cada elemento com esse Visitor.
- Quando um elemento é visitado, chama a operação de Visitor que corresponde à sua classe. O elemento fornece a si mesmo como argumento para essa operação, para permitir ao visitante acessar seu estado, se necessário.

O seguinte diagrama de interação ilustra as colaborações entre uma estrutura de objeto, um visitante, e dois elementos:

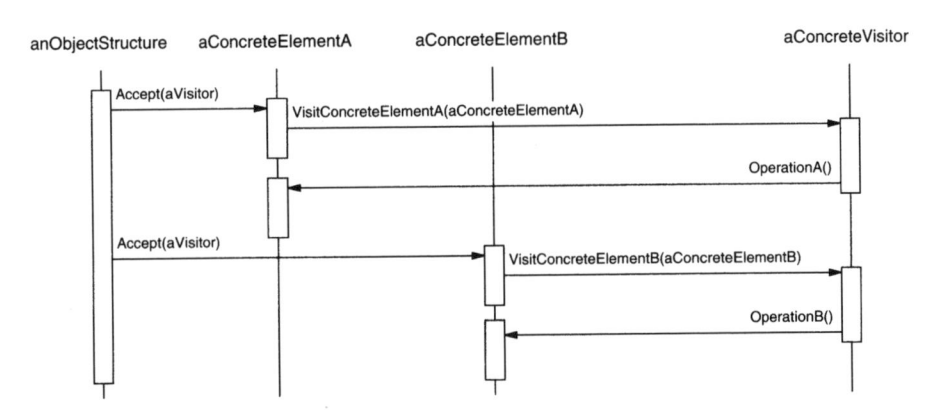

Conseqüências

A seguir, apresentamos alguns dos benefícios e deficiências do padrão Visitor:
1. *Visitor torna fácil a adição de novas operações.* Os Visitors tornam fácil acrescentar operações que dependem dos componentes de objetos complexos. Você pode definir uma nova operação sobre uma estrutura de objetos simplesmente acrescentando um novo visitante. Em contraste com isso, se você espalha funcionalidade sobre muitas classes, então tem que mudar cada classe para definir uma nova operação.
2. *Um visitante reúne operações relacionadas e separa as operações não-relacionadas.* O comportamento relacionado não é espalhado pelas classes que definem a estrutura do objeto; ele está localizado em um visitante. Conjuntos de comportamentos não-relacionados são particionados em suas próprias

subclasses visitantes. Isso simplifica tanto as classes que definem os elementos como os algoritmos definidos nos visitantes. Qualquer estrutura de dados específica de um algoritmo pode ser ocultada no visitante.

3. *É difícil acrescentar novas classes ConcreteElement.* O padrão Visitor torna difícil acrescentar novas subclasses de Element. Cada novo ConcreteElement dá origem a uma nova operação abstrata em Visitor e uma correspondente implementação em cada classe ConcreteVisitor. Algumas vezes, uma implementação-padrão pode ser fornecida em Visitor, a qual pode ser herdada pela maioria dos ConcreteVisitors, mas isso é exceção, não a regra. Assim, a consideração-chave na aplicação do padrão Visitor é: qual a mudança mais provável: a do algoritmo aplicado sobre uma estrutura de objetos ou a das classes de objetos que compõem a estrutura? A hierarquia de classe de Visitor pode ser difícil de ser mantida quando novas classes ConcreteElement são acrescentadas com freqüência. Em tais casos, provavelmente será mais fácil simplesmente definir operações nas classes que compõem a estrutura. Se a estrutura de classe de Element for estável, mas você estiver continuamente adicionando operações ou mudando algoritmos, o padrão Visitor vai ajudar a controlar as mudanças.

4. *Visitando hierarquias de classes.* Um iterador (ver Iterator, 244) pode visitar os objetos numa estrutura à medida que os percorre pela chamada das suas operações. Mas um iterador não pode agir sobre estruturas de objetos com distintos tipos de elementos. Por exemplo, a interface de Iterator definida na página 249 pode acessar somente objetos do tipo Item:
Isso implica em que todos os elementos que o iterador pode visitar tenham uma classe-mãe Item em comum.

```
template <class Item>
class Iterator {
    // ...
    Item CurrentItem() const;
};
```

O Visitor não tem essa restrição. Ele pode visitar objetos que não compartilham uma mesma classe-mãe. Você pode acrescentar qualquer tipo de objeto à interface de um Visitor. Por exemplo, em
MyType e YourType não precisam ser relacionados de forma alguma através da herança.

```
class Visitor {
public:
    // ...
    void VisitMyType(MyType*);
    void VisitYourType(YourType*);
};
```

5. *Acumulando estados.* Os Visitors podem acumular estados à medida que visitam cada elemento na estrutura do objeto. Sem um visitante, estes estados seriam passados como argumentos extras para as operações que executam o percurso, ou eles poderiam aparecer como variáveis globais.

6. *Rompendo o encapsulamento.* A abordagem do padrão Visitor assume que a interface de ConcreteElement é poderosa o suficiente para permitir aos visitantes executarem o seu trabalho. Como resultado, o padrão freqüentemente força a fornecer operações públicas que acessam o estado interno de um elemento, o que pode comprometer seu encapsulamento.

Implementação

Cada estrutura de objeto terá uma classe Visitor associada. Essa classe abstrata visitante declara uma operação VisitConcreteElement para cada classe de ConcreteElement que define a estrutura do objeto. Cada operação Visit no Visitor declara seu argumento como um particular ConcreteElement, permitindo ao Visitor acessar diretamente a interface do ConcreteElement. Classes ConcreteVisitor substituem cada operação Visit para implementar um comportamento específico do visitante para a correspondente classe ConcreteElement.

A classe Visitor seria declarada dessa maneira em C++:

```
class Visitor {
public:
    virtual void VisitElementA(ElementA*);
    virtual void VisitElementB(ElementB*);

    // e assim por diante para outros elementos concretos
protected:
    Visitor();
};
```

Cada classe de ConcreteElement implementa uma operação Accept que chama a correspondente operação Visit... no visitante para aquele ConcreteElement. Assim, a operação que acaba sendo chamada depende tanto da classe do elemento como da classe do visitante[10].

Os elementos concretos são declarados como

```
class Element {
public:
    virtual ~Element();
    virtual void Accept(Visitor&) = 0;
protected:
    Element();
};

class ElementA : public Element {
public:
    ElementA();
    virtual void Accept(Visitor& v) { v.VisitElementA(this); }
};

class ElementB : public Element {
public:
    ElementB();
    virtual void Accept(Visitor& v) { v.VisitElementB(this); }
};
```

Uma classe `CompositeElement` pode implementar `Accept` desta forma:

```
class CompositeElement : public Element {
public:
    virtual void Accept(Visitor&);
private:
    List<Element*>* _children;
};

void CompositeElement::Accept (Visitor& v) {
    ListIterator<Element*> i(_children);

    for (i.First(); !i.IsDone(); i.Next()) {
        i.CurrentItem()->Accept(v);
    }
    v.VisitCompositeElement(this);
}
```

A seguir, estão dois outros aspectos de implementação que surgem quando você aplica o padrão Visitor:

1. *Double dispatch (despacho duplo).* Efetivamente, o padrão Visitor permite acrescentar operações a classes sem modificá-las. Visitor consegue isto usando uma técnica chamada **double-dispatch.** É uma técnica bem conhecida. De fato, algumas linguagens a suportam diretamente (por exemplo, CLOS). Linguagens como C++ e Smalltalk suportam **single-dispatch** (despacho simples).

   Em linguagens com *single-dispatch*, dois critérios determinam qual operação atenderá uma solicitação: o nome da solicitação e o tipo do receptor. Por exemplo, a operação que uma solicitação `GenerateCode` chamará depende do tipo de objeto-nó que você pede. Em C++, chamar `GenerateCode` numa instância de `VariableRefNode` chamará `VariableRefNode::GenerateCode` (a qual gerará código executável para uma referência a uma variável). Chamar `GenerateCode` em um `AssignmentNode` chamará `AssignmentNode::GenerateCode` (a qual gerará código executável para uma atribuição). A operação que é executada depende tanto do tipo da solicitação como do tipo do receptor. *Double-dispatch* simplesmente significa que a operação que é executada depende do tipo de solicitação e do tipo de *dois* receptores. `Accept` é uma operação de *double-dispatch*. O seu significado depende de dois tipos: o do Visitor e o do Element. O despacho duplo permite aos visitantes solicitarem operações diferentes em cada classe de elemento[11].

   Esta é a chave do padrão Visitor: a operação que é executada depende tanto do tipo de Visitor como do tipo de Element que ele visita. Em vez de vincular as operações estaticamente à interface de Element, você pode consolidar as operações em um Visitor e usar `Accept` para fazer a vinculação em tempo de execução. Estender a interface de Element equivale a definir uma nova subclasse de Visitor, em vez de muitas subclasses novas de Element.

2. *Quem é responsável por percorrer a estrutura do objeto?* Um visitante deve visitar cada elemento da estrutura do objeto. A questão é: como ele chega lá? Podemos colocar a responsabilidade do percurso em qualquer um de três lugares: na estrutura do objeto, no visitante ou em um objeto iterador separado (ver Iterator, 244).

Freqüentemente, a estrutura do objeto é responsável pela iteração. Uma coleção simplesmente iterará sobre os seus elementos, chamando a operação Accept em cada um. Uma composição (*composite*) comumente percorrerá a si mesma, fazendo com que cada operação Accept percorra os filhos do elemento e chamando Accept em cada um deles recursivamente.

Outra solução é usar um iterador para visitar os elementos. Em C++, você poderia usar um iterador interno ou um externo, dependendo do que está disponível e do que é mais eficiente. Em Smalltalk, normalmente se usa um iterador interno usando do: e um bloco. Uma vez que iteradores internos são implementados pela estrutura do objeto, usá-los é bastante parecido com fazer com que a estrutura do objeto seja responsável pela iteração. A principal diferença é que um iterador interno não causará *despacho duplo* – chamará uma operação no *visitante* usando um *elemento* como argumento, ao contrário de chamar uma operação no *elemento* com o *visitante* como argumento.

Mas é fácil usar o padrão Visitor com um iterador interno se a operação no visitante simplesmente chamar a operação no elemento, sem recursão.

Você poderia até mesmo colocar o algoritmo para percurso no visitante, embora termine duplicando o código de percurso em cada ConcreteVisitor para cada ConcreteElement agregado. A razão principal para pôr a estratégia de percurso no visitante é implementar um percurso particularmente complexo, o qual depende dos resultados das operações sobre a estrutura do objeto.

Daremos um exemplo de um caso desses na seção a seguir.

Exemplo de código

Porque visitantes estão normalmente associados com (objetos) compostos (*composites*), usaremos as classes Equipment definidas no Exemplo de código do padrão Composite (160) para ilustrar o padrão Visitor. Usaremos Visitor para definir operações para computar o estoque de materiais e o custo total de um determinado equipamento.

As classes Equipment são tão simples que o uso do Visitor não é realmente necessário, porém, elas tornam fácil de ver o que está envolvido na implementação do padrão.

Novamente temos aqui a classe Equipment, de Composite (160). Nós a aumentamos com uma operação Accept para permitir que ela funcione com um visitante.

```
class Equipment {
public:
    virtual ~Equipment();

    const char* Name() { return _name; }

    virtual Watt Power();
    virtual Currency NetPrice();
    virtual Currency DiscountPrice();

    virtual void Accept(EquipmentVisitor&);
protected:
    Equipment(const char*);
private:
    const char* _name;
};
```

As operações de `Equipment` retornam os atributos de um equipamento determinado, tais como o seu consumo de energia se seu custo. As subclasses substituem estas operações de maneira apropriada para tipos específicos de equipamentos (por exemplo, chassis, transmissões).

A classe abstrata para todos os visitantes de equipamentos tem uma função virtual para cada subclasse de equipamento, como mostrado a seguir. Nenhuma das funções virtuais define operações-padrão.

```
class EquipmentVisitor {
public:
    virtual ~EquipmentVisitor();

    virtual void VisitFloppyDisk(FloppyDisk*);
    virtual void VisitCard(Card*);
    virtual void VisitChassis(Chassis*);
    virtual void VisitBus(Bus*);

    // e assim por diante para outras subclasses concretas de Equipment
protected:
    EquipmentVisitor();
};
```

As subclasses de `Equipment` definem `Accept` basicamente da mesma maneira: ela chama a operação `EquipmentVisitor` correspondente à classe que recebeu a solicitação `Accept`, como a seguir:

```
void FloppyDisk::Accept (EquipmentVisitor& visitor) {
    visitor.VisitFloppyDisk(this);
}
```

Equipamento que contém outros equipamentos (em particular, subclasses de `CompositeEquipment` no padrão Composite) implementa `Accept` pela iteração sobre seus filhos e chamando `Accept` em cada um deles. Então, como usual, chama a operação `Visit`. Por exemplo, `Chassis::Accept` percorreria todas as partes do chassis como segue:

```
void Chassis::Accept (EquipmentVisitor& visitor) {
    for (
        ListIterator<Equipment*> i(_parts);
        !i.IsDone();
        i.Next()
    ) {
        i.CurrentItem()->Accept(visitor);
    }
    visitor.VisitChassis(this);
}
```

As subclasses de `EquipmentVisitor` definem algoritmos particulares sobre a estrutura de equipamento. O `PricingVisitor` computa o custo da estrutura do equipamento. Ele computa o preço líquido de todos os equipamentos simples (por exemplo, dispositivo de disco flexível) e o preço com desconto de todos os equipamentos compostos (por exemplo, chassis e ônibus).

```
class PricingVisitor : public EquipmentVisitor {
public:
    PricingVisitor();

    Currency& GetTotalPrice();

    virtual void VisitFloppyDisk(FloppyDisk*);
    virtual void VisitCard(Card*);
    virtual void VisitChassis(Chassis*);
    virtual void VisitBus(Bus*);
    // ...
private:
    Currency _total;
};

void PricingVisitor::VisitFloppyDisk (FloppyDisk* e) {
    _total += e->NetPrice();
}

void PricingVisitor::VisitChassis (Chassis* e) {
    _total += e->DiscountPrice();
}
```

PricingVisitor computará o custo total de todos os nós na estrutura de equipamento. Note que PricingVisitor escolhe a política ou o procedimento de preços adequados para uma classe de equipamento através do *despacho* da função-membro correspondente. E, ainda mais, podemos mudar a política de preços de uma estrutura de equipamento simplesmente mudando a classe PricingVisitor.

Podemos definir um visitante para a computação do estoque desta maneira:

```
class InventoryVisitor : public EquipmentVisitor {
public:
    InventoryVisitor();

    Inventory& GetInventory();

    virtual void VisitFloppyDisk(FloppyDisk*);
    virtual void VisitCard(Card*);
    virtual void VisitChassis(Chassis*);
    virtual void VisitBus(Bus*);
    // ...

private:
    Inventory _inventory;
};
```

O InventoryVisitor acumula os totais para cada tipo de equipamento na estrutura do objeto. InventoryVisitor utiliza uma classe Inventory que define uma interface para acrescentar equipamentos (com cuja definição não nos preocuparemos aqui).

```
void InventoryVisitor::VisitFloppyDisk (FloppyDisk* e) {
    _inventory.Accumulate(e);
}

void InventoryVisitor::VisitChassis (Chassis* e) {
    _inventory.Accumulate(e);
}
```

Aqui, a seguir, está como podemos usar um `InventoryVisitor` numa estrutura de equipamentos:

```
Equipment* component;
InventoryVisitor visitor;

component->Accept(visitor);
cout << "Inventory "
    << component->Name()
    << visitor.GetInventory();
```

Agora mostraremos como implementar o exemplo em Smalltalk do padrão Interpreter (ver página 231) com o padrão Visitor. Como no exemplo prévio, este é tão pequeno que Visitor provavelmente não nos ajudará em muita coisa, mas ele fornece uma boa ilustração de como usar o padrão. Além disso, ilustra uma situação na qual a iteração é responsabilidade do visitante.

A estrutura do objeto (expressões regulares) compõe-se de quatro classes, e todas têm um método `accept:` que recebe o visitante como argumento. Na classe `SequenceExpression`, o método `accept:` é

```
accept: aVisitor
    ^ aVisitor visitSequence: self
```

Na classe `RepeatExpression`, o método `accept:` envia a mensagem `visitRepeat:`. Na classe `AlternationExpression`, envia a mensagem `visitAlternation:`. Na classe `LiteralExpression`, ele envia a mensagem `visitLiteral:`.

As quatro classes também devem ter funções de acesso que o visitante possa usar. Para `SequenceExpression` estas são `expression1` e `expression2`; para `AlternationExpression` estas são `alternative1` e `alternative2`; para `RepeatExpression` ela é `repetition`; e para `LiteralExpression` estas são `components`.

A classe ConcreteVisitor é `REMatchingVisitor`. Ela é responsável pelo percurso porque o algoritmo de percurso é irregular. A maior irregularidade é que uma `RepeatExpression` percorrerá repetidamente seu componente. A classe `REMatchingVisitor` tem uma variável de instância `inputState`. Seus métodos são essencialmente os mesmos que os métodos `match:` das classes expressão no exemplo do padrão Interpreter, exceto que elas substituem o argumento denominado `inputState` com a expressão do nó que está sendo casado. Contudo, elas ainda retornam o conjunto de *streams* que expressão teria que casar (*match*) para identificar o estado corrente.

```
visitSequence: sequenceExp
    inputState := sequenceExp expression1 accept: self.
    ^ sequenceExp expression2 accept: self.

visitRepeat: repeatExp
    | finalState |
    finalState := inputState copy.
    [inputState isEmpty]
        whileFalse:
            [inputState := repeatExp repetition accept: self.
            finalState addAll: inputState].
    ^ finalState

visitAlternation: alternateExp
    | finalState originalState |
    originalState := inputState.
    finalState := alternateExp alternative1 accept: self.
    inputState := originalState.
    finalState addAll: (alternateExp alternative2 accept: self).
    ^ finalState

visitLiteral: literalExp
    | finalState tStream |
    finalState := Set new.
    inputState
        do:
            [:stream | tStream := stream copy.
                (tStream nextAvailable:
                    literalExp components size
                ) = literalExp components
                    ifTrue: [finalState add: tStream]
            ].
    ^ finalState
```

Usos conhecidos

O compilador Smalltalk-80 tem uma classe Visitor chamada ProgramNodeEnumerator. Ela é usada primariamente para algoritmos que analisam código-fonte. Não é usada para a geração de código executável ou "pretty-printing", embora pudesse ser.

IRIS Inventor [Str93] é um *toolkit* para o desenvolvimento de aplicações gráficas 3D. Inventor representa uma cena tridimensional como uma hierarquia de nós, cada um representando um objeto geométrico ou um atributo de um objeto geométrico. As operações como exprimir uma cena ou mapear um evento de entrada requerem percorrer essa hierarquia de diferentes maneiras. Inventor faz isso usando visitantes chamados "actions" (ações). Há diferentes visitantes para *rendering*, tratamento de eventos, buscas, preenchimentos e determinação de caixas delimitadoras.

Para tornar a adição de novos nós mais fácil, Inventor implementa um esquema de despacho duplo para C++. O esquema depende de informação sobre tipos em tempo de execução e de uma tabela bidimensional, nas quais as linhas representam visitantes e as colunas representam classes nós. As células armazenam um apontador para a função ligada ao visitante e a classe de nó.

Mark Linton criou o termo "Visitor" na especificação do Fresco Application Toolkit do X Consortium [LP93].

Padrões relacionados

Composite (160): os Visitors podem ser usados para aplicar uma operação sobre uma estrutura de objetos definida pelo padrão Composite.

Interpreter (231): o Visitor pode ser aplicado para efetuar a interpretação.

Discussão sobre padrões comportamentais

Encapsulando variações

O encapsulamento de variações é um tema de muitos padrões comportamentais. Quando um aspecto de um programa muda freqüentemente, esses padrões definem um objeto que encapsula aquele aspecto. Então, outras partes do programa podem colaborar com o objeto sempre que elas dependam daquele aspecto. Os padrões normalmente definem uma classe abstrata que descreve o objeto encapsulador, e o padrão deriva seu nome desse objeto[12]. Por exemplo:

- um objeto Strategy encapsula um algoritmo (Strategy, 292);
- um objeto State encapsula um comportamento dependente de estados (State, 284);
- um objeto Mediator encapsula o protocolo entre objetos (Mediator, 257); e
- um objeto Iterator encapsula a maneira como você acessa e percorre os componentes de um objeto agregado (Iterator, 244).

Esses padrões descrevem aspectos mutáveis de programas. A maioria dos padrões tem dois tipos de objetos: o(s) novo(s) objeto(s) que encapsula(m) o aspecto e o(s) objeto(s) existente(s) que utilizam os novos objetos. Geralmente, a funcionalidade de objetos novos seria uma parte integrante dos objetos existentes, não fosse pelo uso do padrão. Por exemplo, o código para um Strategy seria provavelmente incorporado ao Context da estratégia, e o código para um State seria implementado diretamente no Context do estado.

Porém, nem todos os padrões comportamentais de objeto particionam a funcionalidade dessa maneira. Por exemplo, Chain of Responsibility (212) lida com um número arbitrário de objetos (ou seja, uma cadeia), todos os quais podem já existir no sistema.

A Chain of Responsibility ilustra uma outra diferença entre os *patterns* comportamentais: nem todos definem relacionamentos estáticos de comunicação entre classes. A Chain of Responsibility provê a comunicação entre um número indefinido de objetos. Outros padrões envolvem objetos que são passados como argumentos.

Objetos como argumentos

Vários padrões introduzem um objeto que é *sempre* usado como um argumento. Um desses é o Visitor (305). Um objeto Visitor é o argumento para uma operação polimórfica Accept nos objetos que ele visita. O visitante nunca é considerado uma parte desses objetos, ainda que a alternativa convencional ao uso do padrão seja a distribuição do código de Visitor entre as classes de estruturas de objetos.

Outros padrões definem objetos que funcionam como *tokens* mágicos que são passados por onde necessário e invocados em um momento posterior. Tanto Command (222) quanto Memento (266) caem nessa categoria. No Command, o *token* representa uma solicitação; no Memento, ele representa o estado interno de um objeto num determinado instante. Em ambos os casos, o *token* pode ter uma representação interna complexa, mas o cliente nunca está ciente da mesma. Porém, mesmo aqui há diferenças. O polimorfismo é importante no padrão Command porque executar o objeto Command é uma operação polimórfica. Em contraste com isso, a interface de Memento é tão estreita que um memento somente pode ser passado como um valor. Assim, é provável que não apresente nenhuma operação polimórfica para os seus clientes.

A comunicação deveria ser encapsulada ou distribuída?

Mediator (257) e o Observer (274) são *padrões* que competem entre si. A diferença entre eles é que o Observer distribui a comunicação através da introdução de objetos Observer e Subject, enquanto que um objeto Mediator encapsula a comunicação entre outros objetos.

No padrão Observer não existe um objeto único que encapsula uma restrição. Em vez disso, Observer e Subject devem cooperar para manter a restrição. Padrões de comunicação são determinados pela maneira como Observers e Subjects são interconectados: um único subject usualmente tem muitos observadores (*observers*), e algumas vezes o observador de um subject é um subject e um outro observador. O padrão Mediator centraliza em vez de distribuir. Ele coloca a responsabilidade pela manutenção de uma restrição basicamente no mediador.

Descobrimos que é mais fácil tornar reutilizáveis Observers e Subjects do que Mediators. O padrão Observer promove o particionamento e o acoplamento fraco entre o Observer e o Subject, e isso leva à obtenção de classes de granularidade mais fina, mais aptas a serem reutilizadas.

Por outro lado, é mais fácil de compreender o fluxo de comunicação no Mediator do que no Observer. Observadores e subjects são usualmente conectados logo após terem sido criados e é difícil ver como estão conectados mais tarde no programa. Se você conhece o padrão Observer, então compreende que a maneira como observadores e subjects estão conectados é importante, e também sabe quais conexões procurar. Contudo, o referenciamento indireto que Observer introduz torna um sistema ainda mais difícil de compreender.

Observers em Smalltalk podem ser parametrizados com mensagens para acessar o estado do Subject e, assim, eles são ainda mais reutilizáveis do que o são em C++. Isto torna, em Smalltalk, o Observer mais atraente que o Mediator. Assim, um programador Smalltalk freqüentemente usará o Observer, enquanto que um programador C++ usará o Mediator.

Desacoplando emissores e receptores

Quando objetos colaborantes referenciam-se uns aos outros diretamente, eles se tornam dependentes uns dos outros, e isso pode ter um impacto negativo na estrutura de camadas e na reutilizabilidade de um sistema.

O Command, o Observer, Mediator e a Chain of Responsibility tratam de como você pode desacoplar emissores e receptores, porém com diferentes custos e benefícios.

O padrão Command suporta o desacoplamento usando um objeto Command para definir a vinculação entre um emissor e um receptor:

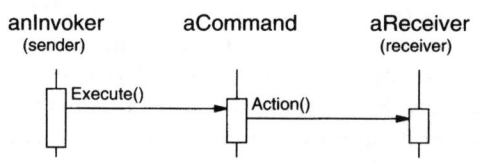

```
        anInvoker        aCommand        aReceiver
        (sender)                         (receiver)
           │                │                │
           ├─Execute()─────►├─Action()──────►│
           │                │                │
```

O objeto Command provê uma interface simples para a emissão da solicitação (ou seja, a operação Execute). Definir a conexão emissor-receptor em um objeto separado permite ao emissor funcionar com diferentes receptores. Isso mantém o emissor desacoplado dos receptores, tornando os emissores fáceis de serem reutilizados. Além disso, você pode reutilizar um objeto Command para parametrizar um receptor com diferentes emissores. O padrão Command requer nominalmente uma subclasse para cada conexão emissor-receptor, embora o padrão descreva técnicas de implementação que evitam o uso de subclasses.

O padrão Observer desacopla emissores de receptores pela definição de uma interface para sinalizar mudanças em subjects. O Observer define uma vinculação emissor-receptor mais fraca que aquela definida pelo Command, uma vez que um subject pode ter múltiplos observadores e o seu número pode variar em tempo de execução.

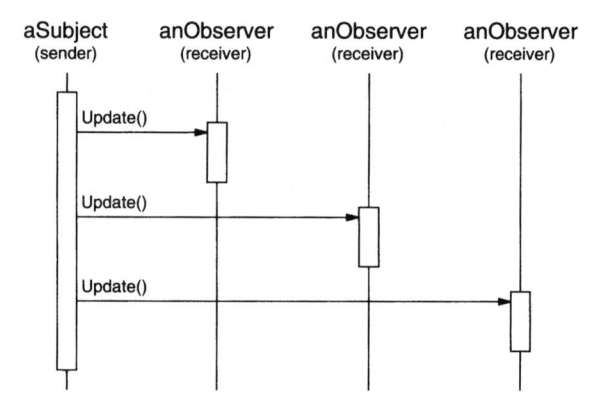

```
   aSubject    anObserver   anObserver   anObserver
   (sender)    (receiver)   (receiver)   (receiver)
      │            │            │            │
      ├─Update()──►│            │            │
      │            │            │            │
      ├─Update()───────────────►│            │
      │            │            │            │
      ├─Update()────────────────────────────►│
      │            │            │            │
```

No padrão Observer, as interfaces do Subject e do Observer são projetadas para a comunicação de mudanças. Portanto, o padrão Observer é melhor para o desacoplamento de objetos quando existem dependências de dados entre eles.

O padrão Mediator desacopla objetos fazendo com que eles referenciem-se indiretamente, através de um objeto Mediator.

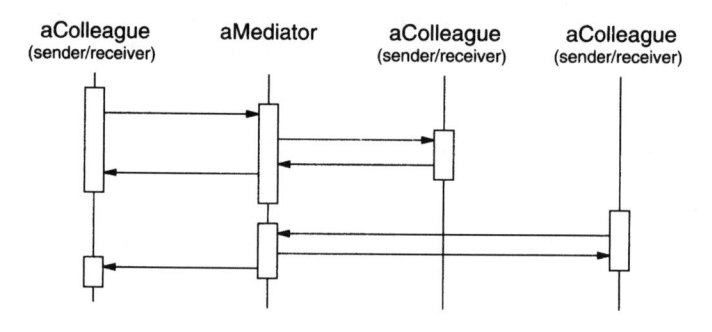

```
   aColleague       aMediator      aColleague       aColleague
 (sender/receiver)               (sender/receiver) (sender/receiver)
        │               │               │               │
        ├──────────────►│               │               │
        │◄──────────────┤               │               │
        │               │──────────────►│               │
        │               │               │               │
        │               │◄──────────────┤               │
        │               ├──────────────────────────────►│
        │               │               │               │
```

Um objeto Mediator direciona as solicitações entre objetos-Colega e centraliza sua comunicação. Conseqüentemente, colegas podem falar uns com os outros somente através da interface de Mediator. Como essa interface é fixa, o Mediator pode necessitar implementar o seu próprio esquema de despacho para maior flexibilidade. Solicitações podem ser codificadas e argumentos empacotados de uma maneira em que os colegas possam solicitar um conjunto aberto de operações.

O padrão Mediator pode reduzir o uso de subclasses em um sistema porque ele centraliza o comportamento de comunicação em uma classe, ao invés de distribuí-lo entre subclasses. Contudo, esquemas de despacho *ad hoc* diminuem a segurança relativa à consistência de tipos.

Por fim, o padrão Chain of Responsibility desacopla o emissor do receptor pela passagem da solicitação por uma cadeia de receptores potenciais:

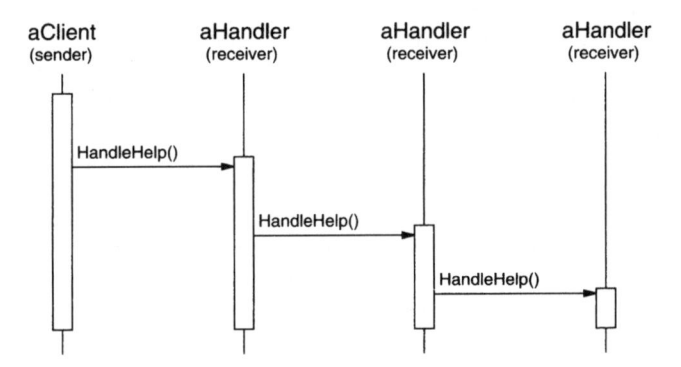

Uma vez que a interface entre emissores e receptores é fixa, o Chain of Responsibility também pode requerer um esquema de despacho customizado. Daí ter os mesmos inconvenientes relativos à segurança, referente à consistência de tipos, que o Mediator. Um Chain of Responsibility é uma boa maneira de desacoplar o emissor e o receptor se a cadeia já faz parte da estrutura do sistema, e um dentre vários objetos pode estar capacitado a tratar a solicitação. Além disso, o padrão oferece a flexibilidade adicional de poder mudar ou estender facilmente a cadeia.

Resumo

Com poucas exceções, os padrões comportamentais complementam e reforçam uns aos outros. Por exemplo, uma classe numa cadeia de responsabilidades provavelmente incluirá pelo menos uma aplicação do Template Method (301). O método-template pode usar operações primitivas para determinar se o objeto deveria tratar a solicitação e para escolher o objeto para o qual repassá-la. A cadeia pode usar o padrão Command para representar solicitações como objetos. Interpreter (231) pode usar o padrão State para definir contextos para análise sintática. Um iterador pode percorrer um agregado, e um visitante pode aplicar uma operação para cada elemento no agregado.

Os padrões comportamentais também funcionam bem com outros padrões. Por exemplo, um sistema que usa um padrão Composite (160) poderia usar um visitante para executar operações nos componentes da composição. Ele poderia usar a Chain of Responsibility para permitir aos componentes acessarem propriedades globais através dos seus pais. Também poderia usar Decorator (170) para substituir essas propriedades nas partes da composição. Poderia usar o Observer para amarrar uma estrutura de objeto a uma outra, e o padrão State para permitir que o componente mudasse o seu comportamento quando o seu estado mudasse. A composição, propriamente dita, poderia ser criada usando a solução mostrada em Builder (104), e ela poderia ser tratada como um Prototype (121) por alguma outra parte do sistema.

Sistemas orientados a objeto bem-projetados são exatamente assim – eles têm múltiplos padrões embutidos – mas não necessariamente porque seus projetistas pensaram nestes termos. A composição em termos de padrões, em vez de em classes ou objetos, permite-nos atingir a mesma sinergia com maior facilidade.

Notas

[1] Para simplificar, ignoraremos a precedência de operadores, assumindo que ela é responsabilidade de qualquer que seja o objeto que constrói a árvore sintática.
[2] Booch se refere a iteradores externos e internos como iteradores **ativos** e **passivos**, respectivamente [Boo94]. Os termos "ativo" e "passivo" descrevem o papel do cliente, não o nível de atividade no iterador.
[3] Cursores são exemplos simples do padrão Memento (266) e compartilham muitos dos seus aspectos de implementação.
[4] Nós podemos tornar essa interface ainda *menor* fundindo Next, IsDone e CurrentItem numa única operação que avança para o próximo objeto e o retorna. Se o percurso acabou, então essa operação retorna um valor especial (por exemplo, 0) que marca o fim da iteração.
[5] Você pode garantir isto em tempo de compilação simplesmente declarando como privados os operadores new e delete. Não é necessário uma implementação que a acompanhe.
[6] A operação Traverse nesses exemplos é um Template Method (301) com operações primitivas TestItem e ProcessItem.
[7] Note que o nosso exemplo deleta o objeto de estado no fim da iteração. Porém, delete não seria chamada se ProcessItem emitisse uma exceção desta forma criando uma área perdida de memória (*garbage*). Este é um problema em C++, mas não em Dylan, que possui *garbage collection*. Nós discutimos uma solução para este problema na página 252.
[8] Este exemplo está baseado no protocolo de conexão TCP descrito por Lynch and Rose [LR93].
[9] Isso torna cada subclasse TCPState um Singleton (ver Singleton, 130).
[10] Poderíamos usar a sobrecarga de função para dar a essas operações o mesmo nome simples, como Visit, uma vez que as operações estão diferenciadas pelos parâmetros que lhes são passados. Existem prós e contras a respeito de tal sobrecarga. Por um lado, ela reforça o fato de que cada operação envolve a mesma análise, embora sobre um argumento diferente. Por outro lado, isso pode tornar menos óbvio o que está acontecendo no local da chamada para alguém que esteja lendo o código. Na realidade, isso se resume à sua opinião sobre sobrecarga de função ser uma coisa boa ou não.
[11] Se podemos ter despacho *duplo*, então por que não *triplo ou quadrúplo*, ou qualquer outro número? Na realidade, o despacho duplo é apenas um caso especial de **despacho múltiplo (multiple dispatch)**, no qual a operação é escolhida com base num número qualquer de tipos. (CLOS efetivamente suporta o despacho múltiplo.) Linguagens que suportam despacho duplo ou múltiplo diminuem a necessidade de uso do padrão Visitor.
[12] Este tema ocorre também em outros tipos de padrões. O AbstractFactory (95), o Builder (104) e Prototype (121) encapsulam conhecimento sobre como objetos são criados. Decorator (170) encapsula responsabilidades que podem ser acrescentadas a um objeto. O Bridge (151) separa uma abstração da sua implementação, permitindo que elas variem independentemente.

6
Conclusão

É possível argumentar que este livro não conseguiu muita coisa. Afinal de contas, não apresenta nenhum algoritmo ou técnica de programação que já não tenha sido usada. Não fornece um método rigoroso para projetar sistemas, nem desenvolve uma nova teoria de projeto de sistemas – ele simplesmente documenta projetos existentes. Você poderia concluir que é um texto que não oferece muito para um projetista experiente em orientação a objetos.

Mas, esperamos que você pense de maneira diferente. A catalogação de padrões de projeto é importante. Ela nos dá nomes padronizados e definições para as técnicas que usamos. Se não estudarmos padrões de projeto em software, não seremos capazes de melhorá-los, e será mais difícil criar novos padrões.

Este livro é só um começo. Ele contém alguns dos padrões de projeto mais comuns usados por projetistas experientes de software orientado a objetos, e mesmo assim as pessoas em geral somente ouviram falar de padrões por conversas ou por estudo de sistemas existentes. Os primeiros rascunhos deste livro estimularam outras pessoas a escrever os padrões de projeto que usavam, e, na sua forma atual, deve estimular ainda outros profissionais a fazerem o mesmo. Esperamos que isto marque o começo de um movimento com o objetivo de documentar a experiência dos profissionais de software.

Este capítulo discute o impacto que nós pensamos que os padrões de projeto terão, como estão relacionados a outros trabalhos no projeto de sistemas e como você pode envolver-se na pesquisa e catalogação de padrões.

6.1 O que esperar do uso de padrões de projeto

Apresentaremos várias maneiras pelas quais os padrões de projeto neste livro podem afetar o modo como você projeta software orientado a objetos, com base na nossa experiência diária com eles.

Um vocabulário comum de projeto

Estudos de programadores especialistas em linguagens convencionais mostraram que o conhecimento e a experiência não são organizados simplesmente em torno da sintaxe, mas sim em torno de estruturas conceituais maiores, tais como algoritmos, estruturas de dados e termos [AS85,Cop92,Cur89,SS86], e planos para atingir um objetivo específico [SE84]. Os projetistas provavelmente não pensam sobre a notação que usam para registrar decisões de projeto, enquanto estão tentando resolver a situação atual do projeto com planos, algoritmos, estrutura de dados e termos que aprenderam no passado.

Os cientistas da computação nomeiam e catalogam algoritmos e estruturas de dados, porém, raramente nomeamos outros tipos de padrões. Os padrões de projeto fornecem um vocabulário comum para comunicar, documentar e explorar alternativas de projeto. Os padrões de projeto tornam um sistema menos complexo ao permitir falar sobre ele em um nível de abstração mais alto do que aquele de uma notação de projeto ou uma linguagem de programação. Os padrões de projeto elevam o nível no qual você projeta e discute o projeto com seus colegas.

Uma vez absorvidos os padrões de projeto deste livro, provavelmente o seu vocabulário de projeto mudará. Você falará diretamente nos nomes dos padrões. Você surpreenderá a si próprio dizendo: "vamos usar um Observer aqui" ou "vamos tornar estas classes um Strategy".

Um auxílio para documentação e o aprendizado

O conhecimento dos padrões de projeto deste livro torna mais fácil compreender sistemas existentes. A maioria dos grandes sistemas orientados a objetos usa estes padrões. As pessoas que estão aprendendo programação orientada a objeto freqüentemente se queixam de que os sistemas com os quais estão trabalhando usam a herança de maneira confusa e inconsistente e de que é difícil seguir o fluxo de controle. Em grande parte, isso deve-se ao fato de elas não compreenderem os padrões de projeto no sistema. O aprendizado dos padrões irá ajudar a compreender os sistemas orientados a objetos existentes.

Esses padrões de projeto também podem torná-lo um projetista melhor. Eles fornecem soluções para problemas comuns. Se você trabalha com sistemas orientados a objetos já há algum tempo, provavelmente aprendeu esses padrões de projeto pelo seu próprio esforço. Porém, a leitura do livro vai ajudá-lo a aprender muito mais rapidamente. O aprendizado desses padrões ajudará um novato a trabalhar de maneira semelhante a um profissional experiente na área.

Além do mais, descrever um sistema em termos dos padrões de projeto que usa facilitará sua compreensão. De outra forma, as pessoas terão que fazer a engenharia reversa do projeto para desenterrar os padrões que ele usa. Ter um vocabulário comum significa que você não necessita descrever todo o padrão de projeto; simplesmente o nomeia e espera que o seu leitor o conheça. Um leitor que não conhece os padrões terá primeiramente que examiná-los, porém isto é mais fácil do que fazer uma engenharia reversa.

Usamos esses padrões em nossos próprios projetos e descobrimos que são de muita valia. Nós os utilizamos para escolher nomes para classes, para pensar e ensinar a projetar em termos da seqüência dos padrões de projeto que aplicamos nos mesmos [BJ94]. É fácil imaginar maneiras mais sofisticadas de utilizar padrões, tais como ferramentas CASE baseadas em padrões ou documentos em hipertexto. Porém, os padrões são de grande ajuda, mesmo sem o uso de ferramentas sofisticadas.

Um acréscimo aos métodos existentes

Os métodos de projeto orientados a objetos são promotores de bons projetos. Ensinam novos projetistas a padronizar o desenvolvimento dos projetos. Um método de projeto define um conjunto de notações (normalmente gráficas) para modelagem de vários aspectos de um projeto, juntamente com um conjunto de regras que determinam como e onde usar cada notação. Os métodos de projeto geralmente descrevem problemas mais comuns, como resolvê-los e como avaliar a qualidade do projeto. Porém, não têm sido capazes de capturar a experiência de projetistas especialistas.

Acreditamos que os nossos padrões de projeto sejam uma peça importante que tem faltado nos métodos de projeto orientado a objetos. Os padrões mostram como usar técnicas básicas, tais como objetos, herança e polimorfismo. Mostram como parametrizar um sistema com um algoritmo, um comportamento, um estado, ou os tipos de objetos que se supõem que ele deva criar. Os padrões de projeto fornecem uma maneira de descrever em mais detalhes "o porquê" de um projeto e não simplesmente registrar os resultados de suas decisões. As seções Aplicabilidade, Conseqüências e Implementação dos padrões de projeto ajudam nas decisões a serem tomadas.

Os padrões de projeto são especialmente úteis na conversão de um modelo de análise para um modelo de implementação. Apesar de muitas afirmações prometendo a transição suave da análise para o projeto orientado objetos, na prática, ela não tem sido nada suave. Um projeto flexível e reutilizável conterá objetos que não estão no modelo de análise. A linguagem de programação e as bibliotecas de classe usadas afetam o projeto. Freqüentemente, os modelos de análise têm que ser reprojetados para tornarem-se reutilizáveis. Muitos dos padrões de projeto do catálogo tratam desses tópicos, e essa é a razão pela qual o chamamos de *padrões de projeto*.

Um método de projeto plenamente desenvolvido e maduro requer mais tipos de padrões do que apenas padrões para projeto. Também podem existir para análise, projetos de padrões de interfaces de usuário ou para ajuste de desempenho. Porém, padrões de projetos são uma parte essencial de todo o processo, uma parte que estava faltando até agora.

Um alvo para refatoração

Um dos problemas no desenvolvimento de software reutilizável é que, freqüentemente, o software tem que ser reorganizado ou **refatorado** [OJ90]. Os padrões de projeto ajudam a determinar como reorganizar um projeto e podem reduzir o volume de refatoração que você terá que fazer mais tarde.

O ciclo de vida do software orientado a objetos tem várias fases. Brian Foote identifica-as como **prototipação, expansão** e **consolidação** [Foo92].

A fase de prototipação é uma atividade agitada à medida que o software é trazido à vida através da prototipação rápida em mudanças incrementais, até que satisfaça um conjunto inicial de requisitos e atinja a adolescência. Neste ponto, o software normalmente consiste de hierarquias de classes que refletem aproximadamente as entidades no domínio do problema inicial. O principal tipo de reutilização é a de caixa branca, usando-se a herança.

Uma vez que o software atingiu a adolescência e é colocado em serviço, sua evolução é governada por duas necessidades conflitantes: (1) o software deve satisfazer mais requisitos, e (2) o software deve ser mais reutilizável. Comumente, novos requisitos acrescentam novas classes e operações e, talvez, novas hierarquias completas de classes. O software passa por uma fase de expansão para atender novos requisitos. Contudo, isto não pode continuar por muito tempo. Eventualmente, o software irá tornar-se muito inflexível e "endurecido" para permitir mais mudanças. As hierarquias de classes não mais corresponderão a qualquer domínio de problema. Pelo contrário, refletirão muitos domínios de problema, e as classes definirão muitas operações e variáveis de instância não-relacionadas.

Para continuar a evoluir, o software deve ser reorganizado por um processo conhecido como *refatoração*. Esta é a fase na qual freqüentemente se detectam possíveis *frameworks*. A refatoração envolve separar as classes em componentes especiais e componentes de finalidade genérica, movendo as operações para cima ou para baixo ao longo da hierarquia de classes e racionalizando as interfaces das mesmas. Esta fase de consolidação produz muitos tipos novos de objetos, freqüentemente pela decomposição de objetos existentes e pela utilização da composição de objetos, em vez da herança. Por isso a reutilização de caixa preta substitui a reutilização de caixa branca. A necessidade contínua de satisfazer mais requisitos, juntamente com a necessidade de maior reutilização, faz o software orientado a objetos passar por repetidas fases de expansão e consolidação – de expansão à medida que novos requisitos são atendidos, e de consolidação à medida que o software se torna mais genérico.

expansão

mais requisitos   **mais reutilização**

prototipação   **consolidação**

Esse ciclo é inevitável. Porém, bons projetistas estão cientes das mudanças que podem forçar refatorações. Os bons projetistas também conhecem estruturas de classes e objetos que ajudam a evitar refatorações – seus projetos são robustos face às mudanças de requisitos. Uma análise abrangente de requisitos destacará aqueles que são suscetíveis à mudança durante a vida do software, e um bom projeto será elaborado de forma a ser robusto face a essas mudanças.

Nossos padrões de projeto capturam muitas das estruturas resultantes da refatoração. O uso desses padrões, no início da vida de um projeto, evita refatorações mais tarde. Mas mesmo que você não veja como aplicar um padrão senão após ter construído seu sistema, ainda assim ele pode mostrar como mudá-lo.

6.2 Uma breve história

O catálogo começou como parte da tese de doutorado de Erich Gamma [Gam91,Gam92]. Aproximadamente metade dos padrões apresentados já faziam parte da sua tese. Por ocasião da OOPSLA'91, ele já era um catálogo independente, e Richard juntou-se a Erich para trabalhar com ele. John juntou-se aos dois logo após. Por ocasião da OOPSLA'92, Ralph passou a fazer parte do grupo. Nós trabalhamos duro para deixar o catálogo pronto para publicação na ECOOP'93, mas logo percebemos que um artigo de 90 páginas não seria aceito. Assim, resumimos o catálogo e apresentamos o resumo, que foi aceito. Logo após, decidimos fazer do catálogo um livro.

Os nomes que demos para os padrões mudaram um pouco ao longo desse tempo. "Wrapper" mudou para "Decorator", "Glue" tornou-se "Façade", "Solitaire" passou a ser "Singleton", e "Walker" tornou-se "Visitor". Alguns padrões foram eliminados do catálogo por não parecerem importantes o bastante. Mas, desde o final de 1992, o conjunto de padrões no catálogo mudou pouco. Porém, os padrões propriamente ditos evoluíram tremendamente.

De fato, perceber que algo é um padrão é a parte fácil do processo. Nós quatro temos trabalhado ativamente no desenvolvimento de sistemas orientados a objetos e temos percebido que é fácil descobrir padrões quando você examina um número significativo de sistemas. Porém, *encontrar* padrões é muito mais fácil do que *descrevê-los*.

Se você constrói sistemas e reflete sobre aquilo que constrói, então encontrará padrões naquilo que você faz. Mas é difícil descrever padrões de maneira que as pessoas que não os conheçam sejam capazes de compreendê-los e perceber porque eles são importantes. Os profissionais experientes reconheceram imediatamente o valor do catálogo ainda nos seus estágios iniciais. Mas os únicos que conseguiram entender os padrões eram aqueles que já os tinham usado.

Uma vez que uma das finalidades principais do livro era ensinar o projeto orientado a objetos para novos projetistas, percebemos que tínhamos que melhorar o catálogo. Assim, expandimos o tamanho médio da descrição de um padrão, de menos de duas páginas para mais de dez páginas, através da inclusão de um exemplo motivador detalhado e de amostras ou exemplos de código. Também começamos a examinar as vantagens e desvantagens e as várias maneiras de implementar o padrão. Isto tornou-os mais fáceis de serem aprendidos.

Uma outra mudança importante que ocorreu em 1994 foi colocar maior ênfase no problema que um padrão soluciona. É mais fácil ver um padrão como uma solução, como uma técnica que pode ser adaptada e reutilizada. É mais difícil ver quando ele é *apropriado* – caracterizando os problemas que resolve e o contexto no qual representa a melhor solução. Em geral, é mais fácil ver *o quê* alguém está fazendo do que saber o *porquê*, e o "porquê" de um padrão é o problema que ele resolve. Também é importante conhecer a sua finalidade porque isso nos auxilia a escolher os padrões a serem aplicados. Ela também nos auxilia a compreender o projeto de sistemas existentes. O autor de um padrão deve determinar e caracterizar o problema que soluciona, mesmo que o tenha que fazer após ter descoberto a solução.

6.3 A comunidade envolvida com padrões

Não somos os únicos interessados em escrever livros que catalogam os padrões que profissionais experientes utilizam. Fazemos parte de uma comunidade interessada em padrões, em geral, e em padrões relacionados com software, em especial. Christopher Alexander foi o primeiro arquiteto a estudar padrões em edificações e comunidades, e o primeiro a desenvolver uma "linguagem de padrões" para gerá-los. Seu trabalho inspirou-nos repetidas vezes. Assim, é apropriado, e vale a pena, comparar o nosso trabalho com o seu. Após isso examinaremos o trabalho de outros profissionais com padrões relacionados a software.

As linguagens de padrões de Alexander

Há muitas semelhanças entre o nosso trabalho e o de Alexander. Ambos são baseados na observação de sistemas existentes e na busca de padrões nesses sistemas. Ambos propõem gabaritos para descrição de padrões (embora nossos gabaritos sejam bem diferentes dos seus). Seu trabalho e o nosso dependem de linguagem natural e de muitos exemplos para a descrição dos padrões, em detrimento do uso de linguagens formais, e ambos os trabalhos fornecem motivação (*rationales*) a cada padrão.

Mas, nos seguintes pontos, nossos trabalhos são diferentes:

1. Os homens têm construído edificações há milhares de anos, e nessa área existem muitos exemplos clássicos em que se basear. Em contrapartida, estamos construindo sistemas de software há pouco tempo e poucos sistemas são considerados clássicos.
2. Alexander dá uma ordenação segundo a qual seus padrões devem ser usados; nós, não.
3. Os padrões de Alexander enfatizam os problemas de que tratam, enquanto nossos padrões de projeto descrevem as soluções com mais detalhes.
4. Alexander afirma que o uso dos seus padrões gera edificações completas. Não afirmamos que os nossos padrões geram programas completos.

Quando Alexander afirma que você pode projetar uma casa simplesmente pela aplicação de seus padrões, um após outro, ele tem objetivos semelhantes àqueles dos projetistas de software orientado a objetos que dão regras passo-a-passo para o projeto. Alexander não nega a necessidade de criatividade; alguns dos seus padrões requerem a compreensão dos hábitos de vida das pessoas que utilizarão a edificação e sua crença na "poesia" do projeto implica um nível de perícia além da linguagem de padrões proposta[1]. Porém, sua descrição de como padrões geram projetos significa que uma linguagem de padrões pode tornar o processo de projeto determinístico e capaz de ser repetido.

O ponto de vista de Alexander fez com que nos detivéssemos sobre custos e benefícios envolvidos no projeto – as diferentes "forças" que ajudam a dar forma a um projeto. Sua influência fez com que trabalhássemos arduamente para compreender a aplicabilidade e as conseqüências dos nossos padrões e também nos ajudou a evitar a preocupação com uma definição formal de padrões. Embora para eles tal representação pudesse tornar a automatização possível, nesse estágio em que estamos é mais importante explorar o espaço-problema dos padrões de projeto em vez de formalizá-los.

Do ponto de vista de Alexander, os padrões neste livro não formam uma linguagem de padrões. Devido à diversidade dos sistemas de software que as pessoas constroem, é difícil ver como poderíamos prover um conjunto de padrões "completo", conjunto esse que ofereceria instruções passo-a-passo para projetar uma aplicação. Poderíamos fazer isso para certas classes de aplicações, tal como a impressão de relatórios ou um sistema de entrada de formulários. Porém, nosso catálogo é apenas uma coleção de padrões relacionados; não podemos sequer fingir que é uma linguagem de padrões.

De fato, pensamos que é improvável que *algum dia* venha a existir uma linguagem de padrões completa para software. Mas certamente é possível obter alguma mais completa. As adições teriam que incluir *frameworks* e mostrar como usá-los [Joh92], padrões para o projeto de interfaces para usuários [BJ94], padrões para a análise [Coa92], e para todos os outros aspectos do desenvolvimento de software. Os padrões de projetos são apenas uma parte de uma linguagem maior de padrões para software.

Padrões em software

Nossa primeira experiência coletiva com o estudo da arquitetura de software aconteceu em um workshop na OOPSLA'91 conduzido por Bruce Anderson. O workshop foi dedicado ao desenvolvimento de um manual (*handbook*) para arquitetos de software. (A julgar por este livro, nós suspeitamos que "enciclopédia de arquitetura de software" seria um nome mais apropriado do que "manual de arquitetura"). Aquele primeiro workshop estimulou uma série de encontros, o mais recente dos quais foi a primeira conferência sobre Patterns Languages of Programs, ocorrida em agosto de 1994. Essa conferência criou uma comunidade de pessoas interessadas na documentação de experiência (*expertise*) em software.

Naturalmente, outros também tiveram esse objetivo. *The Art of Computer Programming*, de Donald Knuth [Knu73], foi uma das primeiras tentativas de catalogar o conhecimento existente sobre software, embora tenha se concentrado na descrição de algoritmos. Ainda assim, a tarefa mostrou-se demasiadamente grande para poder ser terminada. A série *Graphics Gems* [Gla90, Arv91, Kir92] é outro catálogo de conhecimentos sobre projeto, embora também tenda a se concentrar em algoritmos. O programa Domain Specific Software Architeture (Arquiteturas de Software Específicas de Domínios), patrocinado pelo Departamento da Defesa dos Estados Unidos [GM92], concentra-se na coleta de informações sobre arquiteturas. A comunidade de engenharia de software, com formação na área de representação do conhecimento, tenta representar o conhecimento geral relacionado com software. Existem muitos outros grupos com objetivos, pelo menos um pouco, parecidos com os nossos.

O livro *Advanced C++: Programming Styles and Idioms*, de James Coplien [Cop92], também nos influenciou. Os padrões nesse livro tendem a ser mais específicos para C++ do que os nossos padrões de projeto, e seu livro contém também uma grande quantidade de padrões de nível mais baixo. Porém, existe alguma sobreposição do seu trabalho com o nosso, como salientamos na descrição de nossos padrões. Jim tem estado ativo na comunidade envolvida com padrões. Ele atualmente está trabalhando em padrões que descrevem os papéis das pessoas em organizações de desenvolvimento de software.

Existe uma grande quantidade de outros lugares nos quais pode-se encontrar descrições de padrões. Kent Beck foi um dos primeiros na comunidade de software a divulgar e apoiar o trabalho de Christopher Alexander. Em 1993, ele começou a escrever uma coluna no *The Smalltalk Report* sobre os padrões em Smalltalk. Peter Coad também tem coletado padrões já algum tempo. Seu artigo sobre os padrões parece conter principalmente padrões de análise [Coa92]; nós não vimos os seus últimos padrões, embora saibamos que ele ainda está trabalhando neles.

Ouvimos falar de vários livros sobre padrões que estão em preparação, porém, não vimos nenhum deles ainda. Tudo que podemos fazer é informar que estão por ser lançados. Um destes livros será proveniente da conferência Patterns Languages of Programs.

6.4 Um convite

O que você pode fazer se estiver interessado em padrões? Em primeiro lugar, use-os e procure outros padrões que se ajustem à sua maneira de projetar. Uma porção de livros e artigos sobre padrões aparecerá nos próximos anos, de maneira que haverá uma grande quantidade de fontes de novos padrões. Desenvolva seu vocabulário de padrões e utilize-o. Utilize-o quando conversar com outras pessoas sobre os seus projetos. Utilize-o quando você pensar e escrever sobre eles.

Em segundo lugar, seja um consumidor crítico. O catálogo de padrões de projeto é o resultado de um trabalho duro, não apenas nosso, mas também de dezenas de revisores que nos apresentaram críticas e comentários. Se perceber um problema, ou acreditar que são necessárias maiores explicações, entre em contato conosco. O mesmo se aplica para qualquer outro catálogo de padrões: dê retorno aos autores! Uma das melhores coisas dos padrões é que eles removem as decisões de projeto do domínio das intuições vagas. Eles permitem que os autores sejam explícitos sobre as soluções de compromisso que adotam. Isso torna mais fácil ver o que está errado com seus *padrões* e argumentar com seus autores. Tire partido disso.

Em terceiro lugar, procure os padrões que você usa e descreva-os. Torne-os parte da sua documentação. Mostre-os para outras pessoas. Você não precisa trabalhar em um laboratório de pesquisa para encontrar padrões. De fato, encontrar padrões relevantes é quase impossível se você não tem uma experiência prática. Sinta-se à vontade para escrever o seu próprio catálogo de padrões... mas assegure-se de que alguém mais irá auxiliar a colocá-los no ponto!

6.5 Um pensamento final

Os melhores projetos usarão muitos padrões que se encaixam e se entrelaçam para produzir um todo maior. Como diz Christopher Alexander:

"É possível projetar edificações juntando padrões de uma maneira bastante casual. Uma edificação projetada dessa forma é uma montagem de padrões. Ela não é densa. Ela não é profunda. Mas também é possível juntar padrões de tal maneira que muitos se sobreponham no mesmo espaço físico: a edificação fica muito densa; tem muitos significados capturados em um pequeno espaço; e, através dessa densidade, se torna profunda".

A Pattern Language [AIS+77, Página *xli*]

Notas

[1] Ver "The poetry of the language" [AIS+77].

Apêndice A

Glossário

acoplamento (coupling): Medida do grau de dependência, uns dos outros, dos componentes de um software.

acoplamento abstrato (abstract coupling): Dada uma classe A que mantém uma referência para uma classe abstrata B, diz-se que a classe A está *acoplada abstratamente* a B. Chamamos isso de acoplamento abstrato, porque A se refere a um *tipo* de objeto e não a um objeto concreto.

assinatura (signature): A assinatura de uma operação define o seu nome, seus parâmetros e seu valor de retorno.

classe (class): Uma classe define a interface e a implementação de um objeto. Ela especifica a representação interna do objeto e define as operações que o objeto pode executar.

classe abstrata (abstract class): Classe cuja finalidade primária é definir uma interface. Uma classe abstrata posterga parte ou toda a sua implementação para subclasses. Ela não pode ser instanciada.

classe concreta (concrete class): Classe que não tem operações abstratas. Ela pode ser instanciada.

classe-mãe/ancestral (parent class) Classe da qual uma outra classe herda. Sinônimos: **superclasse (superclass,** em Smalltalk**), classe-base (base class,** em C++**)** e **classe-pai ou classe-mãe**.

classe mixin (mixin class): Classe projetada para ser combinada com outras classes através do uso da herança. As classes mixin são geralmente abstratas.

composição de objetos (object composition): Montagem de objetos para obter um objeto composto com um comportamento mais complexo.

constructor: Em C++, uma operação que é automaticamente invocada para iniciar novas instâncias.

delegação (delegation): Mecanismo de implementação pelo qual um objeto repassa ou *delega* uma solicitação para um outro objeto. O delegado executa a solicitação em lugar do objeto original.

destructor: Em C++, uma operação que é automaticamente invocada para finalizar um objeto que está para ser deletado.

diagrama de classe (class diagram): Diagrama que ilustra classes, suas estruturas internas e suas operações, e os relacionamentos estáticos entre elas.

diagrama de interação (interaction diagram): Diagrama que mostra o fluxo de solicitações (mensagens) entre objetos.

diagrama de objeto (object diagram): Diagrama que ilustra a estrutura em tempo de execução de um objeto específico.

encapsulamento (encapsulation): Resultado de ocultar uma representação e uma implementação em um objeto. A representação não é visível e não pode ser acessada diretamente a partir do exterior do objeto. As operações são a única forma de acessar e modificar a representação de um objeto.

framework: Conjunto de classes que cooperam entre si e compõem um projeto reutilizável para uma categoria específica de software. Um *framework* fornece uma melhor orientação arquitetônica do software, através do particionamento do projeto em classes abstratas e da definição de suas responsabilidades e colaborações. Um desenvolvedor customiza o *framework*, para uma aplicação particular, através da especialização e da composição de instâncias de suas classes.

friend class: Em C++, uma outra classe que tem os mesmos direitos de acesso às operações e dados de uma determinada classe.

herança (inheritance): Relacionamento que define uma entidade em termos de uma outra. A **herança de classe** define uma nova classe em termos de uma, ou mais, classe(s)-mãe(s). A nova classe é chamada de **subclasse** ou (em C++) de **classe derivada**. A herança de classes combina a **herança de interface** e a **herança de implementação**. A herança de interface define uma nova interface em termos de uma ou mais interfaces existentes. A herança de implementação define uma nova implementação em termos de uma, ou mais, implementação(ões) existente(s).

herança privada (private inheritance): Em C++, uma classe herdada somente por causa de sua implementação.

interface (interface): Conjunto de todas as assinaturas definidas pelas operações de um objeto. A interface descreve o conjunto de solicitações as quais um objeto pode responder.

ligação dinâmica (dynamic binding): Associação, em tempo de execução, de uma solicitação a um objeto e uma de suas operações. Em C++, somente funções virtuais são dinamicamente amarradas.

metaclasse (metaclass): As classes são objetos em Smalltalk. Uma metaclasse é a classe de um objeto-classe.

objeto (object): Entidade existente, em tempo de execução, que empacota tanto os dados como os procedimentos que operam sobre esses dados.

objeto agregado (aggregate objetct): Objeto que é composto de sub-objetos. Os sub-objetos são chamados **partes** do agregado, e o agregado é responsável por eles.

operação (operation): Os dados de um objeto podem ser manipulados somente por suas operações. Um objeto executa uma operação quando ele recebe uma solicitação. Em C++, estas operações são chamadas de **member functions.** O Smalltalk usa o termo **method**.

operação abstrata (abstract operation): Operação que declara uma assinatura, mas não a implementa. Em C++, uma operação abstrata corresponde a uma função-membro virtual pura (pure virtual member function).

operação de classe (class operation): Uma operação dirigida para uma classe e não para um objeto individual. Em C++, operações de classe são chamadas **static member functions** (funções membro estáticas).
padrão de projeto (design pattern): Um padrão de projeto sistematicamente nomeia, motiva e explica uma solução de projeto geral, que trata um problema recorrente de projeto em sistemas orientados a objetos. Ele descreve o problema, a solução, quando aplicar a solução e suas conseqüências. Também dá sugestões e exemplos de implementação. A solução é um arranjo genérico de objetos e classes que resolve o problema. A solução é customizada e implementada para resolver o problema em um contexto particular.
polimorfismo (polymorphism): Capacidade de substituir objetos com interfaces coincidentes por um outro objeto em tempo de execução.
protocolo (protocol): Estende o conceito de interface para incluir as seqüências permissíveis de solicitações.
receptor (receiver): Objeto alvo, ou destinatário, de uma solicitação.
redefinição (overriding): Redefinição de uma operação (herdada de uma classe ancestral) em uma subclasse.
referência a um objeto (object reference): Valor que identifica um outro objeto.
relacionamento de agregação (aggregation relationship): Relacionamento de um objeto agregado com suas partes. Uma classe define esse relacionamento para as suas instâncias (ou seja, objetos agregados).
relacionamento de conhecimento ou associação (acquaintance relationship): Uma classe que se refere a uma outra tem *um conhecimento* daquela classe.
reutilização de caixa branca (white-box reuse): Estilo de reutilização baseado na herança de classe. Uma subclasse reutiliza a interface e a implementação da sua classe mãe, porém, ao assim fazê-lo, pode ter acesso a aspectos que, de outra maneira, seriam privativos da sua classe-mãe.
reutilização de caixa preta (black-box reuse): Estilo de reutilização, baseado na composição de objetos. Os objetos compostos não revelam detalhes internos uns para os outros e, assim, são análogos a "caixas pretas".
solicitação (request): Um objeto executa uma operação quando ele recebe uma solicitação correspondente de um outro objeto. Um sinônimo comum para a solicitação é **mensagem**.
subclasse (subclass): Classe que herda de uma outra classe. Em C++, uma subclasse é chamada de **derived class** (classe derivada).
subsistema (subsystem): Grupo independente de classes que colaboram para cumprir um conjunto de responsabilidades.
subtipo (subtype): Um tipo é um subtipo de outro se sua interface contém a interface do outro tipo.
supertipo (supertype) Tipo original do qual um tipo herda.
tipo (type): Nome de uma determinada interface.
tipo parametrizado (parameterized type): Tipo que deixa não-especificados alguns tipos constituintes. Os tipos não especificados são fornecidos como parâmetros no ponto de utilização. Em C++, tipos parametrizados são chamados de *templates*.
toolkit: Coleção de classes que fornece funcionalidades úteis, porém, não define o projeto de uma aplicação.
variável de instância (instance variable): Componente de dados que define parte da representação de um objeto. C++ usa o termo **data member**.

Apêndice B

Guia para notação

Usamos diagramas por todo o livro para ilustrar idéias importantes. Alguns são informais, como uma imagem da tela de uma caixa de diálogo ou um esquema mostrando uma árvore de objetos. Porém, os padrões de projeto, em particular, usam notações mais formais para denotar relacionamentos e interações entre classes e objetos. Este apêndice descreve essas notações em detalhe.

Usamos três notações diagramáticas diferentes:

1. Um **diagrama de classe** ilustra classes, suas estruturas e os relacionamentos estáticos entre elas.
2. Um **diagrama de objeto** ilustra uma determinada estrutura de objeto em tempo de execução.
3. Um **diagrama de interação** mostra o fluxo de solicitações entre objetos.

Cada padrão inclui pelo menos um diagrama de classe. As outras notações são usadas quando necessárias para suplementar a discussão. Os diagramas de classe e de objeto estão baseados na OMT (Object Modeling Techinique) [RBP+91, Rum94][1]. Os diagramas de interação são tirados do Objectory [JCJO92] e do método Booch [Boo94]. Estas notações estão sumarizadas na capa interna posterior do livro.

B.1 Diagrama de classe

A figura B.1a mostra a notação OMT para classes abstratas e concretas. Uma classe é denotada por uma caixa (retângulo) com seu nome no topo. As operações-chave da classe aparecem abaixo do nome. Quaisquer variáveis de instância aparecem abaixo das operações.

A informação de tipo é opcional; usamos a convenção C++, que coloca o nome do tipo antes do nome da operação (significando o tipo do retorno), variável de instância ou parâmetro efetivo. O tipo *itálico* indica que a classe, ou operação, é abstrata.

Em alguns padrões é útil ver onde as classes de clientes referenciam classes participantes. Quando um padrão inclui uma classe Client como um dos seus participantes (significando que o cliente tem uma responsabilidade no padrão), o Client aparece como uma classe ordinária. Por exemplo, isto acontece no Flyweight (187). Quando o padrão não inclui um participante Client (ou seja, clientes não têm responsabilidades no padrão), porém a sua inclusão de qualquer maneira esclarece quais participantes interagem com clientes, então a classe Client é mostrada em cinza-claro, como mostrado na figura B.1b. Um exemplo disso é Proxy (198). Um Client em cinza-claro também chama a atenção para a possibilidade de ele ter sido omitido na discussão sobre os participantes.

A figura B.1c mostra vários relacionamentos entre classes. A notação OMT para a herança de classes é um triângulo conectando uma subclasse (na figura, LineShape) à sua classe mãe (Shape). Uma referência a um objeto representando um relacionamento do tipo parte-de, ou agregação, é indicada por uma flecha com um losango na sua origem ou base. A flecha aponta para a classe que é agregada (por exemplo, Shape). Uma flecha sem o losango denota associação (*acquaintance*); por exemplo, um LineShape mantém uma referência para um objeto Color que outros "shapes" podem compartilhar. Um nome para a referência pode aparecer próximo à base ou à origem para distingui-la de outras referências [2].

Uma outra coisa útil de ser mostrada é quais classes instanciam outras (que também devem ser mostradas). Usamos uma flecha tracejada para indicar isto, uma vez que a OMT não tem suporte para essa informação. Chamamos isto de relacionamento "cria". A flecha aponta para a classe que é instanciada. Na figura B.1c, CreationTool cria objetos LineShape.

A OMT também define um círculo cheio para significar "mais que um". Quando o círculo aparece na ponta de uma referência, significa que múltiplos objetos estão sendo referenciados ou agregados. A figura B.1c mostra que Drawing agrega múltiplos objetos de tipo Shape.

Finalmente, estendemos a OMT com anotações de pseudocódigo para nos permitir esboçar as implementações de operações. A figura B.1d mostra a anotação de pseudocódigo para a operação Draw na classe Drawing.

B.2 Diagrama de objeto

Um diagrama de objeto mostra exclusivamente instâncias. Ele fornece um instantâneo dos objetos em um padrão. Os objetos são nomeados da forma *"asomething"*, em que *something* é a classe do objeto.

PADRÕES DE PROJETO   337

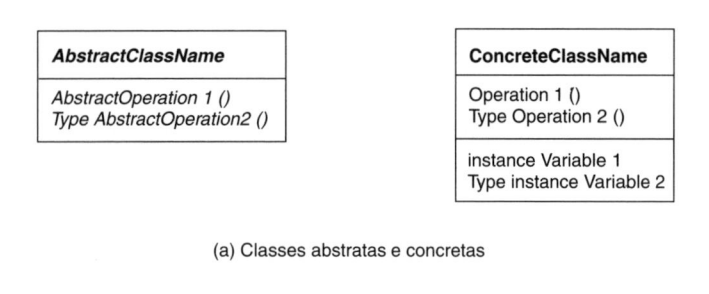

AbstractClassName
AbstractOperation 1 ()   *Type AbstractOperation2 ()*

ConcreteClassName
Operation 1 ()   Type Operation 2 ()
instance Variable 1   Type instance Variable 2

(a) Classes abstratas e concretas

Client   Client

(b) Classe Client Participante (à esquerda) e classe Client implícita (à direita)

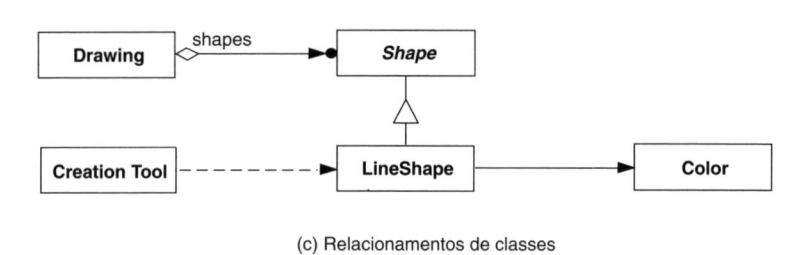

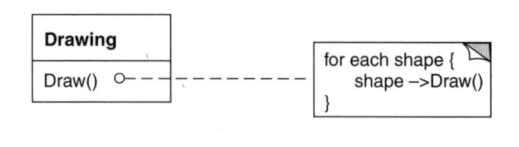

Drawing ◇—shapes—▶● Shape
                      △
                      |
Creation Tool – – – ▶ LineShape ──────▶ Color

(c) Relacionamentos de classes

Drawing

Draw() ○– – – – – – – for each shape {
 shape –>Draw()
 }

(d) Anotação em pseudocódigo

Figura B.1 Notação de diagrama de classe.

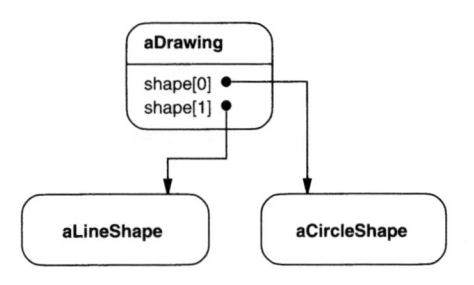

aDrawing
shape[0] ●
shape[1] ●

aLineShape   aCircleShape

Figura B.2 Notação de diagrama de objeto.

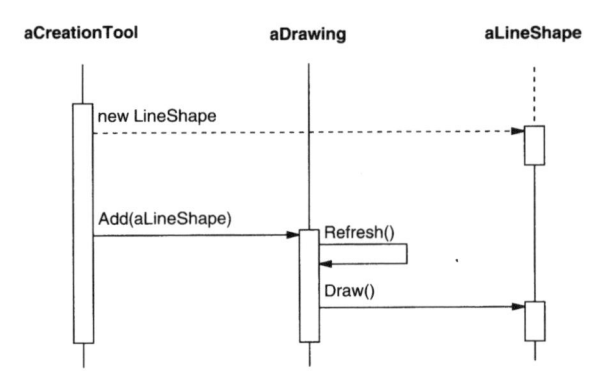

Figura B.3 Notação de diagrama de interação.

Nosso símbolo para um objeto (modificado ligeiramente da OMT padrão) é uma caixa com os cantos arredondados, com uma linha separando o nome do objeto de quaisquer referências a objetos. Flechas indicam o objeto referenciado. A figura B.2 mostra um exemplo.

B.3 Diagrama de interação

Um diagrama de interação mostra a ordem na qual as solicitações entre objetos são executadas. A figura B.3 é um diagrama de interação que mostra como um "shape" é adicionado a um *drawing* (desenho).

O tempo flui do topo para a base do diagrama em um diagrama de interação. Uma linha vertical sólida indica o tempo de vida de um determinado objeto. A convenção de nomenclatura para objetos é a mesma que a adotada para diagramas de objeto – o nome da classe prefixado pelo artigo indefinido (por exemplo, aShape). Se o objeto não é instanciado até depois do início do tempo, tal como registrado no diagrama, então sua linha vertical aparece tracejada desde a origem do tempo até o instante de sua criação.

Um retângulo vertical mostra que um objeto está ativo, ou seja, está tratando uma solicitação. A operação pode enviar solicitações para outros objetos; estas são indicadas por uma flecha horizontal apontando para o objeto receptor. O nome da solicitação é mostrado logo acima da flecha. Uma solicitação para criar um objeto é mostrada por uma flecha pontilhada. Uma solicitação para o próprio objeto emissor (que emitiu a solicitação) aponta de volta para o mesmo.

A figura B.3 mostra que a primeira solicitação é de um objeto aCreationTool para criar aLineShape. Mais tarde, aLineShape é acrescentado a aDrawing, o qual solicita a aDrawing enviar uma solicitação Refresh para si mesmo. Note que aDrawing envia uma solicitação Draw para aLineShape, como parte da operação Refresh.

Notas

[1] OMT usa o termo "diagrama de objeto" para referir-se a diagramas de classe. Nós usamos "diagrama de objeto" para referirmo-nos exclusivamente a diagramas de estruturas de objetos.

[2] OMT também define **associações** entre classes que aparecem como linhas simples entre caixas de classes. Associações são bidirecionais. Embora as associações sejam adequadas durante a análise, pensamos que são de nível muito alto para expressar os relacionamentos nos padrões, simplesmente porque associações devem ser mapeadas para referências, ou apontadores, para objetos durante o projeto. As referências para objetos são intrinsecamente direcionadas e, portanto, são mais adequadas para os relacionamentos de nosso interesse. Por exemplo, Drawing sabe algo sobre Shapes, mas um objeto Shape não sabe em que Drawing ele está. Você não pode expressar esse relacionamento somente com associações.

Apêndice C

Classes fundamentais (*foundation classes*)

Este apêndice documenta as classes fundamentais que usamos no exemplo de código, em C++, de diversos padrões. Mantivemos as classes intencionalmente simples e mínimas. Descrevemos as seguintes classes:

- List, uma lista ordenada de objetos;
- Iterator, a interface para acessar os objetos de um agregado em uma sequência;
- ListIterator, um iterador para percorrer uma List;
- Point, um ponto num espaço de duas dimensões;
- Rect, um retângulo alinhado com os eixos.

Alguns novos tipos-padrão da C++ podem não estar disponíveis em todos os compiladores. Particularmente, se o seu compilador não define bool, então defina-o manualmente como:

```
typedef int bool;
const int true = 1;
const int false = 0;
```

C.1 List (Lista)

O template da classe List fornece um *container* básico para armazenar uma lista ordenada de objetos. List armazena elementos por valor, o que significa que ele funciona para tipos primitivos, bem como para instâncias de classes. Por exemplo, List<int> declara uma lista de ints. Mas, a maioria dos padrões usa List para armazenar apontadores para objetos, como em List<Glyph*>. Dessa forma, List pode ser usada para listas heterogêneas.

Por conveniência, `List` também fornece sinônimos para operações de pilhas, o que torna o código que usa `List` para pilhas mais explícito, sem ter que definir outra classe.

```
template <class Item>
class List {
public:
    List(long size = DEFAULT_LIST_CAPACITY);
    List(List&);
    ~List();
    List& operator=(const List&);

    long Count() const;
    Item& Get(long index) const;
    Item& First() const;
    Item& Last() const;
    bool Includes(const Item&) const;

    void Append(const Item&);
    void Prepend(const Item&);

    void Remove(const Item&);
    void RemoveLast();
    void RemoveFirst();
    void RemoveAll();

    Item& Top() const;
    void Push(const Item&);
    Item& Pop();
};
```

As seguintes seções descrevem essas operações em maior detalhe.

Construção, destruição, inicialização e atribuição

`List (long size)`

Inicia a lista. O parâmetro `size` é uma sugestão para o número inicial de elementos.

`List (List&)`

Redefine o constructor por omissão de cópia de maneira que determinados membros sejam iniciados apropriadamente.

`~List ()`

Libera as estruturas de dados internas da lista, mas não os elementos na lista. A classe não está projetada para ter subclasses; portanto o destructor não é virtual.

`List& operator = (const List&)`

Implementa a operação de atribuição para atribuir dados adequadamente.

Acesso

Essas operações fornecem o acesso básico aos elementos da lista.

```
long Count () const
```
  Retorna o número de objetos da lista.

```
Item& Get (long index) const
```
  Retorna o objeto situado em um índice determinado.

```
Item& First () const
```
  Retorna o primeiro objeto da lista.

```
Item& Last () const
```
  Retorna o último objeto da lista.

Adição

```
void Append (const Item&)
```
  Acrescenta o argumento à lista, tornando-o seu último elemento.

```
void Prepend (const Item&)
```
  Acrescenta o argumento à lista, tornando-o seu primeiro elemento.

Remoção

```
void Remove (const Item&)
```
  Remove um determinado elemento da lista. Essa operação requer que o tipo dos elementos na lista suporte o operador == de comparação.

```
void RemoveFirst ()
```
  Remove o primeiro elemento da lista.

```
void RemoveLast ()
```
  Remove o último elemento da lista.

```
void RemoveAll ()
```
  Remove todos os elementos da lista.

Interface de Stack (Pilha)

```
Item& Top () const
```
  Retorna o elemento do topo (quando a lista é vista como uma pilha).

```
void Push (const Item&)
```
  Empilha o elemento (no topo da pilha).

```
Item& Pop ()
```
  Retira o elemento que está no topo da pilha.

C.2 Iterator (Iterador)

Iterator é uma classe abstrata que define uma interface para percurso de agregados.

```
template <class Item>
class Iterator {
public:
    virtual void First() = 0;
    virtual void Next() = 0;
    virtual bool IsDone() const = 0;
    virtual Item CurrentItem() const = 0;
protected:
    Iterator();
};
```

As operações fazem o seguinte:

`virtual void First ()`

Posiciona o iterador no primeiro objeto no agregado.

`virtual void Next ()`

Posiciona o iterador no próximo objeto na seqüência.

`virtual bool isDone() const`

Retorna `True` quando não há mais objetos na seqüência.

`virtual Item CurrentItem () const`

Retorna o objeto na posição corrente na seqüência.

C.3 ListIterator (IteradordeLista)

`ListIterator` implementa a interface de `Iterator` para percorrer objetos List. Seu constructor aceita como um argumento uma lista a ser percorrida.

```
template <class Item>
class ListIterator : public Iterator<Item> {
public:
    ListIterator(const List<Item>* aList);

    virtual void First();
    virtual void Next();
    virtual bool IsDone() const;
    virtual Item CurrentItem() const;
};
```

C.4 Point (Ponto)

`Point` representa um ponto em coordenadas cartesianas em um espaço bidimensional. Um `Point` suporta um mínimo de aritmética vetorial. As coordenadas de um `Point` são definidas como

```
typedef float Coord;
```

As operações de `Point` são auto-explicativas.

```
class Point {
public:
    static const Point Zero;

    Point(Coord x = 0.0, Coord y = 0.0);

    Coord X() const;  void X(Coord x);
    Coord Y() const;  void Y(Coord y);

    friend Point operator+(const Point&, const Point&);
    friend Point operator-(const Point&, const Point&);
    friend Point operator*(const Point&, const Point&);
    friend Point operator/(const Point&, const Point&);

    Point& operator+=(const Point&);
    Point& operator-=(const Point&);
    Point& operator*=(const Point&);
    Point& operator/=(const Point&);

    Point operator-();

    friend bool operator==(const Point&, const Point&);
    friend bool operator!=(const Point&, const Point&);

    friend ostream& operator<<(ostream&, const Point&);
    friend istream& operator>>(istream&, Point&);
};
```

Um membro estático `Zero` representa `Point (0,0)`.

C.5 Rect (Retângulo)

Rect representa um retângulo alinhado com os eixos. Um Rect é definido por um ponto de origem e uma extensão (ou seja, largura e altura). As operações de Rect são auto-explicativas.

```
class Rect {
public:
    static const Rect Zero;

    Rect(Coord x, Coord y, Coord w, Coord h);
    Rect(const Point& origin, const Point& extent);

    Coord Width() const;     void Width(Coord);
    Coord Height() const;    void Height(Coord);
    Coord Left() const;      void Left(Coord);
    Coord Bottom() const;    void Bottom(Coord);

    Point& Origin() const; void Origin(const Point&);
    Point& Extent() const; void Extent(const Point&);

    void MoveTo(const Point&);
    void MoveBy(const Point&);

    bool IsEmpty() const;
    bool Contains(const Point&) const;
};
```

O membro estático Zero é equivalente ao retângulo

```
Rect(Point(0, 0), Point(0, 0));
```

Referências bibliográficas

[Add94] Addison-Wesley, Reading, MA. *NEXTSTEP General Reference: Release 3, Volumes 1 and 2,1994.*

[AG90] D.B. Anderson and S. Gossain. Hierarchy evolution and the software lifecycle. In *TOOLS '90 Conference Proceedings*, pages 41-50, Paris, June 1990. Prentice Hall.

[AIS+ 77] Christopher Alexander, Sara Ishikawa, Murray Silverstein, Max lacobson, Ingrid Fiksdahl-King, and Shlomo Angel. *A Pattern Language.* Oxford University Press, New York, 1977.

[App89] Apple Computer, Inc., Cupertino, CA. *Macintosh Programmers Workshop Pascal 3.0 Reference*, 1989.

[App92] Apple Computer, Inc., Cupertino, CA. *Dylan. An object-oriented dynamic language,* 1992.

[Arv91] James Arvo. *Graphics Gems II.* Academic Press, Boston, MA, 1991.

[AS85] B. Adelson and E. Soloway. The role of domain experience in software design. *IEEE Transactions on Software Engineering,* 11 (11):1351-1360, 1985.

[BE93] Andreas Birrer and Thomas Eggenschwiler. Frameworks in the financial engineering domain: An experience report. In *European Conference on Object- Oriented Programming*, páginas 21-35, Kaiserslautern, Germany, July 1993. Springer-Verlag.

[BJ94] Kent Beck and Ralph lohnson. Patterns generate architectures. In *European Conference on Object-Oriented Programming*, pages 139-149, Bologna, Italy, July 1994. Springer-Verlag.

[Boo94] Grady Booch. *Object-Oriented Analysis and Design with Applications.* Benjamin/Cummings, Redwood City, CA, 1994. Segunda edição.

[Bor81] A. Borning. The programming language aspects of ThingLab–a constraint-oriented simulation laboratory. *ACM Transactions on Programming Languages and Systems*, 3(4):343-387, Outubro1981.

[Bor94] Borland International, Inc., Scotts Valley, CA. *A Technical Comparison of Borland ObjectWindows 2.0 and Microsoft MFC 2.5,1994.*

[BV90] Grady Booch and Michael Vilot. The design of the C++ Booch components. In *Object-Oriented Programming Systems, Languages, and Applications Conference Proceedings*, páginas 1-11, Ottawa, Canada, Outubro 1990. ACM Press.

[Cal93] Paul R. Calder. *Building User Interfaces with Lightweight Objects.* PhD thesis, Stanford University, 1993.

[Car89] I. Carolan. Constructing bullet-proof classes. In *Proceedings C++ at Work '89.* SIGS Publications, 1989.

[Car92] Tom Cargill. *C++ Programming Style.* Addison-Wesley, Reading, MA, 1992.

[CIRM93] Roy H. Campbell, Nayeem Islam, David Raila, and Peter Madeany. Designing and implementing Choices: An object-oriented system in C++. *Communications of the ACM,* 36(9):117-126, Setembro 1993.

[CL90] Paul R. Calder and Mark A. Linton. Glyphs: Flyweight objects for user interfaces. In *ACM User Interface Software Technologies Conference,* páginas 92-101, Snowbird, UT, Outubro 1990.

[CL92] Paul R. Calder and Mark A. Linton. The object-oriented implementation of a document editor. In *Object-Oriented Programming Systems, Languages, and Applications Conference Proceedings,* páginas 154-165, Vancouver, British Columbia, Canada, Outubro 1992. ACM Press.

[Coa92] Peter Coad. Object-oriented patterns. *Communications of the ACM,* 35(9):152-159, Setembro 1992.

[Coo92] William R. Cook. Interfaces and specifications for the Smalltalk-80 collection classes. In *Object-Oriented Programming Systems, Languages, and Applications Conference Proceedings,* pages 1-15, Vancouver, British Columbia, Canada, Outubro 1992. ACM Press.

[Cop92] James O. Coplien. *Advanced C++ Programming Styles and Idioms.* AddisonWesley, Reading, MA, 1992.

[Cur89] Bill Curtis. Cognitive issues in reusing software artifacts. In Ted I. Biggerstaff and Alan I. Perlis, editors, *Software Reusability, Volume II: Applications and Experience,* páginas 269-287. Addison-Wesley, Reading, MA, 1989.

[dCLF93] Dennis de Champeaux, Doug Lea, and Penelope Faure. *Object-Oriented System Development.* Addison-Wesley, Reading, MA, 1993.

[Deu89] L. Peter Deutsch. Design reuse and frameworks in the Smalltalk-80 system. In Ted J. Biggerstaff and Alan T. Perlis, editors, *Software Reusability, Volume II: Applications and Experience,* páginas 57-71. Addison-Wesley, Reading, MA, 1989.

[Ede92] D. R. Edelson. Smart pointers: They're smart, but they're not pointers. In *Proceedings of the 1992 USENIX C++ Conference,* páginas 1-19, Portland, OR, Agosto 1992. USENIX Association.

[EG92] Thomas Eggenschwiler and Erich Gamma. The ET+ SwapsManager: Using object technology in the financial engineering domain. In *ObjectOriented Programming Systems, Languages, and Applications Conference Proceedings,* páginas 166-178, Vancouver, British Columbia, Canada, Outubro 1992. ACM Press.

[ES90] Margaret A. Ellis and Bjarne Stroustrup. *The Annotated C++ Reference Manual.* Addison-Wesley, Reading, MA, 1990.

[Foo92] Brian Foote. A fractal model of the lifecycles of reusable objects. *OOPSLA '92 Workshop on Reuse,* Outubro 1992. Vancouver, British Columbia, Canada.

[GA89] S. Gossain and D.B. Anderson. Designing a class hierarchy for domain representation and reusability. In *TOOLS '89 Conference Proceedings,* páginas 201-210, CNIT Paris—La Defense, França, Novembro 1989. Prentice Hall.

[Gam91] Erich Gamma. *Object-Oriented Software Development based on ET++: Design Patterns, Class Library, Tools* (in German). PhD thesis, University of Zurich *Institut für Informatik,* 1991.

[Gam92] Erich Gamma. *Object-Oriented Software Development based on ET++: Design Patterns, Class Library, Tools* (in German). Springer-Verlag, Berlin, 1992.

[Gla90] Andrew Glassner. *Graphics Gems.* Academic Press, Boston, MA, 1990.

[GM92] M. Graham and E. Mettala. The Domain-Specific Software Architecture Program. In *Proceedings of DARPA Software Technology Conference, 1992,* páginas 204-210, Abril 1992. Também publicado em in *CrossTalk, The Journal of Defense Software Engineering,* páginas 19-21,32, Outubro 1992.

[GR83] Adele J. Goldberg and David Robson. *Smalltalk-80: The Language and Its Implementation.* Addison-Wesley, Reading, MA, 1983.

[HHMV192] Richard Helm, Tien Huynh, Kim Marriott, and John Vlissides. An object-oriented architecture for constraint-based graphical editing. In *Proceedings of the Third Eurographics Workshop on Object-Oriented Graphics,* páginas 1-22, Champery, Switzerland, October 1992. Também disponivel como IBM Research Division Technical Report RC 18524 (79392).

[HO87] Daniel C. Halbert and Patrick D. O'Brien. Object-oriented development. *IEEE Software,* 4 (5):71-79, Setembro 1987.

[ION94] IONA Technologies, Ltd., Dublin, Ireland. *Programmer's Guide for Orbix, Version 1.2,* 1994.

[JCJO92] Ivar Jacobson, Magnus Christerson, Patrik Jonsson, and Gunnar Overgaard. *Object-Oriented Software Engineering—A Use Case Driven Approach.* Addison-Wesley, Wokingham, England, 1992.

[JF88] Ralph E. Johnson and Brian Foote. Designing reusable classes. *Journal of Object-Oriented Programming,* 1 (2):22-35, Junho/Julho 1988.

[JML92] Ralph E. Johnson, Carl McConnell, and I. Michael Lake. The RTL system: A framework for code optimization. In Robert Giegerich and Susan L. Graham, editors, *Code Generation Concepts, Tools, Techniques. Proceedings of the International Workshop on Code Generation,* páginas 255-274, Dagstuhl, Germany, 1992. Springer-Verlag.

[Joh92] Ralph Johnson. Documenting frameworks using patterns. In *ObjectOriented Programming Systems, Languages, and Applications Conference Proceedings,* páginas 63-76, Vancouver, British Columbia, Canada, Outubro 1992. ACM Press.

[JZ91] Ralph E. Johnson and Jonathan Zweig. Delegation in C++. *Journal of Object-Oriented Programming,* 4 (11):22-35, Novembro 1991.

[Kir92] David Kirk. *Graphics Gems III.* Harcourt, Brace, Jovanovich, Boston, MA, 1992.

[Knu73] Donald E. Knuth. *The Art of Computer Programming, Volumes 1, 2, and 3.* Addison-Wesley, Reading, MA, 1973.

[Knu84] Donald E. Knuth. *The $T_E Xbook$.* Addison-Wesley, Reading, MA, 1984.

[Kof93] Thomas Kofler. Robust iterators in ET++. *Structured Programming,* 14:6285, Março 1993.

[KP88] Glenn E. Krasner and Stephen T. Pope. A cookbook for using the modelview controller user interface paradigm in Smalltalk-80. *Journal of Object-Oriented Programming,* 1(3):26-49, Agosto/Setembro 1988.

[LaL94] Wilf LaLonde. *Discovering Smalltalk.* Benjamin/Cummings, Redwood City, CA, 1994.

[LCI+92] Mark Linton, Paul Calder, John Interrante, Steven Tang, and John Vlissides. *InterViews Reference Manual.* CSL, Stanford University, 3.1 edition, 1992.

[Lea88] Doug Lea. libg++, the GNU C++ library. In *Proceedings of the 1988 USENIX C++ Conference*, páginas 243-256, Denver, CO, Outubro 1988. USENIX Association.

[LG86] Barbara Liskov and John Guttag. *Abstraction and Specification in Program Development*. McGraw-Hill, New York, 1986.

[Lie85] Henry Lieberman. There's more to menu systems than meets the screen. In *SIGGRAPH Computer Graphics*, pages 181-189,San Francisco, CA, Julho 1985.

[Lie86] Henry Lieberman. Using prototypical objects to implement shared behavior in object-oriented systems. In *Object-Oriented Programming Systems, Languages, and Applications Conference Proceedings*, páginas 214-223, Portland, OR, Novembro 1986.

[Lin92] Mark A. Linton. Encapsulating a C++ library. In *Proceedings of the 1992 USENIX C++ Conference*, páginas 57-66, Portland, OR, Agosto 1992. ACM Press.

[LP93] Mark Linton and Chuck Price. Building distributed user interfaces with Fresco. In *Proceedings of the 7th X Technical Conference*, páginas 77-87, Boston, MA, Janeiro 1993.

[LR93] Daniel C. Lynch and Marshall T. Rose. *Internet System Handbook*. Addison-Wesley, Reading, MA, 1993.

[LVC89] Mark A. Linton, lohn M. Vlissides, and Paul R. Calder. Composing user interfaces with InterViews. *Computer*, 22 (2): 8-22, Fevereiro 1989.

[Mar91] Bruce Martin. The separation of interface and implementation in C++. In *Proceedings of the 1991 USENIX C++ Conference*, páginas 51-63, Washington, D.C., Abril 1991. USENIX Association.

[McC87] Paul McCullough. Transparent forwarding: First steps. In *Object-Oriented Programming Systems, Languages, and Applications Conference Proceedings*, páginas 331-341, Orlando, FL, Outubro 1987. ACM Press.

[Mey88] Bertrand Meyer. *Object-Oriented Software Construction*. Series in Computer Science. Prentice Hall, Englewood Cliffs, NJ, 1988.

[Mur93] Robert B. Murray. *C++ Strategies and Tactics*. Addison-Wesley, Reading, MA, 1993.

[OJ90] William F. Opdyke and Ralph E. Johnson. Refactoring: An aid in designing application frameworks and evolving object-oriented systems. In *SOOPPA Conference Proceedings*, páginas 145-161, Marist College, Poughkeepsie, NY, Setembro 1990. ACM Press.

[OJ93] William F. Opdyke and Ralph E. lohnson. Creating abstract superclasses by refactoring. In *Proceedings of the 21st Annual Computer Science Conference (ACM CSC '93J*, páginas 66-73, Indianapolis, IN, Fevereiro 1993.

[P+88] Andrew J. Palay et al. The Andrew Toolkit: An overview. In *Proceedings of the 1988 Winter USENIX Technical Conference*, páginas 9-21, Dallas, TX, Fevereiro 1988.USENIX Association.

[Par90] ParcPlace Systems, Mountain View, CA. *ObjectWorks\Smalltalk Release 4 Users Guide*, 1990.

[Pas86] Geoffrey A. Pascoe. Encapsulators: A new software paradigm in Smalltalk-80. In *Object-Oriented Programming Systems, Languages, and Applications Conference Proceedings*, páginas 341-346, Portland, OR, Outubro 1986. ACM Press.

[Pug90] William Pugh. Skiplists: A probabilistic alternative to balanced trees. *Communications of the ACM*, 33(6):668-676, Junho 1990.

[RBP+91] lames Rumbaugh, Michael Blaha, William Premerlani, Frederick Eddy, and William Lorenson. *Object-Oriented Modeling and Design*. Prentice Hall, Englewood Cliffs, NJ, 1991.

[Rum94] James Rumbaugh. The life of an object model: How the object model changes during development. *Journal of Object-Oriented Programming*, 7(1):24-32, Março/Abril 1994.

[SE84] Elliot Soloway and Kate Ehrlich. Empirical studies of programming knowledge. *IEEE Transactions on Software Engineering*, 10(5):595-609, Setembro 1984.

[Sha90] Yen-Ping Shan. MoDE: A UIMS for Smalltalk. In *ACM OOPSLA/ECOOP '90 Conference Proceedings*, páginas 258-268, Ottawa, Ontario, Canada, Outubro 1990. ACM Press.

[Sny86] Alan Snyder. Encapsulation and inheritance in object-oriented languages. In *Object-Oriented Programming Systems, Languages, and Applications Conference Proceedings*, páginas 38-45, Portland, OR, Novembro 1986. ACM Press.

[SS86] James C. Spohrer and Elliot Soloway. Novice mistakes: Are the folk wisdoms correct? *Communications of the ACM*, 29(7):624-632, Julho 1986.

[SS94] Douglas C. Schmidt and Tatsuya Suda. The Service Configurator Framework: An extensible architecture for dynamically configuring concurrent, multi-service network daemons. In *Proceeding of the Second International Workshop on Configurable Distributed Systems*, páginas 190-201, Pittsburgh, - PA, Março 1994. IEEE Computer Society.

[Str91] Bjarne Stroustrup. *The C++ Programming Language*. Addison-Wesley, Reading, MA, 1991. Segunda Edição.

[Str93] Paul S. Strauss. IRIS Inventor, a 3D graphics toolkit. In *Object-Oriented Programming Systems, Languages, and Applications Conference Proceedings*, páginas 192-200, Washington, D.C., Setembro 1993. ACM Press.

[Str94] Bjarne Stroustrup. *The Design and Evolution of C++*. Addison-Wesley, Reading, MA, 1994.

[Sut63] I.E. Sutherland. *Sketchpad: A Man-Machine Graphical Communication System*. PhD thesis, MIT, 1963.

[Swe85] Richard E. Sweet. The Mesa programming environment. *SIGPLAN Notices*, 20(7):216-229, Julho 1985.

[Sym93a] Symantec Corporation, Cupertino, CA. *Bedrock Developer's Architecture Kit*, 1993.

[Sym93b] Symantec Corporation, Cupertino, CA. *THINK Class Library Guide*, 1993.

[Sza92] Duane Szafron. SPECTalk: An object-oriented data specification language. In *Technology of Object-Oriented Languages and Systems (TOOLS 8)*, páginas 123-138, Santa Barbara, CA, Agosto 1992. Prentice Hall.

[US87] David Ungar and Randall B. Smith. Self: The power of simplicity. In *Object-Oriented Programming Systems, Languages, and Applications Conference Proceedings*, páginas 227-242, Orlando, FL, Outubro 1987. ACM Press.

[VL88] John M. Vlissides and Mark A. Linton. Applying object-oriented design to structured graphics. In *Proceedings of the 1988 USENIX C++ Conference*, páginas 81-94, Denver, CO, Outubro 1988. USENIX Association.

[VL90] John M. Vlissides and Mark A. Linton. Unidraw: A framework for building domain-specific graphical editors. *ACM Transactions on Information Systems*, 8(3):237-268, Julho 1990.

[WBJ90] Rebecca Wirfs-Brock and Ralph E. Johnson. A survey of current research in object-oriented design. *Communications of the ACM*, 33(9):104-124, 1990.

[WBWW90] Rebecca Wirfs-Brock, Brian Wilkerson, and Lauren Wiener. *Designing Object-Oriented Software*. Prentice Hall, Englewood Cliffs, NJ, 1990.

[WGM88] Andre Weinand, Erich Gamma, and Rudolf Marty. ET++ An object-oriented application framework in C++. In *Object-Oriented Programming Systems, Languages, and Applications Conference Proceedings*, páginas 46-57, San Diego, CA, Setembro 1988. ACM Press.

Índice

Os nomes de padrões de projeto aparecem em letras maiúsculas; por exemplo: ADAPTER. Números em *itálico* indicam que existe um diagrama para o termo. Letras após o número da página de um diagrama indicam o tipo de diagrama: um "*c*" indica um diagrama de classe, um "*i*" denota um diagrama de interação e um "*o*" denota um diagrama de objeto. Por exemplo, *88co* significa que na página 88 aparecem um diagrama de classe e um diagrama de objeto. Traduções para termos em inglês aparecem entre parênteses: quando não houver uma tradução, ou o termo é usado no original ou a tradução aparece no texto no lugar conveniente.

A

ABSTRACT FACTORY 96
    extensibilidade da 99
    no resumo do catálogo 24
    uso pelo Lexi da 63
AbstractExpression
    participante de INTERPRETER *234c*, 234
AbstractFactory
    participante de ABSTRACT FACTORY *97c*, 98
Abstraction
    participante de BRIDGE *153c*, 154
AbstractProduct
    participante de ABSTRACT FACTORY *97c*, 98
Ação (*Action*), *ver* COMMAND
acoplamento 331
    abstrato 182, 262, 277, 331
    forte 40
    fraco 39, 41, 261, 320, *ver também* desacoplamento
    reduzindo 39, 181, 182, 212, 215
acoplamento abstrato, *ver* acoplamento abstrato
    em OBSERVER 277

acumulando estados 310
Ada 20, 37
adaptado (Adaptee)
    participante de ADAPTER 142, *142c*
Adapter
    participante de ADAPTER 142, *142c*
ADAPTER (Adaptador) 140
    comparado com BRIDGE 160, 208
    comparado com DECORATOR 179
    comparado com PROXY 207
    no resumo do catálogo 24
adapter (adaptador[a])141
    classe 142, *142c*
    objeto 142, *142c*
    parametrizado 146
    "plugável", *ver* "plugável" (*pluggable*)
    two-way 144, *144c*
adorner (adornador) 174
Aggregate
    participante de ITERATOR 246, *246c*
agregação 37, 332
    C++, definida em 38
    comparada com associação 38

notação para 38
Smalltalk, definida em 38
Alexander, Christopher *ix*, 18, 328, 330
algoritmo
　esqueleto 302
　evitando dependência de 39
　família de 294
　postergando passos do 302
AlternationExpression *232co*, 317
　implementada em Smalltalk 237
alumínio, liga de 86
Ambassador, *ver também* PROXY
　C++, idioma (idiom) 199
AnalogClock 283
Anderson, Bruce *viii*, 329
AndExp 241
Andrew Toolkit
　uso de OBSERVER 283
Apllication 113, *113c*, *212o*, *213ci*, 220, 301, *301c*
ApplicationWindow 65, *66c*, *67c*, 156, *222c*, *223c*
ArrayCompositor *55c*, 293, *293c*, 299
árvore sintática abstrata 232, 239, 306
　construindo em Smalltalk 238
　estrutura de classes para *232c*, *306c*
　estrutura de objeto para *232o*
ASCII7Stream 178, *178c*
aspecto de um objeto 279
AssignmentNode *307c*
assinatura (de uma operação) 28, 333
associação (*acquaintance*) 37, 332
　C++, definida em 38
　comparada com agregação 38
　Smalltalk, definida em 38
associações, *ver também* associação, agregação
　em OMT 336
atualizações (updates)
　disparando (triggering) 278
　encapsulando complexas 279
　limitando inesperadas 277
　protocolo para em OBSERVER 277

B

Beck, Kent *viii*, 329
Bedrock
　uso de DECORATOR 174, 175
black box reuse (reutilização de caixa preta ou fechada), *ver* reutilização de caixa preta ou black box
bloco (block), Smalltalk 256
BNF, forma 236
　exemplos da 231, 1861, 239
boleano (boolean)
　expressão 239
　variável 242
BombedMazeFactory 101
BombedMazeGame 120
BombedWall 101, 102, 128

Booch Components
　uso de ITERATOR 256
　uso de STRATEGY 300
Booch, (método) 333
Booch, Grady *ix*, 247
BooleanExp 240
Border 57, *58c*, *59o*
BorderDecorator *171o*, *171c*, 175
bridge (ponte), 152
BRIDGE (PONTE) 151
　comparado com ADAPTER 208
　configurado por ABSTRACT FACTORY 154
　no resumo do catálogo 24
　uso da delegação no 37
　uso pelo Lexi 70
Btree (árvore balanceada) 194
Builder
　participante de BUILDER 105, *105c*
BUILDER (CONSTRUTOR) 104
　comparado com ABSTRACT FACTORY 111, 137
　comparado com PROTOTYPE 137
　no resumo do catálogo 24
　uso no exemplo de compilador 183
Bureaucrat 221, *ver também* CHAIN OF RESPONSIBILITY
Button (botão) *62c*, *212o*, *213ci*, 218, 263

C

C 20
Calder, Paul 47, 52
callback de função 224
Caractere 52, *52c*
　representado como objeto 52, 188
Caretaker
　participante de MEMENTO 268, *268c*, *269i*
Cargill, Tom 286
CHAIN OF RESPONSIBILITY (CADEIA DE RESPONSABLIDADES) 212
　combinada com COMPOSITE 163, 221
　comparada com MEDIATOR 321
　comparada com OBSERVER 321
　definida por referências aos pais 163, 221
　no resumo do catálogo 24
　uso da delegação na 37
ChangeManager 265, 279, *280c*
Cheshire Cat 154
Choices (sistema operacional)
　uso de FAÇADE 186
　uso de PROXY 200
ciclo de vida do software 325, 326
classe 29, 332
　abstrata 30, *31c*, 332, 336, *335c*
　adapter, *ver* adapter, classe
　biblioteca, *ver* toolkit
　comparada com tipo 31
　derivada 333

diagrama de classe 333, *335c*, 332
dificuldades para alterar 39
friend, *ver* friend, classe de
hereditariedade, *ver* hereditariedade
instância 30
mixin 31, *331c*, 333
notação para 30, 333
pai/mãe 30, 333
subclasse 30
template, *ver* template
classe ancestral 333, *ver também* classe-pai/mãe
classe concreta, 30, 332
    evitando especificação da 39
    isolando clientes da 98
classe-base, *ver* classe-mãe
Client
    participante da CHAIN OF RESPONSIBILITY *214ci*, 215, *321i*
    participante de ABSTRACT FACTORY *97c*, 98
    participante de ADAPTER 142, *142c*
    participante de BUILDER, 105, *105c*, *106i*
    participante de COMMAND 225, *225c*, *226i*
    participante de COMPOSITE *161c*, 162
    participante de FLYWEIGHT *190c*, 191
    participante de INTERPRETER *234c*, 235
    participante de PROTOTYPE 123, *123c*
cliente 27
    isolando das classes concretas 98
ClockTimer 282
clonado (objeto) 121
    inicializando 125
clone (operação) 121
    implementando 125
    usada em PROTOTYPE 121
CLOS 20, 247, 312
Coad, Peter 329
CodeGenerationVisitor *307c*
Colleague
    comunicando com Mediator 262, 265
    participante de MEDIATOR *260co*, 261, *321i*
comandos condicionais da linguagem de programação
    ConstraintSolver 266-267, 271
    evitando usar STATE 286
    evitando usar STRATEGY 294
command
    C++, idioma (idiom), *ver* functor
    copiando antes da execução 227
    história, *ver* lista da história
    implementado através de templates C++ 228, 229
    inteligência dos 227
COMMAND 222
    combinado com MEMENTO 228, 270
    combinado com PROTOTYPE 227
    no resumo do catálogo 24
    uso em Lexi 74
Command 72, *72c*, 222, *222c*, 228
    configurado em MenuItem 72
    história dos 73
    participante de COMMAND 225, *225c*, *226i*, *320i*

comparação de padrões; pattern matching 231
compilador
    exemplo em FAÇADE 179, *180c*, 182
    implementado usando VISITOR 306
compilador RTL Smalltalk
    uso de COMPOSITE 169
    uso de STRATEGY 300
Compiler 179, *180c*, 185
Component
    participante de COMPOSITE *161c*, 162, 165
    participante de DECORATOR 172, *172c*
composição de objetos 33, 333
    comparada com herança 33-36
    comparada com tipos parametrizados 37
    reutilização através 34
composição recursiva 50, *ver também* COMPOSITE, causas de reprojeto, 39
    da estrutura de um documento 50
    de elementos gráficos 160
    de estruturas partes-todo 161
    iteração sobre 248
Composite
    participante de COMPOSITE *161c*, 162, *162o*, 165
COMPOSITE 160
    caching filhos de 166
    combinado com INTERPRETER 243
    combinado com ITERATOR, 248
    combinado com VISITOR 313
    comparado com DECORATOR 208-209
    comparado com INTERPRETER 236
    compartilhando componentes 163
    controle de filhos 164
    dados sobre a estrutura de dados para 166, 167
    interface de 164
    no resumo do catálogo 24
    referências aos pais 163
    uso em Model/View/Controller 21
    uso pelo Lexi 53
CompositeEquipment 168
Composition 54, *55c*, 293, *293c*, 297
Compositor 54, 55, 293, *293c*, 298
    interface 54
CompressionStream *178c*, 179
comunicação
    encapsulada ou distribuída 320
    entre Strategy e Context 295
    entre Visitor e Element 311
comunicação broadcast 277
ConcreteAggregate
    participante de Iterator 246, *246c*
ConcreteBuilder
    participante de BUILDER *105c*, 106, *106i*
ConcreteCommand
    participante de COMMAND 225, *225c*, 227
ConcreteComponent
    participante de DECORATOR 172, *172c*
ConcreteDecorator
    participante de DECORATOR *172c*, 173

ConcreteElement
    participante de VISITOR 308, *308c*, *309i*
ConcreteFactory
    participante de ABSTRACT FACTORY 98
ConcreteFlyweight
    participante de FLYWEIGHT *190co*, 191
ConcreteHandler
    participante de CHAIN OF RESPONSIBILITY, *214c*, 215
ConcreteImplementor
    participante de BRIDGE, *153c*, 154
ConcreteIterator
    participante de ITERATOR 246, *246c*
ConcreteObserver
    participante de OBSERVER *275c*, 276, *276i*
ConcreteProduct
    participante de ABSTRACT FACTORY 97, 98
    participante de FACTORY METHOD, 113, *113c*
ConcretePrototype
    participante de PROTOTYPE 123, *123c*
ConcreteState
    participante de STATE 286, *286c*
ConcreteStrategy
    participante de STRATEGY *294c*, 294
ConcreteSubject
    participante de OBSERVER *275c*, 276, *276i*
ConcreteVisitor
    participante 308, *308c*, *309i*
constructor 333
Context 240
    participante de INTERPRETER *234c*, 235
    participante de STATE 285, *285c*
    participante de STRATEGY *294c*, 294
contratibilidade 297
convenções de nomenclatura 44, 46
    FACTORY METHOD 46, 118
    TEMPLATE METHOD 304
    VISITOR 311
convite 330
Coplien, James 129, 153, 159, 230, 291, 329
copy (cópia)
    deep 125
    on write 201
    shallow 125
CountingMazeBuilder 111
CreateMaze (operação) 94
    ABSTRACT FACTORY, variante C++, 100
    ABSTRACT FACTORY, variante Smalltalk, 102
    BUILDER, variante de 109
    FACTORY METHOD, variante de 119
    PROTOTYPE, variante Smalltalk, 127, 129
Creator
    implementação de 116, 118
    participante de FACTORY METHOD 113, *113c*
cursor, *ver* iterador, cursor
Cursor, *ver* ITERATOR

D

data members 333
DebuggingGlyph 177
DECORATOR (DECORADOR) 171
    comparado com ADAPTER 171, 179
    comparado com COMPOSITE 57, 170, 208-209
    comparado com PROXY 207, 208-209
    comparado com STRATEGY 174
    lightweight (leve) *versus* heavyweight (pesado) 174
    no resumo do catálogo 24
    uso pelo Lexi *58c*, *59o*, 60
decorator 171
Decorator 171, 240
    participante de DECORATOR 172, *172c*, *175o*
deep copy, *ver* copy, deep
delegação 36, 262, 333
    comparada com herança 36-37
    implementando adaptadores "plugáveis" com 145
    padrões que dependem da 37
delegado 36, 145
dependência 275
    controlando/administrando complexa 279
dependências de compilação
    reduzindo usando FAÇADE 182
Dependents, *ver* OBSERVER
desacoplamento, *ver também* acoplamento, fraco
    emissores e receptores 320
    interface e implementação 154
desfazer/refazer 71-72, 73-74, 224, 227, 266, 287
    evitando a acumulação de erros durante 228
despacho (dispatch)
    duplo (double) 312
    múltiplo (multiple) 313
    simples(single) 312
destructor 333
    garantindo que o do iterador é chamado 252
diagrama de interação 23, 338
    em BUILDER *106i*
    em CHAIN OF RESPONSIBILITY *213i*, *321i*
    em COMMAND *226i*, *320i*
    em MEDIATOR *258i*, *321i*
    em MEMENTO *269i*
    em OBSERVER *276i*, *320i*
    em VISITOR *84i*
    Visitor do Lexi *84i*
diagrama de objeto 336, 333
Dialog 212, 220
DialogDirector *258o*, *259ci*, 262
DialogWindow 65, *66c*, *67c*
DigitalClock 282
Director
    participante de BUILDER *105c*, 106, *106i*
DirectoryBrowser 145, *145c*, *146c*
Doc 197, *ver também* Lexi
document (documento)
    cor 55, 299
    estrutura física 49

estrutura lógica 53
    formatação 53
Document 113, *113c*, *222c*, 223, *223c*, 301, *301c*
documentando o projeto com padrões 42, 324
doesNotUnderstand (mensagem)
    usada para implementar CHAIN OF RESPONSIBILITY 218
    usada para implementar PROXY 203, 206
Domain 186, *186c*
Door *92c*, 93
    extensões para PROTOTYPE 127
downcast 99
Dylan 20
    uso de MEMENTO 272
dynamic _cast em C++   99, 165
dynamic binding (amarração ou vinculação dinâmica)   29, 333

E

Eiffel 32, 37
Element
    participante de VISITOR   308, *308c*
e-mail, endereço do
    contatando os autores *viii*
emissor
    desacoplamento do receptor 320
encapsulação 27, 333
    da análise e percurso do documento 81
    da semântica de atualizações complexas, 279, *ver também* ChangeManager
    de algoritmos, *ver* STRATEGY
    de como objetos são criados, *ver* ABSTRACT FACTORY, BUILDER, PROTOTYPE
    de solicitações 71, *ver também* COMMAND
    do comportamento específico de estados, *ver* STATE
    do conceito que varia 44, 66
    do percurso, *ver* ITERATOR
    do protocolo entre objetos, *ver* MEDIATOR
    preservando as fronteiras da 269
    rompendo com a herança 34
    rompendo com VISITOR 311
EnchantedMazeFactory 101
envelope-letter (idioma) 291
Equipamento 167, 314
EquipmentVisitor 315
Erros (acumulação de)
    evitando durante desfazer/refazer 228
escopo de um padrão de projeto, ver padrão de projeto, escopo
estados
    acumulando durante o percurso 310
    compartilhando 286, *ver também* FLYWEIGHT
    evitando inconsistentes 286
    extrínseco 188
    intrínseco 188
    mudanças incrementais 287

estilos de interação 96
    suporte no Lexi 49, 60
estrutura do código em tempo de execução *versus* em tempo de compilação 38
ET++
    uso da CHAIN OF RESPONSIBILITY 221
    uso de ABSTRACT FACTORY 103
    uso de ADAPTER 129, 149
    uso de BRIDGE 159
    uso de BUILDER 111
    uso de COMMAND 230
    uso de COMPOSITE 169
    uso de DECORATOR 177, 178
    uso de FACADE 186
    uso de FACTORY METHOD 120
    uso de FLYWEIGHT 198
    uso de ITERATOR 247
    uso de MEDIATOR 264
    uso de OBSERVER 283
    uso de PROTOTYPE 124, 129
    uso de PROXY 207
    uso de STRATEGY 299-300
ET++ SwapsManager
    uso de STRATEGY 300
ETgdb 129
explosão, *ver* hierarquia de classe, explosão
ExtendedHandler 217
extensibilidade 297
externo (iterador), *ver* iterador, externo
extrínseco (estado), *ver* estado, extrínseco

F

Façade
    participante de FAÇADE *179c*, 181, *181c*
FAÇADE (FACHADA) 179
    comparado com MEDIATOR 187, 265
    no resumo do catálogo 24
    uso em Choices 186
FACTORY METHOD (MÉTODO FÁBRICA) 113
    no resumo do catálogo 24
    parametrizado com o identificador do produto 115
    usado para criar um iterador 245
    usado para implementar ABSTRACT FACTORY 99, 99, 115
    variantes específicas às linguagens 117
fase de consolidação do ciclo de vida 325
fase de expansão do ciclo de vida 325, 326
fase de prototipação do ciclo de vida 325
fecho 247, 253
fecho transparente 56, *ver também* DECORATOR
FileStream 178, *178c*
finalidade de um padrão de projeto, *ver* padrão de projeto, finalidade
fluxo de caixa futuro 300
fluxo de controle
    encapsulação, *ver* MEDIATOR
    inversão do 42

FLYWEIGHT 188
  combinado com COMPOSITE 164, 192
  combinado com INTERPRETER 236
  combinado com STATE 286
  no resumo do catálogo 25
  participante de FLYWEIGHT 190, *190co*
  uso pelo Lexi 52
flyweight 188, *188o*
  administrando compartilhados 192
flyweightFactory 196
  participante de FLYWEIGHT *190co*, 191
FontDialogDirector 258, *258o*, *259ci*
Foote, Brian 325
framework para memória virtual 186
framework 41, 333
  comparado com padrões de projeto 43
  compromissos associados com 42
  documentando com padrões 42
  editor gráfico 121
  ver Bedrock
  ver Choices
  ver ET++
  ver HotDraw
  ver MacApp
  ver NeXT
  ver NEXTSTEP
  ver Rapp
  ver RTL Smalltalk compilador
  ver Unidraw
Fresco 317
friend (classe) 333
  usada para garantir a Iterator um acesso privilegiado à uma coleção (collection) 248
  usada para suportar Memento 287
functor 230

G

gdb 129
generics (ADA, Eiffel; templates, C++) 37
gerenciador de protótipo 125
glifo discricionário(discretionary glyph) 85
Glue, *ver* FAÇADE
Glyph 52, *52c*, *55c*, *56o*, *58c*, *59o*, *62c*, *66c*, *77c*
  implementado como um flyweight 193-196
  interface 52
  interface para percurso 76
GlyphArrayIterator 77, *77c*
GNU gdb 129
gramática 231
  mantendo complexa 236
Graphic *160c*, *199c*, 204
GraphicTool 121, *122c*
GUIFactory 61, *62c*, 63

H

Hamlet 17
Handle/Body, *ver também* BRIDGE
  idioma (idiom) de C++ 154, 159

Handler
  participante da CHAIN OF RESPONSIBILITY 214, *214ci*, *321i*
help (ajuda)
  on line 212
  sensível ao contexto 212
Help-Handler 213, *213c*, 216, 218
herança 30, 333
  C++, definida em 32
  classe *versus* interface 31
  combinada com polimorfismo 33
  comparada com a composição de objetos 33, 173
  comparada com tipos parametrizados 37
  de implementação 32, 333
  de interface 32, 333
  definida em Eiffel 32
  dinâmica 287
  mixin, *ver* classe, mixin
  notação para 30, 336, *335c*
  reutilização através 33
  Smalltalk, definida em 32
  uso apropriado da 33
herança múltipla, *ver também* classe mixin
  usada para implementar adapter de classe 142
  usada para implementar BRIDGE 155
herança privada 333, *ver também* herança, de implementação
hierarquia de classe
  adicionando operações à 328
  conectando paralelas 114, 245
  explosão 40, 56, 151, 172
  minimizando o tamanho da 118, 124, 172, 261, 294, 321
  visitando múltiplas 310
hifenização 74
Holywood (princípio de) 302
hook (operação) 302, 303
  em ABSTRACT FACTORY 114
  em FACTORY METHOD 114
  em PROXY 203
  em TEMPLATE METHOD 302, 303
HotDraw
  uso de STATE 291
hub de comunicação 258

I

IconWindow 65, *66c*, 151-152, *151c*, 156
Image *199o*, *199c*
ImageProxy *199o*, *199c*
Implementor
  participante de BRIDGE *153c*, 154
implícito (receptor), *ver* receptor, implícito
Inicialização tardia *(lazy initialization)* 117
instância, *ver também* classe, instância
  garantindo a unicidade da, *ver* SINGLETON
  variável 30, 333

instanciação 30
   abstraindo o processo de 61
   notação para 30, 336, *335c*
integrado (circuito) 300
interface 28
   benefícios de programar para 33
   conversação, *ver* ADAPTER
   especificando em C++ 32
   estreita *versus* larga em MEMENTO 268
   herança 28, 32
   inflar, inchar 244
   para iteração 248
   simplificando subsistemas , *ver* FACADE
INTERPRETER (INTERPRETADOR) 231
   combinado com COMPOSITE 243
   combinado com VISITOR 236, 243
   no resumo do catálogo 25
InterViews
   uso de ABSTRACT FACTORY 103
   uso de ADAPTER 149
   uso de COMMAND 230
   uso de COMPOSITE 169
   uso de DECORATOR 177
   uso de FLYWEIGHT 197
   uso de OBSERVER 283
   uso de SINGLETON 136
   uso de STRATEGY 297, 299-300
intrínseco (estado), *ver* estado, intrínseco
inversão do fluxo de controle 42
Invoker
   participante de COMMAND 225, *225c*, *226i*, *320i*
IRIS Inventor
   uso de Visitor 317
iteração polimórfica 245
   implementando em C++ 247
Iterador 76, 244, 313
   acesso para agregado 248
   acesso privilegiado para Aggregate 248
   alternativa para, em Smalltalk 256
   ativo 247
   controlando 247
   cursor 247
   externo 247, 313, 255
   garantindo a exclusão do 252
   interface para 247, 249
   interno 247, 253, 313, *ver também* ListTraverser
   nulo (*null*) 248, *ver também* NullIterator
   parametrizado com uma operação 253
   passivo 247
   polimórfico 245, 247, 251
   robusto 247
   sobre estruturas recursivas 248
ITERATOR (ITERADOR) 244
   combinado com COMPOSITE 333
   combinado com VISITOR 313
   comparado com VISITOR 310
   no resumo do catálogo 25
   uso em Lexi 79
Iterator 77, *77c*, *245c*, 249, 344
   participante de ITERATOR 246, *246c*

K

Kit, *ver também* ABSTRACT FACTORY em InterViews 103
Knuth, Donald 329

L

Leaf
   participante de COMPOSITE *161c*, 162, *162o*, 165
Lempel-Ziv (compressão de) 178
Lexi 47
   estrutura do documento 49
   interface do usuário 47, 48
   múltiplos sistemas de janelas 63
   operações do usuário 70
   padrões de aparência e resposta 60
   percurso e análise do documento 74
libg++
   uso de BRIDGE 159
linguagem(ns) de padrões 328
Linton, Mark 317
List 244, *244c*, *245c*, 249, 341
list box 258
lista da história 73-74, 227
   copiando comandos para a 227
ListBox *258o*, *259ci*, 263
ListIterator 77, 244, *244c*, *245c*, 250, 344
ListTraverser 253
LiteralExpression *232co*, 317
   implementada em Smalltalk 238

M

MacApp
   uso da CHAIN OF RESPONSIBILITY 221
   uso de COMMAND 230
   uso de DECORATOR 174, 175
   uso de FACTORY METHOD 118, 120
Macbeth 17
MacFactory *62c*
Macintosh 61, 64
MacroCommand 224, *224c*, 230
Manipulator 114, *115c*
MapSite 92, *92c*
Marriage of Convenience (casamento de conveniência) 150
Maze *92c*, 94
MazeBuilder 108
MazeFactory 100
   como singleton 136
MazeGame 94, 119
MazePrototypeFactory 126
Mediator
   comunicando com Colleague 262, 265
   omitindo a classe abstrata de 262
   participante de MEDIATOR *260co*, 261, *321i*

MEDIATOR (MEDIADOR) 258
   combinado com OBSERVER 279
   comparado com CHAIN OF RESPONSIBILITY 321
   comparado com FACADE 265
   comparado com OBSERVER 320, 321
   no resumo do catálogo 25
   uso de delegação em 37
mediator 258
member function 332, *ver também* operação
Memento
   combinado com COMMAND 228, 287
   participante de MEMENTO 268, *268c, 269i*
MEMENTO 266
   no resumo do catálogo 25
memento 267
   custos associados com 269
   suporte de linguagem para 287
MemoryStream 178
menu 222
   configurando 72, 223
   pull-down 70
Menu *62c, 222c*
MenuItem 71, *72c*, 222, *222c*
metaclasse 136, 333
método (method) 332, *ver também* operação
Meyer, Bertrand 150
Microsoft Windows, 64
Model/View/Controller 20, 21
   uso de COMPOSITE 21, 169
   uso de FACTORY METHOD 120
   uso de OBSERVER 21, 283
   uso de STRATEGY, 22
modelo de objeto da análise
   transformando para o modelo de objeto do projeto 325
MonoGlyph 57, *58c*
Motif 49, 60, 61, 61, 63, 96
MotifFactory 61, *62c*
mudanças incrementais 287
MVC, *ver* Model/View/Controller

N

NeXT AppKit
   Uso de ADAPTER 150
   Uso de BRIDGE 159
   Uso de CHAIN OF RESPONSIBILITY 221
   Uso de TEMPLATE METHOD 304
NEXTSTEP
   uso de ADAPTER 146
   uso de PROXY 199, 203, 207
Nó (*Node*) *307c*
NodeVisitor *307c*
NonTerminalExpression
   participante de INTERPRETER *234c*, 235
notificação 275
null (iterador), *ver* iterador, nulo
NullIterator *77c*, 77-78, 248
NXProxy 199, 203

O

Objective C 99, 124, 125, 137, 145
Objectory 333
ObjectWindows
   uso de ITERATOR 256
   uso de STRATEGY 300
ObjectWorks\Smalltalk, *ver também* Smalltalk
   uso de ADAPTER 149-150
   uso de DECORATOR 177
   uso de FAÇADE 185
objeto 27, 333
   adapter, *ver* adapter, objeto
   agregação 37
   aspecto de um 279
   associação 37
   como argumento para uma solicitação 318
   compartilhado, *ver* FLYWEIGHT
   composição, *ver* composição de objetos
   encontrando 27
   especificando a implementação do 29
   especificando interface para 28
   evitando dependências de implementação de 39
   granularidade do 28, *ver também* FLYWEIGHT
   guts (aspectos internos) 174
   referência 333
   skin (aspectos externos) 174
Objeto Modeling Technique (OMT) 23, 29, 333, 336
Objetos para Estados, *ver* STATE
OBSERVER (OBSERVADOR) 275
   combinado com MEDIATOR 262, 265
   comparado com CHAIN OF RESPONSABILITY 320, 321
   comparado com MEDIATOR 320, 321
   em Model/View/Controller 21
   limitando atualizações inesperadas em 277
   no resumo do catálogo 24
Observer 280
   combinando com Subject 280
   participante de OBSERVER *275c*, 276, *276i, 280c, 320i*
operação 27, 333
   adicionando a classes 309
   concreta 302
   despacho, *ver dispatch* ou despacho
   evitando dependência de específicas 39
   hook, ver hook (operação)
   primitiva 302, 304
   substituição 31
operação abstrata 30, 332
   uso para implementar ADAPTER 145
operação de classe 332
   alternativas fornecidas por SINGLETON 131
Orbix
   uso de FACTORY METHOD 120
Originator
   participante de MEMENTO 268, *268c, 269i*
originator 267
overloading (sobrecarregar)
   usado para implementar PROXY 202
   usado para implementar VISITOR 82, 311

P

padrão comportamental 26, 211
  comparação entre escopo de classe e de objeto 211
  discussão do 318
padrão de criação 26, 91
  discussão do 137
padrão de projeto 333
  aspectos do projeto variados pelo 45
  benefícios 323
  classificação 26
  como usar 44
  comparados com *frameworks* 43
  complemento à metodologia de projeto 325
  diagrama de relacionamentos 27
  documentando projetos com 42, 324
  elementos essenciais 19
  encontrando 327
  escopo 26
  finalidade 26
  história dos 327
  no resumo do catálogo 24
  refatorando com 325
  seleção do 43
  tabela de 26
  template (formato) do catálogo 22
padrão estrutural 26, 139
  comparação entre escopo de classe e escopo de objeto 139
  discussão do 208
pai/mãe (classe), *ver* classe, mãe ou pai/mãe
pais: referências para os
  definidas em COMPOSITE 163
parser (analisador sintático) 236
partes-todo, *ver* composição recursiva
  ver também agregação
Pascal 20
PassivityWrapper 177
passivo (iterador), *ver* iterador, passivo
path (caminho, trajetória)
  especificando formas com múltiplos segmentos 69
Pattern Languages of Programs (PLOP) 329
percurso de lista 244
percurso de objetos agregados, *ver também* ITERATOR
  ao longo de hierarquias de classes 310
  atribuindo responsabilidades em VISITOR 313
  in-ordem, pré-ordem, pós-ordem 248
persistência 200
Picture *160c*, *161o*
plataforma de hardware
  isolando a aplicação da 39
plataforma de software
  isolando a aplicação da 39
"plugável" (adapter) 143
  implementação de um 145-146, *145c*, *146c*, 149, *150c*
PMFactory *62c*
PMIconWindow 151, *151c*
PMWindowImp 152, *152c*, 157-158
Point (ponto) 373

Policy (políticas, procedimentos, regras), *ver* STRATEGY
polimorfismo 29, 333
  usado com herança 33
PreorderIterator 77
  member functions 78-79
Presentation Manager 49, 61, 64, 68, 69, 96, 151, 157
PrincingVisitor 315
PrintDialog *222o*, *213i*
Product
  participante de Builder *105c*, 106
  participante de FACTORY METHOD 113, *113c*
produtos (objetos produtos) 61
  criando em ABSTRACT FACTORY 99
  família de 96
  mudando em tempo de execução 123
  trocando 98
  variando a representação dos 107
programas de aplicação 40
projeto
  déjà-vu 18
  densidade 330
  documentando com padrões 42, 324
  para reutilização 38
  poesia do 328
  projetando para mudanças 38
projeto de objeto de modelo 325
proteção *ver* proxy
protocolo 333
protótipo 121
PROTOTYPE (PROTÓTIPO) 121
  combinado com COMMAND 227
  comparado com ABSTRACT FACTORY 129, 137
  comparado com FACTORY METHOD 120, 124
  no resumo do catálogo 25
  participante de PROTOTYPE 123, *123c*
  usado para implementar ABSTRACT FACTORY 99
Proxy 199
  combinado com ITERATOR 248
  comparado com DECORATOR 209
  no resumo do catálogo 25
  participante do PROXY *200co*, 200
proxy 199
  proteção 199, 201
  remoto 199, 201
  virtual 199, 201
pseudocódigo 31, *31c*, *335c*
Publish-Subscribe, *ver* OBSERVER
pull model 279
pull-down (menu), *ver* menu, pull-down
push model 279

Q

QOCA
  uso de ADAPTER 144
  uso de INTERPRETER 243
  uso de MEMENTO 274

R

RApp
  uso de STRATEGY 300
RealSubject
  participante de PROXY 200co, 201
Receiver (receptor)
  participante de COMMAND 225, 225c, 226i, 227
recepção garantida da solicitação 215
receptor 333
  desacoplamento do emissor 320
  implícito 213
Rect 346
Rectangle 36, 36c
refatoração 302, 325
refazer, ver desfazer/refazer
referências (contagem de) 201
RefinedAbstraction
  participante de BRIDGE 153c, 154
regulares (expressões regulares) 231
  representando em Smalltalk 1861
RegularExpression 232c
remoto (proxy), ver proxy, remoto
repassando (forwarding) solicitações 218
RepetitionExpression 232co, 317
  implementada em Smalltalk 237
resolução de restrições 265, 266 ver também ThingLab, QOCA

Responder 221
reutilização
  black-box (de caixa preta) 34, 326, 332
  da implementação 33
  de código 41
  frameworks 41
  interno 40
  maximizando 38
  por uso de subclasses 34
  projetando para o 39-40
  toolkits 41
  usando composição 34
  usando tipos parametrizados 37
  white-box (de caixa branca ou aberta) 34, 326, 333
Rich Text Format 104
robusto (iterador), ver iterador, robusto
Room 92c, 93
RTF, ver Rich Text Format
RTFReader 104, 104c

S

Scrollbar 62c
ScrollDecorator 171o, 171c
Scroller 58, 59o
Self 20, 125, 287
SequenceExpression 232, 317
  implementada em Smalltalk 237

seqüenciando solicitações 223
shallow copy, ver copy, shallow
Shape 140, 141c, 147
símbolo não-terminal (nonterminal symbol) 235
símbolo terminal 235
  shared usando FLYWEIGHT 236
SimpleCompositor 55, 55c, 293, 293c, 298
single static assignment form, SSA 169
single-dispatch (despacho simples), ver dispatch (despacho), single (simples)
Singleton
  participante de SINGLETON 130c, 131
SINGLETON 130
  C++, implementação em 132, 134
  no resumo do catálogo 25
  registro de um 133
  subclasses 133
  usado para implementar ABSTRACT FACTORY 99
sistemas de janelas (window systems) 49
  suporte para, no Lexi 63
Sketchpad 129
SkipList 157c, 251
skiplist 245
Smalltalk/V
  uso de INTERPRETER 239
  uso de MEDIATOR 262, 264
Smalltalk-240, ver também ObjectWorks\Smalltalk, Smalltalk/V
  uso de BUILDER 111
  uso de COMPOSITE 169
  uso de FACTORY METHOD 120
  uso de INTERPRETER 239
  uso de ITERATOR 256
  uso de OBSERVER 283
  uso de SINGLETON 136
  uso de VISITOR 317
smart pointers 200
smart references 200
solicitação 27, 333
  encapsulação de uma 71, ver também COMMAND
  recepção garantida de uma 215
  repasse (forwarding) automático de 218
  representação 216
  seqüenciação 223
Solitaire, ver SINGLETON
SolverState 266-267
SPECtalk
  uso de INTERPRETER 243
SpellingChecker 81-83
SpellingCheckerVisitor 85
StandardMazeBuilder 110
State
  participante de STATE 285, 285c
STATE (ESTADO) 284
  idioma (idiom) C++ para, ver idioma envelope-letter
  no resumo do catálogo 25
  uso da delegação no 37

Strategy *175o*
    participante de STRATEGY *294c*, 294
    tornando opcional 297
STRATEGY 293
    comparado com DECORATOR 174
    no resumo do catálogo 24
    uso da delegação em 37
    uso em Choices 187
    uso em Model/View/Controller 22
    uso pelo Lexi 55
strategy 293
Stream 178, *178c*
StreamDecorator 178, *178c*
Stroustrup, Bjarne 159
subclasse, *ver* classe, subclasse
subject 275
    mapeando para observers 278
    observando mais de um 278
Subject 281
    combinando com Observer 280
    evitando referências vazias para 278
    participante de OBSERVER *275c*, 276, *276i*, *280c*, 320 *i*
    participante de PROXY *200co*, 201
subsistema 333
    simplificando a interface para, *ver* FAÇADE
subtipo, *ver* tipo, subtipo
sucessor 213
    conectando à cadeia 216
    implementando uma cadeia de 214
superclasse 333, *ver também* classe-pai/mãe
supertipo, *ver* tipo, supertipo
Surrogate, *ver* PROXY
Sutherland, Ivan 129
swaps (em finanças) 300

T

Target
    participante de ADAPTER 142, *142c*
TCP (protocolo) 287
TCPConnection 284, *284c*, 287
TCPState 284, *284c*, 288
template 37, *ver também* tipos parametrizados
    usado para implementar COMMAND 228
    usado para implementar FACTORY METHOD 118
    usado para implementar STRATEGY 296, 300
TEMPLATE METHOD (MÉTODO TEMPLATE) 301
    chamando Factory Methods 120
    convenções de nomenclatura para 304
    no resumo do catálogo 25
    usado para implementar ITERATOR 256
TerminalExpression
    participante de INTERPRETER *234c*, 235
TEX 55, 104, 294
TeXCompositor *55c*, 293, *293c*, 299
TextShape 140, *141c*, 147, 148

TextView
    uso em ADAPTER 140, *141c*, 147
    uso em DECORATOR *171c*, *171o*
ThingLab 129
THINK
    uso de COMMAND 230
    uso de OBSERVER 283
tipo 28
    comparado com classe 31
    C++, definição em 32
    Eiffel, definição em 32
    Smalltalk, definição em 32
    subtipo 28
    supertipo 28
    verificação de 307
        para identificar solicitações em tempo de execução 217
        ver também dinaymic_cast
tipos parametrizados 37, 333, *ver também* template
    comparados com composição 37
    comparados com herança 37
token, mágico 320
Token, *ver* MEMENTO
Tool 121, *122c*, 291, *291c*
toolkit 41, 222, 333
    ver Andrew
    ver Booch Components
    ver Fresco
    ver InterViews
    ver IRIS Inventor
    ver Object Windows
    ver QOCA
    ver THINK
transação 225
Transaction, *ver* COMMAND
transições de estados
    atômicas 286
    definindo 286
    usando tabelas 286
TreeAcessorDelegate 146, *146c*
TreeDisplay 143, 145, *145c*, *146c*
two-way adapter, *ver* adapter (adaptador), two-way
TypeCheckingVisitor *307c*

U

Unidraw
    uso de ADAPTER 144
    uso de CHAIN OF RESPONSIBILITY 221
    uso de COMMAND 221, 230
    uso de FACTORY METHOD 116
    uso de ITERATOR 256
    uso de MEDIATOR 265
    uso de MEMENTO 272
    uso de OBSERVER 283
    uso de PROTOTYPE 129
    uso de STATE 291

UnsharedConcreteFlyweight
    participante de FLYWEIGHT 191
uso de subclasses
    estendendo a funcionalidade pelo uso de 39

V

Validator 300
VariableExp 240
VariableRefNode *307c*
verificação ortográfica 74
ViewManager 264, *264o*
Virtual Constructor (ConstrutorVirtual),
    ver FACTORY METHOD
visitor (visitante) 84, 307
VISITOR 306
    combinado com INTERPRETER 236, 243
    diagrama de interação para o Lexi 84
    no resumo do catálogo 25
    uso da delegação em 37
    uso em exemplo de compilador 184, 306
    uso em Lexi 86
Visitor 85, 311
    participante de VISITOR 308, *308c*
VisualComponent 171, *171c*, 175
vocabulário comum 324

W

Wall *92c*, 93
white-box (reutilização de caixa branca ou aberta),
    ver reutilização, white-box
Widget *213c*, 219, *259c*, 262
widget 61, 96
    hierarquia de Glyph 62
WidgetFactory 96
Window *36c*, 52, *66c*, *67c*, 152, 155
    configurando com WindowImp 69-70
    interface 65
WindowImp 67, *67c*, 152, *152c*, 156
    subclasses 67
Windows, *ver* Microsoft Windows
WindowSystemFactory 69
Wrapper, *ver* ADAPTER, DECORATOR
WYSIWYG 47

X

X Window System 64, 68, 69, 151, 157
XIconWindow 151, *151c*
XWindow 151, *151c*
XWindowImp 152, *152c*, 157

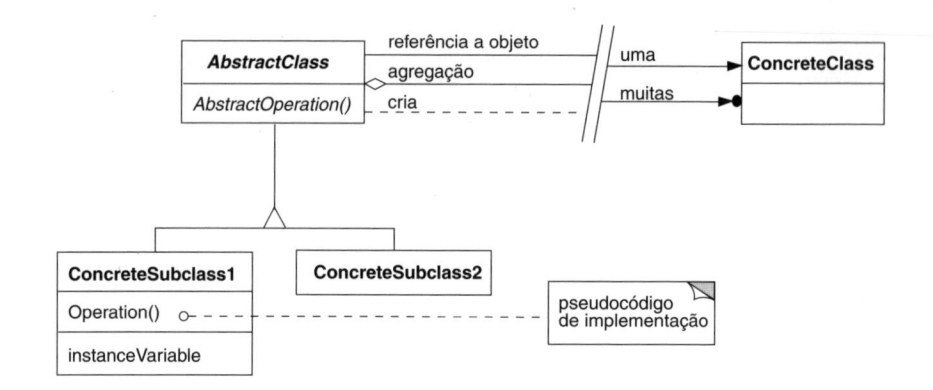

Notação de diagrama de classe

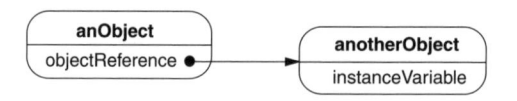

Notação de diagrama de objeto

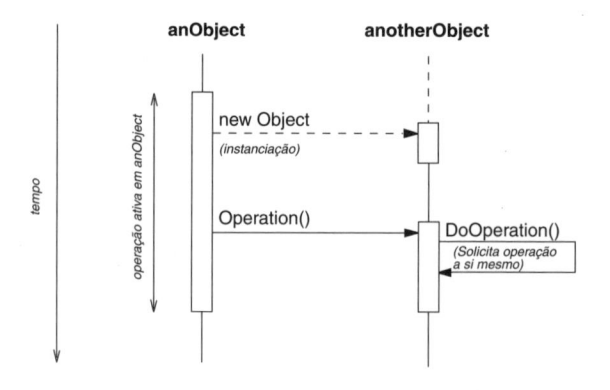

Notação de diagrama de interação